De vriendsch

RACHEL BILLINGTON

De vriendschap voorbij

VAN BUUREN UITGEVERIJ

Oorspronkelijke titel: *A Woman's Life*
Oorspronkelijke uitgave: The Orion Publishing Group, 2002

© 2002 Rachel Billington

© 2003 Nederlandstalige uitgave:
Van Buuren Uitgeverij BV
Postbus 5248
2000 GE Haarlem
E-mail: info@vanbuuren-uitgeverij.nl

Vertaling: TOTA / Erica van Rijsewijk
Bronvermelding: 'The Waking' uit Collected Poems van Theodore Roethke
Bronvermelding: Fragment uit Collected Poems van Louis MacNeice
Omslagontwerp: Wil Immink Design
Omslagillustratie: Getty Images, Kajetan Kandler
Opmaak: Nyvonco, Heerhugowaard

ISBN 90 5695 169 6
NUR 302

Voor Kevin

The Waking

I wake to sleep, and take my waking slow.
I feel my fate in what I cannot fear.
I learn bij going where I have to go.

We think by feeling. What is there to know?
I hear my being dance from ear to ear.
I wake to sleep, and take my waking slow.

Of those so close beside me, which are you?
God bless the ground! I shall walk softly there,
And learn by going where I have to go.

Light takes the Tree; but who can tell us how?
The lowly worm climbs up a winding stair;
I wake to sleep, and take my waking slow.

Great Nature has another thing to do
To you and me; so take the lovely air,
And, lovely, learn by going where to go.

This shaking keeps me steady. I should know.
What falls away is always. And is near.
I wake to sleep, and take my waking slow.
I learn by going where I have to go.

Theodore Roethke (1908-1963)

Constance O'Malley
geb. County Mayo, Ierland, 1940

Fay Blass
geb. Chicago, Verenigde Staten van Amerika, 1940

Nina Purcell
geb. Sussex, Engeland, 1940

1965

De urn, die aan de onderkant verbrokkelde, was beplant met lathyrus. Zonder steunstokken sliertten de ranken kwijnend langs de zijkanten. Wat ongepast, dacht Fay, voor een kliniek voor geesteszieken. Zo ongestructureerd, zo kinderlijk mooi, terwijl we toch zo ons best doen onze patiënten fier rechtop te laten lopen, zich schrap te zetten voor de wereld, om moed en kracht te vinden. Maar ja, de hele kliniek was anders dan anders, zelfs naar Engelse maatstaven gemeten, nam ze aan, hoewel ze daar als pasgearriveerde Amerikaanse niet zeker van kon zijn. Ruim twintig ziekenzalen, lange bakstenen gebouwen van twee verdiepingen, waren rond de overblijfselen van een landgoed gegroepeerd. Honderd jaar geleden zou het buiten Londen hebben gestaan, maar inmiddels had de stad zich met zijn woonbuurten en hoge flatgebouwen zo ver uitgebreid dat de kliniek erdoor werd omsloten. Desondanks was het terrein, met statige eiken en mammoetbomen, nog steeds zichtbare wandelpaden en stenen muurtjes, in stand gebleven. Vandaar de verbrokkelende urn. Maar wie had de lathyrus geplant? Tuinmannen deden weinig meer dan maaien. Misschien was het een patiënt geweest.

Fay keek omlaag naar de map die ze bij zich had, gevuld met notities over patiënten, droevige verhalen die ze met tegenzin had gelezen. Dat was wat ze gedaan had in de tuin: op een muurtje zitten in de niet zo warme zon. Met een vastberadener tred liep ze een hof over en ging een kleine zwarte deur binnen die vrijwel direct uitkwam op een functioneel trappenhuis, waardoor ze snel naar boven liep, waarna ze terechtkwam in een lange gang. Aan haar linkerkant bevond zich de ruimte voor groepstherapie, waar ze later naartoe zou gaan. Aan haar rechterkant, aan het eind van de gang, badend in het saliegroen van de muren, had zich een rij gevormd voor het loket waar de pillen werden uitgegeven. Ondanks het feit dat ze af en toe bij de groepstherapie aanwezig was, had Fay opgemerkt dat de patiënten in de kliniek voornamelijk met medicijnen werden behandeld en dat de meeste bewoners de mismoedige gezichtsuitdrukking hadden van mensen die zwaar onder de middelen zitten. Of, wat haar betrof: die té zwaar onder de middelen zaten. Maar hoe kon zij, nog maar een arts in opleiding, weten welke verhalen vol verschrikkingen en angst dankzij het gebruik van chemicaliën dof-draaglijk werden gemaakt?

'Neem me niet kwalijk!' Ze had zich werktuiglijk verontschuldigd toen een van de pillenklanten, een jonge vrouw die zich als om haar gedachten tegen te spreken had losgemaakt van de kudde, de gang door rende en haar tegen de muur drukte. Geërgerd besloot Fay haar de weg te versperren – 'Verontschuldig je maar niet, hoor!'

Het meisje schudde haar hoofd, zodat haar roodzwarte haardos om haar gezicht danste. 'Ik ben ziek. Ik hoef niemand verontschuldigingen aan te bieden. Ik ben de verontschuldigingen voorbij. Het is afgelopen met de verontschuldigingen, over en uit.'

'Wie zegt dat?' Ze keken elkaar aan. Fay merkte op dat ze heel knap was, Ierse tinten die pasten bij haar Ierse accent: dik donker haar, een witte huid, levendige blauwe ogen en een volmaakt ovaal gezicht, waardoor ze eruitzag als een kind – heel aantrekkelijk.

'Ik bied niet eens meer mijn verontschuldigingen aan aan mijn schepper.'

'Welke schepper is dat?'

'Ik maak echt geen grapje, weet u.'

Fay probeerde zich notities te herinneren over een hypermanische Ierse vrouw, waarna ze besloot dat de snedige opmerkingen lang genoeg hadden geduurd. Ze stak haar hand uit en verklaarde formeel: 'Ik ben dokter Fay Blass. Ik geloof niet dat we al met elkaar hebben kennisgemaakt.'

'U doelt op een van die genadeloze groepssessies, mag ik aannemen?' De toon was nukkig, maar ze stak beleefd haar hand uit. 'Ik heet Connie O'Malley.'

'Aangenaam kennis met je te maken, Connie.'

'Het genoegen is aan mijn kant, dokter Fay.' Weer deed ze schamper.

Fay zei niets. Zij vertegenwoordigde hier het gezag; er hoefde niets gezegd te worden. Ze vroeg zich echter wel af of dit misschien de patiënt was die de lathyrus had geplant.

Fay keek toe toen Connie een kruis sloeg over haar borst en wegliep zonder gedag te zeggen.

Fay zag haar later die dag nog een keer. De groepstherapie begon om drie uur 's middags. Fay was er nog niet achter in hoeverre die voor de patiënten verplicht was, maar er zat altijd een grote groep in een kring, hun hoofden gebogen, hun handen slap op hun knieën, of met in één hand vermoeid-waakzaam een sigaret. Alles was gevaarlijk voor deze mensen die op het randje balanceerden. Men was spaarzaam met woorden, af en toe deden uitbarstingen het stof dat in de banen van het vroege-middaglicht gevangenzat uiteenstuiven.

Fay observeerde alleen maar; ze registreerde de lome sfeer, registreerde Connie die bij de deur zat – die open was gezet voor diegenen met een claustrofobische angst om niet weg te kunnen. Ze besteedde duidelijk geen aandacht aan de groep, maar staarde dromerig naar de gang buiten.

Opeens stond ze zo abrupt op dat haar stoel ervan omviel, krijste: 'Hubert! Afgrijselijke man,' en schoot naar buiten.

Er volgde onderdrukte paniek. De rokers drukten hun sigaretten uit als in een geagiteerde voorbereiding op hun eigen vertrek. Diegenen die er op dat moment geen in hun hand hadden staken er meteen een op en trokken er heftig aan. Geleidelijk aan keerde de rust weer terug, en terwijl dat gebeurde kreeg Fay een vrouw in het oog die ze eerder nog niet had opgemerkt, wat vreemd was, omdat ze fors, lang en stevig was. Misschien kwam het doordat ze zonder iets te zeggen achterover had gezeten, maar nu boog ze zich voorover, kwam zelfs half overeind, alsof ze van plan was Connie achterna te gaan. Fay, wier aandacht zich nu op haar concentreerde, vond dat ze er veel te normaal uitzag om een van de patiënten te kunnen zijn. Misschien was ze net als zijzelf een observator.

'Ik ken dat meisje,' zei de vrouw luid.

'Pardon?' vroeg de therapeut met een vriendelijke stem. Maar de vrouw zei niets meer en trok zich in elkaar gedoken verder terug in haar stoel alsof dat haar onzichtbaar maakte.

Connie kwam bij haar kamer met een lange, bebaarde man vlak achter haar aan. Ze stortte zich op het bed en begroef haar hoofd in haar armen. Vernedering en woede raasden door haar hoofd, maar van tijd tot tijd weken die voor nog meer narigheid in de vorm van beelden van Rick: Rick aan het strand, Rick in haar bed, Rick in Parijs. Haar hart en maag trokken pijnlijk samen. Rick zou haar niet komen opzoeken. Rick had haar verlaten. In plaats daarvan zat ze met deze reus, dit gedrocht, deze Hubert, zijn vader. Nu verdrong woede alle andere emoties. Terwijl ze als een tijgerin ineen dook, riep ze: 'Ik weet niet waarom ze je hebben binnengelaten! Dit is een gesloten afdeling! Ik ben een gesloten persoon!'

'Het spijt me. Maar ik weet hoe ik met dit soort instellingen moet omgaan, sorry dat ik het zeg.'

'Jammer maar helaas en nogmaals jammer. Ik vind het helaas ontzettend jammer om jou hier te zien. Bezoek alleen op uitnodiging. Mijn eigen familie mag hier niet eens komen.' Connie zat op haar bed, haar rug uitdagend tegen de muur.

Hubert, die er terneergeslagen uitzag, en in elk geval oud, en wellicht boetvaardig, nam plaats op een stoel. 'Ik heb wat bananen voor je meegenomen.'

'Bananen. Jakkes.' Ze duwde de bruinpapieren zak van zich af. Ze dacht: bananen, nota bene! Om te gillen. 'Jakkes,' herhaalde ze.

'Toen ik jong was, kreeg ik zelden bananen.' Hij probeerde geruststellend te glimlachen, maar het werd een scheve grijns.

'Je baard moet getrimd worden, bijgeknipt, er helemaal afgeschoren. Je bent walgelijk!' Maar zij was degene die walgelijk was. Die baard die over haar naakte huid streek. Hij had haar niet verkracht. O god, hád hij haar maar verkracht!

'Ik ben blij dat je nog niets van je vuur kwijt bent,' zei hij mistroostig. Er viel een stilte, waarin zij probeerde vast te houden aan haar felheid, terwijl ze naar een punt boven zijn hoofd staarde en wachtte tot hij zou weggaan.

'Ik weet zeker dat Rick uit Parijs zou komen als hij het zou weten.'

Dat was de druppel. Connie, die zich over de plek heen boog waar de bananen op de grond waren gevallen, graaide naar de tros en brak hem in tweeën, waarna ze alle bananen afpelde terwijl Hubert verbaasd toekeek, en gooide ze hem vervolgens in het gezicht. Eentje trof doel. Hubert keek alsof hij zou gaan huilen, maar herstelde zich terwijl hij achterwaarts van de rommel wegliep naar de deur.

'Ik ben bezig aan een sonnet,' riep hij uit, 'met alle belangrijke woorden tussen haakjes. Het moest beginnen met jouw naam tussen dubbele haken, als eerbetoon, maar nu zal ik er Ricks moeder voor in de plaats zetten, mijn beschaafde echtgenote, die, mag ik wel zeggen, de laatste tijd erg goed voor me is geweest. En daar zou ik aan willen toevoegen' – gebukt liep hij verder de deuropening door – 'dat jij lekker kunt neuken en dat je geloof het expliciet verbiedt jezelf iets aan te doen.' Gelukkig voor Connie trapte hij toen op een van de bananenschillen, die ze achter de bananen aan had gegooid, en gleed hij buiten haar blikveld uit, waarna hij met een doffe dreun op de goed geboende vloer in de gang belandde.

Zodra hij weg was, liet Connie zich languit voorover op het bed vallen, met haar hoofd bungelend over de rand. Ze dacht dat ze moest kotsen, wat een opluchting zou zijn, maar dat gebeurde niet. In plaats daarvan sloot ze haar ogen. Misschien zou het leven er beter uitzien als ze ondersteboven bleef hangen.

Een paar minuten later werd er op de open deur geklopt.

'Mag ik?'

Connie opende één oog en keek door haar haren heen naar de donkere benen van iemand die ze, ook zonder haar ogen verder op te slaan, herkende als een priester.

'Welkom, vader O'Donald.' Ze kon meteen merken dat hij gewend was aan ziekenhuizen, zelfs klinieken voor geesteszieken. Dat kwam door de manier waarop hij zijn jas en hoed afdeed en die keurig boven op elkaar op de vensterbank van haar kleine kamer legde, en door het feit dat hij zijn stoel niet te dicht naar het bed toe schoof, waarin zij zo'n groot deel van haar dag doorbracht.

'Ik heb zojuist je boodschap gekregen,' zei hij.

Hij weet dat ik een moordenaar ben, dacht ze, en hij denkt dat hij me, als hij mijn boodschap eerder zou hebben gekregen, had kunnen tegenhouden. Ze stelde zich het gesprek voor, over de heiligheid van het leven. 'Wat God heeft gegeven, mag de mens niet wegnemen.' Alleen was het Hubert die het haar gegeven had. Of Rick. Nee. Rick was in Parijs geweest. Ze zou nooit huilen ten overstaan van een priester. Ze dacht aan het weeshuis dat ze met haar zuster Eileen had bezocht, een grijsgranieten gebouw aan de rand van Dublin, waar rijen baby's, buiten het huwelijk geboren, door hun moeders werden verzorgd voordat ze scheep zouden gaan om geadopteerd te worden. Ze had het vreselijk gevonden om te zien, maar Eileen was onder de indruk geweest en had zich monter afgevraagd of een paar van haar eigen kinderen hier niet beter af zouden zijn.

'Stel u eens voor, vader: negen maanden bezig zijn om een baby ter wereld te brengen en hem dan weggegeven.'

'Pardon?' zei vader O'Donald. Hij keek zo argeloos dat Connie opeens besefte dat hij helemaal niet op de hoogte was van haar verschrikkelijke zonde en alleen maar op bezoek kwam bij een arm katholiek meisje dat een overdosis had geslikt. Nou, waarom zou ze hem niet in die waan laten? Ze ging voor hem staan, haar handen in haar zij, haar blote voeten uitdagend een stukje uit elkaar.

'Ik moest een baby krijgen toen we elkaar ontmoetten op die boot naar Frankrijk – tweemaal kwamen we elkaar tegen, was dat niet raar? Op de heen- en op de terugreis – maar nu is hij er niet meer. De baby, bedoel ik. Ik heb hem vermoord. Dus ik heb mijn dertig zilverlingen betaald. Hoe dan ook, het is nu allemaal voorbij.'

De priester keek ernstig.

'Dit is geen biecht,' vervolgde Connie. 'Ik heb er geen spijt van. Ik zou het zó weer doen. En als ik niet zég dat ik er spijt van heb, kunt u me niet vergeven.'

'Dat is waar.' De priester zuchtte. 'Hoewel dat wel heel strikt volgens het boekje is.'

'Het Heilige Boek,' beaamde Connie.

'Ik had geen idee. Als je me het op de boot had gezegd...'

'Nee, dat had u niet gekund. Ik heb het u al eerder gezegd: u had me nooit kunnen overtuigen.'

'Dat zou ik ook niet hebben geprobeerd.'

'Hoe bedoelt u?'

'Ik zou hebben geluisterd. En dan zou ik jou hebben gevraagd om te luisteren. Maar nu is het te laat.'

Connie begon te huilen. 'Ziet u nou? Ik wist wel dat u me aan het huilen zou maken. Maar het maakt niets uit. Ik denk nog steeds dat ik gedaan heb wat goed was. Ik zou mijn baby nooit hebben weggegeven. Nooit!'

Weer slaakte hij een zucht. 'Nee. Dat begrijp ik wel. Je was voor die tijd heel ongelukkig, maar nu lijk je nog ongelukkiger.'

Connie hield op met huilen. 'Dat is nu alleen maar even zo. Ik hoor steeds maar mijn tante, dat is alles. Zuster Mary Oliver. Ze was een non. Op mijn twaalfde verjaardag nam ze me mee naar Knock en we baden de rozenkrans bij de muur waar de Maagd was verschenen in de regen, hoewel er geen plas te zien was op de plek waar ze in haar blauwe mantel stond. We vulden onze jampotjes met heilig water. Mijn tante was heel, heel heilig. Ze is, weet u, vlak daarna gestorven en ik verwacht dat ze vanaf haar plaats aan Gods rechterzij haar vinger naar me schudt.' Ze keek de priester uitdagend aan. 'Maar over een poosje ben ik wel over haar heen. En dan word ik beter. En heb ik geen baby die niemand wil hebben. Ik ga hier binnenkort weg, dat staat vast. Er is niets met me aan de hand. Het was weliswaar mijn opzet hem te vermoorden, maar ik wilde niet mezelf vermoorden. Ik wilde alleen maar een daad stellen, tegenover God waarschijnlijk, toen ik het niet meer zag zitten. Ik weet niet waarom ze me naar deze droeve plek hebben gebracht. Ik ben niet gek of zoiets.'

'Alleen maar ongelukkig,' zei de priester beminnelijk.

'Veel minder ongelukkig dan wanneer ik nog steeds zwanger zou zijn.' Ze keken elkaar aan. 'Begrijpt u wat ik bedoel? Een baby is echt. Dan krijg je te maken met voeden, vieze luiers en slapeloze nachten; dat heb ik eerder gezien. Mijn grote zus had de laatste keer dat ik haar zag vijf kinderen onder de acht.'

'Het spijt me.' De priester stond op. Hij keek op zijn horloge. 'Misschien moeten we bidden.' Hij leek iets hoopvoller.

Grootmoedig in haar overwinning zei Connie dat ze best wilde bidden, maar desondanks verraste het haar toen hij vooroverzakte op zijn knieën. Ze voelde zich verplicht met hem mee te doen, zich bewust van haar blote knieën op de linoleumvloer.

'Laat ons, o Heer, het doel begrijpen waarvoor we hier op aarde zijn, en schenk ons de vreugde die voortvloeit uit waar begrip. Amen.'

'Amen,' echode Connie.

'Niet erg elegant, vrees ik.' Vader O'Donald kwam op een vermoeide, scheve manier overeind.

Connie liep met hem mee door de gang en bleef staan om zijn zwarte hoed en overjas uit het zicht te zien verdwijnen. Hij was wel oké, behalve dat hij haar herinnerde aan haar weekend in Parijs. Aan die daken. Aan die seks. Aan Rick, die haar een brief had gegeven die ze moest lezen op de boot. 'Lieve Connie, je bent heel speciaal, maar...'

Nina draaide de kranen zo dat het water zachtjes stroomde. Ze bevond zich in een steriele crèmegeschilderde toiletruimte van de kliniek, wat geruststellend was. Er was ook een wasbak. Ze probeerde haar ademhaling te reguleren, niet in paniek te raken, het niet op een schreeuwen te zetten. Zich alleen maar kalm te wassen en na een poosje het vertrek weer uit te gaan, zoals ieder ander normaal mens. Maar ze wist dat ze meer tijd nodig zou hebben. Eerst kwam er een algemene wasbeurt, tot aan haar ellebogen, grondig, heel grondig. Dan kwamen de druppels, schone druppels die ze in haar hals en op haar gezicht spetterde, die tegen haar benen sloegen. Ze hijgde. Ze moest haar gehijg onder controle zien te krijgen. Godzijdank was er geen spiegel die de flits van paniek op haar gezicht zou kunnen weerkaatsen. En nu het serieuze gedeelte: elke vinger tien keer wassen onder stromend water, en nog eens drie keer tienmaal, en voor het geval ze zich had verteld en om er helemaal zeker van te zijn dat alles echt helemaal in orde was, zelfs die onzekere dingen die je niet kon weten en die buiten haar voorspellingsvermogen vielen, nogmaals drie keer. Geen handdoek, natuurlijk, met alle verschrikkingen van vuil dat daaraan zou kunnen kleven. Gelijkmatig ademhalen, hield ze zichzelf weer voor, en toen het ritueel eindelijk was volvoerd was ze ook vrij om dat te doen. Langzaam en zorgvuldig ontgrendelde ze de deur en glipte naar buiten.

Ze vatte moed en liep de gang door naar de keuken; ze deinsde maar een klein beetje terug toen ze de Amerikaanse dokter zag staan met de koffiebus in de hand. Haar slanke vredigheid had iets kalmerends, het donkere haar keurig naar achteren getrokken, rode lippen, een bril, een klembord beschermend onder haar arm.

'Mag ik?' Voorzichtig strooide Fay een lepel koffie in twee koppen en wachtte tot de grote, bezorgd kijkende vrouw – dezelfde die bij de groepstherapie een keel had opgezet – er warm water bij schonk.

15

'U bent een dokter, hè?' vroeg ze, de ketel in de hand. De hand trilde een beetje, registreerde Fay, en ze vroeg zich af hoe het zat met haar dosering medicijnen.

'Zoiets ja. Fay Blass. Ik ben hier voor mijn klinische opleidingsperiode. Dat wil zeggen, ik ben overgekomen uit New York.'

De vrouw schonk wat heet water op het koffiepoeder. Haar manier van doen was aarzelend en argwanend, alsof ze noch zichzelf, noch het hete water vertrouwde. Ze ging niet door op New York en zei ook niet hoe ze zelf heette. Zelfs haar stem klonk weifelend. 'Ik kom hier drie middagen per week. Voor dokter Halpern. Dan ben ik even weg van mijn kinderen.'

'Kinderen? Dus meer dan één?'

'Twee. Twee baby's, geboren in Malaya.' Ze zweeg even, alsof ze zich het beeld van haar kinderen of van Malaya voor de geest haalde, terwijl Fay geduldig wachtte. Ten slotte begon ze te vertellen en ze was niet te stuiten. 'Mijn man zit in het leger. Ik bedoel, dat is niet de reden dat ik twee kinderen heb. Maar we wonen nu in Duitsland.' Haar gezicht kreeg een kleur en een uitdrukking van verlegenheid. 'Eerlijk gezegd ben ik hier om te proberen de cirkel van mijn obsessieve gewas te doorbreken. Dokter Halpern gelooft in gedragstherapie. Maar ik neem aan dat u alles over me weet.'

Fay haalde kalm-professioneel adem. Dus dat was het probleem. 'Niet echt. Rituele reiniging is niet mijn terrein.'

De vrouw deed een stap naar achteren. 'O, ik geloof niet dat het veel met reiniging te maken heeft.' Ze klonk gechoqueerd.

'Het spijt me.' Fay fronste. Ze kon veel minder goed overweg met Engeland en de Engelsen dan ze van tevoren had verwacht. Er was sprake van een gebrek aan openheid, meende ze, dat grensde aan het afwijkende, en ze haalde zich de kaart van Centraal-Londen voor de geest met al zijn krankzinnige halvemaanvormige rijen huizen en stallen en tuinen. 'Ik ben hier voor tweemaal zes weken,' legde ze uit. 'Ik kom hier om dingen te leren,' voegde ze eraantoe met de bedoeling niet-bedreigend over te komen.

De vrouw vroeg, met plotselinge intensiteit: 'Wat vindt u van het meisje dat uit onze groep is weggegaan? Ik weet zeker dat ik haar eerder heb gezien.'

'Je bedoelt Connie. De Ierse. Ze kreeg bezoek. Dat was niet welkom, kennelijk. Hoe heet je, als ik vragen mag?'

'Mevrouw Purcell.' Ze bedacht zich. 'Nina.' Ze stak haar hand uit. 'Amerikanen zijn minder formeel, nietwaar?'

'Als jullie ons dat toestaan.'

In een sfeer van camaraderie verlieten ze de keuken. 'Toen ze me vroegen hoe ik de middagen wilde doorbrengen,' zei Nina, 'antwoordde ik: met schilderen. God mag weten waarom.'

'Dat klinkt goed,' moedigde Fay haar aan. 'Ik zou graag een keer je schilderijen zien.'

'O nee, het zijn geen schilderijen.' Nina, die nu weer zenuwachtig begon te doen, trok zich terug. 'Alleen maar kleurvlekken. U weet wel. Een kind zou het nog beter doen.'

'Ik niet, hoor,' hield Fay aan, en ze stak haar handpalm omhoog als een temmer van wilde dieren. 'Ik heb geen enkel kleurgevoel. Eerlijk gezegd denk ik dat ik kleurenblind ben. Alleen zou ik dan vrijwel zeker een man zijn.' Opeens glimlachte Fay. 'Maar mijn moeder heeft iets met fuchsiaroze.' Wanneer dacht ze, behalve hier in Engeland, ooit aan haar moeder, laat staan dat ze in een gesprek een opmerking over haar zou maken? Het hoogtepunt van het fuchsiagebeuren had plaatsgevonden in Orbachs na een middagje stevig winkelen – de enige reden dat ze vanuit Chicago naar New York kwam, voorzover Fay kon nagaan. Ze had maar doorgedramd over het feit dat zij een van de weinige gelukkigen was die een felle kleur als fuchsiaroze goed stond. Op het laatst had Fay toegegeven en had ze het ellendige kledingstuk aangeschaft in de wetenschap dat ze het nooit zou dragen. En toen was haar moeder begonnen op te scheppen over haar dochter, de arts.

'Fuchsia zou voor mijn moeder niet zozeer een kleur, als wel een bloem zijn.' Nina staarde over Fays schouders. 'Ze heeft een grote tuin met grote borders. Als ik probeer met haar te praten, gooit ze winde en vlier en brandnetels naar me toe. We hebben een hechte band.' Ze maakte aanstalten weg te lopen, maar heel langzaam, en praatte over haar schouder verder. 'Maar nu woon ik hier.' Fay zag haar gaan, teleurgesteld.

'Heb jij die lathyrus in een urn geplant?' vroeg ze, hopend dat ze haar daarmee terug kon roepen, maar Nina hoorde haar niet of gaf in elk geval geen reactie.

Nina zat bij het raam in de schilderkamer en keek naar de voorbijdrijvende wolken. 'Je hebt de hele middag,' had dokter Halpern gezegd toen ze pas was aangekomen, en ze had zich vagelijk herinnerd dat tijd ooit een bron van plezier was geweest. 'De hele middag.' Hij verwachtte kennelijk dat ze op de een of andere manier zou reageren – door hem te bedanken, door voorstellen te opperen, of zelfs alleen maar een opmerking te maken. Hij had zwaar getranspireerd, zijn huid was rood en vol sproeten, de boord van zijn overhemd kwam boven zijn das uit. Hij vormde een passend onderdeel van de lelijke wereld die ze voor zichzelf had gecreëerd. Zelfs

17

aan zijn witte jas hing een knoop op halfzeven, als een oog dat uit zijn kas was gerukt. Eigenlijk had ze in haar leven altijd te veel tijd gehad.

Nina keerde terug naar de wolken. Het was een koele dag laat in de herfst, maar de lucht was blauw met een tumultueuze keur aan grijs- en wittinten die er langzaam overheen trokken. Helaas moesten de wolken vanuit Nina's gezichtspunt, aan de overkant van de tuin van de kliniek die naar de buitenwereld liep, achter een groot flatgebouw langs. Negenentwintig verdiepingen had ze geteld. Aanvankelijk vond ze dit hoog optorenende obstakel frustrerend omdat het elke keer de continuïteit van haar blikveld doorbrak. Bovendien merkte ze op dat een wolk die in een bepaalde vorm de ruimte die zij niet kon zien binnenkwam, er aan de andere kant in een licht gewijzigde vorm weer uit vandaan kwam. Omdat de zon vrij laag stond en achter de wolken schuilging, waren hun randen scherp getekend, geschulpt als de rand van een schelp, vaak met een zwarte bies met een smalle, oplichtende straling eromheen. Soms, wanneer een wolk groot genoeg was, stak die aan weerskanten van het flatgebouw uit. Wat een afgrijselijke dingen bracht de mens voort, bedacht Nina, en toen ze haar vinger omhoogbracht, zag ze tot haar vreugde dat ze alleen al daarmee, door één vinger op te steken, het hele betonnen misbaksel kon afdekken. En toen, terwijl ze toekeek en zich sterk concentreerde, met één vinger voor haar neus, zag ze een wolk met opbollende omtreklijnen, als de rokken van een danseres, de ruimte achter haar vinger binnengaan. Maar hoe zou hij weer tevoorschijn komen? Glimlachend bij zichzelf probeerde ze het zich voor te stellen, en ze wachtte geduldig om te zien of ze het goed had.

'Stoor ik je misschien bij het aloude ritueel van het opsteken van de linkerwijsvinger?'

Abrupt draaide Nina zich om. Ze wilde praten met dit mooie Ierse meisje, dat wat om haar heen hing en haar dichte haardos naar achteren streek. 'Ik heb jou eerder gezien.'

'Denk je op die manier mijn vraag uit de weg te gaan? Inderdaad, overal kom je me tegen en ben ik sterk aanwezig.'

'Nee, echt,' onderbrak Nina haar met een frons. 'Ik heb je één keer eerder gezien. In een hotel in Hastings. Maar we hebben niet met elkaar kennisgemaakt.' Zij, die meestal zo op zichzelf was, kwam in de verleiding om deze vreemde meer te vertellen, haar te vertellen dat zij op huwelijksreis was geweest, dat ze elke dag lunchten in een chic restaurant, dat William zo knap was, dat ze allebei zo deftig waren, ondanks de nachten in dat grote witte bed.

Maar Connie, die grimaste en eruitzag alsof ze in tranen zou kunnen uitbarsten, was op de tafel af gesprongen en had de grootste verfkwast in een pot rode plakkaatverf gedoopt. 'Bloed!' riep ze uit, terwijl ze op een vel papier kladde en het volsmeerde.

Nina keek toe hoe het lelijke rood zich van het papier uitbreidde over de tafel en vroeg zich af of ze wel wilde praten met iemand die zo vreselijk dramatisch over zichzelf deed. Het was allemaal zo zonneklaar. Abortus. Zelfmoord staat gelijk aan bloed. Ze liep naar de tafel. 'Ik heb je eerder gezien, ongeveer vier jaar geleden. Je kwam binnen met een man, jullie zagen er allebei onstuimig en gelukkig uit. William – dat is mijn man – en ik keken naar jullie. Jullie gingen bij een ouder echtpaar zitten die halverwege hun lunch waren en we wisten dat het de verjaardag was van jullie vriend, want de man, die fors was en een baard had, riep dat naar hem. Hij was de vader van je vriend, denk ik. Ach, wat zag je er toen gelukkig uit,' zei Nina nog eens, op droeve toon. 'Ik ben het nooit vergeten.'

Connie kladde een poosje nog verwoeder door en legde toen de kwast neer, terwijl haar gezichtsuitdrukking veranderde. 'O, wat waren we gelukkig! We waren naar zee geweest zodat Rick zijn geboortekostuum kon dragen, zoals hij het noemde. Dus droeg ik ook het mijne. Wat hebben we gevreeën in de duinen – met zand in al onze lichaamsopeningen, maar het kon ons niet schelen. Het voelde ook niet verkeerd, helemaal niet als hel en verdoemenis, maar meer als Adam en Eva voor de schepping.' Ze zweeg even. 'Of was het ná? Nou ja, je snapt wel wat ik bedoel. Rick heeft het condoom begraven, weet je, met een kleine plechtigheid vanwege het kostbare zaad. O, god. O, god.' Ze begon te huilen, de tranen stroomden vrijelijk. 'De zon schitterde op de zee en ik kon mijn onderbroek niet meer terugvinden.'

'Het spijt me dat ik je van streek heb gemaakt,' zei Nina, die schrok van Connies smart, hoewel ze tussen haar snikken door graag verder leek te willen vertellen.

'Dat was mijn eerste ontmoeting met die vreselijke Hubert, zie je. Die man die me een paar dagen geleden is komen opzoeken. Uiteindelijk had ik hem te grazen met die bananen. Jij zat in die zomerse zondagse eetzaal, dus je hebt gezien dat hij het zout van mijn armen likte. Maar je kon niet zien dat hij met zijn vingers omhoogging over mijn benen. Tussen mijn benen. Waar het nog nat was van de seks met zijn zoon. Ik had het toen kunnen weten. Zo vader, zo zoon – wat die onzin ook moge betekenen. Ze hebben me allebei op hun eigen manier geruïneerd.'

'Ach hemel,' begon Nina opnieuw, maar tot haar verrassing zag ze dat Connie was opgehouden met huilen en zelfs bekoorlijk glimlachte.

'Zij behoren tot het verleden, houd ik mezelf nu voor. En jij, vertel jij me eens wat jij deed in die sombere eetzaal, dat je een arm Iers meisje zo hebt zitten begluren.'

'Ik... Ik...' Nina besefte hoe weinig ze gewend was aan vertrouwelijkheden. Wat moest ze tegen haar zeggen? Over de huwelijksnacht waarop zij, een maagd, witter was geweest dan de witte lakens en William haar had gezegd dat het de volgende keer beter zou gaan? Nee, dat zou niet loyaal zijn. 'Ik was op huwelijksreis,' zei ze kortweg, en om verdere vragen te vermijden voegde ze eraan toe: 'Je vroeg me toch net waarom ik mijn vinger had opgestoken? Zal ik je dat nu vertellen? Ik bedoel, het is best interessant.'

'Doe dat. Misschien dat ik dan word afgeleid van de zwakheid van het vlees.'

'Ik zat naar de wolken te kijken,' legde Nina uit, lettergrepen inslikkend, 'en ik stak mijn vinger op om dat deprimerende flatgebouw niet te hoeven zien.'

Connie pakte de kwast weer, die nog steeds droop van het bloed, en hield hem op naar het raam. 'Dat is bizar!' riep ze uit. 'De kwast is groter dan duizenden kilo's beton!'

Zo bleven ze naast elkaar zitten om de voortgang van de wolken achter een vinger en een kwast gade te slaan, en na een uur had de zon hen blij gemaakt door van geel via oranje in mauve te veranderen. De tijd ging erg langzaam in de kliniek, vooral 's middags.

In hun ogen wrijvend, die prikten van al het getuur, gingen ze naar de tafel, waarop nog steeds papier en verfspullen lagen uitgestald.

'Ik zag je met een priester.' Nina pakte de kwast op.

Connie bleef staan kijken, begon alsof ze spottend wilde doen, en begon toen opnieuw: 'Een vriend. Alle Ieren hebben een lievelingspriester. Hij is de mijne, hoewel ik hem maar één keer eerder heb ontmoet. Aan boord van een schip. Maar voor het geval je me ernaar vraagt: ik ga je niet over dat reisje vertellen, want voor één middag hebben we al wel genoeg tranen gehad.'

'Het spijt me,' zei Nina.

'Vader O'Donald zei ook dat het hem speet.' Connie ging zitten. 'Ik heb hem genoeg verteld om hem de schrik van zijn leven te bezorgen, de arme man. Hoewel ik hem niets heb gezegd over de crème de menthe die ik over die Algerijnse jongen met de lange wimpers en een stijve je-weet-wel heen heb gekotst. Ik wilde niet dat hij van me zou gaan walgen. Het was al erg genoeg dat ik van mezelf walgde.'

Nina, die met haar hoofd over een schildering gebogen zat, wist niets te zeggen.

'Ben jij lang getrouwd geweest?'

'Vijf jaar. Het grootste deel van die tijd hebben we in het buitenland gewoond. Mijn man zit in het leger.' Was dit de waarheid die haar het best omschreef? Het leek van wel. Ze probeerde te denken aan andere persoonlijke informatie, maar in plaats daarvan herinnerde ze zich Williams stevige benen toen ze tien was geweest en onder de schaduw van de tafel komkommersandwiches had zitten eten. Hij had op hun grasveld getennist met haar vader en zijn vader en nog iemand anders. Zijn benen hadden roze gezien van de inspanning en waren overdekt met blonde haartjes. Vooral zijn voeten hadden ontzettend groot geleken, en ze meende zich te herinneren dat hij sandalen had gedragen. Of misschien herinnerde ze zich zijn tenen van keren daarna.

'Het Britse leger.' Connie liet haar stem dalen tot een fluistering, waarna ze haar gebruikelijke hoge toon weer aansloeg. 'Als ik tegen mijn vader zou zeggen dat ik omging met de vrouw van een Britse legerofficier – ik neem tenminste aan dat hij officier is –, zou hij me zonder een penny het huis uit zetten, hoewel hij geen penny bezit en ik mezelf er al uit heb gegooid, maar dat doet niet ter zake. Ik had een oom die tijdens de noodtoestand bij het Britse leger is gegaan en zijn naam werd bij ons thuis niet genoemd, ook al was hij pa's liefste broertje. Ik wist helemaal niet van zijn bestaan af, totdat hij dood was, neergeschoten door een Duitse kogel – een verrader van zijn eigen land, zoals zelfs zijn eigen vader toegaf, hoewel zijn moeder verstandiger was, heb ik van mijn zuster te horen gekregen. Wij vrouwen zijn over het algemeen evenwichtiger. Heb jijzelf nationalistische neigingen?'

'Waarom noem je de oorlog "de noodtoestand"?'

'Het was jullie oorlog, niet de onze. Ik was nog maar een klein meisje. Het betekende niets voor me, hoe je het ook wilt noemen.'

Nina keek op van haar schildering en sprak langzaam. 'Volgens mij is de oorlog, oorlog in het algemeen, voor mij het belangrijkste geweest in mijn leven.' Dit was beter. Nu zei ze iets waars en nieuws over zichzelf. Moest ze eraan toevoegen: 'Zie je, mijn vader heeft vanaf mijn geboorte tot na mijn vijfde verjaardag in een gevangenkamp gezeten'?

Maar ze merkte wel dat Connie totaal niet luisterde. Ze boog zich over Nina's schouder om te kijken naar wat ze geschilderd had. 'Goeie hemel! Je hebt Gods vinger geschilderd die hij heen en weer schudt naar de schepping.'

Nina keek. 'Dat was niet de bedoeling. Ik probeerde alleen maar weer te geven wat ik zag.'

'Ik zal je eens wat vertellen: wat je zag was de grote politieagent in de lucht. Ik zou "gardai" moeten zeggen, maar ik heb hem me altijd voorgesteld als Brits.'

Nina spoelde zorgvuldig haar kwast uit in een pot water. 'Je gaat hier binnenkort weg, hè?' Het verraste haar dat ze een gevoel van verlatenheid ervoer.

'Iedereen weet hier ook alles van iedereen.'

'Sorry. Ik vroeg het me alleen maar af.' Verlegen sloeg ze haar blik neer. Waarom zou ze niet iets voor zichzelf doen? Iets verrassends. 'Misschien wil je een keer bij me op bezoek komen op het platteland.'

Connie liep rusteloos rond de tafel. Ze hield Nina's schildering in haar hand en wapperde ermee als om zichzelf koelte toe te wuiven. 'Dat is aardig aangeboden. Heel aardig. Maar het platteland trekt me niet. Daar ben ik opgegroeid. Mijn vormende jaren in de stromende regen en de koeienstront.'

'In Sussex is het helemaal niet zo,' zei Nina ernstig. 'Tenminste, het regent natuurlijk wel eens, en er zijn ook koeien. Maar ik dacht alleen, omdat je niet in je eigen land bent... Het is eigenlijk het huis van mijn moeder, hoewel mijn man het van haar heeft gekocht. Het heet Lymhurst.' Ze aarzelde. 'Mijn vader is overleden, snap je.'

Connie staarde haar aan. 'Nou, neem me niet kwalijk.' Ze wendde zich af en keek opgelucht toen Fay, in een witte jas en zoals gebruikelijk met haar klembord onder haar arm, de kamer binnenkwam. 'Ik wilde net gaan opruimen.' Fay staarde naar de rode verf die over de tafel was gespat. 'Dat was vrije expressie!' riep Connie uit. 'Begin nou niet te mopperen, dokter Fay. Moet u deze kant eens op kijken.' Ze liet Nina's schildering als een vlag neerhangen van haar arm. 'Zeg eens eerlijk wat u ervan vindt. Hebben we een Picasso onder ons?'

'O, Connie.' Nina pakte de schildering protesterend terug.

'Ik wil me niet voordoen als een deskundige op het gebied van schilderkunst.' Fay begon de dekseltjes op de verfpotjes te draaien. 'Noemen jullie me alsjeblieft Fay.'

Nina begon haar te helpen en Connie nam hen beiden peinzend op. 'Picasso heeft me uitgenodigd om bij haar te komen op het platteland, in een huis dat Lymhurst heet,' verkondigde ze, zich richtend tot Fay. 'Ze heeft medelijden met me gekregen omdat ik uit een ander land kom. Het komt me voor dat voor jou hetzelfde geldt.'

Nina keek naar Fay. 'Dat zou ontzettend leuk zijn. Het is een behoorlijk groot huis.' Haar hart hamerde. Ze nodigde nooit iemand uit om naar Lymhurst te komen.

'Ik weet niet...' begon Fay.

22

'Kom erbij,' riep Connie uit. 'Wij zijn de enige vrouwen ter wereld in dit tehuis voor verloren zielen. We moeten ons samen sterk maken.'

'Wat is er gebeurd met al je vriendinnen van *vroeger?*' gromde Veronica. Nina en zij waren bezig de bloembedden om te spitten zodat ze konden rusten voor de winter. Haar stem, hoewel die niet boos was, klonk krachtig boven de stapels pluizig vlas, herfstasters en ver uitgegroeide rozen, waarvan sommige nog bloeiden, uit.

'Ik vind het jammer om ze allemaal af te knippen.' Nina knipte een witte knop af en stak die achter haar oor. Haar moeder wist heel goed dat ze geen vriendinnen van vroeger had. Ex-vriendinnen misschien, die waren verdreven door William. Hoe hadden ze ook weer geheten? Juliet, Angela, Phoebe, die er door majoor Launceston-Smith toe was verleid mee te helpen om in hun wei de kroning van de koningin te vieren. En William, die een betoog tegen haar hield over het vaderland dienen in een 'peloton met officierspotentie', totdat hij opeens haar arm had vastgepakt en haar had verteld dat zijn ouders gingen scheiden. 'Mijn moeder is ervandoor gegaan,' had hij op smekende toon gezegd. Alsof zij, een meisje van twaalf, hem op dat punt kon helpen. Echtscheiding was wat haar betrof iets uit films.

'Waarom glimlach je?' Haar moeder rechtte even haar rug.

Had ze echt geglimlacht? 'Mijn nieuwe vriendinnen blijven niet slapen,' zei ze, en ze stak haar spa in de aarde. 'Ze komen alleen maar lunchen. En ze zijn ook niet gek, mama, voor het geval je je dat afvroeg. De ene is een Amerikaanse arts en de andere is Iers. Ik geloof dat ze heeft geprobeerd zelfmoord te plegen. Ze houdt nogal van drama.'

'Ik vind de herfst nooit zo'n geschikt seizoen voor bezoek. Je kunt niet buiten zitten, maar het is ook niet koud genoeg om de haard aan te maken.'

'Ik hou van de herfst.' Nina ging rechtop staan en keek om zich heen. 'Het is zo'n verlichting na al dat groen.'

'Je bent altijd al gevoelig geweest voor kleuren,' stemde haar moeder beminnelijk met haar in. 'Ik herinner me nog goed die zomers na de oorlog, toen ik de bloembedden vulde met kleur en jij ernaast zat om de kleuren met je verfdoos na te maken. Maar groen wint altijd. Zoveel grasvelden.' Zij hield ook op met werken en keek uit over het gras in kwestie: dat was lang en sponzig doordat het niet goed was bijgehouden en vanwege de late groei. 'En verder zijn er de velden en de bomen.' Ze boog zich naar opzij en trok behendig een naamloze rank los. 'Ik geloof dat ik de kinderen maar meeneem naar de stad als je vriendinnen komen. Dan hebben jullie meer tijd om te praten en heb je minder aan je hoofd.'

23

Vagelijk ontstemd vanwege haar moeders houding herinnerde Nina zichzelf eraan dat Veronica, de kersverse weduwe, recht had op een sterke dochter die haar steunde, niet aan een bange figuur die obsessief gedrag vertoonde. 'Ik ben bijna helemaal beter,' zei ze monter.

'Dat is goed nieuws.' Het was kouder geworden. Er stegen dompige geuren op uit de zojuist omgewoelde aarde en een nevelwolk perste de lucht samen.

'Die arme William,' zei Nina opeens. 'Helemaal alleen in dat akelige Duitsland.'

Veronica keek op, maar zei niets.

'Een huis met een oprijlaan!' riep Connie uit.

Fay, die achter in de taxi naast haar zat, ging ervan uit dat dit nog maar het begin was. 'Kom op, vertel verder.'

'Ik heb in mijn leven twee keer een oprijlaan gezien. De ene, in Mayo, was een mooie en leidde naar het klooster waar de nonnen ons op speciale heilige dagen thee met melk gaven. De andere, in Hampshire, was een akelige en maakte deel uit van recente narigheid, hoewel het destijds leuk leek. Ik ben daar schandalig dronken geworden en heb een arme onschuldige Mini verzopen. Daar zal ik je nog wel eens over vertellen. Het werpt een schokkend licht op het Britse klassenstelsel. Ik had beter moeten weten. Hubert had me gewaarschuwd. Die vreselijke Hubert met de baard sprak eens één keer de waarheid. Hij zei: "Er zijn twee soorten mensen, de insiders en de outsiders, en de ene soort wordt omgeven door een hek en de andere is zo vrij als een vogeltje." ' Ze was ongewoon bleek geworden.

'Neem me niet kwalijk.' Fay pakte haar hand en herinnerde zichzelf eraan dat Connie nog maar een paar dagen geleden uit de kliniek ontslagen was. Maar Connie schudde haar af. 'Die rit was zo lang als de weg naar de hemel. Maar al van meet af aan ging het niet goed. Rick schaamde zich voor me, weet je, dus ging ik over op champagne.'

Ze hielden halt voor een huis met een leistenen dak, dat grotendeels schuilging onder klimplanten. Fay pakte haar tasje en had er moeite mee ponden, shillings en pences uit elkaar te houden – net als het klassenstelsel was het geld een minpuntje voor die Engelsen met hun malle fratsen. Zonder aandacht te schenken aan haar gehannes stapte Connie uit de auto en bleef naar het huis staan kijken. 'Wij hebben in Ierland ook dit soort gebouwen,' verkondigde ze, 'maar die zijn eigendom van dat bastaardras, de Anglo-Ieren.'

'Welkom! O, kijk eens aan! Welkom!' Nina kwam het huis uit gestormd. Ze droeg een ruimvallende trui en een rok van een soort tweedstof, en maakte een heel forse en zelfverzekerde indruk op Fay. Maar ze leek er niet zeker van of ze haar bezoek moest kussen of de hand moest schudden. In plaats daarvan deed ze geen van beide en bleef hen maar verwelkomend toeroepen, tot de taxichauffeur, die eindelijk dan toch zijn geld had gekregen, de auto langzaam keerde en de oprijlaan af reed.

'Wat een prachtig huis,' zei Fay.

Nina bleef op de drempel staan. 'Vind je dat echt? Dat doet me deugd. Ik ben er zelf dol op. Maar ik kan niet echt objectief zijn.'

Fay werd verrast door deze emotionaliteit, maar aangezien ze het echt een mooi huis vond, ging ze erop door. 'Het is precies zoals ik me een Engels landhuis buiten had voorgesteld. Mooi van ouderdom. Moet je alleen al dat graveerwerk zien op die pijp die naar beneden loopt.'

'O, de goot. Die lekt, vrees ik.' Ze zweeg even. 'In feite sproeit hij tranen elke keer dat het regent. Maar William heeft de meeste andere gerepareerd. Hij heeft dit huis van mijn moeder gekocht, zie je.'

Ze gingen naar binnen en Fay kwam in een schemerige hal met een donkere houten vloer, lage ramen en één tafellamp. Er stonden een comfortabel uitziende bank, een stoel, een koperen bak met cricketbats, wandelstokken en tennisrackets. Een of twee hadden een vierkante vorm en zagen er erg oud uit. Op een ronde tafel stond een grote schaal met paarse margrieten en een bloem die eruitzag als een rode lampion, met tijdschriften, kranten en een paar boeken ernaast. Op de hal kwamen vier deuren uit. De deur meteen links stond wijdopen en Fay keek een klein vertrek met een marmeren vloer in, met een rond raampje met topaaskleurig glas erin. Er hingen rijen overjassen en regenmantels, onder hoeden en boven laarzen, alles badend in een topaaskleurige gloed. In een rek stonden twee geweren, en naast een schitterend fonteintje hingen aan weerskanten portretten van mannen in uniform. Een open deur leidde naar een toiletruimte, die, zag Fay, vorstelijk met hout was betimmerd.

'Ik beschouw het als een herengarderobe,' zei Nina, die met Connie bij de deur kwam staan. 'Niet dat mijn vader die geweren ooit heeft gebruikt. Na de oorlog, in de tijd dat ik hem kende, was hij leraar.'

'Een herengarderobe,' herhaalde Fay op tevreden toon. Hoewel ze zich beter kon vinden in het heden dan in het verleden, merkte ze dat ze bekoord werd door dit bescheiden en rustige hoekje met historie.

'Ik weet dat het mal klinkt,' vervolgde Nina, 'maar ik denk altijd dat William – mijn man – deze ruimte het prettigst vindt van het hele huis.'

'Mannen mogen altijd graag piesen. Na seks het lekkerste wat er is.' Connie zette een van de hoeden, een bruinvilten homburg, op haar glanzende haar.

'O, William gaat prat op zijn zelfbeheersing,' zei Nina. En toen ze zelf hoorde wat ze zei, bloosde ze en moest ze zachtjes giechelen.

'Het moet wel een plek voor mannen zijn,' zei Fay. 'Er hangt geen spiegel boven de wasbak.'

'Misschien willen jullie de rest van het huis zien?' Nina ging hun voor naar een brede L-vormige kamer waar zachte banken en een vleugel stonden.

'Speel je piano?' vroeg Fay haar.

'Mijn moeder speelde vroeger. Maar ze is ermee gestopt en speelt alleen nog om les te geven. Hebben jullie trek in een glaasje sherry? Dan gaan we naar de eetkamer.' Fay koos voor water, maar zag dat Connie enthousiast toekeek terwijl Nina een kleine hoeveelheid amberkleurige vloeistof uit een lage en brede bewerkte karaf in distelvormige glazen schonk.

Ze volgden Nina een kaalgesleten, onbeklede trap op met een leuning die glansde van alle handen die eroverheen waren gegleden. Fay bewonderde het plafond van de overloop, dat versierd was met pleisterwerk, rozen en kronen. 'Het enige wat er nog over is van vroeger,' vertelde Nina haar. Ze tuurden naar binnen in grote kamers met kleine ramen en lage vensterbanken, in vierkante kamers die hoog en licht waren. Ze traden binnen in een kinderkamer met een fries van kabouters die in optocht vlak onder het plafond liepen. 'Hier slapen Helen en Jamie,' zei Nina, en ze keek alsof haar kinderen nog steeds een verrassing waren. 'Ze houden van wezens met puntoortjes omdat ze zoveel in het buitenland hebben gewoond.' Fay achtte dit een mogelijk onthullende non sequitur en besloot er later op door te vragen.

Ze kwamen weer op de onderste overloop, waar Fay vroeg naar oude portretten en erachter kwam dat Nina daar weinig van wist. 'Mijn vader heeft dit huis geërfd van een tante,' legde ze uit. 'Ik ben geloof ik niet zo benieuwd om er meer over te weten te komen. Jullie zullen wel rammelen van de honger. Ik heb een *cottage pie* in de oven staan.' Ze bracht hen terug naar de eetkamer.

'Heb je een kindermeisje gehad?' vroeg Connie argwanend, maar Nina's gezicht had de doffe uitdrukking van iemand die zo meteen een hete en zware schotel uit de Aga-oven gaat halen. Connie trok een ironische grimas en nam tegenover Fay plaats aan de brede mahoniehouten tafel. Ze keek haar aan met wat Fay was gaan beschouwen als haar bekentenissenblik. 'O, wat is het lot van de Ier toch droevig, dat hij ver van huis vervulling moet zoeken. Van mijn vijf broers zijn er vier weggevlucht overzee. Alleen Michael, die naar mijn vader aardt, is gebleven om daar oud te worden en net als mijn vader zwijgzaam en reumatisch te worden in een stinkend vochtig kot dat de ratten nog te min vinden. Maar het is ook droevig om helemaal geen thuis te hebben, om je niet te kunnen herinneren hoe heerlijk turfvuren waren...'

'Hoelang ben je nu in Engeland?' vroeg Fay, die deze treurige familiegeschiedenis wilde onderbreken.

Maar Connie bleef vaag. 'Jaren en jaren. Ik let nooit zo op tijd. Ah, daar is Nina weer.'

Inderdaad was Nina weer binnengekomen, en ze droeg een vlekkerige bruine pasteivorm waaruit ze begon op te dienen. 'Dus het huis is al eeuwen in de familie?' informeerde Fay. Haar toon was doelbewust respectvol, maar ze bedacht dat de kamer wél een van de koudste was waarin ze ooit had gebivakkeerd. En de cottage pie zag er ook niet al te aantrekkelijk uit, vond ze. Ze zuchtte en had amper aandacht voor de historische informatie die Nina weifelachtig verstrekte, totdat die abrupt eindigde met een vraag: 'Hoe ben jij arts geworden? Je moet wel vreselijk slim zijn.'

Het correcte antwoord zou zijn geweest: 'Ja.' Dan zou ze kunnen vervolgen met: 'Ik ben niet alleen slim, maar ook een harde werker, en ik ben ambitieus.' Ze zag lichtelijk wanhopig hoe Nina haar open en vol bewondering aankeek. Hoe moest ze het uitleggen? 'Ik ben geboren en getogen in Chicago,' zei ze, en dapper stak ze een klein stukje aardappel in haar mond. Zou dat hun iets zeggen? Connies aandacht, merkte ze op, werd getrokken door de buffetkast, waarop een aangebroken fles rode wijn stond. Ze had hun kunnen vertellen dat ze de dochter was van joodse immigranten, maar de kamer had iets waardoor ze het gevoel kreeg dat het woord 'joods' hier niet op zijn plaats was.

'Moet je in dode lichamen snijden?' vroeg Connie, nog steeds met haar aandacht bij de fles. 'Ik heb in een kliniek in Dublin gewerkt en de studenten vonden het leuk om ons met hun weerzinwekkende verhalen de stuipen op het lijf te jagen.'

'O, doe je dat?' herhaalde Nina met grote ogen.

'Jazeker. In New York stond ik heel vroeg op, haalde een donut met jam op de hoek van First Avenue en Sixty-ninth Street, en ging op weg naar de labs. Ze waren vanaf vijf uur 's ochtends open. Ik hoefde er maar een paar straten voor te lopen, maar zo kwam mijn bloedsomloop op gang. Dat en de suiker uit de donut vormden mijn voorbereiding om met een naakt lijk te gaan spelen.' Ze zweeg even.

'Vertel alsjeblieft verder,' moedigde Nina haar aan, alsof Fay een kinderverhaaltje vertelde.

Fay schoof een stukje kraakbeen opzij. Een lijk was nooit prettig om te zien, en dat werd erger naarmate het semester vorderde, omdat vijf studenten het gebruikten om hun kennis op te oefenen, snijdend en turend, knippend en naaiend. 'Om de waarheid te zeggen,' zei ze, 'heb ik altijd van mijn uren in dat lab genoten, in mijn eentje, met in één hand een boek, terwijl ik aderen en slagaderen, ingewanden en zenuwen controleerde.' Ze had, op de eerste twee of drie keer na, het dode vlees nooit weerzinwekkend gevonden. De geur was onaangenaam geweest natuurlijk, maar daar kon het lijk niets aan doen. 'Ik wilde vroeger altijd chirurg worden, en de laatste tijd begin ik daar weer aan te denken.'

Met een glimlach herinnerde Fay zich hoe ze de rode jam van de donut van haar vingers had gelikt, en dat ze zich meer thuis had gevoeld in die koele, zilververlichte kelderruimte, met haar opengehakte en gemaltraiteerde lijk dan wanneer ze haar moeder fuchsiaroze kledij showde.

'Wat ben ik daar jaloers op.' Connie maakte een handgebaar door de kamer, dat ermee eindigde dat ze met haar vingers naar de wijnfles wees. 'Vind je het heel erg als ik deze arme fles aan de vergetelheid ontruk?' Ze stond op en pakte de fles.

'Ik ben een verschrikkelijke gastvrouw.' Nina hield haar glas op om het te laten vullen, terwijl Fay haar hand over het hare legde.

Gesterkt door de wijn werd Connie weer mededeelzaam. 'Ik heb genoeg van dat stomme serveersterswerk,' zei ze. 'Ik ga er niet naar terug. Ik ben druk doende om politiek columniste te worden. Politiek is het enige onderwerp dat het waard is om er een krant voor te drukken.'

Fay was onder de indruk. 'Er zijn hier zoveel kranten. In New York hoef je je alleen maar iets aan te trekken van de Times. Een stuk eenvoudiger.'

'William heeft een neef die journalist is.' Nina stond op om de borden af te ruimen. 'Merlin de Witt. Hij werkt bij een avondkrant. Voor de roddelrubriek.'

'Politieke roddels?' Connie fronste en reikte naar de fles om zich nog eens in te schenken.

'In ons land worden politiek journalisten hoger aangeslagen dan politici,' merkte Fay op, zonder aandacht te besteden aan het feit dat ze de Engelse kranten zorgwekkend oppervlakkig vond. Neem nou bijvoorbeeld de berichtgeving over de Vietnam-oorlog. En nu ze erover nadacht: dat onderwerp was sinds ze hier was ook in geen enkel gesprek aan de orde gekomen.

'Zou het ertoe doen dat je Iers bent?' wilde Nina weten, die uit de keuken terugkwam met een glazen schaal gevuld met lichtgroene drab. 'Dit is kruisbessencompote,' voegde ze eraan toe. 'We hadden deze zomer zoveel kruisbessen dat mama en ik ze hebben ingemaakt, en ik probeer ze op te maken voor ze bederven.'

'Alweer een nieuwe ervaring!' Fay pakte haar lepel op.

'Je bent in elk geval geen zoetekauw.' Connie trok een gezicht.

'Ik ben de suiker weer vergeten!' Nina haastte zich de kamer uit.

Kruisbessencompote bleek sterker dan politiek, bedacht Fay later, nadat een verhitte discussie over de benodigde mate van zoetheid was gevolgd door koffie (smakeloos), chocola (lekker) en het voorstel een wandelingetje te gaan maken. Fay merkte op dat Nina naar boven ging om zich te wassen en toen ze terugkwam haar vochtige handen een stukje van haar lichaam af hield. Ritueel volvoerd, vermoedde ze.

Nina ging Fay aanvankelijk kordaat voor de voordeur uit naar buiten, maar aarzelde toen en liep terug. 'Toen ik de dokter in Duitsland vertelde dat ik dacht dat ik gek werd van al dat wassen – hij was een Engelsman, uiteraard –, vroeg hij of mijn kinderen nog in de luiers zaten en of ik een wasmachine had. Toen stelde hij voor dat ik naar huis zou gaan. Dus hier ben ik dan. Het is beter zo.'

Gevleid door deze bekentenis van iemand die zo overduidelijk op zichzelf was, nam Fay haar arm, die gehuld was in een dikke tweedjas. 'Vindt je man het niet erg?'

'O, William is ouder dan ik. Hij is een drukbezet man. Belangrijk. En ook erg knap.' Nina bloosde. 'Onze eerste jaren brachten we door in Malaya, en hij was vaak een maand of twee van huis in de jungle. Ik ken hem al vanaf mijn tiende, zie je.'

Het was licht gaan miezeren toen ze het huis uit kwamen. Connie, die al buiten was, stak haar handen op om zowel hen als de regen te verwelkomen. Het zit in mijn bloed, dacht ze, en ze keerde ook haar gezicht omhoog.

'Laten we gaan.' Nina duwde Connie naar voren. 'Voordat het echt gaat gieten.'

Ze draaiden zich allebei om om te zien hoe Fay zorgvuldig een plastic envelopje uit haar handtas haalde. Het volgende moment was ze geheel en al in doorzichtig plastic gehuld.

Ze gingen vriendschappelijk met elkaar om. Ze liepen de oprijlaan af, een stukje de weg op, waar een paar auto's passeerden, en sloegen toen een paadje in dat over de velden naar een heuvel leidde die bekroond werd door een bos.

Gedrieën stonden ze aan de bosrand, een combinatie van eiken, essen en lange, donkere pijnbomen, waaronder ze enige beschutting vonden. Onder hen zagen ze de weg waarlangs ze gekomen waren en de verharde weg met zijn roodbakstenen huizen erlangs gestrooid en, een stukje ervandaan, het huis van Nina, dat aanzienlijk groter was dan de andere, omgeven door zijn gazons en tuinen en half verscholen achter bomen.

'Het is een heel oud bos.' Nina draaide zich om en tuurde het halfduister in. 'Als kind vond ik het hier doodeng. Midden in de zomer komt er door de dichte bladeren bijna geen licht. Ze zeggen dat op deze plek heel vroeger mensen werden begraven en ergens in het midden staat een stronk van een taxusboom waaronder offers zouden zijn gebracht. Of zo gaat althans het verhaal. Ik hield altijd meer van de Downs; die zijn zo open, met een heleboel lucht.'

'Wat interessant,' zei Fay, die omlaag keek naar haar doorweekte schoenen.

'Wil je zeggen dat je die heilige taxus nooit gevonden hebt?' vroeg Connie, die zich al in de richting van de boomstammen begaf. De twee anderen liepen aarzelend achter haar aan. Ook al lagen er nog zoveel bladeren op de grond, zacht geworden door de regen, het bos was toch een sinistere en onheilspellende plek. Nina keek op naar de lucht en zag dat het weinige licht dat er was langs de boomstammen omlaag viel. Connie, die zichzelf tot leider had uitgeroepen, ploeterde voort, haar haar wijd uitstaand in een heksachtige rebellie, zonder aandacht te besteden aan dode takken, netels die in het zaad geschoten waren, braamtakken met vergane bramen eraan, en jonge scheuten zonder bladeren die veerkrachtig rechtop stonden.

Nina begon zorgvuldig te zoeken. Ze trok lange klimopranken opzij waar die als een pruik over een interessante vorm heen groeiden. Fay gaf een imitatie van een stadsmeisje ten beste en tuurde gretig naar buiten vanonder de rand van haar plastic.

Maar de tijd verstreek en ze ontdekten geen eeuwenoude boomstronk. 'Ik begin mijn geloof in het verhaal te verliezen,' zei Nina. 'Als het een boom van honderden jaren oud is, zou het een enorme stam moeten zijn.'

'Er zijn een heleboel boomstammen,' wees Fay, die redelijk wilde zijn.

Connie keek verstoord om zich heen toen boven hun hoofden een vogel een luide kreet slaakte. Ze pakte een stuk dood hout op en tuurde omhoog. 'Wacht maar eens even tot ik hem van zijn tak mep,' begon ze, maar toen deed ze er het zwijgen toe. 'Krijg nou wat,' zei ze. 'Dat is een taxus daar boven ons hoofd.'

Ze begonnen alle drie te graaien, hun blote handen werden vuil en kwamen onder de schrammen te zitten toen ze de grijszwarte rimpels van de enorme wortels blootlegden. Die leken zich voor één enkele boom veel te ver uit te strekken, maar toch vertoonde de bast, ook al dook die soms wel de aarde in, geen onderbreking.

'Het is één grote boom!' Fay stapte vol ontzag terug.

'Hij is meer dan duizend jaar oud,' zei Nina, die het zo warm had gekregen dat ze haar jas en trui had uitgedaan. 'Dus hij kan niet anders dan groot zijn.'

'Kom op jullie twee!' riep Connie, die nog steeds als een dolle aan het sjorren en vegen was. Ook zij had haar jasje uitgedaan en ze droeg nu alleen een strak zwart truitje boven haar korte rok.

'De reden dat we hem niet konden zien,' zei Nina, die omhoogkeek, 'is dat hij nog steeds groeit. Wij waren op zoek naar een stronk.'

'Ik zou dolgraag willen weten hoe oud hij is.' Fay zweette onder haar plastic regenjas. Dapper trok ze hem uit.

'We zouden de boom kunnen doorzagen en de jaarringen kunnen tellen,' stelde Connie voor.

'We zouden de omvang van de stam kunnen meten.' Nina legde met een bezittersair haar hand op het schoongeveegde gedeelte. 'Maar ik verwacht niet dat dat honderd procent nauwkeurig is, en ik durf te wedden dat we geen meetlint bij ons hebben.'

'Ik ben altijd graag voorbereid.' Fay zocht in haar handtas en haalde er een klein meetlint uit, dat amper langer was dan een meter, maar niemand was in de stemming het op te geven. 'We meten gewoon hand over hand,' instrueerde Fay.

Connie lachte, omdat ze het leuk vond om met deze twee vreemde mensen in de ban te zijn van deze magische taxusboom. Met deze vrouwen. Vrouwen hadden haar nooit veel gezegd.

Het viel helemaal niet mee om de boom op te meten. Het probleem was dat hij geen 'taille'had. Fay en Nina werden nog verbetener; ze kregen het warm en zaten onder de krassen. Halverwege rustten ze even uit. Nina likte haar roodste verwondingen en Fay bracht haar hand naar haar hoofd. Even tevoren had ze haar bril afgezet, die was beslagen voorzover hij niet achter agressieve ranken was blijven haken.

'Ik zal jullie eens wat zeggen,' riep Connie vanaf een stuk mos dat ze had vrijgemaakt van takken, 'als jullie klaar zijn met de metingen, zal ik jullie een Ierse horlepijp leren. Er bestaat geen Amerikaan die niet een klein beetje Iers bloed in de aderen heeft, en Nina heeft het rechte postuur en de vereiste lichtvoetigheid.'

'Dansen? We dansen nu al.' Fay keek verschrikt terwijl ze Connies instructies probeerde op te volgen. Maar Connie was streng. 'Fay, jij mag dan misschien een heleboel afkortingen achter je naam hebben staan, maar je spreidt telkens op de verkeerde manier je knieën. "Knieën altijd bij elkaar," zoals die lieve nonnetjes altijd zeiden – ook al had dat een averechts effect. Knieën bij elkaar, Fay, het is het onderbeen dat beweegt. En absoluut géén heupenwerk. De heupen mogen niks! Verboden! Nog afgezien van het feit dat er geen ruimte is voor heupenwerk op de houten deur waarop wij dansen.' Ze zweeg even om hun uit te leggen waarom de Ierse dans zo strak rechtop moest worden gedanst: niet alleen vanwege die lieve nonnetjes, maar ook omdat er in het slijk van de venen van het westen moeilijk een hard, plat oppervlak te vinden was en een uit zijn scharnieren gelichte deur, die op een kruising van wegen werd neergelegd, als acceptabele ondergrond diende, maar daarop had je natuurlijk niet veel ruimte voor voetenwerk. 'Onthoud, Fay, dat je, zo klein als je bent, je schonkige heupen en puntige ellebogen bij je moet houden als je in het gareel wilt blijven op de deur!'

Ondanks haar postuur voerde Nina de passen snel en licht uit, tot Connies gram haar trof. 'Moet dat een Ierse horlepijp voorstellen die je daar danst, Nina? Ik dacht het niet. Jij danst een Schotse horlepijp, en dat is iets heel anders!' Wederom verhief ze haar stem en Nina gaf kleintjes toe dat ze moest terugdenken aan de tijd dat ze dansles had gehad van juffrouw Del Monte, die geplooide zwarte mouwen droeg als kraaienvleugels. 'Maar ik hoopte dat er iets universeels is in de Keltische...'

'Keltisch!' krijste Connie, en ze begonnen allemaal te krijsen en te lachen en te dansen (zelfs Fay, vooral Fay), en weldra zweetten ze en hadden ze het bloedheet en waren ze door het dolle heen.

'Ik kan niet meer,' smeekte Nina. 'Ik ben te dik!'

'Flauw hoor! Naar achteren, schop, voeten bij elkaar. Naar voren, buig en haal bij,' commandeerde Connie.

'Ik vraag me af of die oude rituelen hierop leken,' hijgde Nina nu ze niet langer hoefde te tellen, 'of waren die nog erger?'

'Niets kan erger zijn dan Ierse dansen!' riep Connie uit. 'Het gegil van doedelzakken, de messcherp geplooide kilts, de zwarte krullen die rondvliegen...' Ze begon te zingen:

> 'In Mountjoy op een maandagochtend
> hoog aan de galgenboom
> gaf Kevin Barry zijn jonge leven
> voor de grote vrijheidsdroom...'

Fay, die glimlachte, deels blind zonder haar bril, danste voort: 'Een, twee, drie, schop voor, schop achter, buig, kruis. Een, twee, drie.' En toen begon ze zelf te zingen:

'Geef me je vermoeide, je arme,
je opeengedrongen massa's hunk'rend om vrij te ademen,
het ellendige afval van je verlokkende kust...'

'Waar komt dat uit?' vroeg Connie jaloers.

'Van het Vrijheidsbeeld,' antwoordde Fay. 'Wil je nog meer horen?'

Nina zonk met een glimlach neer. En keek op haar horloge. 'O hemel. O hemel. O hemel.'

De twee anderen hielden op met dansen om haar aan te kijken. Was Nina gek geworden, vroeg Connie zich af – een vertrouwenscrisis, of had ze misschien dringend behoefte aan een wasbak? Ze hijgden zonder enige regelmaat en konden niet vermoeden wat de ernst was van Nina's paniek.

'Het spijt me verschrikkelijk, ik moet er als de wiedeweerga vandoor. Mijn moeder moet nu de kinderen naar huis hebben gebracht voor de thee.'

Dat was alles. Kinderen. Moederschap. Huishoudelijke verplichtingen. Connie deed een stap of wat opzij.

Maar Fay leefde meteen met haar mee. 'Wij moesten ook maar eens voortmaken en bedenken welke trein we willen nemen.'

'Dankzij jou, o dappere en eeuwiglevende boom,' sprak Connie op gedragen toon, en ze boog zo diep voor de taxus dat haar wilde haardos van achteren naar voren over haar hoofd viel. 'Dank je wel dat je ons nederige dienaren hebt ontvangen en het geschenk van je heidense wijsheid over ons hebt uitgestort – die ook een christelijk element kan hebben, afhankelijk van je ouderdom en het gezelschap waar je mee bent omgegaan...'

'Kom op,' drong Fay aan, en ze pakte haar arm.

'Ik wilde me verontschuldigen omdat we niet met een offer komen,' gromde Connie.

'Er is wel een offer.' Fay wees naar de neergegooide plastic regenjas en stond Connie alleen een bulderende lach en een blik over haar schouder toe toen ze Nina achternaliepen, die al bezig was zich een weg te banen door het kreupelhout. Aan de bosrand haalden ze haar in. Ze stond, kennelijk niet langer gehaast, naar de lucht te staren waarvan het gebruikelijke grijs was veranderd in een subtiele wassing van inktzwart.

'Ik kijk hoe de maan opkomt.' Nina draaide zich naar hen om. 'Die heb ik veel liever dan de zon. Het spijt me dat ik me zo hysterisch gedraag. Echt, we hoeven ons niet te haasten.'

'Begrepen.' Fay kwam dichter naar haar toe.

'Ik weet nooit goed of de maan wel echt is,' zei Connie, 'of een schaduw van de zon. Hij ziet er in elk geval niet echt uit.' Ze keken allemaal naar de maan, die er inderdaad zo transparant uitzag als witte tule.

En net toen Fay over de juiste feiten aangaande de maan wilde beginnen, riep Nina: 'Laten we hollen!' en ze vloog in angstwekkende vaart de steile heuvel af. Ze deden mal, al rennend, kreten slakend en roepend alsof ze kinderen waren. 'Ik ga vallen, ik ga vallen.... Ik bén gevallen.' Nina, gehinderd door haar tweedrok en logge bewegingen, trapte tegen een graspol en viel ademloos op de grond, waar ze met een glimlach bleef zitten en de andere twee langs zich heen zag denderen.

Connie zigzagde met uitgestrekte armen en gilde: 'O, Moeder der Genade, kijk naar me, ik vlieg, ik vlieg!' En zij was inderdaad de eerste die onder aan de heuvel was.

Fay voer een rechte koers, met een gezicht dat een mengeling van verbazing en verbijstering uitdrukte. 'Waarom doen we dit?' hijgde ze. 'Er moeten toch makkelijker manieren zijn om een been te breken.' Maar toen kwam ook zij onder aan de heuvel en bleef ze staan kijken hoe Nina opstond en zich langzaam een weg baande tussen de koeienvlaaien en brandnetels.

Toen ze zich weer bij elkaar voegden, was het nog licht genoeg om elkaars blije gezichten te zien. Met hun armen in elkaar gehaakt liepen ze de weg af.

Het huis was stil. Nina, die in bed lag, besefte het verrast. Meestal was het lawaaiig, de wind die ranken van klimplanten tegen de ramen blies of rond de schoorstenen gierde, een goot die klapperde of leidingen die zuchtten en rammelden, muizen die wegschoten onder de plankenvloeren, spreeuwen die kwetterden op het dak, de geluiden van twee kinderen op een tijdstip dat altijd vroeg in de ochtend leek. Ze strekte haar benen en vroeg zich enigszins schuldbewust af of William wakker zou zijn in hun bed in Duitsland.

Telkens wanneer ze van hem gescheiden was, keerde ze in gedachten terug naar de leeftijd die hij had gehad in de vroege jaren vijftig. Toen ze op hem verliefd geworden was, nam ze aan. In de stilte luisterde ze naar zijn diepe stem van achttienjarige: 'Ik zit in een peloton met officierspotentie, zie je, maar dat betekent niet dat ik geen berispingen kan krijgen van de sergeant-majoor van het regiment. Hij moet ons in het gareel brengen. Het enige waar ik niet zo dol op ben is singelbanden witten en gespen poetsen. Maar ja, je hebt het in het leger niet voor het kiezen.' Dat was op de dag van de kroning geweest, op dezelfde dag dat hij er zo sterk en knap had uitgezien en haar met een duidelijk zichtbare traan in zijn oog had verteld over de scheiding van zijn ouders.

Nina ging rechtop in bed zitten en keek uit het raam. Ze had de gordijnen niet dichtgetrokken, dus aan het donker kon ze zien dat de maan was verdwenen. Misschien betekende dat dat de ochtend dichterbij was dan ze had gedacht. Of misschien was het bewolkt. Terwijl ze zo naar buiten keek, raakte het donker doorschoten met lichtere tinten zwart. Van buiten voelde ze een zuchtje wind komen.

Er waren zes mensen in het huis. Fay en Connie sliepen in niet-gebruikte kamers waar dode vlinders op de vensterbanken lagen en de spinnenwebben getooid waren met vliegen. Ze waren blijven slapen om de zoektocht voort te zetten naar het boek over bomen. Volgens Nina's moeder zou het hun precies kunnen vertellen hoe oud een boom zou kunnen zijn waarvan de omtrek volgens hun onbetrouwbare metingen zo'n twaalf meter was. 'Een reuzenboom!' had ze gesteld. Het was een donkerblauw boek, had ze gezegd, zonder stofomslag, met gouden letters op de rug. Ze had het voor het laatst een jaar of tien geleden op de eettafel zien liggen.

Ze hadden het niet gevonden. In plaats daarvan hadden Connie en Fay toegekeken hoe Nina, met een wijd gespreide schoot, de schoongewassen en melkachtige zoetheid van haar naakte kinderen had verwelkomd. Maar toen was het al te laat geweest om de laatste trein terug naar Londen te halen.

Ook Fay lag met open ogen in het donker. Ze was wakker geworden van onnatuurlijk gekraak, en bleef wakker om na te denken over de schokkende ontdekking dat ze er geen zin in had om haar carrière als psychiatrisch arts voort te zetten. Haar keuze voor dit beroep, drong nu tot haar door, was gebaseerd geweest op het verkeerde uitgangspunt dat haar afstandelijke natuur uitstekend voor de psychiatrie geschikt zou zijn. Maar de laatste tijd was ze twee dingen gaan begrijpen: ten eerste dat ze helemaal niet zo afstandelijk was als ze graag wilde geloven, en ten tweede dat ze, bij het verkennen van de doolhof van de getormenteerde geest, haar eigen spookbeelden voedde. Ze zou overstappen op chirurgie, van alles gaan leren over scherpe messen en vakkundige incisies.

Fay draaide zich weer om om verder te slapen, maar een bekend tafereel drong zich op aan haar bewustzijn. Ze was negen of tien jaar oud, en leek gevangen te zitten in de donkere hoek van een keuken. Aan de andere kant van het vertrek stond haar grootmoeder bij een tafel onder een raam, in een heldere driehoek van licht alsof ze op een toneelpodium stond. Fay was door haar moeder met een boodschap gestuurd. Ze was gestoord toen ze op haar bed *Oliver Twist* had liggen lezen, met het boek vlak voor haar bijziende ogen. Haar moeder had een hekel aan dat opgaan in een wereld waarover zij geen controle had en stoorde haar vaak op deze manier. Nu, bij wijze van bescheiden daad van verzet, was Fay vergeten waar de boodschap over ging en stond ze in het donker naar haar grootmoeder te kijken, hoewel ze met haar gedachten nog steeds bij de olieachtige rivierbedding was waar Dickens haar naartoe had gevoerd. Haar grootmoeder was slechts een plaatje, met piekend wit haar, een mollig gezicht en knokige vingers.

'Ik moest iets zeggen,' begon Fay, maar te zachtjes om door de concentratie van haar grootmoeder heen te breken. Doofheid was een andere benadering. Dat ze geen Engels sprak was nog het ergste. Ze was brood aan het maken en kneedde het deeg op de marmeren plaat; met haar vuist graaide ze bloem uit het blik aan haar rechterkant en strooide die uit op de deegbal. Witte stipjes vingen het zonlicht en dwarrelden in de lichtbundel. Ongeduldig en terwijl ze vergat dat ze zich de boodschap niet eens meer wilde herinneren, verhief Fay haar stem: 'Ik moest iets zeggen van moeder...'

De oude vrouw draaide zich abrupt om. Ondertussen bracht ze haar hand omhoog om het haar uit haar gezicht te strijken. 'Het probleem is alleen,' vervolgde Fay, die een stap naar voren zette, 'dat ik me niet kan herinneren...' Opeens deed ze er het zwijgen toe; het beeld voor haar was zo scherp met die intense toneelverlichting dat ze het gevoel had dat zij het publiek werd. Toen haar grootmoeder haar arm had opgeheven was haar mouw teruggevallen, en die onthulde een rij blauwe cijfertjes. De arm viel neer, de mouw viel neer. Fays grootmoeder knipperde onderzoekend met haar ogen, haar linkerhand nog steeds licht rustend op het deeg.

Fay wilde wegvluchten, maar in plaats daarvan bevroor ze. Het hele tafereel bevroor, de mouw voor altijd teruggevallen, de getallen onthuld. Ze wist dat ze zou kunnen ontkomen als haar moeder riep: 'Waar zit je, Fay? Heb je het aan oma gevraagd?' Maar dat gebeurde nooit. Het tafereel bleef zoals het was, totdat ze erin slaagde wakker te worden en naar adem hapte van angst. Toen wist ze zich weer te binnen te brengen dat haar moeder had geroepen en dat ze was ontsnapt.

Fay werd helemaal wakker en reikte wanhopig naar haar bril.

Connie had uiteindelijk een fles wijn van de buffetkast gepakt en die bijna helemaal in haar eentje leeggedronken. Voordat ze in slaap was gevallen, had ze zichzelf voorgesteld als de man in een huishouden dat uit vrouwen bestond. Ze begreep wel dat dat van buitenaf absurd zou lijken – ze had zo duidelijk de gestalte van Eva gekregen –, maar desondanks was haar reactie op de kleine kinderen, de moeder, grootmoeder en weduwe, heel sterk – daar was ze van overtuigd – die van een man geweest die op bezoek was.

Ze wilde bewonderen, commanderen en haar eigen gang gaan. Ze wilde dienbladen dragen en ze niet volladen, flessen wijn openmaken en e leegdrinken, gesprekken leiden in plaats van ze te volgen. Ze probeerde zich Nina's man voor te stellen, die een schimmige figuur leek in het familieleven, en besloot dat ook schimmigheid haar zou passen. Zij zou terwijl zij over het veld paradeerde graag een vrouw willen hebben die thuiszat.

Die nacht zou ze alleen maar gelukkige dromen hebben. Ze was zestien, woonde met haar zus Eileen in Dublin, was vol zelfvertrouwen en ging de stad in in Eileens zwierige plooirok omdat zij dik en zwanger was, en leende ook haar hoogste hakken. Weldra werd ze opgehouden door haar kleine neefjes, met rode wangen, hun haar in pieken overeind, de sokken rond hun enkels. 'Tante Connie!' Ze keken vol ontzag naar hun glimlachende filmsterrentante. Op haar rok droeg ze een blouse met parelknoopjes en een lichtblauw vestje dat haar door weldoeners in Amerika was opgestuurd.

'O, jongens, jongens!' Ze had hen allebei tegen zich aan gedrukt en ging ervandoor, een beetje wankel op de hoge hakken waaraan ze niet gewend was. Ze dienden een speciaal doel, want vanavond zou Diarmuid Ferguson zijn yankee-neef meebrengen.

Het was zomer, zelfs langs de met muurtjes omgeven oevers van de rivier de Liffey. Vliegen dansten boven de donkere wateren en dwarrelden door de lucht, zodat de gebouwen erachter, de nadrukkelijke aanwezigheid van de Guinness-brouwerij, ook flakkerden. Met z'n vijven duwden en trokken ze elkaar voort, druk pratend over de verdiensten van Presley in 'Love Me Tender'.

Ze liepen zich aan te stellen, en dat wisten ze. In hun midden, een kop groter en twee keer zo breed – en de oorzaak van al het geduw en getrek – schreed Billy Ferguson. Terwijl de andere leden van het mannelijk geslacht glad achterovergekamd haar hadden boven bleke, puisterige gezichten, een grijsachtig hemd op een sjofele flanellen sportbroek en stoffige zwarte brogues (trots aangeschaft van hun eerstverdiende geld), had hij stekeltjeshaar boven een zongebruind gezicht, droeg hij een wit T-shirt onder een geruit hemd, canvas sportschoenen en – het mooiste van alles en tot dan toe alleen gezien in de films in het Palace – een spijkerbroek.

En het waren niet alleen zijn kleren en gezonde prachtige lichaam die hen in verrukking brachten. Er kleefde hem ook iets aan van een wereld waarin je 'pa's auto' kon pakken voor een ritje, waarin gom eerder bedoeld was om op te kauwen dan om er papier mee te lijmen, waarin er vijftig smaken ijs bestonden, waarin chocola uit machines kwam, waarin hotdogs op straathoeken werden verkocht, waarin kinderen niet alleen in hun eentje in een bed sliepen maar ook in hun eentje in een kamer, waarin de hele zomer elke dag de zon scheen en in de winter de sneeuw zuiver en wit was en nooit in een modderbrij veranderde. Lange Billy en Diarmuid met zijn afhangende schouders leken zo weinig op elkaar dat je amper kon geloven dat ze neven waren, ook al was dat een feit.

Geen wonder dat zowel jongens als meisjes Billy rondleidden langs de bezienswaardigheden van Dublin alsof hij een filmster was. Geen wonder dat de meisjes zich er met hart en ziel voor inspanden zijn hart te veroveren. Tijdens het eerste uur in Billy's gezelschap verbruikte Connie haar hele voorraad kwinkslagen waar ze weken mee toe zou hebben gekund. 'Ken je dat verhaal van die twee kleermakers? De een beweerde dat hij zo goed was dat hij een man een pak aan kon meten als hij hem alleen maar de hoek om zag slaan. "Dat is nog niets," zei de andere kleermaker. "Ik kan een man een pak aanmeten als ik alleen al de hoek zie waarachter hij is verdwenen." '

Maar Billy, leek het wel, maakte geen haast met zijn keus. Hij praatte met hen allemaal evenveel, bewonderde de kogelgaten in het hoofdpostkantoor zonder zijn kauwgom uit zijn mond te halen, stapte beleefd opzij voor een priester, maar maakte geen aanstalten een kruis te slaan toen ze langs St. Patrick's Cathedral kwamen.

Finola bleef achter om zich bij Connie te voegen. 'Hoelang is hij van plan hier te blijven?'

'Tot hij weer naar college moet. Acht weken, minus een week om de oceaan over te steken.' Connie had Finola meegevraagd omdat zij degene was aan wie ze haar eersteklas baantje in de kliniek te danken had, omdat ze een heleboel geld had, wat van pas zou kunnen komen, en omdat ze ontzettend alledaags was. Op de avond waarop ze de wedstrijd om de langste mond-op-mondzoen hadden gehouden had Finola geen jongen kunnen vinden die haar partner wilde zijn. Connie had met duizend punten gewonnen, hoewel ze nadien nooit meer met haar partner had gesproken, die telkens de regels probeerde te overtreden door zijn lippen van elkaar te doen. Voor Billy zou ik mijn lippen wel van elkaar doen, dacht Connie terwijl ze bukte om een vinger, die ze eerst met spuug nat had gemaakt, op een opkomende blaar op haar hiel te drukken.

Voor hen uit waren de jongens blijven staan; ze draaiden zich lachend om, niet naar hen, waarschijnlijk, maar de uitdaging was voor Connie groot genoeg om haar schoenen uit te trekken en het over het warme trottoir op een lopen te zetten. Als hij een jongensachtig meisje wilde hebben, kon ze dat ook zijn. En ze kreeg hem. Wilde zoenen in donkere straatjes.

Lichamen stijf tegen elkaar aan gedrukt. Hunkerende, onkundige wellust. Verder niets, maar het was genoeg.

Terwijl ze zich omdraaide in haar bed, was Connie vol bewondering voor de eenvoud van haar verleden. Toen ze verder wakker werd, streelde ze, zich inlevend, haar ronde borsten en smalle taille. Die konden er niets aan doen dat het allemaal beroerd was afgelopen. Tranen droogden langzaam op haar wangen.

Sluipend als een inbreker baande Nina zich op de tast een weg de badkamer uit en de trap af. Ze was op de vlucht, nam ze aan, terwijl ze de oude panelen met extra gevoelige vingers aanraakte. Ze gleed door de keuken, waar ze op de kast een zaklantaarn vond. Maar nadat ze de achterdeur van het slot had gedaan, merkte ze dat ze helemaal geen zaklantaarn nodig had. In het gladde grijze licht, dat aanvoelde alsof het geen enkele relatie had met de zonsopkomst, kon ze makkelijk de weg vinden naar het schuurtje dat schuilging achter de overwoekerde moestuin.

Ze vroeg zich af welke visuele herinnering haar naar het donkere, sterk riekende binnenste ervan voerde. Ze zette de geuren voor zichzelf op een rijtje: aarde, rottende uien, geteerd touw, zakken, meststof, spuitbussen met chemicaliën, muizen, roestend ijzer, vogelpoep, en vochtige planten die door een gat in het raam naar binnen groeiden.

Nina richtte haar zaklantaarn op een houten werkbank. Dáár was het blauwe boek, inmiddels groenbruin bevlekt door het vocht, met een omslag dat krulde bij de hoeken. Nina veegde de muizenkeutels en een sliert van een spinnenweb eraf en nam het mee naar buiten de lichter kleurende lucht in; ze sloeg het op een willekeurige plek open om erin te lezen terwijl ze terugslenterde naar het huis.

'Dus je hebt het gevonden.' Haar moeder stond bij de keukendeur, gehuld in een ochtendjas met grote ruiten.

'Je bent vroeg op.' Nina fronste. Ze had het fijn gevonden om alleen te zijn.

'Je vader wilde om zes uur ontbijten. Tijdens zijn laatste jaar, toen hij zo slecht sliep, om vijf uur. Volgens mij herinnerde hij zich de honger in het kamp. Kom binnen, dan zet ik een kopje thee voor ons.'

Nina liep gehoorzaam achter haar aan, maar ze was verrast door de vertrouwelijke uitdrukking op Veronica's gezicht bij deze overpeinzing van haar vaders verleden. Haar moeder was altijd gesloten en stimuleerde ook bij haar geslotenheid. Ze ging aan de houten tafel zitten en sloeg het boek open. De klok aan de muur sloeg zes uur.

Veronica kwam aan met een pot thee, kopjes en schoteltjes, en Nina wilde net opmerken dat een groot deel van de boekpagina's aan elkaar zat geplakt, toen haar moeder met gedempte, geëmotioneerde stem zei: 'Roger kon er niets aan doen. Zo zijn mannen. Ik was heel verrast dat hij ertoe in staat was. Ik dacht geloof ik dat hij er te oud voor was, te bezadigd. Het leek helemaal niets voor hem. Maar ik had het kunnen weten toen hij poëzie begon te lezen. Toen we net getrouwd waren, las hij die altijd hardop voor. Ik heb een beetje Wordsworth geleerd om hem een plezier te doen:

> Het is een prachtige avond, kalm en vrij,
> het heilige uur is zo zwijgzaam als een non
> ademloos van adoratie; de weidse zon
> zinkt onder in zijn rust...'

Ze sprak de dichtregels uit op een ouderwetse monotone dreun, met iets van spottend medelijden in haar stem. 'Wat je eenmaal hebt geleerd, vergeet je nooit meer. Maar ik wist niet dat hij een boek met zijn eigen poëzie in het kamp had gehad. Daar kwam ik pas achter toen zij het me vertelde. Zij wist allerlei dingen over hem waar ik nooit van had geweten. Dat heeft me nog het meest pijn gedaan. Ik heb nooit geweten waarom ze hem begeerde. Niet dat ze hem echt begeerde. Ze wilde niet met hem trouwen, zei hij tegen mij. Ze probeerde niet hem van me af te pakken. Maar dat heeft ze natuurlijk wel gedaan, hoewel we tot zijn dood geen nacht niet bij elkaar zijn geweest.'

Nina wilde protesteren. Waarom moest ze dit verhaal nu aanhoren? Haar vader was twee jaar geleden overleden. Kwam het doordat ze nieuwe vriendinnen op bezoek had gevraagd?

'Hij heeft het me tien jaar geleden verteld. Dat boek dat je daar hebt lag op de eetkamertafel. Als ik er nu naar kijk, komt het allemaal weer terug. Ik was stomverbaasd. Hij was zo'n beheerste man. Maar later begon ik het te begrijpen. Toen hij net terug was, kon hij zichzelf er niet toe zetten bepaalde dingen aan mij te vertellen, over wat daar was gebeurd. Weet je nog – hoe oud was je? vijf of zes – dat hij zo dik was, terwijl wij een graatmagere man hadden verwacht? Nu jij wat meer vlees op je botten hebt, doe je me soms aan hem denken zoals hij toen was. Hij raakte het snel kwijt. Het had hem maanden gekost om terug te komen en hij had de hele terugweg lang alleen maar gegeten. Dat was het enige waar hij over wilde praten: dat hij honger had geleden. Hij beweerde dat honger een reden is om in leven te blijven, en dat je doodging als je eenmaal die obsessie voor eten kwijt was. Maar hij zei nooit iets over de wreedheden. Ik was nog jong, en

40

ik ging ervan uit – en daar ga ik nog steeds van uit – dat hij ons geluk niet wilde bederven met akelige verhalen. En toen hij er op een gegeven moment wél over wilde praten, was het vast makkelijker om een nieuwe start te maken met een nieuw iemand. Iemand die hem voor de oorlog niet had gekend. Ik weet niet. Hij dacht misschien zelfs wel dat hij me een dienst bewees.'

Toen zweeg ze en Nina voelde dat ze openstond voor vragen. Welke vraag? Feiten? De naam van de vrouw, misschien? Maar ze wilde geen vragen stellen, ze wilde dit allemaal niet horen. Het stof en de schimmel die ze zonder zich er een moment druk om te maken in de schuur had opgedaan begonnen opeens haar handen te irriteren. Verlangend keek ze naar de kranen boven de oude gootsteen. Maar ze merkte wel dat haar moeder nog niet klaar was. Ze keek haar recht aan, bijna uitdagend.

'Ze was – is – ook lerares, lerares Engels. Maar hoe ze heet is niet belangrijk. Misschien ben ik haar over een poos zelfs wel dankbaar dat ze me dingen over Roger heeft geleerd die ik anders nooit zou hebben geweten. We hebben elkaar één keer ontmoet. Ze is op de begrafenis geweest, hoewel je niet zou hebben geweten wie ze was. Een van de dingen die ik van haar heb geleerd was dat hij ondanks alles – ondanks honger, ziekte, alle dood en lijden om hem heen – toch een soort geluk in het kamp had ervaren. Hij voelde zijn kracht en hij was er trots op. Dát was wat hij mij niet kon vertellen, en hij vertelde het zijn minnares. Of moet ik zeggen "zijn vriendin"? "Minnares"is te sterk uitgedrukt. Hij was een oude man en voelde zich nooit bijster goed. Ze hadden hem vaak geslagen, vertelde ze me, meer dan de meeste anderen, en elke keer had het hem een stukje sterker gemaakt.'

Ze zit me te vertellen dat mijn vader een held was, dacht Nina, en ze huiverde even. Het is niet genoeg dat hij een overlever was, hij moet ook een held zijn, en nu heeft hij ook nog eens een minnares. 'Ik hoor de kinderen,' zei ze opgelucht.

'Ja, ga maar naar ze toe.' Veronica stak haar hand naar Nina uit. 'Ik wilde je niet van slag brengen. Ik zag alleen het boek. Ik heb me geloof ik laten gaan. We zullen het er niet meer over hebben. Neem me niet kwalijk.'

'Nee, alsjeblieft,' riep Nina uit, terwijl ze snel naar de deur liep en vervolgens, plotseling van richting veranderend, de tuin in ging.

Connie hoorde Fay vertrekken; Veronica, die een paar boodschappen moest doen, gaf haar een lift. Fay had zich zeker voorgenomen vroeg weg te gaan. Connie kon hun stemmen horen op de oprijlaan beneden. Ze vond het wel prettig dat ze haar niet kwamen halen, alsof ze volkomen los van hen stond en als ze zou willen de hele dag in bed zou kunnen liggen. Naakt

en warm lag ze hier net over na te denken toen de deur langzaam open-
ging en een klein kind met een rond gezichtje – van een jaar of vijf, schat-
te ze – met een nog kleiner kind aan de hand tevoorschijn kwam. Ze bleven stilletjes staan kijken.

Connie lachte. Ze zag wel aan hen dat ze haar mooi vonden, met haar
zwarte glanzende haar neerstromend over haar blanke schouders.

'Jullie hebben gelijk,' verkondigde ze op plechtige toon. 'Ik ben prinses
Gloriana van het Smaragd-eiland en kom het leven van jullie mama betoveren. Jullie mogen mijn hand kussen.'

Helen maakte zich los uit de hand van haar broertje, kwam naar haar toe
en drukte voorzichtig haar lippen tegen Connies uitgestrekte vingers. 'Kun
jij echt toveren?' fluisterde ze vol verlangen.

'Helen! Jamie!' riep Nina van beneden, en de kinderen gingen ervandoor, hoewel Connie aan Helens ogen kon zien dat ze wachtte op een antwoord. Ze legde haar vingers tegen haar lippen: het was een geheimpje
tussen hen drieën. Met veel tumult klauterden de twee kinderen de trap af.

1966

Fay typte een brief aan Nina. Ze zat in haar appartement aan het spoor. Het bestond uit vier kleine kamers, die in elkaar overliepen. De kamer waar ze zat te werken had geen ramen en als ze geen spotje had geïmporteerd zou het er heel donker zijn geweest.

Maart 1966, NY, NY

Beste Nina,

Ik denk vaak aan je en stel me je huis en tuin voor, je kinderen en je lieve moeder. Ik zie William uiteraard niet voor me, aangezien ik hem nooit heb ontmoet, maar ik heb wel zijn foto op de piano zien staan. Het moest hem wel zijn, een man met een kaarsrechte houding, in uniform, blond en knap. Erg Engels. Hoewel ik me nu ik dit schrijf realiseer dat het ook net zo goed je vader zou kunnen zijn geweest. Zien verschillende generaties militairen er anders uit? Misschien zou ik dat van Amerikanen kunnen zeggen. Ik geloof niet dat ik je heb verteld – op het laatst hebben we zo weinig gepraat – dat ik een jongere broer heb, Daniel, die werd geboren aan het eind van de Tweede Wereldoorlog. Hij studeert nu, dus hij hoeft niet in dienst. Ik probeer er maar niet aan te denken wat er gaat gebeuren als de Vietnam-oorlog blijft voortslepen.

Ik voel me veel prettiger nu ik heb besloten voor chirurg door te gaan. Ik heb het nooit erg gevonden om hard te werken, hoewel ik soms naar mijn arme magere lichaam kijk en me dan afvraag hoe het in hemelsnaam bestand is tegen zestien uur werken per dag, waarvan ik een groot deel over boeken gebogen zit. En verder is het een uitdaging om je als vrouw in deze mannenwereld staande te houden. Onze levens zijn zo anders, het jouwe en het mijne, wat wellicht de reden is waarom ik zo gesteld ben op onze prille vriendschap. Probeer je brief als je me de volgende keer schrijft wat meer de moeite waard en wat informatiever te maken. Kun je, bijvoorbeeld, tijd vinden om te schilderen? En – als dit geen al te impertinente vraag is – hoe staat het met je rituele wassingen? Ik stuur deze brief naar Sussex en ga ervan uit dat je moeder hem doorstuurt naar Duitsland.

43

De allerbeste wensen van je Amerikaanse doktersvriendin, Fay.

PS: Heb je een nieuw adres van Connie? Waarom maak ik me zorgen om haar? Komt dat doordat ze zo knap is?

'Je komt van een boerderij in Mayo.' Merlin de Witt bevestigde Connies informatie. 'Je komt uit een arbeidersfamilie.' Zijn kleine donkere ogen glansden bewonderend. 'Je werkt in een pub, maar je bent een vriendin van de vrouw van mijn neef William.'

'Een heel oude vriendin.' Onder tafel sloeg Connie haar benen over elkaar. 'Hoewel ik niet kan verhullen dat we helemaal niets gemeen hebben.' Dat was tenminste waar.

Connie kreeg de baan. Ze voegde zich bij tien andere extraverte types op de dagboekpagina van de *Evening Standard*. Ze zaten aan een grote tafel omringd door prullenbakken zo groot als vuilnisbakken. Tegen elf uur 's ochtends stroomden die al over van het witte papier, als schuim op slechtgetapt bier, waarmee Connie, ex-barjuffrouw, ze vergeleek.

'Wie wil de modeshow van Mary Quant doen?' vroeg Merlin, en hij zwaaide als een standwerker op een braderie met de uitnodiging.

'Ik!' riep Connie, en ze griste hem weg voor haar rivalen.

'En ik ga met je mee!' riep Zodiac uit, de enige vrouw met standing in het vertrek, bedacht Connie. Ze woonde in een woonark in een vergeten inham bij Tower Bridge, waar haar moeder voor een winkel in East End applicaties maakte van veren en lovertjes.

Weldra wist iedereen dat Connies bedrevenheid met woorden vooral mondelinge communicatie gold. Iemand moest haar wapenfeiten uitwerken op basis van onleesbare aantekeningen of haar beschrijvingen. Maar haar verslagen over zinkende barken, koeien met twee koppen, copulerende gardesoldaten, kwade boksers, maanwandelaars in spe en modellen met zelfmoordneigingen waren zo levendig dat ze, zolang iemand anders de verhalen over hen maar op schrift vastlegde, beschouwd werd als een onmisbaar onderdeel van 'het team'.

'We zijn natuurlijk een team.' Merlin richtte zich met zijn niet-overtuigende klinkers tot Connie en Zodiac. Ze keken hem verdraagzaam aan. Het was niet makkelijk om te doen alsof je iemand was van de populaire werkende klasse wanneer uit elk woord bleek dat je Eton en Oxford was. 'Maar als jullie samen gaan, wie doet dan de Chelsea-bloemen, het cricket van de lord en Twiggy op een tandem?'

'O, die doen wij ook wel.' Connie tikte hem liefjes op de wang. Ze wist dat Merlin familiariteit beschouwde als een teken dat wees op de lagere klassen, dus moedigde hij zijn personeel tot dergelijk vertoon aan.

44

Connie had het verschijnsel onkostendeclaratie ontdekt. Nadat ze een maand lang steeds een vinger had opgestoken voor een taxi, kon ze zich niet langer voorstellen dat ze tijd zou verspillen aan wachten bij een bushalte of naar een kwalijk riekend oud metrostation zou wandelen.

De show van Mary Quant was een teleurstelling. 'Haar kleren zijn net schooluniformen,' wierp Connie tegen toen een model met platte borsten, bleek als papier, haar haar zwart als inkt, een tuniek showde met naar binnen gekeerde plooien onder een witte band.

'Maar ze zijn schitterend gemaakt,' zeverde Zodiac. Connie liet het aan haar over en ging naar de bloemenshow. Het was flink gaan regenen, een zomerregen die haar deed denken aan natte Ierse bladeren, aan het veld dat ze moest oversteken om water van de bron naar het huis te brengen. Ze ging breeduit zitten in het warme, gestoffeerde interieur van de taxi om op te drogen. Het huis van haar ouders was nu tenminste, bedacht ze schuldbewust, aangesloten op de hoofdleidingen, een heuglijk feit dat volgens haar zuster zo ongeveer met evenveel vertoon was gevierd als de dag dat de Heilige Maagd met haar rozenkrans naar Bernadette had gerinkeld. Ik moet naar huis schrijven, hield Connie zichzelf voor. Toen, om zichzelf af te leiden van de wetenschap dat ze dat toch niet zou doen, begon ze een gesprek met de chauffeur over president Kennedy. 'In een land van jonge mensen was hij de jongste president aller tijden geweest...'

Connie keek om zich heen en zag dat er in Londen geen regels waren, niet voor kleding en ook niet voor veel anders. Het leek alsof ze precies kon zijn wat ze wilde.

Fay ging naar huis in Chicago voor de seider, met het vaste voornemen een goed gesprek met Daniel te gaan voeren. Haar oom Larry was er, en hij herinnerde haar aan het feit dat ze aan het eind van de oorlog luizen had gekregen van zijn militaire pet. Verder waren er zijn vrouw Vera en hun zoon David, en diverse andere neven en nichten. Ze zaten allemaal in dezelfde kleine, overvolle kamer geperst waarin ze was opgegroeid. Ze ergerde zich vooral aan het lage wattage van de gloeilampen waardoor haar familieleden, die elkaar amper konden onderscheiden, harder dan normaal met elkaar gingen praten. Ten slotte, nadat de ceremoniële maaltijd had plaatsgevonden, en toen de gasten eindelijk waren vertrokken en haar moeder naar bed was gegaan, wist ze Daniel apart te nemen.

'Ik heb van je gedroomd,' vertelde ze hem.

'Een prettige droom of een nachtmerrie?' Hij hing onderuitgezakt in de enige comfortabele stoel. Hij was een verwend moederskindje, bedacht Fay, en hij stond op het punt stond af te studeren aan de Universiteit van

Chicago. En daarna? Dat was de grote vraag. Dat was de reden waarom ze met hem moest praten.

'Je moest in dienst,' zei Fay eenvoudig. Het was zorgwekkend dat hij, net als in haar droom, zijn haar had laten groeien; ondanks zijn vlotte manier van doen gaf het hem het voorkomen van een martelaar, een soort Christus. Zijn ogen waren te groot en te donker, bedacht ze, voor de jaren zestig. Ze merkte dat haar hart hamerde zoals het zelfs tijdens de moeilijkste operatie nog niet hamerde. 'Het was een malle droom.' Ze bracht zichzelf tot bedaren en wist een glimlach te produceren. 'Je bent snugger genoeg om te bedenken dat je hierna kunt doorstuderen.'

'Je denkt zeker dat ik me aan mijn verplichtingen tegenover het vaderland wil onttrekken?' Hij droeg sportschoenen, een lichtgekleurde broek, een overhemd en een stropdas vanwege de gelegenheid, de laatste uitgekozen en gestrikt door hun moeder. Waarschijnlijk was de das van hun vader geweest en was hij bewaard voor de zoon. Daar was niets mis mee, hield Fay zichzelf voor, behalve dat haar moeder haar man toen hij nog leefde had veracht – waarom zou ze de strik van een dode om de hals van haar zoon willen zien? Daniel, merkte ze op, had een sterke nek en brede schouders.

'Doe je aan sport?' vroeg ze, verrast door de vraag en door het feit dat ze het antwoord daarop niet wist.

'Jazeker. Softbal. Maar zwemmen is meer in mijn straatje. Ik ben geen watje, Fay. Je kleine broertje is groter geworden terwijl jij je in het oosten suf hebt zitten studeren.' Door zijn spottende, maar tedere toon – alsof híj de oudste was – voelde ze zich genoodzaakt hem heel anders te gaan bekijken, en even zag ze een sterke jonge man, en niet zomaar kanonnenvlees.

'Ik zie je dan misschien niet zo vaak, maar als zuster maak ik me wel zorgen om je.'

'Dat vermoeden had ik al toen je aan mijn voeten kwam zitten.' Het was waar: ze zat aan zijn knieën gehurkt in de houding van een vrouw die smeekt.

'Op dat vlak heb je zeker ervaring.' Ze glimlachte en knikte in de richting van hun moeders slaapkamer.

'We kunnen het prima met elkaar vinden. Ze kent mijn grenzen.'

Omdat haar moeders slaapkamer zo dichtbij was, vreesde Fay dat ze dit gesprek misschien niet moesten voeren, maar Daniel bleef doodgemoedereerd zitten. 'Ik ga ook doorstuderen.' Hij zweeg even. 'Maar, als je het weten wilt, ik heb er geen speciaal gevoel bij. Politiek interesseert me niet bijster, maar het lijkt me geen goede oplossing om me aan de dienstplicht te onttrekken.'

Fay, weer een en al bezorgdheid, merkte niettemin op dat hij nog steeds ontspannen leek. Ze besloot het erop te wagen en erop door te gaan. 'Oom Larry heeft gevochten.'

'Andere tijd, andere plaats. Hoe dan ook, ik ga niet mee in al dat gedemonstreer. Op die manier toon je geen respect voor degenen die strijd leveren.'

'Ik zou denken dat ze wel met ergere dingen te maken krijgen dan met gebrek aan respect.'

Ze sloeg haar ogen neer en zag dat haar handen trilden. Waar had die angst op de loer gelegen?

Fays moeder had een bed voor haar opgemaakt op de oncomfortabele bank. De kamer was heel warm en rook nog steeds naar eten, koffie, sigaretten en mensenlichamen. Fay lag wakker en dacht aan ziektekiemen. Ze rekende het aantal daarvan uit dat ieder familielid mee naar binnen moest hebben gebracht.

Ze was, zacht uitgedrukt, ondergebracht in een vijandelijke omgeving. Het zou verstandig zijn zichzelf een preventieve dosis antibiotica voor te schrijven. Omdat ze nog steeds niet kon slapen, knipte ze het licht aan en reikte naar haar boek, maar ze werd afgeleid door de lichtbundel, waarin een heleboel bijna onzichtbare vlokjes te zien waren: minuscule deeltjes huid, haar, voedsel, en nog iets anders: de herinnering die daar altijd was. Haar geschiedenis.

Fay ging weer liggen en realiseerde zich dat het vreemd was geweest dat Daniel tijdens hun gesprek zo kalm was geweest en zij zo fel. Hoe goed had hij hun grootmoeder gekend? Hij was in 1945 geboren; die was in 1948 naar Amerika gekomen en was in 1956 gestorven. Was het mogelijk dat hij in hetzelfde kleine appartement had gewoond als zij zonder die blauwgrijze nummers te hebben gezien? Uit gesprekken zou hij vast niet wijzer over haar zijn geworden, omdat niemand het ooit over haar verleden had. Of over welk verleden dan ook. Daniel moest te jong zijn geweest om zich haar komst te herinneren. Hij had haar aanwezigheid vast voor lief genomen, haar vroegtijdige ouderdom – ze was nog maar in de vijftig geweest toen ze stierf –, haar slechte gezondheid, haar gebrek aan kennis van het Engels. Waarschijnlijk was hij nooit gebukt gegaan onder angst en schuldgevoel, zoals Fay. Fay haalde zich zijn open, eerlijke gezicht voor de geest. Dat zou hem toch zeker wel vrijwaren, tenminste van haar soort spookbeelden.

Terug in haar appartement stond Fay vroeg op om te gaan studeren. Van haar medische studieboeken steeg stof op naar haar leeslampje. Ze duwde ze weg en ging achter haar typemachine zitten.

April 1966, NY
Beste Nina, ik ben kortgeleden naar huis gegaan en heb mijn broer gezien. Ik raakte ervan doordrongen hoe groot de verschillen tussen ons zijn. Hij is heel ontspannen. Ik vraag me af waarom onze generatie wordt geplaagd door zulke spookbeelden. Zou dat komen doordat wij zijn geboren tijdens een wereldoorlog? Misschien is dat een van de redenen waarom ik het gevoel heb dat ik met jou kan praten, ook al zit die enorme Atlantische Oceaan er dan tussen. Jouw vader was krijgsgevangene, weet ik, hoewel dat ongeveer het enige is wat ik weet. Je hebt in de kliniek een keer gezegd dat de oorlog heel belangrijk was geweest in je leven – of iets van die strekking. Je moet me ooit eens vertellen hoelang hij weg is geweest, wat dat met jou heeft gedaan, om alleen te zijn met je moeder, met z'n tweeën zo dicht bij elkaar, zonder dat jullie wisten of hij terug zou komen of wanneer. Wat zijn wij een vreemde generatie. Ik vermoed dat jullie aan de andere kant van de Atlantische Oceaan amper aan Vietnam denken. Met Daniel is het in orde omdat hij gaat doorstuderen, maar hoelang zal dat allemaal blijven duren?

Fay legde haar pen neer en merkte dat ze zich, als altijd wanneer ze Nina geschreven had, op een merkwaardige manier getroost voelde, alsof brieven schrijven naar de andere kant van de wereld de dingen meer in perspectief zette. De waarheid was dat ze te hard werkte. Wat over Nina bepaald niet gezegd kon worden.

Nina pakte een platgetrapt waskrijtje op dat op de keukenvloer lag. De gedachte om Fay te schrijven met een onhandig paars krijtje stond haar wel aan.
   'Waarom glimlach je?' William stond in de deuropening. Hij was in bad geweest en kwam met een handdoek om zijn middel het vertrek in.
   Nina keek naar het krijtje in haar handen. Ze was alweer vergeten waarom ze had moeten glimlachen. 'Om Jamie.' Ze liep naar William toe en sloeg haar armen om zijn naakte borstkas. Zijn huid was warm, roze en stevig. Hij sloeg zijn armen om haar heen. Ze waren nog vochtig en roken vagelijk naar zeep, en nog vager naar Williams eigen lichaam, een geur die ze al van kinds af aan had gekend. 'Ik heb een brief van Fay gekregen.'
   'Je Amerikaanse.'
   'Ze is niet van mij.' Nina maakte haar armen los en stapte een stukje

achteruit om Williams gezichtsuitdrukking te bestuderen, hoewel ze wist hoe die zou zijn.

'Nou, ze is echt niet van mij.' Hij fronste.

'Als ze weer hier komt, kun je haar leren kennen.'

'Om haar de mijne te maken, bedoel je.'

'O, nee.' Nina lachte. 'Ik geloof niet dat daar kans op is. Ik geloof niet dat ze je type is. Veel te onafhankelijk.'

Bij deze woorden verloor William zijn belangstelling, zoals ze wel had geweten, en kwam naar de tafel toe op een manier die te kennen gaf dat hij zich afvroeg waarom ze niet aan het eten was begonnen.

'Gegrilde koteletten,' zei Nina. 'Ze zijn klaar tegen de tijd dat je je hebt aangekleed.'

William gaf geen commentaar op deze overduidelijke onwaarheid. Omdat hij militair was, kleedde hij zich aan met een snelheid en efficiëntie waar ze 's ochtends moe van werd. 'Ga jij eens kijken of de kinderen slapen,' stelde ze voor.

'Goed.' Hij vond het leuk om hen te kussen wanneer ze sliepen. Hij vond het leuk haar te kussen wanneer ze sliep, en zij vond dat ook fijn, omdat het haar voorbij het bereik van rationele gedachten voerde. Wat zou ze Fay schrijven? Ze begon in gedachten een brief op te stellen: 'Beste Fay, het is nu lente, maar in deze lelijke Duitse stad zou je dat niet zeggen. Helen en ik missen het Engelse platteland allebei zo erg dat we merkwaardig groene aquarellen maken. De hare zijn beter dan de mijne, omdat ze vrijer zijn...' Zou dit het soort nieuws zijn waar Fay op zat te wachten? Ze betwijfelde het. 'Beste Fay, William is tot majoor gepromoveerd. Elke ochtend gaat hij om acht uur de deur uit en hij komt om zeven uur terug...' Dat was nieuws, maar niet het hare. 'Beste Fay, Helen loopt maar te soebatten om op een Engelse kostschool te mogen. Ik houd haar voor dat ze daar nog veel te klein voor is. Ze heeft een heel sterke wil...' Dat was ook niet haar nieuws. Langzaam liep Nina naar de gootsteen en draaide de kranen open. Nu draai ik ze weer dicht zonder welk deel van mijn lichaam dan ook te wassen, hield ze zichzelf voor. Dat deed ze, en ze bestudeerde nauwlettend de druppels die nadat de waterstroom was gestopt weifelend aan de kraan bleven hangen.

Bij de deur maakte William keelschrapende geluiden. Er klonk iets van verwijt in door omdat hij nog steeds geen sissend lamsvlees kon horen, maar het was slechts een ondertoon, want hij wilde graag geloven dat ze een goede echtgenote en moeder was.

Beste Fay, ik ben dolblij dat ik zo'n fantastische man, kinderen en moeder heb. Familie is het allerbelangrijkste wat er bestaat. Ooit zal ik jouw familie ontmoeten. Sta je op goede voet met Daniel? Jaren geleden stelde ik me William altijd voor als mijn oudere broer, maar toen hij mijn man werd moest ik van die gedachte afstand doen! De eerste keer dat we elkaar ontmoetten was hij bezig te leren autorijden en hij reed me in de auto van zijn vader wel tien keer heen en weer over onze oprijlaan. Ik was enorm onder de indruk. Het was een prachtige zonnige middag en mijn vader had op ons grasveld een tennistoernooi georganiseerd. Ik had het keer op keer moeten maaien. Vanwege het maaien was ik niet zo dol op tennis. Maar ik was sowieso nooit bijster goed in sportieve activiteiten. Niet competitief genoeg. Ik ben bang dat ik mijn vader hevig teleurgesteld heb. Je vroeg naar de periode in de oorlog toen mijn moeder en ik samen waren. De waarheid is dat ik me alleen maar gelukkige tijden op het platteland herinner. Pas toen mijn vader terugkwam werd het minder leuk. Maar hij vond William geweldig. Nog een militair in de familie. Daardoor hechtte hij ook heel veel meer belang aan mij. Ja, ik zou het leuk vinden Daniel te leren kennen.

Connie stond met een blocnote voor de zware deuren van Biba in Kensington Church Street. Niet dat ze er zo zwaar uitzagen, te oordelen aan al die frêle meisjes die in en uit liepen.

'Neem me niet kwalijk. Ik schrijf een artikel voor de *Evening Standard*.' Het meisje dat ze had aangesproken – misschien zeventien jaar oud en gekleed in een roze minirok met een dessin van limoengroene en paarse slingers, bleef even staan, schudde toen Connies hand af en haastte zich de winkel in. Nadat dit nog twee keer was gebeurd, begreep Connie wat ze fout deed: ze stond de winkelverslaafden en hun shot in de weg. Ze zou ze moeten aanspreken als ze naar buiten kwamen, een en al vreugde, met pupillen die groot waren van opwinding omdat ze een bevredigende aankoop hadden gedaan.

'Neem me niet kwalijk. Ik schrijf een artikel voor de *Standard*. Ik vroeg me af of je me zou willen laten zien wat je hebt gekocht.'

En of ze dat wilden! Gebreide jurken van truiformaat, veren boa's die knalroze en violet waren geverfd, hoeden in dezelfde nachtclubkleuren, jasjes die bij de taille zo strak zaten en op de schouders zo hoog dat het een wonder was dat ze nog dicht konden, maillots in elke denkbare kleur, en handschoenen met panterprint of van mauve lurex.

'En hoeveel heb je uitgegeven?' vroeg Connie.

'Alles bij elkaar, bedoel je?' Het meisje, gehuld in goudkleurig vinyl, dacht na.

'Mag ik je vragen hoeveel je verdient?'

'Ik ben secretaresse. Twaalf pond per week, en daarvan geef ik zes tot zeven pond aan kleren uit, meestal hier. Ik bedoel, hier ben je het goedkoopst uit en kun je de leukste dingen vinden. Ik kom uit Chingford.'

'Dus je besteedt de helft van je salaris aan kleding?'

'Ik weet het. Mijn moeder zegt dat ik wat opzij moet leggen, maar zij stamt uit een andere tijd. Ik verdien goed, dus ik kan kiezen wat ik met mijn geld wil doen. Daar is niets mis mee.'

'Nee,' beaamde Connie. 'Dat ben ik met je eens. Daar is helemaal niets mis mee.' In de glinsterende gloed die de spotjes in de winkel naar buiten wierpen en in het licht van de lage zon die op straat scheen begreep ze dat ze een goed verhaal te pakken had, een verhaal over jeugd en vrijheid, seks en geld en een nieuw soort macht.

Het licht scheen in Connies ogen. Er kwam een jonge man naar haar toe, met donker haar dat losjes over zijn voorhoofd viel, een bril met een hoornen montuur en een stropdas met een kleine knoop. Rick baande zich als een voorgeprogrammeerde raket een weg over het drukke trottoir. Ze voelde zich al getroffen, haar hart bonsde, haar knieën knikten, en ze probeerde haar prille journalistieke vaardigheden te hulp te roepen om zich te verdedigen. Maar de beelden die zijn aanwezigheid opriep waren te sterk.

's Avonds in de pub had ze hard moeten werken, zeker, maar voor middernacht had ze opgeruimd en was ze weg, met nieuwe vrienden om zich heen, witte lippen en zwartgemaakte ogen, een strak zwart rokje, haar haar naar achteren gekamd en gelakt, en met hakken zo hoog als ze kon hebben zonder op de roltrap van de ondergrondse te vallen.

Daarna was het dansen geblazen, het bezinksel uitzweten van alle drank die ze die avond had geconsumeerd, en kon het haar niet schelen wie er in haar lichaam kneep, wie zijn vingers onder haar bandjes stak. Zo had ze Rick leren kennen, die haar meenam naar zijn zitslaapkamer in Kilburn en haar wakker hield tot drie uur in de nacht door haar zijn boeken over schilderijen te laten zien. En bijna in dezelfde adem haalde hij een condoom uit een pakje en zijn pik uit zijn broek, en legde haar half uitgekleed op het bed, terwijl ze te slaperig was om echt mee te doen, maar verbluft door iets in zijn bleke ronde gezicht en zijn bril en de manier waarop hij zo interessant over zijn boeken praatte – en dan die plotselinge opwindende ommezwaai als hij zich op haar lichaam concentreerde. Ze was verliefd geworden, nam ze aan.

'Ik wil je daar niet voor me zien staan! O nee, dat wil ik niet! Ga uit mijn ogen!' riep ze uit, als een Iers melkmeisje dat stond te trillen voor de jonge meester.

51

'Connie!' Hij was haar nog steeds niet dicht genaderd. Hij riep over hoofden heen, die niet de moeite namen om zich om te draaien.

'Rot op! Heb het lef niet in mijn buurt te komen!' Ze werkte zich langs zijn bleke, strakke, wrede gezicht Biba binnen, hoewel ze amper besefte dat ze zich had verroerd. Haar handen zwaaiden en trilden terwijl ze zich tussen de rekken met veren boa's probeerde te verstoppen. Bungelende paarse en roze veren belemmerden haar blik. Ze zat onder water en verdronk tussen felgekleurde planten.

'Connie! Alsjeblieft, Connie! Connie, kom tevoorschijn.' Godzijdank kon ze zijn leugenachtige stem amper horen. Hij had haar een keer mee uit eten genomen met zijn vrienden. In de City, omdat hij daar nu werkte en een pak droeg. Ze had een weeksalaris uitgegeven aan een paar oorbellen die eruitzagen als gemengde drop.

Al zijn vrienden waren mannen, met bleke binnengezichten, gladde witte handen op het gesteven witte tafelkleed, en allemaal hadden ze dezelfde gezichtsuitdrukking: net niet verlekkerd, net niet hitsig. Connie had begrepen dat Rick om de verkeerde redenen met haar wilde pronken. Afwezig trok ze haar nieuwe oorbellen van haar oren en legde ze als een offergave op de dichtstbijzijnde tafel.

'Ik heb begrepen dat je in een publiek huis werkt,' had een van de vrienden, de langste en meest languissante, opgemerkt.

'Ik begrijp dat je familie wat land bezit in Ierland,' zei een tweede nadat er een gepaste stilte was gevallen. Misschien was dit een soort ouverture, een uitnodiging om door te gaan, op z'n Iers, over veenwater dat zo helder was dat elfjes er hun puntoortjes in konden bewonderen en over een lucht die zo fris was dat je een hele dag met één ademteug toekon... *I will rise and go now, and go to Innisfree...* Maar Connie had gedacht aan de regen en de modder, aan de eenzelvige somberheid van haar vader en aan haar moeders dappere glimlachjes.

'Zijn deze van mevrouw?' Een ober op leeftijd maakte een buiging voor Rick boven een zilverkleurig blad waarop de gemengde-dropoorbellen lagen.

Na die avond was Rick haar gaan verwijten dat ze naar drank en sigaretten rook. Ze had hem gezegd dat ze in een bar werkte en dat bardames nu eenmaal naar drank en sigaretten roken. En vervolgens was hij naar Parijs gegaan.

'Verdomme, Rick!' Nu zou ze hem confronteren met haar woede. 'Zie je dan niet dat ik bezig ben?' Wat dacht hij wel om zo achter haar aan te zitten, alsof dat iets volkomen normaals was? 'Je bent een klootzak, Rick!' Ze genoot ervan dat woord uit te spreken, hoewel het gewicht ervan haar tot zwijgen leek te hebben gebracht. Wat wilde ze roepen? *Moet je zien wat ik door jouw toedoen heb gedaan. Ja. Ja, ik héb je vader een tros bananen in zijn gezicht gegooid, maar voor jou zou dat nog te goed zijn. Trouwens, ik ben nu een stuk sterker.* Sterker? Ze verstopte zich achter de waterplanten. Toen de glanzende veren van de boa's langzaam vaneen gingen en zijn ooit zo geliefde gezicht zichtbaar werd, bleef ze kijken. Maar er zat geen liefde in. Die was er nooit geweest, om de waarheid te zeggen. Zijn vader Hubert, die rat, had meer liefde in zijn corrupte, ontaarde ziel.

'Connie. Zo hoeven we niet uit elkaar te gaan...'

'Jawel. Jawel. Jawel. Dat hoeven we wel.' Ze vluchtte terug naar de straat, langs monden die verbaasd openhingen als die van waterspuwers. In haar haast had ze zich niet gerealiseerd dat ze achter een rij boa's was blijven haken, die dramatisch als rafelige vlaggen achter haar aan fladderden. Een stukje achter haar rende een groep in mini geklede winkelbediendes.

Algauw kwam aan haar linkerkant Kensington Gardens in zicht. Ze sprong door een opening en wierp zich op het gras. Roze en paarse veren bleven nog een poosje om haar heen dwarrelen.

Connies artikel, over de jonge koopkracht, dat met een verwoede spitsvondigheid en energie helemaal door haarzelf geschreven was, veroorzaakte een kleine sensatie. Geschrokken lezers schreven naar de *Evening Standard* en gaven uitdrukking aan hun geschoktheid en woede: 'Zelfzuchtig en frivool. Zijn dit de kinderen voor wie we de oorlog gewonnen hebben?' 'Mijn dochter had voordat ze naar Londen ging alleen maar hooggestemde idealen over het moederschap, maar nu is ze alleen maar geïnteresseerd in de lengte van haar rok...' 'Ze hebben de mond vol van psychedelische kleuren, en dan willen ze nóg beweren dat kleren niets te maken hebben met de drugscultuur...' 'Toen ik met mijn dochter in een paskamer was, bleek die niet alleen voor gemeenschappelijk gebruik bedoeld te zijn, maar troffen we daar ook nog eens een man aan!'

Extatisch over dit eerbetoon aan haar vaardigheden stuurde Connie kopieën naar iedereen die ze kon bedenken, ook naar Nina en Fay. Toen het stof was opgetrokken, traden er een paar zwaargewichten naar voren die de zaak bepleitten: 'Als frivool zijn betekent dat je je niet inlaat met kwesties zoals Vietnam, ben ik er alleen maar voor,' schreef Mary Quant. 'In Londen kan een meisje nu in elke denkbare uitmonstering over Kings Road kopen, al waren het twee bananenschillen.' 'Maar dan moeten het wel bananenschillen van een topontwerper zijn,' luidde Ossie Clarkes wijze commentaar.

Ten slotte deed de minister van Financiën nog een duit in het zakje: 'De nieuwe mode-industrie voor jonge mensen heeft geresulteerd in een zeer veelbelovende exporthandel...'

De hoofdredacteur van de *Evening Standard* ontbood Connie in zijn kantoor. Terwijl hij slechts gedeeltelijk zijn verrastheid over haar kleding wist te verhullen – strakke, hooggehakte witte laarzen onder een lurex maillot en een jurkje dat was afgezet met imitatie-luipaardbont –, feliciteerde hij haar met haar uiterst eigentijdse artikel.

'Dat is de essentie van de journalistiek,' vertelde hij haar op hoogdravende toon, terwijl Connie haar best deed verlegen te kijken en bescheiden te glimlachen. Hij schoof naar voren op zijn stoel. 'En, wat zou je nu graag willen gaan doen?'

Om tijd te winnen – want ze had geen andere ideeën voor een nieuw 'eigentijds' artikel – sloeg Connie haar benen over elkaar en merkte op dat haar knieën, die voorheen plomp en rimpelig waren geweest, nu uitliepen in een elegante punt. Het was de roem, nam ze aan, waardoor ze geen tijd kreeg om te eten.

'De modellen zijn erg mager.' Ze knipperde met haar valse wimpers. 'Moet je alleen al Twiggy eens zien. Bijna skeletachtig. En jonge meisjes willen er natuurlijk precies zo uitzien. Dat kan niet gezond zijn, toch?'

In minder dan een jaar was Connie een toonaangevende schrijfster over speciale onderwerpen geworden. Ze zat nog steeds in de dagboekkamer, maar alleen omdat ze dat leuk vond. Ze werd geacht in contact te staan met het soort mensen van wie de redacteur en Merlin slechts een heel vaag beeld hadden. Op een avond nam Merlin haar mee uit eten naar het nieuwe Italiaanse restaurant in Soho. Het restaurant van Mario en Franco stond erom bekend dat er geen chiantiflessen waren, geen visnetten en platen van Sorrento. Connie vond dat het eveneens ontbrak aan sfeer.

'Hier komen alle mensen uit de film- en reclamewereld,' zei Merlin verlangend.

'Ik snap niet waarom je iets zou willen zijn wat je niet bent,' antwoordde Connie, en ze gulpte haar Verdicchio naar binnen alsof het water was. 'Waarom gebruik je niet je eigen naam, Merlin Regis de Witt?'

'Ssst.' Merlin keek zorgelijk om zich heen.

'Als je doet of je Merlin Derwitt bent, blijkt daar alleen maar uit dat het je ontbreekt aan zelfvertrouwen. Neem maar een willekeurige pagina uit het boek van Justin de Villeneuve.'

'De De Witts staan vermeld in het Domesday Book. Hoe kan ik met zo'n familiegeschiedenis doen alsof ik op de hoogte ben van het moderne leven?'

'Je luistert te veel naar onze redacteur. Nu we het daar toch over hebben: ik kan me niet voorstellen waarom je met al die kennis die je in je hebt journalist zou willen zijn.'

Merlin keek opgejaagd. 'Maar, Connie...'

'Je zou professor moeten zijn. Waarom zou je geen professor zijn?'

'Mijn vader was professor.'

'O, aha. Maar je zou toch tenminste een serieus schrijver kunnen zijn. Je zou meer over politiek kunnen schrijven.'

'Mijn oom is onderminister.'

'Ach zo. Dat is jammer. Waarom schrijf je dan niet over antiek?'

Ondanks Merlins somberheid ten aanzien van zijn establishment-achtergrond had hij zich tegen het einde van de avond ontpopt als een heel ander iemand dan de druktemaker, de would-be hippe vogel, die Connie van kantoor kende. Op mysterieuze wijze bleek dat hij een heleboel wist over antiek, en toen hij haar vroeg: 'Zou je mijn etsen willen komen bekijken?' was dat geen grapje.

Nina voelde diep ontzag voor het feit dat Connie als een meteoriet gestegen was tot een weliswaar beperkte, maar hoge roem. Ze wilde met William over haar praten, maar vermoedde dat ze daar nooit de moed toe zou hebben. Uiteindelijk maakte ze het onmogelijk door haar met haar twee kinderen in Londen te komen opzoeken. Ze troffen elkaar in Merlins flat.

'Ze zijn bij de tandarts geweest, vrees ik,' verontschuldigde Nina zich, 'dus ze zijn niet erg vrolijk.'

'Mogen ze zelf niks zeggen?'

Nina bedacht dat het niet alleen haar kinderen waren die het moeilijk vonden zich te uiten, want zijzelf kon dat ook amper. 'Normaal gesproken zouden ze iets willen eten.'

'O, mammie, we kunnen nog steeds eten, hoor!'

'Zo ken ik je weer, meisje.'

Ze begaven zich naar de keuken, waar de sfeer verbeterde en Nina nieuwsgierig werd. 'Dus je woont bij Neef Merlin?'

'We zijn bepaald geen geliefden, als je dat bedoelt.'

Met een blik op haar kinderen, die zich door een rozijnencake heen aten die ze achter in de kast gevonden hadden, probeerde Nina te bepalen of zij preuts was of Connie vulgair. Omdat ze niet graag kritiek op anderen leverde en eraan gewend was kritiek op zichzelf te hebben, besloot ze tot het eerste. 'Ik heb Merlins moeder voor ze stierf één keer ontmoet.'

'Dat haal je de koekoek – dat het was voordat ze stierf!'

'Louisa Regis de Witt was een formidabele vrouw.' Nina probeerde op haar stuk te blijven staan. 'Een Amerikaanse erfgename. Het "Regis" kwam van haar. Ze werd verliefd op een heel gewone Engelsman en is er nooit bovenop gekomen toen hij omkwam in de oorlog. Ze woonde hier alleen in deze flat en stierf zo'n vijf jaar geleden. Haar hart was gebroken en is volgens de familie nooit meer geheeld.'

'De kleine Merlin maakte haar zeker minder eenzaam?'

'Ze had hem niet bijster hoog zitten, vrees ik. Maar hij is vanzelfsprekend naderhand ontzettend rijk geworden. Ze verzamelde antiek, en kennelijk had ze daar een heel goede kijk op, nog afgezien van al het geld dat ze had bezeten.'

'Merlin heeft me verteld dat zijn vader professor was en zijn oom onderminister.'

'Dat klopt. Het soort vage professor dat een vestzakhorloge draagt.' Nina pakte een grote kers van de cake. 'Hij stond bekend als *Witless de Witt*. Dat was de reden waarom die excentrieke Louisa hem zo aanbad. William vermoedt dat zij als Amerikaanse het ene soort Engelsman niet van het andere kon onderscheiden.'

'Wat gek. Ik ben Iers en ik kan heel goed bepalen met wat voor soort Engelsman ik te maken heb.'

'O ja?' Nina wist haar twijfels niet te verhullen. Connies eigen beschrijving van haar liefdesleven met de befaamde Hubert en Rick gaf immers blijk van een bijzonder talent om mensen verkeerd te beoordelen.

'Nou ja, ik kan vrij goed bepalen of ze de waarheid over zichzelf spreken.'

Nina zuchtte. 'Als ze die zelf kennen. Waarom neem je Merlin niet mee om op Lymhurst te komen logeren? Ik ga niet voor het weekend terug naar Duitsland.'

'Merlin en ik reizen niet samen.'

'Kom dan alleen.'

'Misschien ga ik wel op dat vriendelijke aanbod in. Ziezo, kinderen, voordat jullie die cake helemaal opeten – ik moet er ineens aan denken dat jullie gastheer die gekregen heeft van zijn moeder op haar sterfbed met de instructies dat hij zou moeten fungeren als bruidstaart, waarbij zij dan herdacht moest worden. Ik dacht dat hij toen hij dat zei een grapje maakte, maar inmiddels ben ik geneigd te denken dat hij de waarheid sprak. Kom, we doen hem weer terug in de doos en dan hoeft hij er niets van te weten.'

'Als hij gaat trouwen, komt hij er wel achter,' merkte Nina met een glimlach op.

'Nee hoor. Zijn bruid zal zeggen dat het door mieren of oorwurmen of muizen komt...'

'Of slangen,' opperde Jamie, die opleefde.

'Slimme jongen ben jij. Of ratelslangen of schoonmaaksters die van cake houden...'

'Of tandenfeeën.' Helen deed ook een duit in het zakje.

'Met andere woorden,' vervolgde Connie, 'de bruid kan zich beroepen op een heleboel verklaringen zonder de schuld te hoeven geven aan twee arme kinderen die net terug zijn van de tandarts en die rammelen van de honger omdat hun moeder geen eten voor hen had.'

'Jij hebt ons op de thee gevraagd!' protesteerde Nina.

'En de bruid zal bovenal dolblij zijn dat ze niet opgezadeld hoeft te zitten met een melodramatische fantasie van een overleden moeder. In alle eerlijkheid: we hebben Merlin een gunst bewezen. Kinderen, denken jullie niet dat we hem helemáál zouden moeten opeten?'

'Nee. Nee. Dan worden ze misselijk.'

'Sorry, kinderen. Helaas moeten we het blik sluiten.'

1967

Nina keek hoe het schuim van het afwasmiddel in bellen van haar roze rubber handschoenen liep. 'William, vind jij dat de Amerikanen er goed aan doen te vechten in Vietnam?'

Hij was al gekleed in zijn uniform, met alles erop en eraan. Ze was laat en stond de vaat van Jamies avondeten af te wassen met een omzichtigheid die Williams blik had getrokken. 'Waarom ga je je niet omkleden,' zei hij, 'terwijl ik een antwoord bedenk?'

Verrast dat hij niet zonder na te hoeven denken 'ja' op haar vraag had geantwoord ging Nina gehoorzaam naar boven. Terwijl ze haar haar borstelde, dat nu lang genoeg was om het in een knotje te draaien, herlas ze Fays brief:

Vietnam beheerst alles. Families en vrienden worden uiteengerukt. Ze hebben altijd door en door Amerikaans willen zijn, en nu lijkt dat te betekenen dat ze hun prachtige zonen een oorlog in moeten sturen waarvan ze het nut niet inzien. Ouders hebben het helemaal gehad en voelen zich schuldig over halfslachtige plannen om hun zonen naar Canada te laten gaan. En de voor- en tegenstanders vliegen elkaar in de haren. Het is een nare tijd. En voor mijzelf is het nog het ergste dat ik niet weet wat ik ervan moet denken, wat helemaal niets voor mij is. Ik benijd jullie daar. Maar ik denk dat ik je advies moet vragen. Of dat van William. Zie je, ik begin het idee te krijgen dat ik helemaal niets van oorlog begrijp. Dus misschien moet je er William naar vragen. Of je moeder. Of jezelf. Ik neem aan dat er vanaf het moment dat je kon nadenken een of andere oorlog gaande is geweest in je leven. Ik weet dat er voor de Tweede Wereldoorlog een heel goede reden was, maar toch heeft die, met al die soldaten die wereldwijd hebben gevochten voor de vrijheid, niet het leven van zes miljoen joden gered – of wel soms? – terwijl die achter hen om werd gevoerd, vlak onder hun neus. Misschien was er een andere manier om daar een eind aan te maken. Iets waarvoor onschuldige jonge jongens niet het strijdveld op hoefden te worden gestuurd om te moorden en vermoord te worden. Of om verminkt te worden. Mijn moeder schreef me vorige week dat mijn neef Josh een arm en een oog moet missen... Hij is dezelfde Josh wiens grootouders van moederskant in concentratiekampen zijn gestorven. Ik weet dat het niets met elkaar te maken heeft, maar zo voelt het wel.

'Nina? Wat ben je aan het doen?' riep William – hij was terecht ontstemd, bedacht ze. Ze bracht snel een beetje lipstick aan en haastte zich naar beneden. Ze begreep wel dat het niet het goede moment was om vragen te stellen over het hoe en waarom van oorlog. Ze woonden tenslotte hier in Duitsland, het land dat zowel haar familie als die van Fay zoveel leed had berokkend. Maar dat was nu meer dan twintig jaar geleden, hield ze zichzelf verwijtend voor, en ze moest er bepaalde mensen voor verantwoordelijk houden, en niet een heel land.

'Is de oppas al gearriveerd?' riep ze, en de oorlog maakte plaats voor zorgen over Jamies status van enig kind nu Helen in Engeland op kostschool zat.

Hun bed was kleiner geworden, besloot Nina, en toen herinnerde ze zich dat zij groter was geworden en dat dat ook gold voor William, die tevoren een fors, hoewel niet vlezig postuur had gehad. Als Jamie op zondagochtend lekker bij hen kroop, voelden ze zich eerder geplet dan dat het plezierig was. 's Nachts werden ze in hun verstrengeling tot een onvrijwillige intimiteit genoodzaakt.

'Denk je niet dat een lits-jumeaux een goed idee zou zijn?' Ze sprak over Jamies hoofd heen, met haar handpalm op zijn blonde haar.

William liet behoedzaam zijn krant zakken. 'Mijn ouders hebben een lits-jumeaux gekocht in het jaar dat ze gingen scheiden.'

Fay lag op de grond van haar appartement sit-ups te doen. Dertig, en dan tien push-ups. Het was zaterdagavond, het tijdstip waarop andere vrouwen afspraakjes hadden.

Tot haar vreugde voelde ze haar hartslag versnellen. Een chirurg dient sterk, kalm en fit te zijn als een topsporter. Wanneer had ze besloten dat zij geen afspraakjes zou hebben? Laten we het voorzichtig uitdrukken. Dat was inmiddels een hele tijd geleden. 1960.

Hij had Christopher geheten, een belachelijke WASP-naam. Dat alleen al zou genoeg zijn geweest om Fays moeder de schrik van haar leven te bezorgen. Maar dat was nog niet het ergste. Wat er goed aan was, was ook behoorlijk goed: hij was serieus, werkte hard en wilde ook een medische opleiding gaan volgen; hij zag er uitstekend uit zonder knap te zijn, met donker golvend haar, ogen die op de juiste afstand van elkaar stonden, delicate vingers. Het waren zijn vingers waarop Fay verliefd was geworden – chirurgenvingers, plaagde ze hem – en misschien ook op zijn schouders, met hun vierkante eenvoud. Ze gingen samen zwemmen, en ook al was zij zo goed als naakt, hij bleef gewoon tegen haar doorpraten alsof ze een menselijk wezen was.

In de lente van 1960 vroeg hij of ze zijn partner wilde zijn bij een dansfeest. Het was een grootse partij, vertelden al haar vriendinnen haar, zo'n feest waarbij mannen alles uit de kast trokken. Fay wist dat ze doelden op huwelijksaanzoeken, omdat ze daar zelf op hoopten. Maar met nog ten minste vijf jaar studie voor de boeg voelde ze niets voor welk aanzoek dan ook, behalve voor het aanbod van een plaats op Columbia. Maar aangezien toch niemand haar zou geloven, hield ze haar mond en gaf toe dat dit feest haar wel wat leek.

Als ze de volle waarheid hadden gekend, zouden ze hebben kunnen weten hoe leuk. 'Liegen gaat me niet goed af.' Fay had naar het bleke gezicht in de spiegel gestaard, in haar eigen donkere ogen, en die hadden teruggestaard: defensief, uitdagend, beschaamd, opgewonden. Ze had zojuist haar moeder gebeld in Chicago en haar gezegd dat ze met seider niet bij de familie zou zijn, omdat ze had beloofd die met haar grootmoeder in Brooklyn door te brengen.

'Ik had met haar te doen,' had ze haar moeder uitgelegd, 'dat ze seider moest vieren met die arme dove grootvader, die droeve oom Morris en die vreemde nicht Elsie om hen gezelschap te houden.' Daarna had ze haar grootmoeder opgebeld – de moeder van haar vader, die ze tijdens de afgelopen drie jaar aan de oostkust had leren kennen – en had op spijtige toon geklaagd: 'Mijn moeder wil met alle geweld dat ik met seider bij haar en de rest van de familie ben. Het is vervelend dat ik er zo'n eind voor moet reizen terwijl ik ook bij jou zou kunnen zijn.'

Het mooie van dit bedrog was dat haar moeder en haar grootmoeder elkaar nooit hadden gemogen en elkaar tegenwoordig zelden spraken. Dus hoe boos ze ook waren, het was onwaarschijnlijk dat ze de informatie die hun was gegeven naast elkaar zouden leggen. Trouwens, de telefoon was er alleen voor noodgevallen.

'Je ziet er fantastisch uit. Fantastisch.' Complimentjes van Christopher waren zeldzaam, maar Fay, de realist, wist dat hij gelijk had. Ze droeg een lichtblauwe jurk, die strak aansloot rond haar smalle taille, en ze had haar haar in een chignon gestoken, zodat het een glanzende donkere helm leek. Ze voelde zich *soignée*, zo dicht bij schoonheid als ze maar kon zijn. Ze stak haar arm door die van Christopher en glimlachte met de charme van Grace Kelly.

Fay had een glorieuze avond en kreeg geen spijt van haar gelieg. Toen ze afscheid namen, kuste ze Christopher met de belofte van meer – om vijf uur in de ochtend, een voorbeeldige zonsopgang vol gekwinkeleer van vogels en het motorgeronk van mensen die terugkeerden van een avondje uit. Maar vanbinnen besefte ze dat het voorbij was. De prijs was te hoog geweest. Ze zou hem zeggen dat zij niet was als andere meisjes, dat zij geen ruimte had voor iets anders dan haar ambitie om arts te worden. Daar ga je dan, Grace Kelly.

Ziezo. Tot zover de wegen van de herinnering. Fay ging achteroverliggen en strekte haar armen uit boven haar hoofd. Ik heb zin in seks, merkte ze bij zichzelf op. Seks is gezond. Ik wil alleen die bijbehorende afspraakjes niet. Geen Nina met haar man en kinderen, geen Connie in een emotionele warboel. Cleane, ordentelijke, gezonde seks – mannenseks, dat was wat ze wilde.

Connie had de gewoonte aangenomen om de paar weken een bezoek te brengen aan vader McDonald. Hij was overgeplaatst naar een parochie in Soho, waar hij een tehuis had ingewijd voor heroïneverslaafden, alcoholisten en ander 'uitvaagsel', zoals Connie het noemde.

'Hoe staat het met uw uitvaagsel vanmiddag?' riep ze nu terwijl ze afdaalde naar het neonverlichte souterrain.

'Je treedt me niet tegemoet als een priester,' bromde vader McDonald.

'Dat komt doordat u mij niet tegemoet treedt als een zondares.'

'Als je over theologie wilt discussiëren, moet je niet bij mij zijn, maar het is waar dat ik een zwak voor je heb. Niet voor je zonden, dat begrijp je natuurlijk wel.'

De priester zat sandwiches te smeren voor het kerstfeest en splitste Connie onmiddellijk de taak in de maag ballonnen op te blazen. 'Kunnen we niet ruilen?' wierp ze tegen. 'Brood smeren is toch meer vrouwenwerk?'

'En jij bent zo vol van hete lucht!'

'Wie komen er allemaal?'

'Een heleboel van onze landslieden, verwacht ik. Kerstmis trekt hen naar de priester, en als er een beetje warmte is en er is iets te eten, willen ze hier wat graag blijven slapen.'

'Een van hen zou mijn eigen broer kunnen zijn. In de oorlog, toen ik nog maar een klein kind was, zijn twee van mijn broers naar Engeland gegaan. Maar ik heb er later natuurlijk wel van gehoord. M'n pa heeft hen nooit vergeven en m'n ma heeft hém nooit vergeven. Tenminste, zo stel ik het me nu voor. Kevin is naar Amerika gegaan, Finbar en Joe naar

Engeland, en Michael bleef thuis. Dat is de geschiedenis van de mannen in onze familie.'

'En weet je waar in Engeland die ene is?'

'Joe?' Connie trok een gezicht en besmeerde toen haar mond met boter alsof het lipstick was. 'Hij is ergens in het achterlijke noorden van dit grote land, en ik ben u dankbaar dat u me niet herinnert aan die dronken sukkel die mij in het huis van zijn beste vriend als dienstmeisje dacht te kunnen gebruiken.'

Connie was niet van plan de moeite te nemen het verhaal te vertellen van haar eerste indruk van Engeland, hoewel ze zich dat nog heel goed kon herinneren. Ze hadden heel wat geleken, op de avond dat ze aankwam op het Warrington Station, met z'n drieën, een welkomstcomité, en Connie had niet kunnen zeggen wie van hen haar broer was. Toen was de trein in beweging gekomen, was de lichtval veranderd, en had ze gezien dat de langste van hen het rossige haar en de blauwe ogen van Michael en haarzelf had, en ook hun neus, die recht uit hun voorhoofd naar voren stak, en de brede, knokige schouders van haar vader. De andere twee waren kleinere mannen, die voor deze gelegenheid – een onbekende zuster van thuis ophalen – hun haar glad achterover hadden gekamd en hun jasjes hadden opgewreven. Tussen hen in hielden ze een groot stuk bruin papier waarop met wit krijt CONSTANCE O'MALLEY was geschreven.

Ze had haar koffer neergezet. Toen, om zich heen kijkend, had ze de rookkrullen uit dampende schoorstenen opgemerkt die uitvaagden in de donkere lucht, het razende lawaai van machines, de zwavelgeur die zelfs in de koude avondlucht te ruiken was. Het leek wel of het station was omgeven door fabrieken.

'Jij bent een O'Malley, zoveel is zeker.'

'Ik dacht hetzelfde over jou.'

De twee vrienden waren eerbiedig op afstand gebleven terwijl broer en zus elkaar de hand schudden. Ze waren te verlegen om elkaar bij deze allereerste ontmoeting een zoen te geven. Nou ja, de eerste ontmoeting die ze zich kon herinneren in elk geval. Desondanks had Connie opgemerkt dat er een waas van alcohol om hem heen hing.

'Dit is Timmy en deze brutale knaap is Pat. Je zult in Pats huis onderdak krijgen.'

Connie had naar Pats bleke, magere gezicht gekeken: de sjaal die wurgend strak om zijn nek zat, de te grote handen die uit de mouwen van zijn jasje hingen. Ze kon zo iemand elke dag van de week in Dublin zien, dus wat was haar grote broer, die naar Engeland was gevlucht, van plan om haar op te schepen met zo'n hopeloos figuur?

'Mijn vrouw heeft nachtdienst,' zei Pat, 'maar ze is er niet helemaal gerust op voor het geval de baby wakker wordt. De kamer is groot genoeg voor twee.'

Nachten met een krijsende baby. Connie had het meteen doorgehad en had gedacht: is dat niet precies waaraan ik al die jaren heb willen ontsnappen? Het einde lag al meteen in het begin besloten.

Nee, ze zou die sombere herinneringen niet delen met de priester, die er moeite mee had voldoende lucht in een langgerekte groene ballon te krijgen.

'Het is de bedoeling dat u de ballons opblaast, niet uw wangen,' luidde Connies commentaar terwijl ze toekeek hoe zijn gezicht angstwekkend opzwol. 'Kijk, ik zal er een mes in steken, zodat u niet hoeft toe te geven dat u verslagen bent.'

'De O'Donalds,' zei de priester, en hij legde de ballon neer, 'zijn een heel hechte familie.'

'De O'Malleys zijn romantische zielen,' antwoordde Connie plechtig. 'Om een recent voorbeeld te noemen: ik ben van plan naar Amerika te gaan en daar op zoek te gaan naar mijn lang verloren broer Kevin. Als God het wil, is hij slimmer dan de man in het noorden, en dan kom ik nooit meer terug in dit armzalige land.'

Vader O'Donald maakte een vreemde beweging, alsof hij terugdeinsde. Maar er was niets, bedacht Connie, waarvoor hij zou kunnen terugdeinzen. Nieuwsgierig boog ze zich naar voren, op hetzelfde moment dat hij zijn ogen naar haar opsloeg. Ze hadden de merkwaardige pruimbruine kleur van de ogen van roodharigen en bleven op haar rusten, wat haar een ondraaglijke pijn en emotie bezorgde.

'Nee!' riep ze onwillekeurig uit, en ze keek onmiddellijk weg. Als ze ooit had gedacht dat hij in die zin iets voor haar zou voelen, zou ze het nooit hebben toegegeven.

'Nee,' herhaalde hij nuchter. 'Zeker niet.' De onderbreking duurde maar heel even, maar het 'niet'klonk er sterk in door. 'Ik zal vaak aan je denken op je queeste.' Hij had zichzelf weer in de hand gekregen en was weer in staat de rol van de vriendelijke priester te spelen.

'O, vader.' Nu kon ze hem niet eens een hand toesteken.

'Ik zal je opofferen.' Hij glimlachte ironisch. 'Vertel eens, wanneer ga je?'

'Deze week, volgende week,' zei Connie luchtig.

Maar toen ze thuiskwam zorgde een brief van Nina voor een verandering van haar plannen.

'William is weg.' Nina liet Connie binnen in haar keurige militaire woning. Ze omhelsde haar alsof ze de schok van haar aankomst wilde verzachten, van een georganiseerdheid die niet de hare was, van een vreemd land, van een vriendin die misschien niet was wat ze verwachtte. Ze had in haar brief niet pathetisch willen klinken, maar ze had behoefte aan iemand om mee te praten.

'Ik hoop dat ik hem niet heb weggejaagd.'

'Hij is vaak weg, ben ik bang.' Ze zweeg even, had er moeite mee eerlijk te zijn, maar wat viel er nog te hopen als je niet eerlijk kon zijn tegen een vriendin? 'Ik ben eigenlijk helemaal niet bang.'

Maar Connie had het niet gehoord en liep verder het huis in, waar ze Jamie aantrof, die op de grond de onderkant van een miniatuurjeep lag te bestuderen.

'Hoi,' zei Connie. 'Zo te zien lig jij daar wel lekker.'

Hij verwaardigde zich niet antwoord te geven.

'Ik heb een fles meegenomen.' Connie reikte in haar tas – groot en geborduurd met klokjesbloemen. 'Eerlijk gezegd heb ik er twee meegebracht. Het is heel bijzonder om geld te hebben. Ik heb wat naar mijn moeder gestuurd, weet je. O, wat een geklaag!'

'Eten,' zei Nina tegen Jamie, die werktuiglijk opstond van de vloer.

'Ik kan de fles net zo goed nu openmaken,' opperde Connie, die zich niet meer kon herinneren wat ze gemeen had met deze waardige echtgenote en moeder. Haar was verzocht te komen, dat was het. Ze moest niet vergeten dat je niet altijd vanzelf werd beloond als je je netjes gedroeg. Ze waren vriendinnen, die ooit samen onderdak hadden gevonden in hetzelfde gekkenhuis. Ze hadden gedanst bij de heilige taxus. 'Hou je de kurkentrekker om tactische redenen verstopt? Misschien heeft Jamie drankzuchtige neigingen getoond?'

Terwijl Nina Jamie naar bed bracht, zat Connie in de woonkamer in haar eentje te drinken. Ze keek ervan op hoe lelijk die was: de meubels hadden een merkwaardige gebrande oranje kleur die zonder enige moeite een vaas bloemen en een of twee prenten aan de muur domineerde.

Uiteindelijk kwam Nina naar beneden. Ze zag er uitgeput uit, lelijk, met donkere kringen onder haar ogen. Ze was gekleed in een vormeloze tuniek op een flodderige broek.

'Ben je weer zwanger?' vroeg Connie.

'Natuurlijk niet. Waar jij werkt zullen wel geen dikke vrouwen zijn. En je bent zelf graatmager.'

'Slank.'

'Hoe dan ook, je ziet er erg elegant en aantrekkelijk uit.'

Er viel een stilte, terwijl Connie zocht naar iets aardigs om te zeggen over Nina's uiterlijk, maar ze besloot dat ze het best over een ander onderwerp kon beginnen. 'Gaat het goed met je schilderijen?'

'Nee. Wat leuk dat je daarnaar vraagt. Ik weet niet waar de tijd blijft. Ik lees. Ik lees op het moment Dante. '*El Paradiso.*'

'Goeie hemel. Ik dacht dat je atheïst was.'

Nina hapte naar adem, sloeg haar handen voor haar gezicht, en haalde ze toen resoluut weer weg. 'De waarheid is dat ik verschrikkelijk somber ben. Met dat gewas van me gaat het helemaal niet zo slecht, maar ik zie geen enkele reden om in beweging te komen. William kan het niet begrijpen. Dat ik geen tijd voor dingen lijk te hebben. Nu Helen weg is, heb ik alleen Jamie nog.'

'Waar is Helen?' vroeg Connie, die haar afwezigheid niet had opgemerkt.

'Op school in Engeland.'

'Maar ze is nog een kind!'

'Ze wilde graag weg van de kostschool waar ze eerst heen was gegaan. Er was een roekenkolonie vlakbij die als het donker was enge geluiden maakte, dus zit ze nu op een dagschool bij Lymhurst en zorgt mijn moeder voor haar. Ze kunnen het goed met elkaar vinden. Ze leert pianospelen.'

Connie nam nog een slok en maakte zich op om te luisteren. Ze begreep dat dit de reden was waarom Nina haar had uitgenodigd. Ze vroeg zich af wanneer ze weer over William zou beginnen.

Maar haar problemen waren van meer algemene aard, zo bleek. Ten eerste voelde ze zich erg eenzaam met alleen een jongetje van drie als gezelschap 'Het is heel anders dan in Malaya, waar we elkaar allemaal kenden en een hechte gemeenschap vormden!' Dit zei ze zo ernstig dat Connie zich genoodzaakt zag instemmend te knikken, hoewel 'een gemeenschap' bij haar beelden opriep van een gevangenis.

Vervolgens was er haar onvermogen om haar verfkwasten ter hand te nemen, die ze voor veel geld in Londen had gekocht. 'Je kunt er altijd nog de spinnenwebben mee wegvegen.'

'Welke spinnenwebben?' Connie kon zich niet voorstellen dat er in dit onplezierige kleine huis iets zo vriendelijks als een spinnenweb zou kunnen zijn.

'Ik weet niet.' Nina keek vagelijk om zich heen.

Dan was er het probleem van het huis in Engeland. William had het van haar moeder gekocht, maar voelde er niets voor te betalen voor het onderhoud. 'Hij zegt dat het geld voor de kinderen is, waar ik met mijn pet niet bij kan, want ik had gedacht dat het *huis* voor de kinderen is.'

Toen Connie zich dit alles probeerde voor te stellen, zonk de moed haar in de schoenen en ze besloot over te gaan tot een frontale aanval: 'Hoe gaat het tussen jou en William?'

'O, met William gaat het heel goed.' Nina glimlachte een gekmakend vaag glimlachje, alsof ze een vraag had beantwoord die een vreemde haar stelde op een cocktailparty. 'Zijn nieuwe baan vergt veel van hem.' Ze zweeg even. 'Er was iets...'

'Ah,' moedigde Connie haar aan.

'Denk jij wel eens na over de oorlog?'

'Hè? Hoezo oorlog?'

'Zie je, ik moet er zelf tegenwoordig nogal veel aan denken. Deels doordat Fay me schrijft over Vietnam. Ze gaat er min of meer van uit dat het het belangrijkste in mijn leven is, omdat mijn vader in een kamp heeft gezeten en hij er qua gezondheid nooit bovenop gekomen is, zodat hij jong is gestorven, en omdat ik met een militair getrouwd ben. Nou, en daar zit ik dan in een land dat Engeland heeft willen veroveren. Maar er is iets anders, wat nog verwarrender is. Zie je, ik begin te denken dat ik met William getrouwd ben omdat ik dacht dat hij het wel zou begrijpen, en nu begint het tot me door te dringen dat dat niet zo is. Of misschien valt er niets te begrijpen. Oorlog bestaat gewoon. De sterke probeert de zwakke eronder te krijgen, dus hebben we behoefte aan legers. Ik geloof dat ik William heb aanbeden als een held, vooral als hij aan het ontbijt zijn uniform droeg. Ik vond dat hij sterk en mannelijk was, een morele kracht die streed voor het goede, in elk opzicht een soldaat. Ik probeer nog steeds dat gevoel levend te houden, maar wil dat me lukken, dan moet ik kennelijk aan de kant van de oorlog blijven. Als dat al de juiste manier is om ertegenaan te kijken, maar dat is het waarschijnlijk niet.'

'Poeh,' zei Connie.

'Toen ik een jaar of zestien was, zag ik William op het filmjournaal. Ik was met een paar vrienden van school naar de bioscoop gegaan. Hij liep met een heleboel andere militairen de loopplank van een schip op. Ze waren onderweg naar Egypte. Je weet wel, die kwestie met het Suez-kanaal. Ik had hem nooit herkend als hij niet opeens in close-up was verschenen. "Jeetje, dat is William, ziet hij er niet knap uit?" begonnen een paar jongelui achter in de bioscoop te roepen – ze joelden het, om eerlijk te zijn. Hoe dan ook, er brak een vechtpartij uit tussen een paar officieren in opleiding die vlak bij ons zaten en die jongelui achterin, die "Moordenaars!" en dat soort dingen riepen.'

'Ik begrijp het niet helemaal,' zei Connie toen Nina weer even stilviel.

'Ik heb zitten denken dat ze misschien wel gelijk hadden en dat militairen inderdaad moordenaars zijn.'

Connie nam een grote slok van haar wijn. 'Geen wonder dat je zo somber bent. Het lijkt me dat je veel te veel zit te piekeren.'

'Ik haat al dat gepieker!' riep Nina fel.

'Wat vind je leuk om te doen?' Connie prees zichzelf om haar grote geduld.

Nina zat in haar stoel, haar handen gespreid op haar knieën, haar blik recht vooruit. 'Ik hou van kijken. Van dingen opmerken. Ik mag mezelf graag verliezen in datgene waar ik naar kijk.'

'Kijken? Zomaar naar iets kijken?' Connie tuurde om te zien wat Nina op dat moment in zijn ban hield. Het bleek een kaal stukje van de muur te zijn waarop zich een flauwe schaduw van een zieltogende kamerplant aftekende. 'Een soort meditatie, bedoel je?'

'O, nee! Ach, laat maar.' Nina stond abrupt op, alsof ze zichzelf uit haar trance had gehaald. 'Ik ga eten voor ons klaarmaken.'

's Nachts kwam er een hard geluid Connies droom binnen en ze wist dat er een man in huis was. Met angst en beven kwam ze naar beneden voor het ontbijt. De geur van kippers vulde de keuken. Williams brede rug – ze nam althans aan dat die aan William toebehoorde – was over het fornuis gebogen.

'Goedemorgen. Jij moet Connie zijn.'

Connie was verrast. Het was allemaal leuk en aardig om iemands echtgenoot in abstracto af te schrijven, maar nu ze een lang, aantrekkelijk en zelfverzekerd manspersoon tegenover zich vond leek de situatie te veranderen. Nina had nooit gezegd hoe blond, gezond en sexy hij was. Ze trok de band van haar mauve zijden kimono strakker om haar taille.

'Ja. Ik ben Connie. Vind je kippers nou echt lekker?'

'Ik ben er dol op.' Hij was bloedserieus. 'Maar ik eet ze alleen als Nina er niet bij is. Ze is Jamie naar school brengen. Ik kan je zeker niet met een verleiden?'

'Ik pieker er niet over. En jou je genoegen ontnemen? Dat zou misdadig zijn.'

'Zo dol ben ik er nou ook weer niet op.'

'Ik heb liever sterke thee uit deze mooie dikke pot.'

'Ik was vergeten,' zei William, 'dat je Iers bent.'

Nina trof hen aan terwijl ze gezellig aan weerskanten van de tafel zaten. Connie wist dat William zijn vertrek uitstelde en genoot van deze sprankelende vriendin van zijn vrouw, op wie hij een goede indruk hoopte te maken.

'Ik moet gaan.' Spijtig schudde hij Connies hand en kuste haar vervolgens op de wang. Hij had de vleiende manier van doen van een man die een stuk of tien dringende afspraken en het commando over honderden mensen zou willen inwisselen voor nog een kopje thee dat werd ingeschonken door de blanke hand van deze Ierse schoonheid.

'Je begrijpt vast wel,' zei Nina toen ze de borden opstapelde, 'waarom ik van hem hou.'

'Ik kan me maar beter gaan aankleden,' zei Connie diplomatiek. Ze waren van plan een wandeling te gaan maken, hoewel Nina met klem had beweerd dat er niets bijzonders te zien viel in dit deel van Duitsland. Maar het begon te regenen en algauw hoosde het, dus gingen ze weer in de woonkamer zitten en hervatten hun gesprek van de vorige avond.

'Je denkt natuurlijk dat het allemaal mijn fout is,' begon Nina agressief, 'nu je hem hebt gezien. En misschien heb je wel gelijk. Hij is wat hij is, wat hij altijd is geweest en wat hij waarschijnlijk altijd zal zijn. Met hem is niets mis.'

'Ik moet toegeven dat ik je voordat ik hem in al zijn gouden glorie had aanschouwd had willen aanraden naar Sussex te gaan. Maar nu weet ik dat zo net nog niet.'

'Je bedoelt omdat hij dan een minnares neemt. O, wat hem betreft hoef ik daar niet eerst voor weg te gaan.'

'Eh... Nee, vast niet...'

'Het ergste is nog dat het me niet kan schelen. Niet echt, niet werkelijk, niet zo dat je nergens anders meer aan kunt denken. Ik verwijt het hem niet, want ik zie eruit als een oude slons en ben nog halfgek ook. Ik was me nog steeds, natuurlijk. Geloof me maar niet als ik zeg dat dat voorbij is. Maar als hij een minnares heeft genomen, heeft dat zijn behoefte aan mij niet verminderd.'

Connie begon een somber gevoel te krijgen. Ze zag in dat hier sprake was van een knoop die zelfs de meest behendige vingers nog niet zouden kunnen ontwarren. Luisteren, herinnerde ze zich, was de oorspronkelijke reden waarom ze was gevraagd hier te komen. En ze tekende in gedachten aan dat het huwelijk alleen mocht worden aangegaan onder omstandigheden van zeer bijzondere – en waarschijnlijk onbereikbare – zekerheid.

Na Connies vertrek monterde Nina op. Ze schoot door haar kamer, waar het rook naar geurtjes en crèmes. Ze sloop Jamies kamer binnen en bewonderde zijn lieve slapende lichaam, waarna ze hem lekker instopte in zijn bedje. Ze maakte eten klaar en hield het warm in de oven, en ging toen naar de eetkamer, die ze amper gebruikten, en spreidde kranten uit over de mahoniehouten tafel. Ze bladerde door haar schetsboek, bekoord door de schetsen van een kaars, een raam en een boom daarbuiten. Ze haalde haar doek en verf achter de kast vandaan en begon verf uit twee of drie tubes te knijpen. Een beperkt palet, hield ze zichzelf voor, en ze bewonderde de kobaltblauwe sliert die krulde als een schelp. Kobaltblauw, okergeel, Vandyke-bruin, rauwe sienna...

Om tien uur kwam William thuis en Nina, bleek en moe, gaf hem een kus. Hij ging eerst bij Jamie kijken en daarna gebruikten ze samen in alle rust de maaltijd.

'Waarom is die vriendin van je hier eigenlijk gekomen? Wij lijken helemaal geen mensen voor haar.'

Nina begreep dat Williams bewondering voor Connie verhuld moest worden als kritiek. 'Ze gaat binnenkort naar Amerika en wilde me vragen naar Fay. Ik heb haar eraan herinnerd dat Fay serieus is en hard werkt, dat ze geen interesse in mannen heeft en geen gevoel voor humor bezit.'

William lachte. 'Dat was wel een beetje vals. Zo ben je helemaal niet.'

Dat was waar. Nina keek hem aan met dezelfde vriendelijkheid die er de oorzaak van was dat ze drie uur lang had zitten schilderen. 'Ik ben liever mezelf dan een van hen,' zei ze.

'Dat mag ik hopen,' glimlachte William met jongensachtige affectie en met zijn blauwe ogen wijd opengesperd.

Toen ze dat zag moest Nina ook lachen, maar haar hart, dat dapperder was dan anders, sloeg een slag over toen ze die blik herkende – zo zag William eruit als ze hadden gevrijd: zijn ontspannen blik van de grote veroveraar, zoals ze hem voor zichzelf noemde. En toch had hij niet eens verteld waarom hij zo laat thuis was, en haar had het te weinig kunnen schelen om ernaar te vragen.

Fay had een auto geleend om Connie van het vliegveld te halen. Ze kreeg er een oud gevoel van, alsof Connie haar dochter was. Ze zat in de bar een kop zwarte koffie te drinken en keek af en toe op haar horloge. Ze wist hoelang het duurde voor mensen uit het buitenland langs de douane waren, en ze was niet van plan te gaan staan wachten voor elke vliegtuiglading. Haar werkdag was om zes uur begonnen met haar gebruikelijke rondje joggen en om halfacht was haar dienst in het ziekenhuis van start gegaan. Het was vermoeiend om zo veelgevraagd te zijn. Waarom had ze gezegd dat deze onstuimige Ierse jonge vrouw wel bij haar terechtkon? Ze had haar maar amper een paar weken meegemaakt, onder omstandigheden die te vreemd waren om van een echte vriendschap te kunnen spreken. O god, dat malle gedoe onder die boom. Hoe kon ze dat vergeten zijn? Als het nu Nina geweest was, zou het tenminste ergens op geslagen hebben. Nina en zij correspondeerden regelmatig. In feite had ze op dit moment een halfgelezen brief in haar tasje zitten. Fay haalde hem eruit, met zijn Duitse poststempel:

Ik heb net je brief herlezen en ben vol bewondering voor je energie en georganiseerdheid. Jij bent de enige vrouw die ik ken die een echte carrière heeft, of zelfs maar de ambitie daartoe. Dat komt me vreemd voor, en voor een Amerikaanse moet het wel heel bizar lijken, alsof wij Maori-vrouwen zouden zijn met onze baby's op onze rug gebonden, een pot pruttelend op het vuur terwijl onze mannen beesten die niet opletten aan hun speer rijgen! Het is nog vreemder omdat ik maar één kind thuis heb en het andere in Engeland door haar grootmoeder wordt verzorgd. Wat ik bedoel te zeggen is geloof ik dat het voor jou wel moet lijken of wij in de Duistere Middeleeuwen leven en niet aan het eind van de jaren zestig, een tijd waarin vrouwen zoals jij hun weg vinden in een mannenwereld. Misschien ben ik de laatste van onze generatie die zo weinig ruggengraat heeft...

Fay, die het geheel eens was met Nina's visie op zichzelf, keek weer op haar horloge en bedacht dat Connie in ieder geval wel een soort carrière leek te hebben gemaakt.

Connie werkte zich met haar charmes door de kortste rij bij de douane en was binnen een mum van tijd in de aankomsthal. Ze was niet teleurgesteld toen Fay nergens te bekennen viel, maar stevende onmiddellijk af op de kiosk, waar ze alle dollars die ze bij zich had uitgaf aan de *New York Times*, de *Washington Post*, de *Daily News*, het *Times*-magazine en *Newsweek*, en toen, terwijl ze steeds enthousiaster werd, ook aan het *New York*-magazine en de *Village Voice*. Met deze uitdagende veelheid aan Amerikaans drukwerk wankelde ze opgetogen naar de dichtstbijzijnde bar. Eeuwen van overgeërfde Ierse ervaring vertelden haar dat mensen die het ontmoeten waard waren vroeg of laat wel in een bar zouden opduiken. Ze bestelde een whisky-soda en slikte haar teleurstelling weg toen die in plaats van door een stevige mannenarm ter plekke bereid te worden in een shaker kant-en-klaar werd uitgeschonken uit een fles.

Connie herkende Fay en sprong met haar armen zwaaiend overeind. 'Fay! Fay!' Hierdoor stortten de kranten en tijdschriften in een lawine van de tapkast.

'Welkom in het land van de kansen,' zei Fay droogjes toen Connie enigszins verdwaasd naar de chaos om haar heen bleef staan kijken.

Samen knielden ze neer om de kranten op te rapen. Een andere barbezoeker hielp een handje mee, een forse man met brede heupen, die rondkroop, om zich heen graaide, vouwde. Connie stond op, klapte in haar handen en lachte. Ten slotte waren de laatste pagina's in haar schoudertas gepropt en moest er, natuurlijk, op gedronken worden.

'Trigear,' zei de forse man. Hij liet hun weten dat hij op weg was naar Mexico, of, zoals hij het zei, 'daar ergens in de buurt', wat Fay deed vermoeden dat hij niet helemaal deugde. Hij had de bolle grijsheid van een man die een heleboel geheimen heeft, en terwijl hij dronk keek hij om zich heen alsof hij wilde nagaan wie hem in de gaten hield. Hij wilde weten waarom Connie zoveel drukwerk bij zich had. Ze begon het uit te leggen. 'Ik ben journaliste,' begon ze duidelijk articulerend, maar naarmate ze ver der vertelde werd haar Ierse accent met zijn lange, zachte intonatie steeds beter hoorbaar; Fay had het idee dat Trigear niets van haar verhaal begreep, hoewel zijn aandacht geen moment verslapte en hij haar aanstaarde alsof er een exotische vogel tussen hen was neergestreken. 'En als Ierse ben ik eraan gewend een vreemde te zijn in een vreemd land. Mijn eigen stem spreekt van de donkere en gevaarlijke rijkdommen van een volk dat niet alleen gevangenzit in het web van zijn eigen verbeelding, maar ook aan de genade is overgeleverd van een ander ras dat eropuit is het luisterrijke leven en de schitterende dromen waaruit blijkt hoe saai en armoedig ze zelf zijn eronder te krijgen. Ze werden verbannen naar varkensstallen, als de verloren zoon, alleen waren ze niet schuldig; de rijkdommen die ze hadden gekend werden door het slijk gehaald, hun prinsen werden paupers, hun vrouwen lichtekooien, hun enige poëzie lag in het gebed, totdat ook dat deel ging uitmaken van de niet-aflatende onderdrukking. Maar de stem overleeft. Mijn stem. Stemmen in deze kranten. De stem in woorden. Meer woorden!' Om haar betoog kracht bij te zetten pakte Connie een hoekje van een krant en Trigear, kennelijk bang dat ze hem weer open zou schudden, boog zich naar voren op zijn kruk, maar Connie glimlachte. 'Ik zal mijn mond houden.' Het was duidelijk dat ze tevreden was over haar prestatie en ze stond op het punt nog een drankje te accepteren toen ze Fay met een ongelukkig gezicht op haar horloge zag kijken.

'Je bent echt een engel, Fay.' Connie pakte hartelijk haar arm vast.

Allebei keken ze toe hoe de forse man de hint naar behoren verwerkte en zich terwijl hij uitriep: 'Ik kom terug, kleine schoonheid!' terugtrok van de bar. Connie glimlachte toen ze zag dat hij snel het label van haar koffer trok.

Fay voerde hen de stad in. Ze zei: 'Ik had je bijna niet herkend, zo slank en chic.'

'En ik jou ook niet,' antwoordde Connie vergenoegd. Ze keek uit naar de Amerikaanse nacht, met zoveel wegen dat ze amper het erachter liggende land kon zien en vervolgens, flauw verlicht door straatlantaarns, de straten en huizen van Europees formaat, hoewel de overnaadse planken haar onbekend waren. 'Hoelang is het rijden, Fay?'

'Over een paar minuten zijn we bij de Triborough-brug, dus kijk uit naar wolkenkrabbers. Zoiets heb je vast nog nooit gezien.' Fay leek milder gestemd bij het vooruitzicht de wonderen van Manhatten te kunnen tonen.

Afgezien van de vreemde indeling van in elkaar overlopende kamers was Fays appartement precies zoals Connie het zich had voorgesteld: klein, netjes, gedecoreerd in tinten groen en grijs. Er stond al een opengeklapte slaapbank gereed. Ze had nog nooit zoiets gezien en stond ervan te kijken hoe comfortabel en efficiënt het was. Fay liet haar zien hoe het mechaniek werkte en vertelde haar op ietwat dreigende toon hoe de bank 's ochtends weer kon worden opgeklapt.

'Ik kan mijn ogen niet geloven!' riep Connie uit. 'En volgens jou heet het een Castro Convertible. Wat bizar. Ik dacht dat Amerika in oorlog was met Castro.'

'Je politieke opvoeding zal ik tot morgen laten rusten.' Fay excuseerde zich om naar de badkamer te gaan en maakte zich klaar om te gaan slapen.

Connie vond een notitieboek en begon extatisch te schrijven over de geniale gedachte van de Amerikanen om het onderscheid tussen een dag- en een nachtleven te doen vervagen. Op haar kussen lag een plattegrond van Manhattan, maar ze keek er amper naar en liet hem op de grond glijden, en ze dacht er pas weer aan toen Fay weer tevoorschijn kwam met bleke, met crème ingesmeerde lippen en een efficiënte glimlach: 'Heb je de kaarten gezien die ik voor je had klaargelegd?'

'Jazeker.' Connie graaide onder haar bed en hield triomfantelijk een kaart omhoog. 'Ik leg hem onder mijn kussen, zie je, zodat morgen alle straten in mijn hersens staan gegrift.'

Inwendig trok Fay een grimas om dit grapje. 'Dat klinkt alsof je een drukke nacht zult krijgen.' Ze ging haar slaapkamer in en sloot de deur.

Toen ze alleen was, was Connie veel te opgewonden om te slapen en ze kwam in de warme nacht haar bed uit.

Nina staarde door het keukenraam. Ze moest zichzelf eraan herinneren dat dit Sussex was in mei. Vijf minuten geleden was het grasveld nog groen geweest, met hier en daar een lichtgekleurd stukje mos, de platte grijzige bladen van platanen, de deinende hoofdjes van margrieten en af en toe een vlasblonde paardebloem. Het was hetzelfde grasveld waar ze met haar onscherpe kinderblik naar had gekeken, waarop ze haar eerste stapjes had gezet, waarop ze radslagen had gemaakt, waarop ze met William een glas wijn had gedronken... Maar Nina wilde niet dat haar gedachten haar te ver weg zouden voeren van het tafereel dat ze voor zich zag, dus hield ze daar halt en deed een stap dichter naar het raam.

Het grasveld dat zo lang ze zich kon herinneren groen was geweest, was nu onnatuurlijk wit. In 's hemelsnaam, het is bijna zomer, dacht Nina, en moet je het nu toch eens zien. Ze zei het hardop tegen haar moeder: 'Moet je het grasveld eens zien!' Maar haar moeders hoofd bleef gebogen.

'Het is wit,' zei Nina vrij hard, want het maakte kennelijk niet uit of ze iets zei of niet, en ze moest duidelijk zijn over dit verschijnsel. Het groene grasveld was binnen een paar minuten wit geworden. Eerst was de lucht zwart geworden, zonder dat haar moeder en zij het in de gaten hadden gehad omdat ze een omelet zaten te eten. Vervolgens waren er kristallen zo groot als kartelige pingpongballen uit de lucht afgeschoten alsof een reuzenhand een hendel had overgehaald. Talloze van deze onregelmatig gevormde projectielen waren op het gras gericht geweest, hadden het bereikt, als een binnenvallend leger; ze waren een of twee keer opgestuiterd, waren toen tot rust gekomen en hadden het groen aan het oog onttrokken. Nina staarde ernaar, verbaasd, verontrust, opgetogen.

'Kijk eens mama, het gras is wit!' Nina, die zich snel omdraaide, liep langs haar moeder heen door de deur de tuin in. Het pad, dat knerpte onder haar voeten, voerde haar naar het grasveld. De lucht erboven was alweer helder, hoewel er nog overal blauwzwarte wolken dreven. De zon, die weer tevoorschijn kwam, scheen recht op het kristallijnen oppervlak. Weldra, zag Nina, zouden er regenboogkleuren verschijnen, afzonderlijke diamanten, die op elk facet de lucht weerspiegelen, de bloemen, de wereld om hen heen. En daarna zou de warmte ze doen veranderen in glinsterende plassen, waar het gras doorheen zou steken, en dan zou het grasveld weer groen zijn.

Nina keek naar het witte droombeeld en spande zich in zich het verbijsterende moment weer voor de geest te halen toen ze het net had gezien. Het vertelde haar iets belangrijks waarvan ze zich bewust was geweest zonder dat het goed en wel tot haar bewustzijn was doorgedrongen. Nu, met de koude en frisse lucht op haar gezicht en haar handen, leek het te zijn verdwenen.

Nina keek op haar horloge. Helen had krokusvakantie. Als ze de keuken nog wilde opruimen en niet te laat wilde komen om de kinderen op te halen uit het volgende dorp, moest ze opschieten. Maar toen ze bezig ging met de noodzakelijke dagelijkse activiteiten, bleef ze een rechthoekig beeld van blinkende witheid voor ogen houden, een scherm dat ineens blanco geworden was, een beschilderd doek dat de omgekeerde weg aflegde en het beeld uitwiste.

Die avond laat, terwijl ze wakker lag en zoals zo vaak aan William dacht, merkte ze dat ze in de loop van de dag zijn karakter anders was gaan beoordelen. William was zelfzuchtig. Hij leidde zijn leven voor zijn eigen doeleinden. Hij hield alleen van haar in zoverre ze tegemoetkwam aan zijn behoeften. Buiten de magische cirkel die hij om zichzelf heen had getrokken bestond ze niet. Van het begin af aan had hij van haar gevraagd dat ze zich volledig met hem identificeerde, zonder zelfs maar te weten dat hij dat vroeg, en zij was, omdat ze in die vorm gekneed was, maar al te bereid om het hem te geven.

Maar als een groen grasveld in mei wit kon worden, was alles mogelijk. Ze zou aan het eind van de week niet naar hem teruggaan. Ze zou een scheiding aanvragen en met haar kinderen en haar moeder in Lymhurst blijven wonen. Ze dacht liefdevol aan het platteland dat haar in een opwindende omhelzing nam. Zelfs in dit uur van de waarheid durfde ze haar schilderen niet in de vergelijking te betrekken.

Nina had de velden rondom haar huis al zo lang ze zich kon herinneren gekend. Nu ze elke dag wandelde, begon ze avontuurljker te worden en liep ze door de bossen die ze kende naar weiden die soms amper groter waren dan haar eigen omheinde wei en zelden meer dan een of anderhalve hectare.

In kalm tempo stak ze het grootste veld over naar het bos aan de overkant. Een groep jonge stieren, rood, zwart en zwart-wit gevlekt, graasde in het midden en ze bewoog zich er behoedzaam omheen. De zon was tevoorschijn gekomen, maar bereikte niet de rand van het veld waar ze voortsloop om geen aandacht te trekken, terwijl er waterdruppels neervielen vanuit de overhangende beuken en linden.

Opgelucht klom ze over de prikkeldraadomheining het bos in en werd onmiddellijk overgoten met patronen van lichtgroen waar de bochtige stammen van jonge bomen en de gevallen stammen van oude haakse hoeken met elkaar vormden. Ze wilde dat ze haar schetsboek had meegenomen. Opgetogen nam ze zich voor hier terug te komen. De bomen hadden niet de donkere diepten van het bos waar de heilige taxus stond. Ze kon aan weerskanten felgekleurde velden zien, een keur aan bestemmingen. Ze sprong over de modderige waterstroom, de oever glibberig van de gelige klei, ontweek de pollen grasklokjes die nu gauw in bloei zouden staan, en liep kalm voort, genietend van de gedachteloosheid en het zachte licht. Ze had half en half verwacht een paar herten te zien, maar er was niets.

Toen ze aan de andere kant van het bos tevoorschijn kwam en zich had gebukt voor nog meer prikkeldraad, kwam ze bij een klein veld. Ze liep door een opening in de tegenoverliggende hoek en bevond zich toen op een ander veld dat iets groter was dan het eerste, dat werd begraasd door een kudde schapen met lange Romeinse neuzen. Ze koos uit twee paden het pad dat het dichtstbij lag en kwam bij een derde veld, dat eruitzag als de vorige twee, maar ongelijkmatig hellend omlaag liep naar een modderige poel die werd bewaakt door doornstruiken. Aanvankelijk zag ze niet hoe ze hier weg kon komen, totdat ze naast de stam van een jonge eik een spoor in het oog kreeg dat was platgetrapt door dieren. Ze voelde hoe vreemd het was om van de ene omsloten ruimte naar de andere te lopen, alsof ze de geheime kamers van een huis verkende. De zon ging nu schuil achter een glad plafond van lage wolken, en de felgekleurde jonge vegetatie in de bossen om haar heen vormde een uiterst elegant behang.

Het volgende veld was veel groter dan het vorige en liep omhoog een heuvel op, die zo glad en regelmatig was dat hij door mensenhanden leek te zijn gemaakt. Hij was in beslag genomen als speelterrein voor konijnen in allerlei soorten en maten, die over het glanzende oppervlak renden en sprongen. Nou, ze zou zich bij hen voegen.

Bij haar nadering gingen de konijnen er vliegensvlug vandoor. Ze spreidde haar jasje uit op het vochtige gras en ging zitten. Hoewel ze op een hoger punt zat dan tevoren, was ze nog steeds omsloten door bossige muren, en doordat haar hart hamerde realiseerde ze zich dat ze bang was omdat ze gedesoriënteerd was, alsof ze een doolhof was binnengegaan en geen andere keus had dan almaar voort te lopen naar een steeds groter isolement en een steeds groter gevoel van onwerkelijkheid.

In een poging haar zinnen te verzetten herinnerde ze zichzelf eraan dat ze zich op minder dan een uur afstand bevond van velden die ze van jongs af aan had gekend, dat daar elke kuil en elke boom haar bekend was – maar dat veranderde er niets aan. Ze had zich nog nooit zo alleen gevoeld. Ze was gedwongen onder ogen te zien dat het niet dit onbekende landschap was dat haar zo bang maakte, maar haar scheiding van William. Ze had ervoor gekozen alleen te zijn, wat nu niet anders leek dan eenzaamheid, en de rest van haar leven zou dat waarschijnlijk zo blijven.

Connie, die als zevende kind van een zevende kind de intuïtie had van een heks, die zeldzame keren dat ze aan iemand anders dan zichzelf dacht, schreef Nina op een geel papier met een rode pen:

The Big Apple, juli 1967

Lieve Nina, dit is mijn nieuwste in de Verenigde Staten gepubliceerde artikel. Koester het en het nageslacht zal je dankbaar zijn. Fay zegt dat het niet deugt, maar zij werkt te hard. Bovendien heeft ze me eruit getrapt. Je zou het niet zeggen, maar ze heeft een behoorlijk actief seksleven – om medische redenen, begrijp je. De mannen zijn erg zindelijk en brengen hun eigen tandpasta mee. Mijn artikel is, zoals je kunt zien, een interview met Gloria Steinem. Ooit van gehoord? Vast wel. Mooi, bazig, bril, een soort vrouwelijke Clark Kent, die denkt dat ze Superwoman kan zijn zonder man op sleeptouw. (Hoewel er uiteraard een heleboel mannen voor die eer in de rij staan.) Niet mijn stijl. Wij komen van een andere planeet. Wat het wel interessant maakte om haar te interviewen. Wat zou je er, nu ik Fay met rust laat, van zeggen om mijn plaats in te nemen?

Ze had het niet nodig gevonden haar naam eronder te zetten, en terecht.

Fay, die van deze uitnodiging op de hoogte werd gesteld, werd benieuwd om Nina na zo'n lange tijd te zien. Ze wilde in feite graag dat ze weer alle drie bij elkaar zouden komen. Ze stuurde een telegram:

CONNIE IS BIZAR MAAR KOM ALSJEBLIEFT STOP FAY STOP

Nina was eraan gewend in vreemde landen te arriveren, maar noch Malaya noch Duitsland had haar het gevoel gegeven dat ze zo Engels was als de douaneruimte van het vliegveld van New York. Ze had half en half verwacht dat Connie of Fay haar zou komen afhalen, maar dat was niet het geval. Ze vocht voor een gele taxi en baande zich op een blauw-met-gele middag op eigen kracht een weg naar Manhattan en het adres dat Connie haar had gegeven.

De brede wegen en de ruime auto's, die metaalachtig glansden, maakten met hun anders-zijn nog voordat ze de stad in kwam grote indruk op haar. Ze staken een brug over die Williamsburg heette. Ze gaf haar poging om zich de geschiedenis van Amerika te herinneren op – Gettysburg? Williamsburg? –, keek en zag, door de schoorbalken en spijlen van een lange brug heen, de gekartelde skyline van Manhattan, een warreling van torens, grotendeels vierkant van boven, maar sommige verrassend genoeg bekroond door een bolvormige koepel of een naald – en dat daar was volgens haar het Empire State Building. Op dat ogenblik van visuele opwinding legde ze alle twijfels over haar bezoek af. 'Ik zal mijn scrupules overboord gooien,' zei ze hardop, en ze merkte dat ze naar voren gebogen zat op het puntje van haar stoel, als een jockey die zijn paard bij een grote sprong voorwaarts drijft.

Over de brug heen kwamen ze terecht te midden van de wortels van de wolkenkrabbers, namen hun plaats in tussen al het andere verkeer, dat met veel lawaai voortploeterde door straten waarin geen straaltje zon doordrong. 'Washington Square?' informeerde ze nerveus, maar de chauffeur schokschouderde alleen maar.

De handkar werd vervaarlijk voortbewogen, geduwd door een groep jonge mensen van onbestemde kunne, die meer geïnteresseerd leken in een geanimeerde discussie dan in vooruitkomen. Boven hen uit zwaaide een grof gemaakte kist van houten latten, als een reusachtig konijnenhok of een sinaasappelkrat. Hij werd gevolgd door een steeds langer wordende parade van auto's die agressief toeterden voordat ze hem wisten in te halen. Het was Nina's beurt. Toen ze zich omdraaide om te kijken, herkende ze een van degenen die vruchteloos duwden als Connie. 'Stop!' riep ze uit.

Aanvankelijk negeerde haar chauffeur haar, maar bij het tweede gebod hield hij zo abrupt halt dat ze van haar zitplaats viel. Ondertussen kwam de handkar naar hen toe gerold.

'Connie!' riep Nina, die het portier openduwde.

'Vijftien dollar,' verlangde de chauffeur, en hij ontvouwde zich verrassend energiek uit de auto en haalde Nina's bagage uit de kofferbak.

'Nina. Lieverd.' Connie kwam losjesweg naderbij. 'Wat een timing! Je kunt je ervaringen met New York beginnen in onze kooi. Zie je?' Ze gebaarde trots. 'Hij is speciaal voor het evenement van vanavond gebouwd.' Verdwaasd keek Nina naar de houten constructie, die de afmetingen had van een kleine kamer.

'Kom op, mensen, alsjeblieft,' moedigde een jonge man aan terwijl hij haar koffer op de kar zwaaide. 'Deze geven we ook een lift.'

Nina stond met vijftig andere mensen, mannen, vrouwen, kinderen, oud, jong, een baby en een hond in de kooi. Hij was neergezet in een donkere galerij naast een grote kerk en ze waren allemaal naar binnen geleid, waarna de planken om hen heen weer op hun plaats waren gespijkerd. Ze zaten gevangen. Voor de kooi bleven degenen die zich er niet meer bij konden persen als toeschouwers staan; ze zaten opgewekt op vouwstoelen. Er waren twee spotjes ontstoken en boven hun hoofd begon een band te spelen met een vleiende stem: *Tea for two and two for tea, Me for you en you for me.*

Degene die naast Nina stond bood haar een sigaret aan. 'Weet jij wat er aan de hand is?'

'Ik hoopte dat jij dat zou weten.' Nina betreurde haar lichaamsmassa, waardoor ze opvallend aanwezig was in deze beperkte ruimte. Haar buur, een man die ongeveer even oud was als zij en een dromerig bleek gezicht had, en die een lange sjaal om zijn hals had geknoopt, was ongeveer half zo groot als zij.

'Het is vanwege de oorlog, denk ik,' zei hij. 'Gekooid. Ik was nieuwsgierig. Ik ben er vanaf het trottoir naartoe gelopen.'

'Het heeft te maken met Vietnam,' vertelde Nina hem. 'Althans, dit evenement maakt deel uit van een serie over vernietiging.' Ze herinnerde zich Connies uitleg voordat ze was verdwenen, en zuchtte.

'Misschien worden we geacht uit te breken?'

'Dat lijkt me geen slecht idee.' Een taaie oudere vrouw, die een zoetgeurende sigaret rookte, sloeg met haar vuist tegen een plank, die trilde, maar niet week. Het volume van de geluiden in de kooi zwol aan; mensen botsten tegen elkaar, sloegen tegen hun gevangenismuren, riepen. De baby huilde, de hond blafte en de tape, die nu harder klonk, liet het geluid horen van een trein die een tunnel in rijdt.

'Het is wat je noemt een New Yorkse ervaring.' Nina's buurman klonk weifelend.

'Kom je niet hiervandaan?'

'Niemand komt uit New York.' De oudere dame had haar vingers tussen de planken gewurmd en trok vastberaden aan een spijker.

'Ik wil de uitgeverij in,' vervolgde haar buur, 'maar het enige wat in Chicago wordt gepubliceerd is de *Playboy*.'

'Ik kom uit Engeland.'

De vrouw wierp hun allebei honende blikken toe. 'Weet je, bijna bovenaan zit een behoorlijk grote tussenruimte. Een kind zou er op die manier uit kunnen komen.'

Nina tuurde naar boven en probeerde zich niet te laten verblinden door de spotjes. Ze dacht aan Helen, aan haar soepele, resolute lichaam. 'Ik heb een dochter...' begon ze aarzelend.

Niemand luisterde. Er was een verhitte discussie losgebarsten over de vraag of je onschuldige voorbijgangers wel voor een artistiek experiment kon gebruiken, voor een vorm van marteling misschien wel.

'Mijn lunchpauze is voorbij!' riep een meisje uit.

'Ze willen ons kwaad krijgen!' riep iemand anders. Maar weer anderen begonnen te lachen, behalve de baby en de hond, die samen jankten.

Nina dacht in paniek aan haar eigen geheime schilderingen, stil en vol verlangen. Hoe konden die bestaan in een doldrieste wereld als deze? Op dat moment kreeg ze Fay in het oog, die doodgemoedereerd buiten de kooi stond.

'Fay! Ik ben hier.' Maar in het tumult was ze niet te verstaan. Dat klonk nu goedmoedig en de tape zong met een fluitende jongensstem: '*Oh, say, can you see, bij dawn's early light, America the brave, home of the free*', gevolgd door het geluid van slaande deuren, een geweersalvo, wc's die werden doorgespoeld, stromend water en, opeens, het geluid van echt gejuich. Nina keek op en zag de taaie dame als een slang uit een bovenhoek van de kooi komen. Toen ze naar beneden sprong, wrongen zich er nog meer gestalten door naar buiten; ze lekten er aan alle kanten uit, eerst kinderen, daarna volwassenen. Nina zag haar buurman gaan, één arm, bovenlijf, één been, de andere arm, het andere been. Voordat ze kon ervaren of dit wonder zich ook aan haar eigen, meer omvangrijke proporties kon voltrekken, verscheen Connie weer met haar handkarcollega's en maakten ze met een boor een doorgang vrij. Het experiment, het evenement, het politiek protest, de artistieke happening, was voorbij. Iedereen leek met zichzelf ingenomen.

Fay, Nina en Connie, een handkarduwer die Serge heette en Connies vlezige vriend Trigear gingen Chinees eten. Connie keek met begerige, blije ogen over haar spareribs heen. 'Het is de nieuwe religie!' riep ze tussen twee happen door uit. 'De religie van het protest.'

'Dit was een protest uit ongeloof,' wierp Serge tegen. 'Je kunt niet zomaar te pas en te onpas alles religie noemen.'

Fay, die Connie wilde gaan verdedigen, bedacht zich. Connie moest het maar eens afleren overal religie bij te betrekken.

'Vond je het geslaagd?' vroeg Nina.

Maar het woord 'geslaagd' kon Serge al net zomin bekoren als 'religie'. 'Het heeft plaatsgevonden,' merkte hij op, en toen werd hij minder streng. 'Het is anders gegaan dan we hadden verwacht. Er kwam geen geweld aan te pas. Er is niemand losgebroken. Er is niets vernield.'

'En wat betekende dat?' hield Nina aan, waarna ze er verzoenend aan toevoegde: 'Ik vond het erg opwindend.'

'Het zou kunnen betekenen dat de kunst heeft getriomfeerd over geweld,' opperde Fay met een glimlach. 'Niemand wilde zo'n mooi houten krat kapotmaken.'

'Kooi,' corrigeerde Connie.

'Het zou kunnen betekenen dat de man van de straat uitgekookter is dan de kunstenaar,' deed Trigear een duit in het zakje, en hij stak een sigaartje op.

'Je wilt er zeker graag een betekenis aan toekennen?' informeerde Serge, die Nina met spijtige tederheid opnam.

'Ik geloof het wel ja.' Nina, bedacht Fay, zag er gedeprimeerd en moe uit. Een discussie als deze kon de hele nacht doorgaan. Over een paar minuten zou ze met haar te doen krijgen en op zoek gaan naar een taxi voor hen beiden. Ze wierp een afkeurende blik op Connie, die zich ondanks de rondwervelende rook van de sigaar dichter naar Trigear toe boog.

Serge zuchtte. 'Vertel mij maar eens wat het betekent om dappere jongens eropuit te sturen om andere dappere jongens te gaan vermoorden. Om te doden en gedood te worden. Of verminkt te raken. Of gek gemaakt te worden. Vertel me wat de betekenis is van Vietnam.'

Trigear vouwde zijn sterke armen over elkaar en terwijl hij een glimlachje amper kon onderdrukken leunde hij achterover in zijn stoel, met zijn ogen halfgesloten. Connie legde haar hand op zijn blote arm.

'Bullshit,' verklaarde Trigear.

'Tijd om te gaan slapen, Nina.'

Fay was verhuisd naar een nieuw appartement aan de Upper West Side. Toen ze Sixth Avenue in hotsten, wees ze Nina gebouwen aan, maar ze leek te uitgeput om er aandacht voor te hebben.

Fay was teleurgesteld door dit gebrek aan reactie. Omdat ze erin getraind was om altijd door te gaan, hoe moe of van slag ze ook was, kon ze niet begrijpen waarom Nina zo'n blanco façade liet zien. Kwam dat alleen doordat ze Engelse was?

Ze kwamen aan buiten voor het appartementengebouw, dat uit 1910 stamde en was versierd met grote brokken uitgehouwen steen.

'O hemel.' Nina keek hulpeloos om zich heen. 'Ik geloof dat ik mijn koffer in die kooi heb laten staan.'

'Krat.'

'Nou, ik heb hem daar vast laten staan.' Opeens leefde ze op. 'Nou ja, ik had toch een hekel aan alles wat erin zat!'

Binnen in het appartement ging Nina zitten om naar huis te bellen terwijl Fay thee zette. Fay kon de gemompelde antwoorden horen op wat vast kinderlijke vragen waren: 'Het Empire State Building is zo hoog dat je de bovenkant niet kunt zien... Ik ben bang dat ik niet heb opgelet in wat voor vliegtuig ik zat...' Terwijl ze luisterde naar dit bewijs van Nina's moederschap, merkte ze dat ze zowel onder de indruk was als er een afkeer van had.

'Hoe staat het in Lymhurst?' vroeg ze, waarbij ze de naam met een soort eerbied uitsprak. Het was tenslotte het huis waardoor ze voor het eerst bij elkaar waren gekomen.

'Heel goed. Mijn moeder en ik zijn bezig een kruidentuin aan te leggen.' Nina, die dorstig van haar thee dronk, begon te praten, maar niet over Lymhurst. 'Misschien ben ik wel niet helemaal van deze tijd. In Londen wemelt het van de magere meisjes in minirokken en hier in New York vind ik iedereen een stuk jonger dan mezelf, zoals die man vanavond, Serge; die levert een serieuze artistieke inspanning, een serieuze strijd. Met andere woorden, ze hebben een gevoel van eigen importantie. Ik bedoel niet dat ze onbescheiden zijn, maar alleen...'

Fay keek Nina aan, haar parelachtige Engelse huid rimpelde zich nu bij deze moeilijke vragen en ze zat met haar forse schouders naar voren getrokken. Ze stelde zich voor hoe ze eruit zou hebben gezien in een andere tijd: groot, sensitief, gehoorzaam, liefhebbend, misschien zelfs mooi, haar decolleté laag genoeg om haar blanke boezem te tonen, een gepoederde pruik als omlijsting van het regelmatige ovaal van haar gezicht met zijn bekoorlijke, alledaagse trekken. 'Aan jullie kant van de oceaan hebben jullie het probleem van Vietnam niet,' zei ze. 'Neem me niet kwalijk dat ik een open deur intrap. Jullie hebben geen dienstplicht. Jullie kunnen over domino praten alsof dat echt een kinderspelletje is. Jullie hebben een ordentelijke oorlog gehad die het land heeft verenigd, die het niet...' Fay zweeg even. Nu, bedacht ze, zouden ze moeten praten over het failliet van Nina's huwelijk. Over William. Ze was vast voor zulke intieme gesprekken naar New York gekomen. Nina stond op en ging zitten naast het kleine gordijnloze keukenraam. Het gesprek werd uitgesteld omdat het te pijnlijk was, nam Fay aan. Ze was vergeten hoe moeilijk Engelsen het vonden om over persoonlijke zaken te praten.

Het raam omlijstte een uitzicht op het gebouw aan de overkant van de straat. Ze wendde zich tot Fay. 'Is dat een ziekenhuis? Ze zien eruit als poppetjes.'

'Het is het laatste toevluchtsoord voor onze oudere stadsbewoners.' Fay probeerde Nina's stemming te doorgronden. 'Je bent zeker in een beschouwelijke bui?'

'Ach!' Nina leek gechoqueerd, alsof dit een belediging was. Ze draaide zich met een zwaai weg van het raam. 'Ik vond het kooiexperiment erg boeiend. Ik heb grote bewondering voor Serge om wat hij doet – om wat ze allemaal doen. Het is groepskunst, vertelde Connie me. En wat dat aangaat geloof ik dat ik behoorlijk jaloers op Connie ben omdat zij altijd daar is waar alle actie plaatsvindt, hoewel ik wel een beetje schrok van haar vriend.'

'Je zou doodsbang moeten zijn. Op de avond dat ze aankwam heeft hij op het vliegveld Connies kofferlabel gepikt. Ze hield een heel betoog over het waardige karakter van de Ieren. Om de een of andere reden sprak dat hem erg aan. Het grootste deel van de tijd is hij weg om oorlogen te bekokstoven in een of ander ongelukkig land, en dan laat Connie zich in met vrij verstandige types: tijdschriftredacteuren met rattengezichten, ongeletterde Wall Street-bankiers – allemaal getrouwd natuurlijk.'

'Heeft ze nooit eens iets met leuke mannen?'

Fay lachte. 'Dat moet je haarzelf vragen. Ze zegt dat ze zich veilig voelt bij Trigear, omdat hij groot en sterk is, maar als je het mij vraagt vindt ze gevaar opwindend. Hij is tenminste geen drugsdealer – althans, niet zover ik weet.'

Connie keek naar Trigear. Hij liet duidelijk merken dat hij het leuk vond bij de drie vrouwen te zitten. Hij spreidde zijn gespierde dijen, en zijn boomstamachtige nek werd langer en sterker. Hij zag eruit als een Samoaans opperhoofd met drie vrouwen. Connie was net zo trots op hem als hij trots was op zichzelf. Ze had het gevoel dat ze in de palm van zijn hand zou kunnen rusten en daar voor altijd veilig zou zijn.

'Trig is net terug uit... Waar was je ook alweer, schat?'

Ze zaten in Connies appartement, één grote kamer in een tot woningen verbouwd pakhuis in de East Village. Het herfstweer was opeens omgeslagen in een gestage zesentwintig graden met een stralende zomerzon. De kamer had geen airconditioning en de ongepleisterde bakstenen muren en de hoge ramen maakten de hitte nog erger. Nina, gekleed in de wollen rok en trui waarin ze was gekomen omdat haar koffer niet was meegekomen, had een felroze kleur. Trigear leek geen last te hebben van het zweet dat van hem af gutste en donkere, landkaartachtige vlekken maakte op zijn shirt. Connie, die lui naast hem hing, zag er al even verhit en onbezorgd uit.

'Ik geloof dat hij de details van zijn nieuwste opdracht niet met ons kan delen.' Trigear bleef zwijgen. 'Nou, wat heb je de hele dag gedaan?' Connie richtte haar aandacht op Nina. Ze wilde dat ze een beetje indruk probeerde te maken, dat ze slim en Engels zou doen, en Trigear zou doen begrijpen dat zij, Connie, niet de eerste de beste sloerie was. Aan de andere kant: misschien was ze dat wel.

'Kunnen we geen raam openzetten?' mompelde Nina. 'Ik heb alleen maar deze malle kleren.'

'Ik vrees van niet. De eerstkomende eeuw niet, zou ik zeggen.'

Connie keek toe toen Trigear overeind kwam. Waardig en langzaam – het Samoaanse opperhoofd – begaf hij zich naar het raam, waar hij iets kleins en hards uit zijn binnenzak haalde, waarmee hij op het raam tikte, waarna hij het ongezien terugstopte. Het glas huiverde, versplinterde, viel naar buiten en brak op het trottoir beneden aan stukken.

'O, mijn god!' Nina rende naar het raam.

'Ze heeft helemaal gelijk.' Fay kwam bij haar staan. 'Er hadden doden kunnen vallen.'

Trigear glimlachte.

'Natuurlijk heeft hij eerst gekeken,' zei Connie. 'In dit soort dingen is Trig heel goed. Héél goed,' herhaalde ze. 'Er is niemand gedood of zelfs maar gewond geraakt. Dank je wel, liever.'

'Graag gedaan.' Trigear maakte een buiging. 'Wat zouden jullie ervan denken als ik eens iets te drinken inschonk?'

Connie keek naar haar vriend, die daar zo hoffelijk en zorgzaam stond, en kreeg het gevoel dat ook zij wegsmolt. Fay moest maar doen wat ze niet laten kon door haar de les te lezen over moraliteit, of liever gezegd over Trigears gebrek daaraan – volgens Fay werkte hij eraan mee heel Midden-Amerika te destabiliseren, maar wat wist een arts nou helemaal over zulke dingen? 'Er ligt een sixpack in de koelkast.'

Ze trokken allemaal blikjes open, behalve Fay, die zichzelf een glas water inschonk. Nina, die niet had beseft dat vrouwen bier dronken, merkte dat ze de smaak van dit lichte Amerikaanse spul wel lekker vond, en Connie voegde een paar druppels van iets sterkers aan haar eigen drankje toe. Trigear stapelde bij zijn elleboog de drie blikjes op elkaar.

'Nina heeft alles gedaan zoals het hoort,' zei Fay. 'Ze is naar het Met gegaan en naar het Museum of Modern Art, waar ze de Jackson Pollocks heeft bekeken. Vond je de Pollocks mooi?'

Nina's gezicht herkreeg zijn roze kleur. 'Niet echt,' mompelde ze. 'Al die wanhopige mannelijke energie. Ik heb een paar andere schilderijen gezien...' Haar stem stierf weg zodat Fay de enige was die de naam 'Rothko' verstond.

'Nina doet altijd heel geheimzinnig over wat haar wel en niet aanstaat,' verzuchtte Connie. 'En, heb je het leuk gehad, liever?' Ze zouden straks opstappen, bedacht ze, en dan bleven Trig en zij samen achter. Ze wierp een blik op de stapel kussens in de hoek, die haar bed vormden, hoewel Trig de voorkeur gaf aan de vloer. 'Je weet waar je aan toe bent met een massief houten vloer,' had hij gezegd. 'Daar heb je meer plezier van.' Connie lachte toen ze eraan dacht.

'Ik heb genoten!' zei Nina enthousiast.

'En hoe was jouw dag?' vroeg Connie, alsof ze een ouderwetse gastvrouw was. Ze mochten vertellen over hun dag en dan moesten ze gaan, bedacht ze, want hoe kon vriendschap het winnen van seks?

Fay glimlachte. 'Dat wil je vast niet horen. Laten we zeggen dat ik geen blijvende schade heb aangericht en dat ik hier en daar misschien iets goeds heb gedaan.'

'Iets goeds gedaan. Wauw!' Connie vergat Trig even. 'Ik heb over de show geschreven, weet je, maar die schat van een Max leek er niet veel voor te voelen het te publiceren.'

'Schrijf je veel?' vroeg Nina.

'Jazeker. Daar betaal ik mijn rekeningen van. Voor *Time* wanneer ze me opsnorren, voor de *Village Voice*, en ik heb voor de *East Village Other* net een stuk ingeleverd over travestieten, hoewel ze belachelijke ideeën hebben over betaling. Dat is wat ik hier doe, lieve Nina. Ik ben journaliste, de hits van het moment. Dansen in allerlei soorten kringen. Goed doen wanneer ik kan. Moet je horen, deze edelsteen van het Smaragd-eiland is niet van plan ten onder te gaan zonder deining te veroorzaken.'

Nina wendde zich tot Fay, die knikte. 'Connie is ontzettend in trek. De knappe, mesjogge Ierse. Ze willen allemaal dat ze voor hen schrijft.'

'En je bent hier nog maar een halfjaar!'

Nina was door Fay uitgenodigd naar het ziekenhuis te komen. 'Dan heb je een idee waar ik ben als je thuis in je tuin zit,' zei ze. Ze liet haar alles zien, alsof ze een getuige of een inspecteur was. Toen ze bij de operatiezaal kwamen, voelde Nina zich te uitgeput om verder te gaan, dus Fay keek op haar horloge en gaf haar vijf minuten in de kantine.

'Hoe kun je al die verantwoordelijkheid aan?' Nina probeerde eerder bewonderend dan wanhopig te klinken. Het was niet Fays schuld dat dit blijk van haar bijzondere succes Nina het gevoel gaf dat zij niets voor elkaar had gekregen. Ze had Fay willen vertellen over William, maar hun scheiding zou zoiets negatiefs lijken, tenzij ze zou weten uit te leggen wie ze in plaats van de goede echtgenote zou worden. Maar dat wist ze zelf amper – hoewel, dat was niet helemaal waar: de schilderijen die ze een dag eerder had bewonderd waren die van Mark Rothko, enorme, kleurige abstracte doeken die haar hadden doen suizebollen. Terwijl ze ernaar had staan kijken, had ze geweten dat haar toekomst op de een of andere manier met schilderen te maken had. Maar het ontbrak haar te zeer aan zelfvertrouwen om daar tegen Fay iets over te zeggen.

'Ik ben bang dat ik je alleen moet laten.' Fay stond op. 'Ik zie je later. Veel plezier vandaag!'

Nina, die langzaam naar buiten liep naar de kleurige, lawaaiige straat, vroeg zich af waaruit 'veel plezier' voor haar zou bestaan. Ze zou op zoek gaan naar haar koffer, nam ze aan; Connie had haar aangeraden Serge te vragen haar te helpen en had haar de naam gegeven van de galerie waar hij werkte. Om de een of andere reden klaarde haar stemming op.

Serge was bij de Judson Gallery bezig schilderijen op te hangen van lucht en wolken – gladde, blauwe, witte en grijze. Onmiddellijk vergat ze wat het vermeende doel van haar bezoek was.

'Fay vertelde me dat je kinderen had?' Serge kwam van de muur naar beneden. Hij droeg een flodderige broek en een nethemd. Nina had nog nooit iemand gezien, kind noch volwassene, die in een stad zo gekleed was. Er kwam haar een vluchtig beeld van William voor ogen, alsof het met hem concurreerde, in zijn galatenue.

'Ja, Helen en Jamie.'

Nina wendde zich af van zijn bewonderende blik. Het gebeurde gewoon, wilde ze zeggen, maar ze wilde niet onbeleefd zijn. Bovendien voelde ze zich tegenover Serge meer dan anders onthand. Waar moest je hem precies plaatsen? Was hij een man? Een jongen? Slim? Iemand zonder opleiding? Middenklasse? En dan was er nog de kwestie van seks en oorlog.

'Hé, heb je trek in koffie?'

Serge en Nina wandelden over Washington Square, waar stellen schaakspelers werden afgewisseld door groepjes mannen die op iets anders uit waren.

'Drugsdealers, pooiers, hun slachtoffers,' liet Serge haar nonchalant weten. De herfstzon was overgegaan in een schemerige avond en onder de gepluimde platanen met hun gevlekte stammen waren de schaduwen donkerpaars. Nina was blij dat ze iemand bij zich had, ook al was hij dan pacifist. Ze wilde hem vragen wat hij zou doen als zij werd aangevallen, als haar tas zou worden geroofd. Zou hij haar met zijn opgeheven vuisten verdedigen? Of was dat een belachelijk naïeve gedachte?

Ze liepen een poosje voort. Nina bedacht dat ze er wel vreemd zouden uitzien: zij in haar Engelse country-wol, hij in zijn korte broek. Hij leidde haar een steile trap af naar een klein souterrain, waar drie of vier tafeltjes stonden.

'Ha, Nora.' Serge begroette een jonge vrouw van een donker ras dat Nina niet nader wist te benoemen. 'Wil je iets eten, Nina? Nora is een geweldige kok.'

Ze namen plaats aan een tafeltje en Serge bestelde bonen en peulen, pompoen, bieten, kool en allerlei soorten groenten die Nina voorheen alleen als garnering had beschouwd. 'Ik neem aan dat je gewend bent aan de aloude Engelse kost van vlees met aardappelen en groente,' was zijn commentaar.

Nina realiseerde zich dat hij een bedaard persoon was. De idealen die hij aanhing hadden hem op de avond met de kooidemonstratie spraakzaam doen lijken, maar nu ze samen in het bedompte kleine vertrek zaten, leek hij geen haast te hebben om een gesprek te beginnen. 'Ik vroeg me af of ik je mag vragen...' begon ze.

'Alsjeblieft. Ga verder.'

'... hoe je uit het leger weet te blijven.'

'Dat kost moeite.' Hij glimlachte. 'Maar bij mij niet zo erg als bij sommige anderen, want ik ben opgevoed als quaker. Toen mijn papieren kwamen, heb ik me laten registreren als gewetensbezwaarde. Je zou kunnen zeggen dat ik geluk heb gehad.'

'Dat je niet het land uit hoeft te vluchten, bedoel je?'

'Of hoef te trouwen, of doorstuderen tot je er strontziek van bent, in de hoop dat de oorlog voorbij is vóór je uitsteltermijn.'

'Doen je vrienden dat dan?'

'Yep. Er zijn een heleboel manieren om onder je plicht tegenover het vaderland uit te komen, maar het is makkelijker als je sowieso al niet in de oorlog gelooft.'

'Of in andere oorlogen?' Nina was niet helemaal gerust op de vragen die ze wilde stellen: hij was tenslotte haar gastheer, en net op dat moment werd er een dampende berg voedsel gebracht.

'Klopt. Ik ben pacifist.' Hij begon te eten, verrassend gulzig gezien zijn slanke bleekheid. Ze merkte dat ze zelf geen trek had, maar uit beleefdheid probeerde ze ook haar bord vol te scheppen.

'Je weet, mijn man was... Ik bedoel is... Dat wil zeggen, hij was mijn man, maar hij is nog steeds militair.' In verwarring gebracht liet ze haar eten voor wat het was en schoof haar bord van zich af. Ze had het idee dat ze haar boekje te buiten was gegaan en voelde zich daar weer belachelijk om.

'Er zitten zat prima kerels in het leger.'

'Hij zit in het reguliere leger. Beroepsmilitair.'

'Reden tot scheiding?'

'Nee! Nee.' Maar misschien, bedacht ze, was dat toch een beetje waar.

Ze waren weer buiten op straat, en Nina wist niet precies of ze het wel kon of wilde uitleggen. Hoe moest ze beginnen? 'Het leven van mijn moeder werd verziekt door de oorlog'? Maar dat leek een te grootse en pretentieuze manier om een comfortabel plattelandsbestaan te beschrijven.

Voor haar vierde verjaardag had haar moeder een vlieger gemaakt van roze parachutezijde, die meestal gebruikt werd om er ondergoed voor haar van te maken. Ze waren naar de Downs gefietst – Nina op het kinderzitje achterop – en hadden de vlieger opgelaten in een woeste lucht. 'Nu moet je goed luisteren,' had haar moeder vertrouwelijk gefluisterd. 'Dan hoor je misschien schietgeluiden van de overkant van het Kanaal. Afgelopen nacht is ons leger uitgevaren om een einde aan de oorlog te maken en binnenkort komt je pappie weer naar huis.' Op de terugweg had de woeste lucht regen over hen uitgestort. Wat hadden ze gerild en gelachen!

'Dit is Eighth Street.' Serge pakte haar arm. Zijn vingers waren koel en zacht. 'Je moet het zien, want jij bent toerist. Het beste filmhuis van de stad, het beste theater, de beste cafés, de meeste actie...' Hij ontpopte zich tot tourgids. Gehoorzaam keek Nina in het troebele donker van mensenlichamen.

'Ik moet iets gaan halen om mijn benen mee te bedekken,' zei Serge uiteindelijk. Nina voelde zich ongemakkelijk dat ze hem had opgehouden.

'O, het spijt me.'

'Het zijn jouw benen niet, dus het hoeft je niet te spijten.' Nina weerhield zich ervan zich nogmaals te verontschuldigen. 'Ik woon hier.' Ze waren terug op Washington Square. 'Zin om binnen te komen?'

Het was een studentenkamer, of zo stelde Nina, die nooit student was geweest, zich het althans voor: klein, smerig, vol boeken en papieren, en een onopgemaakt bed was zo te zien het enige meubilair. Er hing een sterke mannengeur. Ze gingen op het bed zitten en Nina besefte dat hij ervan uitging dat ze de liefde zouden gaan bedrijven. Onmiddellijk legde hij zijn hand, slank en bleek, op haar met tweed bedekte dij. Het leek iets uitzonderlijks dat hij haar zou begeren. Terwijl haar nieuwsgierigheid het won van haar ongemakkelijkheid, keek Nina hem in het gezicht. Zijn grijze ogen glimlachten ernstig, maar ze zag niets van de hete lust, de drang van het mannetjesdier, die William bij dergelijke gelegenheden tentoonspreidde. Gerustgesteld glimlachte ze terug.

'Laten we onze kleren uittrekken.' Hij was al begonnen terwijl hij dat zei en Nina kon niet anders dan hetzelfde doen. Ik ben nu eenmaal in Amerika, dacht ze om haar angsten tot bedaren te brengen.

'Je bent mooi. Je hebt een prachtige huid.' Hij raakte haar schouders aan, haar hals, haar borsten. 'Maak je haar eens los.'

Ze haalde de speldjes eruit, liet haar zachte lokken over haar naaktheid hangen, liet deze vreemde ze om zijn handen wikkelen, liet hem achter haar glijden en de wervels van haar rug kussen, kietelende vlinderkusjes. Zijn lichte handen maakten haar mooi, haar welvende buik, haar brede dijen, haar gladde vrouwenvlakten.

'Raak me aan,' zei hij.

Het was warm in de kleine kamer. Van buiten kwamen flauwe strepen licht, de geluiden van de stad – auto's, politiesirenes – die zich terugtrokken toen de twee witte lichamen zich om elkaar heen wonden, elkaar streelden, liefkoosden, bewonderden, onderzochten, fluisterden, beminden en zich ten slotte samenvoegden.

Rood, geel, blauwgroen, vervaagde randen, drijvende horizonten tegen een drijvende achtergrond. Kleur die los door de ruimte zweefde, kleur tegen ruimte. Opgeschort schijnsel. Doorzichtig zwart. In de ruimte.

'Ik hou van... Rothko,' mompelde Nina.

Serge, die het niet hoorde, likte haar hele lichaam. 'Je bent geweldig. Prachtig. Dank je wel.' Stilte. 'De tijd gaat vanavond heel langzaam,' mompelde hij.

De geluiden van de stad gleden terug de kamer in. Nina realiseerde zich dat ze geen voorbehoedsmiddel hadden gebruikt. 'Heb je een badkamer?' Haar stem vertelde haar dat ze gelukkig was.

'In de gang.' Ze rende door de donkere gang. Ze waste zich langzaam. Ze wachtte om na te gaan of haar stemmen in haar oor zouden gaan fluisteren en haar zouden gebieden zich nog een keer en nog een keer en nog een keer te wassen. Maar dat deden ze niet. Ze voelde zich absurd luchthartig. Serge zat zijdelings op het bed toen ze terugkwam, zijn gladde jongensgezicht plechtig. 'Je gebruikt toch wel de pil?'

Nina bloosde om haar naïviteit en hoorde aan hoe hij haar berispte. Inschikkelijk dacht ze dat het over Vietnam zou kunnen gaan, over de waarheid, over... 'Ik hoor je wel,' riep ze uit toen ze zijn gezichtsuitdrukking zag, 'maar om eerlijk te zijn heb ik ontzettende honger.'

Ze gingen weer naar buiten. De nacht was vol mensen en koelte. Nina, die eindelijk blij was met haar kleding van honderd procent wol, drukte Serges magere lichaam tegen zich aan. Ze was hem dankbaar. Hij zocht een ander apart cafeetje voor hen. Dit keer serveerde een man met een waaier van wit haar over zijn schouders hen donkergekleurde rijst en maïs.

'Wil je me alsjeblieft meer vertellen over hoe het gaat als je wordt opgeroepen – over dienstplicht?'

'Ik was in het land. Met jongens van buiten in een bus. Grote, aardige jongens met grove rode handen en zongebruinde vriendelijke gezichten. We werden naar een zaal gebracht, in rijen opgesteld, uitgekleed. Bij hen was er een scheiding tussen bruine en witte stukken huid. Ik was helemaal wit.'

'Maar waarom zouden ze die moeite voor jou doen terwijl ze je al als gewetensbezwaarde hadden geaccepteerd? Ze wisten toch dat je niet zou gaan vechten?'

Hij haalde zijn schouders op. 'Het systeem. Straf? Ze zeiden dat we moesten bukken. Medisch onderzoek. "Aambeien! Roydes heeft aambeien! Roydes heeft aambeien! Roydes heeft aambeien!" Ze riepen het de hele rij langs. Dat was vervelend. Maar niet zo vervelend als een staaf geligniet in iemands mond duwen. Of in zijn kont.' Hij boog zich voorover. 'Zei je dat jouw man in het leger zat?'

Ze leunde achterover. Wilde hij dat ze William zou afvallen? Maar dat kon ze niet.

'William heeft gevochten in Malaya. We hebben daar samen twee jaar gewoond. Het land is niet anders dan Vietnam, met jungles en zo. Maar we pakten het anders aan.' Ze hoorde dat haar eigen stem een trotse Britse ondertoon kreeg en vroeg zich af of ze zich wel echt zo voelde. Ze herinnerde zich een jonge soldaat die ze daar in het ziekenhuis had gezien. Hij had een tent over zijn been heen; het was eraf geblazen door een mijn. 'Zit je in de compagnie van mijn man?' had ze gevraagd, met een strak stemmetje om haar tranen in te houden.

'Hij heeft zojuist zijn jungletraining afgerond.' De dokter had in scherts gesproken, maar de jongen – hij was nog maar amper een man – had er het zwijgen toe gedaan.

De dokter had haar bij hem achtergelaten en uiteindelijk was hij tegen haar begonnen te praten; hij had haar verteld over zijn angst voor slangen, zijn ogen vol tranen. 'Hou je hoofd naar omlaag, kregen we tijdens de training te horen, maar hoe moest ik dat doen als ik om me heen moest blijven kijken naar slangen? We waren net een rivier overgestoken. Het werd lichter en we waren gewaarschuwd: dit is een rotstuk, vol mijnen. Maar ik had het idee dat er ook een heleboel slangen zouden zijn. En daar had je er een. Nou ja, het was geen slang, maar alleen de zoveelste klimplant. Maar ik keek omhoog, en zo is het gebeurd. Ik heb ook onze positie verraden. Liet het hele plan in het honderd lopen. Wat een rotzooitje!' Hij had abrupt gezwegen en zijn ogen gesloten.

Nina had iets willen zeggen, toen hij ze weer opendeed. 'Ik weet niet wat mijn moeder ervan zal zeggen, en mijn vader. Hij neemt het me vast kwalijk. En wat moet ik tegen mijn maten zeggen? Die zitten echt niet te wachten op een kreupele in de stamkroeg. Jammer dat ik niet het loodje heb gelegd, zo denk ik erover.' Het was een verhaal geweest over de realiteit van de strijd en ze was trots op de jongen geweest.

Nina keek naar Serge. Ze was nog steeds trots. 'We hebben een grondoorlog gevoerd. We leerden de mensen kennen voor wie we vochten. We moesten een tweede strijd leveren om hun hart en geest te winnen. Dat was de order.'

'Hart en geest?' Zijn gezicht stond weer kalm. 'Nou, dat is een betere slogan dan "Zoek en vernietig". En waarom ben je nu niet meer getrouwd?'

'Ik kon er niet meer tegen.'

Toen ze klaar waren met eten, gingen ze terug naar Serges flat en bedreven nogmaals de liefde. Dit keer deed hij een condoom om, wat Nina op een vreemde manier opwindend vond. Toen hij bij haar binnendrong, schreeuwde ze het uit.

's Ochtends vroeg, meedrijvend op de geluiden van een vreemde stad, herinnerde ze zich haar huwelijksnacht in het hotel in Brighton.

William had naast het bed zijn kleren uitgetrokken, alsof er geen tijd verloren mocht gaan. Met een gebaar dat slecht bij een militair paste had hij ze stuk voor stuk op de grond laten vallen.

'Ik zing!' had Nina uitgeroepen, terwijl ze haar stem hoorde rijzen als die van een zeemeeuw. Het had het makkelijkst geleken om haar kleren uit te doen terwijl ze naar hem toe kwam; die beweging maakte haar los uit een statisch tafereel van traditionele gelukzaligheid. Ze voelde zich alleen helemaal niet gelukzalig. Maar ze had wel kans om in extase te raken. Toen ze bij Williams armen was aanbeland, had ze haar ondergoed nog aan. De kamer was schemerig, koel verlicht, maar ze merkte nog wel op dat het in de buurt van zijn pik donker was, alsof zijn blonde hoofd iemand anders toebehoorde. Zijn handen haakten, alsof hij het eerder had gedaan (en daar was ze blij om geweest), met een soepel gebaar haar beha los en trokken haar slipje omlaag.

Hij hield haar borsten vast. Wat was ze blank. Nina voelde haar witheid als een barrière en wenste dat ze een gouden kleur had, als een Tahitiaanse. Wit was koud. Maar hij had naar haar lichaam gegraaid, het gestreeld, gekneed, haar op het bed getrokken. 'Voordat ik me te veel laat meeslepen wil ik eerst zeggen dat ik van je hou.'

Nina voelde een manische aanvechting om te lachen. In plaats daarvan hoorde ze zichzelf hartstochtelijk antwoorden: 'Ik hou van jou! Ik hou van jou!'

Ze waren naar het bed gegaan. Wat nu?

'O, lieve, lieve Nina!'

Nina had naar de geknoopte gordijnen gekeken, de aan elkaar geknoopte lakens van een gevangene, een prinses die haar gevlochten lokken liet neerbungelen. 'Raak me aan,' mompelde ze.

Maar William had andere dingen te doen; hij wilde een toonbeeld zijn van kracht en macht, liefde en zachtheid. Het was allemaal erg ingewikkeld. 'Ik verlang zo naar je,' hijgde hij in haar haar.

'O, ja.'

'Mag ik...?' Hij deed het. Nina voelde dat haar benen zich openden om hem te ontvangen. Het was goed, bedacht ze, om haar zachtheid te openen voor zijn harde sonde.

'Doet het pijn?' Hij was teder, liefdevol.

'Nee,' loog ze. Een beetje maar. Ze was gelukkig.

'Lieveling. Mijn lieve Nina. O, mijn god! Alsjeblieft. O, lieverd.'

Woorden, herinnerde Nina zich dat ze had gedacht. Wat kan ik zeggen? Ik moet hem omsluiten, hem liefhebben, hem vasthouden. Die lieve William met zijn baksteenrode huid. Die huiverende kracht van hem. Het nodig hebben en geven, de vereniging. 'Ik hou van je, William.' De kamer leek zwart en stil te worden.

Geleidelijk aan sijpelde er licht naar binnen aan de randen. Nina had haar ogen geopend. Ze keek naar William, die leek te slapen. Ze legde haar hand op hem.

'De volgende keer zal het beter gaan,' had hij gezegd zonder zijn ogen open te doen. Nina had zich daar enigszins door gekrenkt door gevoeld. Hoe moest zij reageren? Toch niet met: 'Goed'? Dat zou niet bepaald beleefd zijn. Ze kon hem beter strelen, niets zeggen en haar ogen naar het raam laten dwalen. Wachten tot het ochtend werd.

Serge stond snel op en gleed zachtjes de dag binnen. Nina keek naar hem en voelde zich gerustgesteld. Toen hij terugkwam uit de badkamer, pakte ze zijn hand. Hij boog zich over haar heen, sloeg het beddengoed terug, streek met zijn hand over haar hele lichaam. Nina besefte dat ze weer naar hem verlangde en schaamde zich enigszins voor zichzelf. Maar hij boog zich dichter naar haar toe, nam haar tepel in zijn mond en stak zijn hand tussen haar benen. Daar was ze nog steeds nat.

'Ik moet aan het werk,' zei hij. Maar hij ging niet meteen weg.

'Kunnen we elke dag van de week dat ik hier ben vrijen?' fluisterde Nina. Hoe kwamen die woorden nu ineens zo vanzelf over haar lippen?

'Natuurlijk.' Hij glimlachte haar toe.

1968

De stem was geheel onbekend, maar onmiskenbaar Engels. Connie, die in haar verwarde beddengoed lag te slapen, nam niet eens de moeite om haar ogen te openen. Waarom had ze ooit de hoorn van de haak genomen? Maar het gerinkel had vlak bij haar oor geklonken en door haar dromen heen had ze vagelijk verwacht – gehoopt, ondanks haar huidige omstandigheden – dat het Trig was. 'Met wie spreek ik?'

'Merlin Derwitt,' hakkelde de stem, die gekwetst klonk.

Zelfs nu had Connie weinig zin om te reageren. Merlin, hoewel hij werd herkend, kwam met zijn Engelsheid uit een andere wereld en paste hier helemaal niet. Ze grimaste en werd steeds wakkerder naarmate de emoties in haar aanzwollen. 'Liever, lunch misschien. Blijf je hier lang?'

'Ik ben er nog niet. Ik kom in het nieuwe jaar.'

'O ja?' Dat duurde nog een hele poos. 'Dan lunchen we dan wel. Bel me wanneer je er bent, lieve Merlin Regis de Witt. De Gezegende Maagd ziet glimlachend neer op vriendschap.'

Lester Loughran hief zijn gezicht op uit Connies schaamhaar en gromde: 'Wat is dat allemaal voor katholieke mallepraat? Je bent sinds je jeugd niet meer naar de kerk geweest en toch gedraag je je alsof het bovenaan staat op je agenda.'

'Hoe kom je daar nou bij?' Connie was maar half geïnteresseerd in het antwoord. Lester kende haar tenslotte amper. Ze was alleen met hem samen als Trig er niet was.

'Heb je niet in de gaten dat je overal op het laatste moment moraliteit bij haalt? Elke neukpartij wordt gekleurd door wierook.'

'Die heb ik uit India meegenomen,' loog Connie, die hem zijn beeldspraak niet gunde. 'Praat ik over God?' vroeg ze, met iets meer energie.

'God, Jezus, Maria in elk gebaar.'

Connie schonk Lester een scherpere blik. Naar haar ervaring waren mannen meestal niet bereid om over religie te praten, tenzij je de priesters meerekende, en sinds ze Londen had verlaten had ze nog geen vervanger voor vader O'Donald uit O'Donaldstown. Helaas had hij het te druk om te schrijven, en zij was daar te lui voor. Lester was een scharrel. Ze had hem op een feestje zien aankomen en was gevallen voor zijn gebroken neus en camelkleurige jas. Ze had de jas aangetrokken op de terugweg naar zijn appartement en ze hadden de liefde bedreven op de crèmekleurige satijnen voering. Hij moest minstens veertig zijn, veronderstelde ze, hoewel zijn vroegtijdig grijze stekeltjeshaar hem op de een of andere manier jonger deed lijken. Hij werkte in Wall Street. Een rijke bankier. De waarheid, nu ze de moeite nam een paar seconden over hem na te denken, was zo klaar als een bergbeekje: hij was een Ierse Amerikaan.

Connie rolde op haar buik, zich er wel van bewust – omdat ze het zo vaak te horen had gekregen – dat de welving van haar rug een van de mooiste onderdelen van haar lichaam was. 'Ik neem aan dat je familie Iers-katholiek is,' zei ze.

'Klopt.'

Ze merkte nu op dat hij minder zin leek te hebben om het gesprek voort te zetten. 'Ik heb een broer die erg veel op je lijkt. Maar je zou je naam in Kevin moeten veranderen. Het zou best eens kunnen dat ik alleen naar Amerika ben gekomen om hem te zoeken, maar dat ik van het spoor af ben geraakt.' Lester bleef zwijgen. Hij streelde haar achterste, zoals ze wel had geweten dat hij vroeg of laat zou doen. 'Ik heb hem nooit goed gekend. Hij was de oudste. Ging er na een fikse ruzie vandoor, neem ik aan, omdat mijn vader zijn naam in ons huis nooit noemde. Hoe oud ben je, Lester, als ik vragen mag?'

Hij zweeg nog steeds, maar zijn strelingen gingen waarderend door, waardoor Connie het idee kreeg dat hij geen aanstoot nam aan haar vraag, hoewel ze geen idee had waarom ze zoveel aandacht aan hem besteedde: een getrouwde man die iets had met een meisje dat bijna half zo oud was als hij.

'Het zou best eens kunnen dat ik je broer ken,' zei Lester met zijn slepende manier van praten. Onlogisch merkte Connie op dat hij een heerlijke stem had en ze bedacht dat een heerlijke stem vaak samenging met heerlijke handen. 'Kevin O'Malley. Hij woont in Washington. Zakenman?'

'Ik geloof je niet!' Ze rolde weg. Ze was al maanden en maanden geleden gestopt met aan haar broer te denken.

'Nee? Wat jammer nou.' Hij ging op de rand van het bed zitten, zijn brede schouders opgetrokken. Ze kon merken dat hij zich net zo ongemakkelijk voelde als zij. Niet langer zomaar een willekeurig Iers meisje. Nu was ze een meisje met familie. Of althans een broer.

'Is hij getrouwd? Hij kan niet getrouwd zijn zonder contact te hebben gehad met ma.' Ze hoorde haar stem: jammerend, ellendig. Ze wenste dat ze het nog steeds over het katholicisme zouden hebben. Ze wenste dat ze

93

nog steeds aan het vrijen zouden zijn. Of hoe het ook heette wat ze deden.

'Yep.'

'Mag ik vragen wat je met "yep" bedoelt?' Het was een opluchting kwaadheid te voelen. Misschien zou ze hem de schuld voor deze hele toestand in de schoenen kunnen schuiven.

'Hij is getrouwd. Zijn vrouw heet Shirley. Ik zou jullie met elkaar in contact kunnen brengen. Hij lijkt veel op jou. Jouw haar, ogen. Opvallend.' Lester was begonnen zich aan te kleden, zijn heerlijke handen gleden over zijn shirt en broek, maakten de knopen dicht met een draai van twee lange vingers, strikten zijn das tot een fraaie knoop, trokken zijn jasje, sokken en schoenen aan, die sterk glansden.

Terwijl ze gretig zijn vaardige mannelijke bewegingen volgde, hoopte Connie dat ze verliefd zou worden. Dat ze zou vallen en verdrinken. Maar het was toch Trig die haar gevangen hield? Kon ze tegelijkertijd verliefd zijn op twee mannen, terwijl die allebei zo ongeschikt waren? Ze concentreerde zich op Lesters gezicht, dat nog een kleur had van zijn bezigheden van daarnet – lippen zo vol dat ze ze weer wilde kussen –, en ze slaagde erin niet terug te denken aan Rick en zijn vader.

'Ik bel je nog voor het adres. Je zou iets met je broer moeten afspreken.'

Hij, een overspelige, die haar advies gaf over haar familieplichten. Voor één keer hield Connie haar scherpe tong in bedwang, wat goed was als ze verliefd was, en nog beter als ze haar broer in haar leven wilde. 'Laten we hopen dat hij er beter aan toe is dan mijn andere broer, degene die ik onder de fabrieksschoorstenen heb gevonden en die zichzelf naar de verdommenis heeft gezopen.'

Lester leek te schrikken, maar Connie wist dat dat in haar voordeel was en glimlachte liefjes. Lester was ook nog eens een belangrijke financier van het weekblad dat de meeste van haar artikelen publiceerde. Misschien zou ze van hem kunnen houden omwille van het gewin.

Fay kon zoveel arrogantie niet geloven. Connie was naar het ziekenhuis gekomen en had geëist haar te zien. Maar ze was gekomen zodra ze een momentje had, terwijl ze bedacht dat mensen altijd deden wat Connie vroeg.

'Trig is nog nooit zo lang weggebleven.' Connie, die huichelde omdat Trig niet de reden was van haar bezoek, sloeg haar ogen theatraal ten hemel.

'Je weet hoe ik over Trigear denk. Hij is een moordenaar. Letterlijk.'

'Nou, misschien is hij nu wel vermoord. Ik maakte zomaar een opmerking over hem.' Ze zweeg even toen Fay op haar horloge keek. 'Alleen omdat het binnen jouw vermogen ligt om levens te redden veracht je degenen die het vermogen hebben mensen van de aardbodem weg te vagen. De wereld moet in evenwicht blijven, weet je. Geven en nemen. De jager en de prooi.'

Fay weigerde geamuseerd te zijn. 'Mag ik aannemen dat je Judson en het pacifisme hebt opgegeven?'

'Dat was vorig jaar, toch?' Connie legde als een kind haar benen met een zwaai op een kruk. 'Nina heeft Serge overgenomen. Wat een verrassing was dat! Een one-night stand van ons meisje van het platteland en een serieel vervolg. Trouwens, je hebt vast al wel begrepen dat ik geen serieus iemand ben.'

'Het spijt me, Connie, ik moet ervandoor. Tenzij er iets bijzonders is.'

'Dat is er ook. Iets heel bijzonders. Heb je zin om met me mee te gaan naar Washington? Je hebt vast wel om de paar maanden een dag vrij. Zeg ja. Zeg me dat je meegaat en mijn vriendin bent, want ik ga mijn langverloren broer opzoeken, de beroemde Kevin O'Malley. Een Amerikaan, is me te verstaan gegeven, maar afkomstig uit de County Mayo, uit de schoot van mijn arme in de steek gelaten ma en pa...'

'Connie, je zit vol verrassingen. Hoe kom je erbij om na al die tijd contact met hem te willen? Natuurlijk ga ik mee. Ik voel me gevleid, ik ben geïntrigeerd. Maar vind het alsjeblieft niet erg dat ik er nu vandoor ga. Ik moet bloed doen vloeien bij een kind.'

'Toverkol!' riep Connie toen Fay zich kordaat uit de voeten maakte. 'Pillendraaier!'

Fay, die zich door de gangen repte (hoeveel uur per week besteedde ze er niet aan zich door gangen te reppen?), bedacht hoe merkwaardig het was dat haar werk, haar hele leven eigenlijk, het doelwit van grappen tussen hen was geworden. Ze was kinderchirurg geworden. Het was een exclusief wereldje, dat afgezien van haarzelf geheel werd bevolkt door mannen die het lef, het uithoudingsvermogen en de precisie hadden om in kleine lichamen en tere huidjes te snijden. Het was een *summa cum laude*-club waartoe zij recht van toegang had gekregen. Maar Connie verklaarde dat ze niets moest hebben van zo'n select gezelschap vakmensen en nam haar toevlucht tot bijtende spot om duidelijk te maken hoe ze erover dacht. Fay was zich serieus gaan afvragen hoe ze met elkaar op goede voet konden blijven. En toch moest ze meegaan naar deze familiereünie en kreeg ze de rol van beste vriendin.

Fay zat in het licht van het spotje in haar appartement aan het spoor — ze kon best iets beters betalen, als ze maar de tijd zou hebben om een keus te maken – en typte een brief aan Nina. De woorden stroomden van haar vingers als theorema's:

Geloof jij dat nou: dat hij dacht dat ik met hem zou trouwen en me zou settelen en kinderen zou krijgen? Hij houdt van mijn geest, zei hij, maar hij houdt meer van mijn achterwerk. Je ziet wat we leren op de medische opleiding. Ik hoef mijn alumniboek maar door te bladeren om te zien aan welke kant van het hek ik mijn achterste neerpoot. Knappe meiden die hun nieuws vertellen, alleen gaat het er alleen maar over dat ze hun man achternagaan! Ik geloof dat ik je nooit verteld heb over Babs, mijn kamergenote op de universiteit. Weet je waarom wij bij elkaar werden gezet? Omdat we allebei jodinnen waren. We leken zo weinig op elkaar als

Fay stopte. Ze dacht na: 'als jij en ik'– maar aangezien dat in strijd was met wat ze wilde beargumenteren, schreef ze in plaats daarvan:

Nixon en Ho Chi Minh. Het enige wat ik van Babs geleerd heb is hoe ik grote krulspelden in mijn haar moet draaien en hoe ik om moet gaan met afspraakjes met de jonge blazerboys van Amherst met hun gepast uitnodigende, maar koele glimlach. Niet nuttig voor de toekomst, zo is gebleken.

Fay hield weer even op en dacht terug aan die afspraakjes. Zou Nina, de Engelse, het kunnen begrijpen?

De jongens heetten Ken en Gordon, wat op zich al een verrassing was. Ken, die van Babs was, was een ruwe bonk met blond haar die rugby speelde, dus hij droeg altijd wel ergens een verband of had een geblesseeerd lichaamsdeel. Hij had een heel korte neus, die Babs deed zuchten van liefde: 'Stel je voor wat voor mooie kinderen we zouden kunnen krijgen, met prachtige neusjes.'

'Ha! Ha, Ken!' Babs mocht altijd graag op haar tenen staan om te zwaaien naar de naderbijkomende auto. Zij zwaaide ook. Gordon was een aardige, rijke jongen die van plan was zijn vader op te volgen in de onroerendgoedbusiness.

Binnen in de auto, bekleed met crèmekleurig leer, afgewerkt met chroom, met een open dak en vinnen aan de achterkant, kreeg Ken, die achter het stuur zat, de meisjes in het oog en mepte Gordon op zijn schouder. Fay had scherp toegekeken.

'Daar gaan we dan, met onze twee sportieve jodinnen.' Ken had die woorden net iets te uitgelaten uitgesproken, zodat Fay ze had opgevangen, zonder dat ze haar verrasten en zonder dat ze er – wat misschien vreemd was – enige rancune bij voelde. Zo was het nu eenmaal. Ze zou zich niet langer dan noodzakelijk was in hun wereld begeven.

Fay legde haar handen op de toetsen van de typemachine, maar niet om dit kleine verhaaltje aan Nina over te brengen.

Babs is met haar geliefde van de universiteit getrouwd [vervolgde ze] en nu lees ik over haar man Ken, die in de oliebusiness zit en onlangs in Tulsa is gestationeerd, wat een hele verandering is voor de kinderen...

Fay begon met meer heftigheid te tikken.

De man die over dat trouwen begon is als chirurg helemaal niet van mijn niveau. Waarschijnlijk wil hij alleen maar dat ik van het toneel verdwijn. Ik kan je niet zeggen hoe weinig camaraderie er in een ziekenhuis heerst. We zijn allemaal uit op grotere operaties, alsof we reclamebureaus zijn die de grootste accounts in de wacht willen slepen. Maar ik wil me daar niet mee bezighouden. Geloof maar niet dat het redden van levens je een meer verheven kijk op het leven geeft... zeker niet als je een vrouw bent. Het belangrijkste is dat ik nooit van plan ben geweest om te trouwen, en tegenwoordig krijg ik de zenuwen als ik eraan denk een ander menselijk wezen op deze wereld te zetten. Ik maak me zo'n zorgen om mijn broer Daniel dat ik hem min of meer uit mijn leven heb verbannen. Weet jij wat er gebeurt met een bot als het wordt getroffen door een kogel? Nou, als je het niet weet zal ik genadig voor je zijn en dat zo laten...

Weer stopte Fay, en ze bedacht dat Nina dit allemaal niet hoefde te weten. Er kwam een nieuwe gedachte in haar op:

Hé, hoe kan ik Connie nou in vredesnaam op mijn dak hebben gekregen? Ze heeft me gevraagd met haar mee te gaan naar haar langverloren broer in Washington. Wat een reis zal dat worden!

Nina had Fays brief meegenomen naar haar atelier. Dat was iets nieuws, in de stal waar haar pony had gestaan. De vloer bestond uit keitjes, er waren twee hoge ramen, waardoor ze niet meer zag dan een paar takken, en twee grote nieuwe ramen in het dak, waardoorheen ze de lucht in al zijn gesteldheden kon aanschouwen. De kinderen mochten er niet komen. Haar moeder mocht er niet komen. Soms schilderde ze helemaal niet, maar zat ze zonder iets te doen in een oude fauteuil, roze en bultig, die ze uit het huis hiernaartoe had gebracht.

In deze stoel zat ze Fays brief te lezen, die langer was dan anders en waarvan de toon haar energiek voorkwam. Er was een PS: 'Heb je al inlichtingen ingewonnen en je aangemeld bij de kunstacademie?' Nina kon zich niet herinneren dat ze dergelijk advies had gekregen. Was zoiets mogelijk?

Na een poosje kreeg ze het koud en ging ze terug naar de keuken, waar haar moeder zich klaarmaakte om te gaan slapen.

'Het lijkt je niet erg te spijten voor William,' zei Veronica opeens. 'Wat moet hij nu doen met Kerstmis?'

Nina keek op, verbaasd dat haar moeder een dergelijke opmerking maakte, en dat op zo'n laat tijdstip. Het was al eind november. Ze wist niet of er een vraagteken aan het eind van haar woorden stond, of ook maar een vaag spoor daarvan. Veronica hield haar petit-point en een glas water in haar handen. Wat had haar ertoe bewogen dit te zeggen? Was het een dwang die was ontstaan sinds Nina's terugkeer uit Amerika? Had ze een verharding bespeurd die ze onaangenaam vond? Was het een stille hint om op haar gevoel te werken? Of had William contact opgenomen? En was het eigenlijk wel waar? Hád Nina weinig medelijden met William en hield ze die allemaal voor zichzelf?

'Ik denk aan de kinderen, natuurlijk. Die komen er binnenkort achter hoe jij ertegen aankijkt.'

'Ik zeg nooit iets onaardigs over William.' Het was gênant, nam ze aan, dat ze zich niet had gerealiseerd dat haar moeder zich zorgen maakte om de kinderen.

'Ze zullen net zozeer zijn standpunt begrijpen als het jouwe.'

'Dat weet ik. Natuurlijk weet ik dat!' Ze voelde haar wangen gloeien. Haatte ze William, uiteindelijk, omdat hij zoveel jaren had weggenomen?

'Niemand heeft je gedwongen om met hem te trouwen,' zei Veronica, alsof ze haar dochters gedachten las. 'En zo'n beroerde man is hij nou ook weer niet. Ik geloof eigenlijk helemaal niet dat hij zo'n beroerde man is.'

'Nee! Nee!' Maar ik ben wél gedwongen, dacht Nina, die amper begreep wat ze daarmee bedoelde, behalve dat het zo voelde. En hij is wél een beroerde, destructieve man, althans voor mij.

'Nou, ik ga naar bed.' Veronica keerde haar haar wang toe voor een nachtzoen, die Nina haar gaf. 'Welterusten, lieverd.'

Na zo'n aanval was het onmogelijk in slaap te komen. Nina kroop de trap weer af naar de hal, waar alleen de telefoon stond. Ze nam de hoorn op, vroeg de centrale om Connies nummer, terwijl ze ondertussen bedacht dat ze nooit zou kunnen geloven in technologie die over oceanen heen kon gaan. Ze was verrast toen er geen reactie kwam. Ze vroeg om Fays nummer. Ze rekende uit dat het aan East 78th Street nog maar een uur of zes in de avond moest zijn. Maar daar werd ook niet opgenomen.

'Hallo, Fay, dit is Nina. Ik heb niets bijzonders te vertellen. Ik hoop dat alles goed met je is.'

Met een schuldig gevoel vanwege de kosten van zo'n nutteloze boodschap keerde Nina terug naar bed. De kamer was lichter geworden, er was een volle maan opgekomen en het licht was sterk genoeg om op de plekken waar de voering dun geworden was of zelfs was gescheurd door de gordijnen heen te dringen. Nina probeerde de zilveren stralen als weldadig en troostend te zien, maar in plaats daarvan voelde ze alleen maar de aloude angst, de verstikkende spanning die tot haar obsessies had geleid. Met het vaste voornemen om de betovering te verbreken en terwijl ze steken voelde van nachtelijke honger, glipte ze uit bed en ging nogmaals de trap af.

Het licht blonk haar in de provisieruimte tegemoet: het verlichtte de planken vol zelfgemaakte jams en chutneys, geweckte pruimen en kroosjes, de potten allemaal keurig voorzien van een etiket. Het was de plek van haar moeder en ergens, wist ze, stond een trommel met koekjes, die verborgen werd gehouden voor de kinderen.

Ze zag hem te laat – dat wil zeggen, te laat om te doen alsof ze hem niet had gezien. Hij staarde haar aan, met glanzende ronde oogjes vragend om hulp, ook na de dood. Ze ging er althans van uit dat de muis dood was. Bloed zo fel als ze nog nooit had gezien bevlekte de val, het gladde grijsbruine vachtje, en trilde aan een van de snorharen. De kaas, een klein brokje kruimelig aas, was niet aangeraakt.

Nina staarde ernaar, met een brandend hoofd, ijzige voeten, haar lichaam trillend. Ze zag de muizenoogjes, glazig als tranen, veranderen in die van een man. Ze zag William daar bloedend terneerliggen.

'O. O. O.' Nu vluchtte ze, terug naar de zitkamer, waar de asresten van het vuur nog steeds een zwakke warmte afgaven. Waarom zou het droeve lot van een gevangen veldmuis haar ertoe bewegen medelijden met William te hebben? Het was lachwekkend, ongewenst, onlogisch. Maar het was wel gebeurd. Voor het eerst huilde ze om William. Maar ze had er geen moment spijt van dat ze hem had verlaten.

1969

'Hij zou best alleen maar een ingehuurd monster kunnen zijn.' Connie installeerde zich in de stoel tegenover Fay. Ze namen de trein naar Washington, omdat Connie zei dat ze dan meer tijd zou krijgen om zich voor te bereiden. Nu ze naar haar keek, bedacht Fay dat ze elk moment nodig zou hebben. 'Ik heb een opdracht gekregen voor drieduizend woorden. Ze publiceren het op St. Patrick's Day.'

'Weet hij ervan?'

'Mijn lang verloren broer? Zeer zeker niet. Hij vindt het misschien niet leuk.'

'Dat je een slaatje slaat uit jullie relatie?'

'Dat soort euvele plannetjes.'

'En wat is mijn rol?'

'Nu ben je kwaad.'

'Je kunt beter zeggen verbijsterd. Ik had het idee dat je me mee wilde hebben omdat je zenuwachtig was, maar nu maak je er een heel theater van.'

'Een theater kan niet zonder publiek, lieve Fay.'

Fay staarde een paar kalmerende seconden uit het raam en probeerde niet te denken aan de vele vergaderingen die waren afgezegd voor dit reisje, dat Connie maand na maand had uitgesteld. Connie zat nu met over elkaar geslagen benen, ze had haar strakke felrode laarzen uitgetrokken en haar gezicht toonde tekenen van make-up die vele uren eerder met veel fantasie was aangebracht en daarna niet meer was bijgewerkt. 'Waar heb je vannacht gezeten?'

In plaats van antwoord te geven haalde Connie een groezelige sigaret tevoorschijn en stak die aan.

'Je mag hier niet roken!'

'Het is lekker als ik moe ben. Sorry.' Nadat ze nog een diepe haal had genomen drukte ze de sigaret uit in de palm van haar hand.

Fay boog zich voorover, ontsteld, en zag dat Connie een muntstuk in haar handpalm hield. Om de een of andere reden putte dit trucje – misschien omdat het zo behendig was voorbereid en uitgevoerd – Fays geduld uit. Ze ging staan, zwaaiend op de bewegingen van de trein. 'Ik ga naar Washington,' kondigde ze aan, 'maar niet met jou. Ik wil het Air and Space Museum zien, maar ik bekijk het graag in mijn eentje. Dag.'

Ze had een paar stappen gezet voordat het gesnik door haar woede heen drong. Berustend keerde ze terug. 'Waar heb je vannacht gezeten?' herhaalde ze.

'Het was een verrukkelijke avond,' snufte Connie, terwijl haar dunne schouderbladen op en neer gingen onder Fays troostende hand. 'Ik heb alleen niet veel geslapen.'

'Wat zit je te kauwen?'

'Dat illegale spul waar jij over klaagde, dokter. Het bewijsmateriaal vernietigen. Het smaakt best lekker en ik rammelde toch van de honger.'

'O, Connie.' Fay gaf het op en begon te lachen.

Connie keek vanonder haar wimpers, die dropen van gelijke delen tranen en mascara, naar haar op. 'Je zou me niet geloven als ik het je vertelde. Er was een bleek, konijnachtig figuur die dat ene woord zei: "Wauw." 'Het kwam zijn konijnenmondje uit met lange tussenpozen, zonder ook maar een spoortje van enthousiasme. Het was, zou je zeggen, een woord zonder uitdrukking. Het was een Kunstwoord!'

'Wie was dat konijn?'

'Andy Warhol!' Connie triomfeerde, maar dit was nog maar voorspel. 'Hij was met die zanger. Hij had een stem waarvan elk café op het Groene Eiland leeg zou lopen. Zijn gezicht ook, breed als het schild van Sint-Patrick, lelijke zwarte bril, lelijk zwart baardje ter compensatie van het weinige haar op zijn hoofd. Hij heeft zes uur aan één stuk door gezongen.'

'En hoe heette hij?' vroeg Fay geduldig, hoewel ze het antwoord al wist, maar niet per se bereid was het te geloven.

'O, jij had hem wel gemogen. Je zou vast hebben meegezongen met ons slotkoor van "Prajna Paramita Sutra", waarna we de stad in zijn gegaan voor een nacht van liefdevolle meditatie.'

'Allen Ginsberg.'

'Precies.' Connie zag er uitgeput uit, asgrauw, maar wel gelukkig en ontspannen, alsof de herinneringen aan de voorbije nacht toch al met al weldadig waren – alsof ze voor de rest van wat een traumatische reis zou worden zou kunnen slapen. Haar ogen gingen zelfs even dicht.

Maar nu was Fay er tot haar ergernis bij betrokken geraakt. 'Hij is maar een joodse jongen uit New Jersey. Net zoals ik een joods meisje ben uit Chicago. Ik haat dat goeroegedoe. Het is fascistische rommel. Kinderachtig ook. Heldenverering is belachelijk. Wat doet hij eraan om de wereld te verbeteren? Wat heeft hij ooit uitgevoerd behalve de lolbroek uithangen, een paar gedichten schrijven en ervandoor gaan naar India zodra hij het even niet meer ziet zitten? Hij is een poseur en een charlatan. En ga me niet vertellen dat drugs uitdelen aan wie ze maar wil hebben in de wereld ook maar iets anders aanricht dan ellende. Hij zou na middernacht eens in het Bellevue moeten komen kijken. En jij ook, Connie.'

Het bleef even stil. Toen liet Connie haar verraste uitdrukking vervagen en zei: 'Wauw!'

Fay kon er niet om lachen. 'Wees nou eens één keer serieus. Doe het voor mij.'

Maar Fay wist dat het voor Connie onmogelijk was haar karakter omwille van een gedachte-uitwisseling te veranderen.

'Ginsberg staat aan jouw kant. Hij haat fans. Hij verstopt zich onder stoelen. Als iemand probeerde hem als Hitler toe te juichen, zou hij de lauwerkrans terugsmijten in de bosjes waar die vandaan kwam. Hij houdt van mensen, Fay, dat is alles. Hij heeft een groot hart. Hij mag mensen graag helpen. Hij wil graag van mensen houden.'

'Bedankt,' zei Fay bitter. Ze voelde zich koud, maar ze wist niet zeker of dat aan de temperatuur in de trein lag of aan het feit dat ze niet goed was afgestemd op Connie, of op haar eigen leven.

'Je broer heeft goed geboerd.' Fay stond omhoog te kijken naar een groot, elegant hoekhuis met crèmekleurige luiken en een crèmekleurige magnoliaboom.

'Fay, ik ben bang. Ik schijt zeven kleuren.'

'Jij bent nooit bang...' begon Fay, waarna ze zich omdraaide naar Connie en haar klapperende tanden en asgrauwe gezicht zag. 'Hij is toch je eigen vlees en bloed?'

'Je hebt geen idee. O, Gods toorn!'

'Hij is God niet. Hij is Kevin O'Malley. Hij heeft een vrouw die Shirley heet. Heeft hij kinderen? Daar heb je me niets over verteld. Je hebt me eigenlijk nul komma nul verteld. Waarschijnlijk heeft hij een zoon en een dochter, Kevin junior en Mary Jay. Ze zijn nu allemaal daar binnen en willen dolgraag hun onbekende zuster en tante ontmoeten...'

'Je hebt geen idee. Goed. Bel maar aan.' Connie greep Fay vast, die met haar naar de deur beende, die zo glansde van de nieuwe verf dat Connie haar angstige gezicht erin weerspiegeld zag. Ze kon niet van Fay verwachten dat die begreep hoe ze zich voelde. Dichter dan Kevin kon ze niet bij haar vader komen, dat was het.

Een zwart dienstmeisje in een zwart-wit uniform deed de deur open. Connie leunde zo zwaar op Fay dat die bang was dat ze was flauwgevallen.

'We hebben een afspraak met meneer en mevrouw O'Malley.'

'Komt u maar mee.' Het meisje glimlachte hartelijk en Fay voelde dat Connie haar rug rechtte en weer opleefde.

'O, dank je wel,' zei Connie tegen het meisje, en tegen Fay: 'Wat een chique boel.'

De kamer waar ze naartoe werden gebracht was ingericht in geel en crème en zag uit op de straat. Fay vond dat er eerder de formele sfeer hing van een ontvangstkamer dan van een gezinswoning.

'Hier staat een stuk van me in.' Connie pakte een tijdschrift uit de nette rijen die op een lage tafel in het midden waren uitgespreid. 'Over Leary. Die freaky, sneaky Leary. Inspireer, doe mee, laat je helemaal gaan.' Ze zat voorovergebogen van haar zinswendingen te genieten toen er een vrouw stilletjes de kamer binnenkwam. Ze bleef in de deuropening met haar hand voor haar mond naar Connie staan staren, die haar niet had gehoord en op bewonderende toon hardop bleef voorlezen. Fay was verrast door haar leeftijd: deze vrouw was een aardig eind in de veertig; ze had blond haar en blauwe ogen, en had dure kleren aan.

'Jij moet Connie zijn,' zei ze ten slotte. 'Ik ben dolblij je te ontmoeten. Ik vind het erg egoïstisch van mezelf dat ik je helemaal hiernaartoe heb laten komen, maar Kevin heeft het zo druk dat hij amper weggaat, tenzij hij met het vliegtuig naar een zakelijke crisis moet.' Ze wierp een blik op een klein gouden polshorloge. 'Hij heeft beloofd rond de middag terug te zijn en kan elk moment arriveren.'

Connie sprong op haar toe. Fay merkte op dat ze onmiddellijk hartelijk tegen deze vrouw werd terwijl ze liefdevol haar hand pakte. 'Ik vind het ook heel fijn om hier te zijn.' Ze lachte. 'Ik ben gelukkig. Doodsbang.'

'Ja.' Terwijl ze zich aan elkaar voorstelden, kwam het meisje terug met drankjes en sandwiches. Fay zag Connics ogen snel over de kan en glazen heen gaan: geen alcohol. Ze pakte het drankje aan.

'Je lijkt ontzettend veel op hem. Het is vreemd. Het spijt me. Ik wil niet grof zijn.' De vrouw leek verward, en terwijl ze met de sandwiches rond-zwaaide stootte ze met haar hand tegen een kamerplant, die vervaarlijk wankelde. 'We hebben geprobeerd contact op te nemen. Toen we trouw-den. Kevin heeft geschreven. Op mijn voorstel. Dat was een hele tijd gele-den, vlak na de oorlog. Hij was hier al tien jaar zonder dat er contact was. Ik weet niet precies waarom. Misschien kwam het door de oorlog – hij heeft in het leger gezeten, weet je. Maar mannen zitten wat dat betreft vreemd in elkaar. Ze snijden dingen uit hun leven. Dus toen we in '49 trouwden, heb ik ervoor gezorgd dat hij schreef.'

'O,' zei Connie. 'Toen was ik negen.' Fay kon zien dat ze zich een beeld van zichzelf als klein meisje voor de geest haalde. Hoe was ze geweest, vroeg ze zich af. Onstuimig, vast en zeker onstuimig.

'Ja. Jij was nog maar negen. Kevin heeft alles over onze bruiloft geschreven. Ik heb hem geholpen. Over hemzelf en mij. Ik dacht dat zijn ouders het wel zouden willen weten. Maar dat was het probleem. Ik was niet katholiek, zie je. Dat is het. Een gemengd huwelijk, zoals dat heet. Ze wilden niets met ons te maken hebben. Dat was geen goed begin. Als Kevin komt, zal hij je de andere kant van het verhaal vertellen. Je hebt denk ik niet gehoord van de Bill of Rights, of wel? Die zorgde voor een opleiding, zie je. Zelfs toen ik hem leerde kennen lag hij al ver op de anderen voor. Hij komt zo, ik beloof het...'

Fay zag Kevins auto als eerste: groot en zwart met raampjes van rookglas. De man zelf was ook groot; hij sprak kort met de chauffeur, waarna hij haastig het huis binnenging.

'Daar ben je dan. Je bent al welkom geheten. Shirley heeft je naar behoren ontvangen.' Al pratend keek hij om zich heen, zijn blik gefocust op Connie, die zo bleek was als de bank waarop ze zat en hem niet in de ogen wilde kijken.

'We moeten het vieren met een glaasje champagne.'

'Nu herken ik je als mijn broer.' Zodra hij iets over alcohol had gezegd, ging Connie naar hem toe. Maar net toen ze elkaar wilden omhelzen wikkelde een kat, die zich eerder niet had laten zien, een gestreept goudkleurig dier met groene ogen, zich om Connies benen, zodat ze struikelde. Kevin ving haar met gespreide armen op. Het was liefde op het eerste gezicht, vertelde Fay achteraf.

Connie, die Fay nooit had horen praten over haar leven als kind, behalve in flamboyante terzijdes met een geringschattende ondertoon, begon aan een beschrijving van velden, lanen en gebouwen, met subtiele en kennelijk liefdevolle details, alsof de aanblik van haar broer een verlangen had opgeroepen om herinneringen te delen aan een plek waarvan ze zich heilig had voorgenomen die te vergeten.

'Wil je beweren dat er in het oude huis nog steeds een fuchsia bijna het hele jaar door bloeit? Maar nu is er elektrisch licht? Wanneer is dat er gekomen?'

'Niet verder dan het dorp. Toen ik wegging werkten we nog steeds met kerosine. Stinkspul is dat, hoewel de turven op het vuur wel hielpen. We leefden alsof de twintigste eeuw nog niet was aangebroken, dat kan ik je wel vertellen.'

Al pratend dronken ze, Connie zo klein, haar broer zoveel groter, maar allebei hadden ze eenzelfde soepele pols. Fay, die in stilte toekeek, als het publiek dat Connie nodig had, merkte op dat ze geen van tweeën elkaar naar de reden vroegen waarom ze hun ouderlijk huis zo definitief de rug hadden toegekeerd, alsof ze het antwoord wel van elkaar wisten. Toen ze elk stukje grond rondom het huis hadden besproken, en de dorpsschool en de kerk hadden gehad, hadden gelachen om de drie cafés die niet veel méér volwassen mannen bedienden, werd Kevin, die verrast de lege champagnefles bestudeerde, meer bespiegelend. 'Op een dag zou ik Shirley graag mee terugnemen.'

Shirley, zag Fay, stond te kijken van dit plan, wat deed vermoeden dat het geheel nieuw was, maar ze kwam niet tussenbeide. Het meisje kwam meer champagne en sandwiches brengen.

'Heeft Shirley jullie verteld dat ze zich heeft bekeerd? Toen we vijf jaar getrouwd waren. Ze is nu heel vroom. Voorzitster van de Zusterschap van Maria.'

Fay keek naar Connie, maar haar gezicht had nog steeds de blos van nieuwe liefde. Met een somber gevoel door haar eigen realisme bedacht Fay dat als Connie van Trigear kon houden, ze er geen moeite mee zou hebben te houden van een broer die het geloof hooghield dat Connie zo vaak de schuld gaf van alle problemen in de wereld, of althans van haar eigen problemen. 'Dat klinkt indrukwekkend,' zei Fay. 'Moet je een mooi gekleurde strik dragen?'

Shirley wendde zich tot haar. 'Ik was episcopaals, natuurlijk, dus zoveel hoefde ik er niet voor te doen.'

Dit was, vermoedde Fay, een toespeling op haar joods-zijn. Ze had niets af te doen aan deze aanname en even vroeg ze zich af of ze over haar eigen niet-bestaande geloof zou beginnen, waarna ze besloot dat dat geen van de aanwezigen ook maar iets zou interesseren. Trouwens, Connie, die nu op de bank zat en Kevins hand vasthield, had haar sterrenogen op Shirley laten rusten. 'Waarom gaan jullie dan nu niet naar ma en pa? Jullie zouden de olijftak kunnen brengen, om vrede te sluiten, een nieuw gezicht voor het oude koninkrijk. Ze zouden vast van je houden.'

Voordat ze antwoord gaf keek Shirley naar Kevin. 'Ja. Misschien. Ik weet niet.'

Kevin legde Connies hand in haar schoot en stond op. 'Ik zal je de waarheid zeggen. Zal ik hun het hele verhaal vertellen, Shirley? Het is meer Shirleys verhaal dan het mijne.' Shirley leek te knikken of met haar ogen te knipperen of haar lippen op elkaar te persen. Het was duidelijk dat hij het verhaal ging vertellen aan zijn pasgevonden zuster, dus het deed er nauwelijks toe. 'Hier komt de korte versie. Toen we vijf jaar getrouwd waren,

105

merkten we dat we niet werden gezegend met kinderen. Rond die tijd maakte Shirley me erg gelukkig door katholiek te worden. Ik kan niet ontkennen dat ik goed heb geboerd. Begonnen met een autozaak in Virginia. Algauw had ik er meer dan één en stapte ik over op onroerend goed...' Hij viel stil en probeerde bescheiden te kijken. 'Maar jullie willen vast niets over zaken horen. Uiteindelijk was het meer geluk dan wijsheid, plus een goede beslissing om Washington als basis te kiezen. Politici zorgen voor stabiliteit, dat wist ik. Dus we zaten niet om geld verlegen en we besloten een kind te adopteren. We vatten het plan op om een kind uit een arm gezin in Ierland een thuis te bieden. Een gezin als waar ik uit kom, zou je kunnen zeggen. Daar stikte het van de baby's. Dat leek het juiste antwoord. En toen kreeg ik een ander idee...' Hij zweeg, dramatisch. Connie boog zich met de hartstocht van heldenverering voorover. 'Vertel jij het maar.' Kevin wendde zich tot Shirley. Zijn stem stokte. 'Het was een ontzettend stom idee.'

'Weet je, hij wilde jou adopteren,' legde Shirley eenvoudig uit. 'Jullie vader heeft het hem nooit vergeven dat hij het heeft gevraagd. Vanaf dat moment tot op heden is er geen enkel contact geweest.'

'Pa had zich er niet over op moeten winden,' zei Connie, haar tranen wegknipperend. 'Hij was me toch al kwijt.' Nu zaten ze allemaal te knipperen.

Fay bracht in haar eentje een bezoek aan het Air and Space Museum. Ze ging alleen met de trein terug. Ze had het gevoel dat Shirley en zij vriendinnen zouden kunnen worden. 'Kom alsjeblieft gauw naar Manhattan. Ik kan je rondleiden door het ziekenhuis.'

'Die kans zou ik graag aangrijpen,' antwoordde Shirley serieus. 'We hebben nogal veel te maken met de financiering van ziekenhuizen.'

Connie bleef natuurlijk nog.

Toen Nina het postkantoor uit kwam, pakte de vrouw haar arm. Het plotselinge lichamelijke contact kwam als een schok. Tegenwoordig raakte niemand haar aan, behalve haar kinderen en haar moeder. Maar de vingers van de vrouw hielden haar stijf vast; ze kon door haar trui heen de warmte ervan voelen.

'Jij bent toch Nina Purcell?'

Ze wilde het ontkennen, wrokkig omdat de vrouw zich opdrong en vanwege die oude naam. Ze wilde niet terugkeren tot haar meisjesjaren, hoe groot de afstand tussen William en haarzelf ook was. In feite was ze naar het postkantoor gegaan om een brief te posten die precies hierover ging.

Ze had geschreven: 'Ik probeer niet ons huwelijk te ontkennen of uit te wissen. Hoe zou ik dat kunnen, met Helen en Jamie, die van ons allebei zijn? Maar ik kan er niet mee doorgaan. Als je denkt dat dat komt doordat ik "geestesziek" ben, zoals je zei, dan heb je misschien gelijk. Ik heb geen reden te bieden...' De zinnen spookten haar nog steeds door het hoofd toen de hand zich om haar arm had geklemd.

'Neem me niet kwalijk. Ik heb je laten schrikken. Ik wilde alleen maar even met je praten.'

Nina keek nu en zag een vrouw van middelbare leeftijd met krachtige gelaatstrekken, blond grijzend haar en directe blauwe ogen. Ze droeg een dikke trui, handgebreid in een ingewikkeld patroon. Ze zag er niet uit als iemand die zo nodig zijn verhaal aan iedereen kwijt moet. 'We kunnen naar de Three Wishes gaan.'

'Ik ben Lisa Beckett. Je vader was verliefd op me.' Ze bleef abrupt staan. Haar gezicht was heel roze geworden en ze had tranen in haar ogen.

Nina keek toe. De zon scheen door de glas-in-loodruitjes en belichtte meedogenloos elke rimpel op het gezicht van de vrouw, deed de fijne blonde haren oplichten die trilden op haar kin en boven haar lippen. 'Wat wilt u?' vroeg ze.

'Alleen maar even praten. Over je vader, bedoel ik. Het spijt me.'

'Mij ook.' Nina drukte haar lippen stijf op elkaar, en opende ze toen weer om een grote hap van een scone te nemen.

De vrouw schermde haar gezicht af met haar hand. Uiteindelijk fluisterde ze: 'Ik mis hem zo. Hij was de enige man van wie ik ooit heb gehouden.'

'Hield hij ook van u?' Nina, rechter en jury, nam nog een hap van haar scone. Wat was liefde nou helemaal? Vlees voor de een, vergif voor de ander. Ze had niet het gevoel dat haar vader genoeg liefde in zich had gehad voor twee vrouwen, en hij had toch zeer zeker van haar moeder gehouden.

De vrouw ging staan, werd waardig in plaats van abject. 'Ik ben bang dat het allemaal te pijnlijk is. Ik had gehoopt...' De zin bleef onafgemaakt. Tegen de tafel stotend begaf ze zich naar de deur. Er tinkelde een belletje toen ze wegging en haar gebogen gestalte haastte zich langs het raam.

Nina dronk haar theekopje leeg en nam er toen nog een. Ze dacht aan Serge; hoewel hij haar een gelukkig gevoel had gegeven, had ze dat nooit met liefde verward. Ze verlangde er ook niet bepaald naar hem terug te zien, hoewel ze de seks heerlijk had gevonden. Ze dacht minder mild over haar vader, zoals hij haar moeder en haar het bloed onder de nagels vandaan had gehaald, uit naam van – nam ze aan – liefde.

Nina liep terug langs het postkantoor en weer werd haar arm beetgepakt. 'Het spijt me dat ik er opeens zo onbeleefd vandoor ben gegaan. Ik heb niet eens mijn deel van de rekening betaald.'

'Ik vrees dat ik ook onbeleefd ben geweest. Misschien kunnen we een stukje lopen en dan praten. Het is zo'n heerlijke dag. U bent zeker lerares? Ik neem aan dat u op die manier mijn vader hebt leren kennen?'

Ze liepen in de richting van een klein park, waar een ijzeren muziektent, die lichtend turquoise was geverfd, oprees te midden van de verschillende soorten laurier. 'Ik aanbad hem als een held, eerst om wat hij tijdens de oorlog had overleefd, en vervolgens om wat hij me leerde.'

'Ik wist van uw bestaan. Mijn moeder heeft het me verteld.'

'Na zijn dood, neem ik aan.'

'Waarom zegt u dat?'

Lisa keek verrast. 'Ze wilde niet dat iemand van me wist, en jij zeker niet.'

'Misschien vond ze het zo belangrijk niet.'

Lisa had er kennelijk geen behoefte aan zich tegen deze beschuldiging te verdedigen. Ze liepen zij aan zij, vrij snel, en nu duwde Lisa het toegangshek tot het park open. Nina vroeg: 'Heeft hij het met u gehad over zijn tijd in het kamp?'

'Ja. Hij dacht er de hele tijd aan, natuurlijk. Het was een gruwel geworden dat er niet over gesproken werd. Dat was wat hem zo ingewikkeld maakte, zo ongelukkig.'

'Ik wist niet dat hij zo ongelukkig was. Mij leek hij niet ongelukkig.' Ze wist dat ze wrokkig klonk.

'Zullen we gaan zitten?' Lisa wees naar een bankje en ze namen zij aan zij plaats. Nina keek naar een jonge moeder die een jongen en een meisje die ruzieden om een slak uit elkaar trok. De jongen wilde erop stampen en het meisje wilde de slak voor de veiligheid aan haar moeder toevertrouwen. Al met al leek de moeder het meest te voelen voor het standpunt van haar zoon. Uiteindelijk pakte ze de slak op en gooide hem zo ver mogelijk weg in de diepten van een hulststruik. Beide kinderen begonnen te huilen. Maar het volgende moment was de jongen naar de muziektent gerend, waar zijn kraaiende stem het kleine park vulde: 'Ik ben de koning van het kasteel!'

'Je vader had twee kanten.' Lisa kwam dichter bij Nina zitten. 'Of misschien moet ik zeggen drie. Maar de twee zijn het belangrijkst. Zie je, als hij in de oorlog niet zoveel had meegemaakt, zou hij een heel ander mens zijn geweest. Misschien zelfs wel een militair.' Nina wierp Lisa een snelle blik toe, maar die leek zich er niet van bewust dat ze iets van groot belang had gezegd. 'Hij groeide op in een zelfverzekerde generatie, toen mannen nog niet bang waren, maar zeker van hun plaats en – dat durf ik best te zeggen – van hun superioriteit. Zo ging hij de oorlog in. Knap, slim...'

'Gelukkig getrouwd,' interrumpeerde Nina haar.

'Ook dat,' beaamde Lisa. 'En weldra had hij een baby. In feite kreeg hij alles op een presenteerblaadje aangereikt.'

'Ga verder,' moedigde Nina haar aan, en ze stak een hand uit. Er was weer iets veranderd. Wat was dit toch vreemd allemaal.

'Volgens mij is er het volgende gebeurd. In het kamp werd een kant van hem, de kant die eerder ook al het sterkst was geweest, die van de taaie overlever, nog sterker. Hij was geen populaire figuur. Hij was vaak wreed tegen mensen die zwakker waren dan hij. Hij verachtte iedereen die het niet aankon en stak zijn minachting voor hen niet onder stoelen of banken. Maar hij had ook een andere kant, waar hij zich voor schaamde en die hij geheim probeerde te houden – voor iedereen.' Ze zweeg en Nina zag dat de tranen waren teruggekeerd. 'Soms, vertelde hij me, kon hij 's nachts niet stoppen met huilen. Onder andere omstandigheden zou je zeggen dat hij een zenuwinzinking had. Het was vooral onbeheersbaar als zijn malaria opspeelde, hoewel hij altijd beweerde dat er alleen maar zweetdruppels over zijn wangen rolden, en geen tranen. Tijdens zo'n aanval pakte hij een bundel poëzie van een man die was overleden. Het werd het allerbelangrijkste in zijn leven, vertelde hij me. Hij kon zelfs de vernederingen van de ontberingen vergeten. Hij kon zichzelf in een soort trance brengen waarin er voor voedsel geen plaats was. Of liever gezegd: de plaats daarvan werd ingenomen door poëzie. Schoonheid. Harmonie. Ritme...'

'Maar waarom kon hij daar niet met mijn moeder over praten? Zij was musicus. Ooit professioneel. Haar leven draaide daar om, ook al gaf ze dan alleen maar les aan kinderen.'

'Ik weet het. Ik neem aan dat hun huwelijk op een bepaalde manier was begonnen en niet meer kon veranderen.'

'Hij was vijf jaar weggeweest. Ze hadden toch wel een nieuwe start kunnen maken?' Hij had haar Wordsworth voorgelezen. 'Ik neem aan dat het een boek met gedichten van Wordsworth was?'

Lisa haalde haar schouders op. 'Het verhaal is nog niet uit. Hij kwam naar mij toe in de zomer van 1955. Dus ik had iets met hem, met een deel van hem, acht jaar lang. We lazen samen gedichten, we bedreven de liefde.'

'En het verhaal?'

'Ja. Ja.' Ze sloeg haar ogen neer en keek weg, alsof ze plotseling tegenzin voelde. 'Heb je gelezen wat er in de kampen gebeurde?'

109

'Ik heb de film gezien. Die waarin Alec Guinness de dappere officier speelt.'

'De dappere officier. Ja. Zulke mensen had je. Ik heb je verteld over het boek met poëzie. Dat was de oorzaak van de problemen. Een van de Japanse officieren kreeg in de gaten hoe Roger eraan gehecht was. Hij liet hem er stukken uit voorlezen, nam hem mee naar zijn hut, gaf hem sigaretten. Hij kende een beetje Engels. Hij wilde meer leren.' Ze viel stil.

Nina fronste. 'Bedoelt u dat hij heulde met de vijand?' De woorden klonken stijf en niet-overtuigend, als uit een vroeger tijdperk.

'Zo simpel was het niet.' Lisa glimlachte zelfs een beetje. 'Het was een ongeschreven regel dat je geen nee kon zeggen tegen een Japanse officier, of je het nu leuk vond of niet. Het belangrijkste waarmee de Japanners ruil-handel dreven waren de zieken. Ze konden niet begrijpen waarom de Engelsen zoveel om hen gaven. Uiteindelijk werd zijn officier overgeplaatst naar een ander kamp, maar hij wilde het boek zo graag hebben dat hij in ruil daarvoor beloofde dat de zieken beter zouden worden behandeld. Maar je vader wilde hem het boek niet geven.'

'Waarom pakte hij het niet gewoon af?'

'Je vader begroef het toen hij in de jungle aan het werk was aan de spoorlijn. De officier nam wraak, niet alleen op je vader, maar ook op de zieken. Een jaar lang heeft niemand in het kamp een woord tegen Roger gesproken.'

Nina stond op en strekte haar benen, die stijf waren en pijn deden van spanning. Ze had het gevoel dat er niets te zeggen viel. Ze nam aan dat als ze meer van haar vader had gehouden, ze verdrietiger zou zijn geweest. 'Dus hij werd ook gestraft.'

'Zijn eigen schaamte was zijn grootste straf. Hij kon het nooit vergeten. Hij geloofde niet langer in zichzelf. Maar ik heb hem iets teruggegeven. Door van hem te houden zoals ik heb gedaan, door hem erover te laten pra-ten, heb ik hem geholpen.'

'U bedoelt dat ik blij mag zijn dat u zijn maîtresse was.' Nina ging niet weer zitten.

'Ik heb het je gezegd: er waren twee kanten aan. Ik neem aan dat hij op een andere manier van je moeder hield.' Ze keek omlaag naar haar handen. 'Je lijkt veel op hem, zoals ik wel had verwacht, weet je. Maar ik zal je niet nog een keer lastigvallen. Alleen... Ik hield zoveel van hem. Als hij bij me kwam, had hij alles kunnen zijn, alles kunnen hebben gedaan, en zou het mijn liefde voor hem niet hebben aangetast.'

Nu kreeg Nina de neiging om gaan te huilen. Niet om Lisa, maar om zichzelf, omdat zij dit soort liefde nog nooit gevoeld had en vermoedde dat

dat ook nooit zou gebeuren. En vervolgens bedacht ze dat haar vader nu niet langer een held was, alleen maar de zoveelste overlevende.

Nina maakte de brief van Connie open in de hoop dat de drama's van Connies leven die van haarzelf in een ander perspectief zouden plaatsen.

Ik schrijf dit in weelde!

schreef Connie, op briefpapier met het hoofd 'Georgetown', met een magnolia ernaast.

Je weet hoe weinig ik om zulke dingen geef. Maar ze zijn me toegevallen. Ik heb mijn oudste broer, Kevin, gevonden. Hij is druk bezig een fortuin te vergaren. Niet op een oneerlijke manier, zoals jij natuurlijk denkt. Hij is groot en geweldig, met de authentieke blauwe ogen van de O'Malleys. Dit is, zou je kunnen zeggen, de aankondiging van de geboorte van een nieuwe broer (en een gelegenheid om dit chique papier te gebruiken en aan een schattig bureautje te zitten). Ik logeer hier een poosje voor een kennismakingssessie. Hij heeft een schat van een vrouw die Shirley heet; ze heeft iets aan haar eierstokken en kan geen kleine Kevins produceren. Toen ik kind was, wilden ze mij ontzettend graag adopteren, dus het is erg romantisch dat ik hen nu gevonden heb. Geniet er alsjeblieft van en drink met je moeder een stevige sherry op de huidige vreugde van je vriendin Connie. PS: Gods wegen zijn ondoorgrondelijk. Shirley is een meisje van het altaar, in feite nog iets grootsers, dat je niet zou begrijpen, bij de plaatselijke katholieke kerk.

Om middernacht ging de telefoon. Zowel Nina als Veronica klom uit bed en zocht zich op de tast een weg naar de gang, waar Nina's hand het eerst de hoorn pakte. Het kon alleen maar een noodgeval zijn.
    'Wie? Sorry.'
    'Merlin hier. Williams neef Merlin. In New York. Ik kan Connie O'Malley niet vinden.'
    Veronica stommelde de trap weer op, terwijl Nina, die de situatie uiteindelijk doorzag, Connies brief ging zoeken. Ze had Williams neef er altijd van verdacht dat hij dwaas genoeg was om verliefd te zijn op Connie.

Fays telefoon ging om middernacht. Ze reikte naar haar bril en de lichtschakelaar. Het was vast een noodgeval. Maar ze had geen dienst.
    'Godzijdank, Fay, je bent thuis.'

'Het is midden in de nacht, Connie!'

'O ja? Wij zijn net terug van het diner. Wat een pracht en praal! Allemaal haviken, ben ik bang. Denk jij dat politiek een gewetenskwestie is?'

'Ik slaap, Connie. Ik moet om zes uur op.'

'Sorry. Sorry. Jij bent ook altijd zo gericht.'

'Ik wil je niet afkappen...'

'Oké. Het gaat om Merlin. Weet je nog? Nina's neef, Merlin de Witless. Hij belt de hele tijd hiernaartoe. Het meisje wil me niet langer meer afschermen. Hij beweert dat hij alleen maar naar de States is gekomen om mij te zien. Ik heb niets tegen hem, het komt alleen ongelegen. Ik houd hem voor dat hij zo een heerlijke vriendschap verziekt. Wil jij je om hem bekommeren?'

Het leek het makkelijkst daarin toe te stemmen. 'Oké, geef hem mijn nummer maar.'

Merlin was er niet van te weerhouden naar Washington te gaan.

'Laat hem de kersenbloesem zien!' had Fay met de wrangheid van een oude vrijster geadviseerd.

Merlin en Connie troffen elkaar bij het Jefferson Memorial. Het weer was fris, maar voorjaarsachtig. Connie zag wel dat Merlin sterk werd aangegrepen toen hij haar zag. Hoewel ze het niet serieus opvatte – het sloeg nergens op dat hij hield van een meisje als zij – werd ze erdoor geraakt en voelde ze zich gevleid. Om zichzelf tot bedaren te brengen had hij de inscriptie op het monument gelezen. ' "Op het altaar van God heb ik eeuwige vijandschap gezworen tegen elke vorm van tirannie over de geest van de mens." '

Connie kuste zijn blozende wang. 'Waren dat soort dingen maar niet zo ingewikkeld. Kevin verdient een fortuin aan de oorlog.' Ze zuchtte, met een ondertoon van theatrale treurigheid.

'Was alles maar niet zo ingewikkeld.' Merlin slikte even en pakte haar hand.

Ze begonnen te lopen, volgden de rand van de Potomac, waar het roze schuim van de kersenbomen zich boven hun hoofden uitspreidde als ondersteboven hangende danseressen, zoals Connie het verwoordde, aangenaam getroffen door dat beeld. Ze bleven staan om naar de weerspiegeling te kijken in de brede vijver tussen het Jefferson Memorial en het nog grootsere gedenkteken van Lincoln. Connie huiverde in het briesje, voor de marmeren witheid van de monumenten die afstaken tegen de blauwe lucht. Merlin deed zijn jas uit en sloeg die om haar heen.

'Ik weet zeker dat je in Londen nooit verliefd op me bent geweest.

Helemaal niet verliefd, zou ik zeggen. Pas toen je in New York was begon je je dingen in het hoofd te halen.'

'Wie heeft gezegd dat ik verliefd op je ben?' Merlin had zich inmiddels herinnerd wie hij was: zijn succes als journalist, zijn flat in Albany, zijn spectaculaire verzameling achttiende-eeuwse prenten, die binnenkort door oordeelkundige aankopen zou worden uitgebreid, zijn interessante vriendenkring. 'Ik ben verliefd op de bloeiende Japanse kers, op een nieuwe wereld van galeries en musea.'

'O, is het dat?'

Ze liepen weer verder en Connie merkte op dat Merlin lang en slank was, en dat zijn jas was gemaakt van fijne wol. Zijn Engelse accent riep een gevoel van heimwee bij haar op – waarnaar was moeilijk te zeggen.

'Waar logeer je?' Hij logeerde in een duur hotel. 'Zou je me daar mee naartoe kunnen nemen voor de thee?'

Merlin, die eruitzag alsof hij van zijn stuk was gebracht, prikte met zijn vinger in de gids. 'Alle bezienswaardige plekken in Washington zijn te belopen.'

Connie lachte. 'Dat betekent niet dat je dat ook moet doen. Ik meen het serieus. Ik wil graag met je meegaan.'

Merlins kamer was groot en weelderig ingericht, en Connie, die al snel had besloten zichzelf in Merlins bed uit te nodigen, was onder de indruk. Het zou zijn reis de moeite waard maken.

Merlin keek geconcentreerd toe hoe ze zich uitkleedde, maar maakte geen aanstalten zijn eigen kleren uit te trekken. Haar kostte het maar een paar seconden om haar naaktheid te onthullen. Connie was gevleid door zijn blik van ontzag en stelde zich een beetje aan; ze stak haar heupen naar voren en nam haar borsten in de kom van haar handen. Maar toen hij zijn hand naar haar uitstak, kreeg ze opeens het gevoel dat ze verkeerd bezig was. 'Maar Merlin, we zijn vrienden!'

'Ja. Dat weet ik.'

Het ontzag was verdwenen en ze kon zien dat hij zijn best deed om gecompliceerde gevoelens uit te drukken. Dat gaf haar een heel onsexy gevoel, en nadat ze haar rok had opgepakt om zich daarmee te bedekken ging ze op het bed een stuk van hem af zitten. 'We hoeven niet te vrijen. We kunnen heel goed zonder.'

'Ik heb de hele dag aan je gedacht, de hele nacht. Dagenlang.'

'Dat komt door de jetlag, Merlin.'

'Drijf niet de spot met me. Ik hou van je!' Hoe kon ze daar weerstand aan bieden, en aan de huilerige gretigheid waarmee hij zich op haar stortte en zijn kleren wegzwaaide?

Wat is neuken nou helemaal, dacht Connie. Antwoord: neuken. Hij wist tenminste hoe hij het moest doen en ze was altijd dol op hem geweest, al was het alleen maar als doelwit voor haar grappen. Ze herinnerde zich dat Nina's kinderen zijn bruiloftstaart hadden opgegeten.

'Je bent nog niet getrouwd?' vroeg ze.

'Nee. Nee.' Ze kon wel merken dat hij dacht dat ze de liefde bedreven. Toen ze klaar waren, vertelde hij haar dat hij ervan droomde met haar te trouwen, haar mee te nemen naar Albany, zich helemaal niets meer aan te trekken van de beperkingen die zijn moeder zijn leven oplegde. Hij zou zijn pogingen journalist te worden staken en kunstkenner worden, en daarnaast een beetje handelen. Connie zou zijn beeldenstormer zijn. Het kostbaarste kunstvoorwerp in zijn nieuwe leven.

Fay kreeg 's nachts een telefoontje. 'Fay, je moet me te hulp komen. Al heb je natuurlijk zelf al een zware last op je schouders.'

Fay bedacht dat telkens wanneer Connie Iers ging doen er stormwolken volgden.

'Het gaat om Merlin. Hij heeft me gevraagd of ik met hem wil trouwen. Hij denkt dat hij dolverliefd is.'

'Je hebt zeker nee gezegd?'

'Hoe zou ik zo wreed kunnen zijn?'

'Wat bedóél je, Connie?'

'We hebben net gevreeën. Zijn ogen leken wel sterren. Hij was in de hemel – als die bestaat. Ik zei dat ik op dinsdag met hem zou gaan lunchen in New York, zodat hij met een blij gevoel kon vertrekken. Hij heeft een tafel aan de kant van de vijver gereserveerd in de Four Seasons, maar natuurlijk ga ik niet.'

'Wil je dat ik ga? Wil je dat ik ga en die man die ik nog nooit heb gezien vertel dat je maar een spelletje speelde? En dat je ware liefde op dit moment gelijkelijk verdeeld is over een huurmoordenaar en een getrouwde man...?' Fay werd zo kwaad dat ze haar eigen woorden bijna niet kon verstaan. Stamelend gaf ze Connie haar kans. Niets. 'Rot op, stomme trut.' Ze legde de hoorn neer.

Connie, die achter haar typemachine zat, omdat ze laat was met het inleveren van een artikel over vrouwen in het leger, vloekte nog wat en typte toen een paar woorden ter vulling. Wat wist Fay, met haar kille opvattingen van seks-is-voor-gezondheid, van emoties? Met het vaste voornemen zich niet beroerd te voelen over Merlin typte ze een paar keer: IK BEN MISBRUIKT, hoewel ze heel goed wist dat ze wat misbruik betreft niet verder kwam dan Hubert. Ze had de afgelopen twee jaar niet aan Ricks vader gedacht en was niet van plan dat ooit nog te gaan doen. IK DENK NIET AAN HUBERT IN HET BIJZONDER IK DENK NIET AAN DIE DRONKEN NACHT TOEN WE VOOR HET EERST SEKS HADDEN OM OVER LIEFDE MAAR TE ZWIJGEN IK WAS EEN KIND ALSJEBLIEFT GOD VERGEET DAT NIET.

Het was Hubert die haar liefkoosde. Dat had ze geweten, hoewel de drank het minder duidelijk maakte. Hij was een man op leeftijd, zijn handen bewogen zich traag genietend over haar huid. Toen ze een hand uitstak om hem aan te raken, pakte hij die en legde hem weer langs haar zij. Zijn ademhaling was zwaar maar beheerst, en nadat eerst zijn handen en vervolgens zijn lippen over haar lichaam hadden gestreken, voelde ze het gekriebel van zijn baard.

Ze had, heel even maar, geprobeerd onder ogen te zien dat het verkeerd was wat ze deed, maar het was veel te laat om nog karakter te tonen. Het besluit was genomen op die avond dat hij naar de pub kwam, dronken. Zij was ook dronken geweest. Misschien was het al eerder genomen, weken eerder, toen Rick plotseling had aangekondigd, in het openbaar, zonder haar eerst te waarschuwen, dat hij naar Parijs zou gaan. 'Ik word overgeplaatst naar Parijs,' hadden zijn woorden geluid – luide, anonieme woorden, besloot ze. Een week later was hij weg. Hij moest het al tijden geweten hebben. Woede had tot verdriet geleid, had dat in een klein hoekje gedrukt, tot ze er helemaal klaar voor was.

Op de avond na Ricks vertrek, in de pub, had zijn vader dit bevestigd: 'Je bent in een prima humeur, meisje. O mijn god, ik voel dat de geest van de poëzie met zijn toverstafje zwaait.' Ter plekke had hij een gedicht gemaakt; hij had de eerste regel zorgvuldig op de binnenkant van zijn arm genoteerd toen zij voor die eer had bedankt:

Het meisje in een uitstekend humeur
is gevormd als een kegel
(hoewel je haar niet kunt omgooien)
ze straalt als een ketel
(en wil ook zo fluiten)
ze stampt mijn mortier fijn
ze bombardeert mijn aorta
het meisje in een uitstekend humeur
dat uitstekend gehumeurde meisje
dat kegel-, ketel-, vijzelmeisje in een uitstekend humeur
(dat me lokt met haar fluitje).

Natuurlijk had ze tegenwerpingen gemaakt, erop gewezen dat iedere dronkelap in Mayo beter dichten kon; ze had zelfs een paar regels jeugdherinneringen aangehaald om haar betoog te staven. Ze had de spot gedreven met zijn gevoel voor rijm, ritme, zijn herhalingen, die in haar ogen verre van geslaagd waren, met het thema van het fluiten.

Hij had zich niets aangetrokken van haar kritiek en had genoten van de aandacht. 'Jij begrijpt niet wat het belang van haakjes is,' had hij plechtig beweerd. 'Maar ik duid het je niet euvel. Het zou de grenzen van het rijk van het onwaarschijnlijke te ver oprekken wanneer een ongeletterd poppetje uit de verre moerassen van Ierland de verdienste, de distinctie, de geweldige subtiliteit – mits in de juiste handen gebruikt – van de haakjes zou kunnen waarderen. Haakjes ontkennen en benadrukken tegelijkertijd in één grootse, maar subtiele beweging het belang van de woorden die erdoor worden omhelsd. Haakjes zijn de onbezongen helden van de grammatica, neerbuigend behandeld, bespuwd, zelden toegelaten op de gulden terreinen, de verheven hoogtepunten van poëzie, maar representeren een meritocratie die dwars door de zieltogende hiërarchie van de Engelse taal snijdt...'

Toen hij snel ademhaalde, onderbrak Connie hem: 'Begin maar eens over het Book of Kells en durf me dan nog maar eens ongeletterd te noemen!' Het deed er niet toe dat ze dat nog nooit onder ogen had gehad, dacht ze opgewonden, want het zat haar in het bloed, het was haar erfenis.

'Zo!' had Hubert uitgeroepen. 'Ik moet misschien een nieuw gedicht schrijven dat "Je licht onder de korenmaat zetten" heet. Koren, horen – dat past wel.'

Dus mangelde hij de woorden van achter naar voren, want het was Connies vrije avond en ze had de tijd om bij de klanten te zitten. Hoewel ze tegen sluitingstijd omringd waren door ruigere types, was er iets onomkeerbaars tussen hen ontstaan, zodat ze twee weken later, in Huberts duistere flat, samen in bed lagen. Of preciezer gezegd, hij knielde op de vloer.

'God!' tierde Hubert, worstelend met een condoom. 'Diegene die deze dingen heeft uitgevonden verdient geen genade.'

'Misschien was het een vrouw,' had Connie geopperd, zwakjes giechelend na zijn vrijerijen. Ze was als was, als gelei, als watten, als vloeibare amber, als een bleke vlam... Hoe had hij zoiets met haar kunnen doen terwijl al haar liefde was gereserveerd voor... Maar toen kwam hij naar haar toe geklauterd, zijn gezwollen geslacht fier en kennelijk geheel in stelling. Hoe had ze anders moeten reageren op zo'n grandioze verovering?

En nu had ze Merlin de Witt tegenover zich. Aan zijn manier van veroveren was niet veel grandioos te noemen. Connie pakte de telefoon op en draaide Fays nummer weer.

Fay haastte zich naar de Four Seasons. Ze had zich zorgvuldig gekleed, de geest van haar moeder zweefde bezorgd om haar heen, hoewel Merlin de Witt als ze Connie zo hoorde vast niet moeilijk onder de indruk te brengen was. Ik ben een van de weinige vrouwelijke chirurgen in Manhattan – ze stond zichzelf een kleine innerlijke felicitatie toe.

'De tafel van meneer De Witt,' zei ze tegen de *maître d'* toen ze laat aankwam omdat haar pieper net was afgegaan toen ze het ziekenhuis had verlaten.

'Meneer Derwitt is reeds gearriveerd.'

Fay keek naar de breedte van het raam met zijn geometrische uitzicht op het centrum van Manhattan terwijl ze achter de ober aan het restaurant door liep, hopend dat ze op die manier een blik op het gezicht van Merlin de Witt zou kunnen vermijden. Ze was net een soldaat of een politieman, bedacht ze, die het nieuws komt brengen dat er iemand is overleden.

'Mevrouw.' De ober maakte een buiging. Hij stond bij een tafeltje dat werd bezet door een knappe en welgedaan ogende Engelsman. Heel Engels in zijn lichtgekleurde, fatterige pak en met lang maar gladgeborsteld haar.

'Dit is een misverstand...'

'Connie heeft me gestuurd.' Fay ging snel zitten, zodat de ober zich kon verwijderen. Ze zag dat Merlins gezicht, zodra hij zich schikte in haar vervangende aanwezigheid, was veranderd in een masker van beleefdheid. Gode zij dank voor de Engelse *stiff upper lip*.

'Ik vermoed dat ze in Washington is opgehouden. Misschien wil je iets drinken. Champagne wellicht?'

Fay zag dat die al klaarstond in een emmer. Ze liet hem haar een glas inschenken, hoewel ze er niet van zou drinken. 'Ik heb begrepen dat je morgen weer moet vertrekkken.'

'Ja. Morgen vroeg.' Uit het masker werkte zich een pijnrimpel los, waarna het snel weer in de plooi werd gebracht. 'Je bent arts. Chirurg. Vertel me eens waarom. Ik zou heel graag willen weten waarom. Hoe je ertoe gekomen bent om zo'n top te beklimmen.'

Er moest een gesprek worden gevoerd, maar Fay zou hem nooit zoveel over zichzelf hebben verteld als ze niet had geloofd dat hij echt geïnteresseerd was. 'Het begon,' zei ze, 'met mijn jeugd.' En wie had er ooit eerder bij haar jeugd willen blijven stilstaan? 'Je hebt misschien al geraden dat ik joods ben.'

'Ach zo,' begon Merlin, op de Engelse manier zoekend naar de weg die de minste belediging inhield. Of misschien dacht hij aan Connie.

'Er zijn een heleboel joden in Chicago. Mijn moeder is als tiener in de vroege jaren dertig overgekomen; ze liet haar moeder en vader achter, en het grootste deel van haar familie, een jongere broer en zus, tantes en ooms. Ze trouwde vlak voor de oorlog. Ik werd geboren in 1940, mijn broer in 1945.' Ze zweeg. Als je het verhaal zo vertelde, leek het bijna een cliché, als de definitie van cliché luidde dat dat iets was wat je kon verwachten, zonder verrassingselement. Ze zag dat Merlin zijn champagne opzij had gezet uit eerbied voor een tragedie. Maar ze vond hem aardig genoeg om door te gaan.

'Ja. Ze zijn allemaal verdwenen. Dat wil zeggen, ze werden weggevaagd. Maar niet allemaal. In 1950 dook mijn grootmoeder op. Ze had het overleefd. Ik kan me wel een beeld vormen van wat ze had overleefd, maar weten doe ik het niet precies, omdat er nooit over werd gesproken. Ze woonde bij ons. Ik kan niet uitleggen hoe dat was. Ze ging trouwens dood toen ik vijftien was. Ze had in mijn ogen altijd oud geleken, maar laatst heb ik uitgerekend dat ze waarschijnlijk nog lang geen zestig was. Ik wist nooit precies hoe oud ze was.' Ze zweeg weer, denkend aan hoe oud zijzelf nu was en dat deze details van haar ontwikkeling, op het feit dat ze arts geworden was na, toch nog altijd de belangrijkste feiten in haar leven waren. Ze herinnerde zich plotseling dat ze had geweigerd te rouwen bij haar grootmoeders begrafenis. Verdrietig, maar een feit. Evenals haar dood. Uiteraard was dat niet de manier waarop het in de familie was ontvangen. Het was of het hele joodse verhaal toen zij was overleden tot leven was gekomen. De eenvoudige woorden 'O, wat zij heeft meegemaakt!' zetten de jaren van de holocaust wijdopen, van de marteldood van miljoenen, van gaskamers, douches, honger, lampenkappen, moeders die werden gescheiden van hun baby's, van wreedheid, vernedering, naaktheid, weerzin, geschoren hoofden, meisjes die oud werden voordat ze vrouw konden worden. Walgelijke, schaamtevolle, ondraaglijke gebeurtenissen die ze vastbesloten uit haar leven wilde houden.

Ze was naar haar kamer gegaan en had, gezeten op haar bed, haar wiskundeboek opengeslagen. Ze was verrast maar niet gealarmeerd door het plezier dat dat haar schonk. Met elke vergelijking werd haar eigen innerlijke rust een stukje meer hersteld.

Toen ze uiteindelijk weer naar beneden was gegaan, wenste ze dat ze door de deur zou kunnen glippen, over de vensterbank, zonder te worden opgemerkt, net als een koele luchtstroom, onzichtbaar, gehuld in de hiërogliefen van haar wiskundepapieren. Maar ze wist dat dat onmogelijk was. Ze speelde een belangrijke rol bij haar grootmoeders dood, als oudste kleinkind, met een goed verstand, scherp, eigentijds, deel van de grootse Verenigde Staten van Amerika. Ze was weliswaar geen jongen, maar dat kon haar niet worden aangerekend. Het was niet zo best dat ze soms iets van een *shiksa* over zich had, maar dat was de prijs die je betaalde... Een halt toeroepend aan deze stemmen voordat ze haar weer naar boven dreven, drukte Fay, uit kwaadheid en misschien, heel misschien ook omdat ze van haar grootmoeder had gehouden, de kruk van de deur naar beneden. 'Lieve Fay,' had haar moeder met een trotse glimlach gezegd. 'We hadden het net over jouw hogere ambities.'

'Dan moet je wel heel pienter zijn,' merkte Merlin op toen de stilte bleef voortduren. 'Geldt dat ook voor je broer?'

Zonder aandacht te besteden aan de vraag – dit was háár verhaal, niet dat van Daniel – keek ze Merlin strak en intens aan. 'Als je bedoelt dat ik geen in het oog springend voordeel had, dan is dat waar. Ik was pienter genoeg om beurzen te krijgen. Maar ik had één heel sterke drijfveer, en dat was de drang om te ontsnappen.' Ze zweeg even en keek langs Merlin heen, zag dat de tafel en gasten glansden van de zonnestralen. 'En misschien om iets goed te maken.' Ze lanceerde de woorden op de rimpelingen van licht.

'Om iets goed te maken,' herhaalde Merlin, die het menu oppakte. Ze voelde dat dat niet zozeer was bedoeld als zelfverdediging als wel om haar te beschermen.

'Ik had het overleefd,' zei ze eenvoudig, en ze ontdekte dat ze – gelukkig – een glimlach wist voort te brengen.

Connie belde Fay op een christelijk tijdstip. 'Is hij weg?'

'Ik neem aan dat je Merlin bedoelt?'

'Natuurlijk bedoel ik Merlin. Heb je een akelige lunch gehad? Het probleem met Merlin is dat hij een personage is dat wacht op een plot. Wist hij zijn *stiff upper lip* in de plooi te houden? Althans, stijver dan sommige andere dingen...'

Op dat moment legde Fay de hoorn neer, en ze pakte hem niet weer op toen Connie terugbelde, noch de eerste noch de tweede keer.

In plaats daarvan ging ze haar appartement uit – het was een warme, zonnige avond – en bracht een bezoek aan de supermarkt, waar ze een hele poos bleef staan staren naar het tentoongestelde groente en fruit. De felle kleuren van de rode, gele en groene paprika's, de paarse aubergines, de rode appels, bleke meloenen en oranje granaatappels deden haar aan Nina denken. Haar brieven stonden vol gloedvolle toespelingen op kleuren, die Fay meestal oversloeg. Zodra ze thuiskwam zou ze Nina schrijven.

119

Lieve Nina, het spijt me dat dit geen leuke brief wordt. Maar ik vond dat je het van mij moest horen. Ik heb het helemaal gehad met Connie. Om precies te zijn: onze vriendschap is voorbij. Ik heb al mijn respect voor haar verloren. Het heeft geen zin jou te belasten met het hoe en waarom. De manier waarop ze jouw neef Merlin heeft behandeld maakt er deel van uit. Ik heb het idee dat we altijd al te verschillend zijn geweest om het goed met elkaar te kunnen vinden. Ik vind het jammer van ons verbond onder de taxusboom. Dat het zo moet eindigen...

Nina schreef Fay snel terug. Het was vakantie en ze had naar Helens gesoebat zitten luisteren om een pony voor haar te kopen. New York leek heel ver weg.

'Lieve Fay. O hemel. Wat spijt me dat. Maar Merlin is Williams neef, niet de mijne...'

Toen schreef Nina aan Connie. 'Lieve, dwaze Connie, wat heb je gedaan om Fay zo van slag te maken...?'

Ze verwachtte niet echt antwoord. Connie mocht graag dr. Johnson aanhalen: 'Alleen een stomkop neemt ooit de pen ter hand, behalve voor geld.'

Connie draaide de strip met pillen in haar handen rond. Ze stond alleen op haar zolderverdieping, op een goudkleurig katje na dat ze kortgeleden in huis had genomen en dat lekker opgerold lag op een stapel niet bijster schoon ondergoed. Connie droeg een slipje en had een paarse veren boa strak rond haar hals geslagen. Ze had het heel warm en de boa kriebelde. Ze trok hem af, gooide hem op de grond en stampte er een paar keer overheen, waarna ze ging zitten en vervolgens op haar rug ging liggen.

Met gesloten ogen stelde ze zich koele groene nattigheid voor, en voor de eerste keer leek die begerenswaardig. Ze dacht aan de zoete, heldere lucht, de geur van turfrook, de ondergaande zon die de randjes van donkere wolken in brand zette, en de zonsopkomst die zich door de vroegeochtendmist boorde, de regen die onverwacht viel en de huid en de geest tot bedaren bracht. Loom reikte ze naar een boek dat ze van Merlin had gekregen:

Deze grote purperen vlinder
In de gevangenis van mijn handen
Heeft een wijsheid in zijn oog
die geen arme dwaas begrijpt...

Ze legde het boek op de grond en legde de iets te volle pillenstrip erbo-

120

venop. Ze wist nu hoe het gebeurd was en het enige wat overbleef was besluiten wat ze eraan moest doen.

Anders dan veel jongeren in Chicago had Daniel, Fays broer, niet de ambitie om in New York te gaan wonen. Fay lokte hem daar onder valse voorwendselen naartoe; ze schreef hem vlak voor haar breuk met Connie: 'Ik heb het mooiste meisje van de wereld voor je ontdekt. Ze is Iers, volkomen maf en niet van jouw leeftijd, maar je kunt tenminste naar haar kijken en leren.'

Het was vreemd om iets te zeggen te hebben over een viriel mannelijk wezen. Fay dacht aan alle lijken waarin ze gesneden had, alle zieke mensen voor wie ze in de loop der jaren had gezorgd, en kon niet geloven dat ze dat had gedaan zonder man aan haar zij, of in haar hart. En wat vreemd dat deze gedachten in haar opkwamen nu ze bezoek kreeg van haar broer. Er waren mannen geweest in haar flat, mannen in haar bed, maar niet één met wie ze echt intiem was. Misschien wil ik uiteindelijk toch een man in mijn leven, bedacht Fay, die zichzelf zo versteld deed staan dat ze glimlachte.

'Ik wou dat ik met je mee kon om de bezienswaardigheden te bekijken.'

'Maar de chirurgie kan niet zonder je.'

'Een hoekje maar. Maar ik heb vanaf zes uur vervanging geregeld, even afkloppen. Ik laat je het centrum zien.'

'Tegen die tijd wil ik daar alleen nog maar bier en bagels.'

'Op de rivier is het dan koeler. Maak het tochtje naar het Vrijheidsbeeld. Je komt onderweg langs Ellis Island, en je kunt je voorstellen hoe al die joodse jongens ernaar uitkeken zich in te schrijven voor het land van de onbegrensde mogelijkheden.'

Ze waren bij het ziekenhuis gekomen en ze kon nu die op en top Amerikaanse broer van haar recht in het gezicht zien, waarover geen enkele schaduw lag. Bitter vroeg ze zich af of zij een man zoals hij zou kunnen vinden.

Die avond zaten Fay en Daniel in een café aan Eighth Street bier te drinken terwijl Daniel zijn vriendin Lee beschreef. 'Ze is geweldig, zo warm. Ik heb nog nooit meegemaakt dat Lee iemand een naar gevoel gaf.'

'Hoe luidt haar achternaam?'

'Samuelson. Ik denk dat we uiteindelijk zullen gaan trouwen. Als het oorlog blijft.'

Als op afroep nam het volume van het straatlawaai dramatisch toe en blokkeerde een spandoek het avondlicht.

'Wat zie ik daar?' becommentarieerde Daniel zonder enthousiasme.

Ze liepen naar het raam en keken naar het protesttheater, de vrolijke kostuums, de moeders en baby's, de kwade dienstweigeraars, de kreupele veteranen.

'Ballonnen en spandoeken, en straks wapenstokken,' mompelde Fay. De sfeer sloeg om. De wapenstokken werden tevoorschijn gehaald toen de vlag werd opgezet, de Stars-and-Stripes werd hooggehouden, er werd benzine uitgegoten, aanstekers werden ernaartoe gegooid. Toen klonk het geluid van sirenes, dat het geschreeuw overstemde, de woede-uitbarsting, de vlammen. Een menigte demonstranten vluchtte het café in, mannen en vrouwen met bandana's en gescheurde broeken alsof ze naar een verkleed-feest gingen. Eentje, die te langzaam was, werd naar achteren gesleurd de straat op, kreeg een klap op zijn hoofd en werd toen in zijn lendenen geschopt. De gerechtvaardigde woede van de politieman laaide hoger op toen de vlag zwart en doorweekt op de grond bleef liggen. Sommige pro-testvoerders waren opgewonden, waren de angst te boven; anderen, de beroeps, telden de successen en mislukkingen.

De straat voor hen begon leeg te lopen, het tafereel verplaatste zich naar verderop.

'Laten we gaan.' Fay voelde zich claustrofobisch. Hoe kon je bij zoiets blijven staan toekijken? Wat kon je anders doen?

'Voor het geval ze in de gaten krijgen dat je arts bent?' Ergens in de hoek van het café hing een mannenarm slap naar beneden.

'Hij vind zijn weg naar het ziekenhuis wel.'

Ze gingen naar buiten en de warmte van de straat was zacht en scheme-rig; een nieuwe menigte mensen verzamelde zich voor een bioscoop, alsof de demonstratie nooit had plaatsgevonden. Net toen ze bedacht hoe vreemd het allemaal was, viel Fays blik op Connie, in het wit gekleed, die iets slaphangends in of bij de laatste overgebleven politieauto legde.

'Laten we gaan eten!' Haastig voerde ze Daniel mee.

Nina en Connie dronken thee in de Tate. Connie had aangekondigd dat ze te veel last had van jetlag om naar de schilderijen te gaan kijken, wat Nina goed uitkwam. Ze had al een uur voor de Rothko's gezeten en niets kon die ervaring overstijgen.

'Hoelang blijf je in Engeland?' vroeg ze. Connie was onverwacht aange-komen — niet dat iets in verband met haar ooit verwacht was. Nina bedacht dat Connies gebruikelijke uitbundigheid door het een of ander was getem-perd en vroeg zich vagelijk af hoe Fay zo hard kon zijn voor iemand die duidelijk zo kwetsbaar was.

'Ik ga mijn artikel over mijn teruggevonden broer zelf inleveren. De Amerikaanse kranten waren te dichtbij om troost te bieden.'

'Je mag hem echt graag, hè?'

Connie speelde met de suikerpot en liet met de lepel kleine witte watervallen stromen. 'O, ja. Ja, zeker. Hij is stoer en knap. Maar zijn politieke opvattingen deugen niet, moet ik zeggen. Maar Shirley mag ik graag. Ze is de meest moederlijke vrouw die ik ooit heb meegemaakt.' Ze stak de lepel rechtop in de pot en keek zo ingespannen over Nina's linkerschouder dat die bijna in de verleiding kwam zich om te draaien. 'Je weet dat ze besloten hebben een baby te adopteren.'

'Goeie hemel! Zijn ze daar niet te oud voor?'

'Kennelijk niet. Ze hebben er al een in gedachten.' Nu strooide ze suiker over de tafel.

'Uit een van die verschrikkelijke weeshuizen in Ierland waar je me over vertelde?'

Connie keek op naar Nina, en haar ogen, dacht Nina een tikje jaloers, waren meer dan ooit glinsterende poelen. 'Zo verkeerd zijn ze niet. Je weet dat ik hou van een goed verhaal; de nonnen noemen de baby's cherubijntjes van God.'

'Maar hun moeders dan? Je hebt me verteld dat die werden gebruikt als dienstmeisjes, werden behandeld als zondaressen, werden gestraft...' Nina maakte haar zin niet af en vroeg zich af waarom ze eigenlijk de behoefte voelde om een van Connies zelfrechtvaardigende anti-Ierse verhalen weer van stal te halen.

Connie veegde de suiker van de tafel op de grond. 'Om de een of andere reden nemen ze er eentje uit Amerika. Het zal wel makkelijker zijn op die manier...' Connies stem stierf weg en ze fronste naar haar geroosterde muffin.

Nina had het idee dat ze nog meer wilde zeggen, maar het was niets voor haar om vragen te stellen, dus vulde ze de tijd op door te vertellen hoe goed Helen kon paardrijden. 'Van de zomer heeft ze elf rozetten gewonnen. Nu wil ze dat ik een pony voor haar koop. Mijn moeder gaat naar al haar shows kijken. Soms denk ik dat zij meer haar moeder is dan ik.' Waarom zei ze zulke dingen tegen Connie, die nooit ook maar enige interesse voor haar huiselijk leven had getoond? Ze begon uit een ander vaatje te tappen: 'En hoe is het met de getrouwde man en de moordenaar?'

'Prima, geloof ik.' Connie begon weer met haar suikerwatervallen. 'De een heeft me gedumpt toen hij ontdekte dat een vriend van hem mijn broer was, en ik heb de ander gedumpt toen hij mijn poesje om zeep had geholpen.'

'Connie! Dat bedoel je toch niet letterlijk?'

'Jazeker wel, maar voor Goudhaartje liep het erger af. Hij was me aan het uitleggen hoe het zat met de luchtpijp, weet je, hoe de lucht daar in en uit gaat, en hij gebruikte Goudhaartje als leermiddel.'

'Wat verschrikkelijk zeg.'

'Ik dacht dat je het fijn zou vinden.'

'Ik bedoel van het poesje.'

'Ja. Ik neem geen andere kat. Haar arme lijfje herinnerde me aan alle poesjes die mijn pa thuis verzoop. Hij gooide die arme beesten in het veen. Ik was van plan om Goudhaartje in Central Park te begraven, maar toen haalden de gebeurtenissen me in.'

'Gebeurtenissen?'

'Een protestmars, om eerlijk te zijn. Ik doe er bijna nooit meer aan mee, maar deze sprak me aan.' Ze zweeg even. 'Serge was erbij.'

Nina voelde dat ze bloosde als een kind. Een dikke warmte van herinneringen. Maar aan haar stem was niets te merken. 'Hoe maakt hij het?'

'Net als anders. Goed. Even heilig als anders.' Connie leek wat op te leven en schoof tot Nina's opluchting de suikerpot van zich af.

'Ja, dat kan wel kloppen. Een man van principes. Zo is Serge.' Ze vroeg zich af of William ook een man van principes was. Maar inmiddels was Connie aan een van haar verhalen begonnen.

'Om je de waarheid te zeggen was het allemaal een tikje al te dramatisch. Net als een paar andere demonstranten van de laatste tijd kwamen ze op het idee om de Amerikaanse vlag te verbranden.' Connie beschreef, met een merkwaardige afstandelijkheid in haar stem, de verzamelde menigte, de demonstranten en contrademonstranten, haar vriend – min of meer – Allen Ginsberg, nog een soort heilige, die overstroomde van liefde en iedereen omarmde; de toespraken, de slogans, de yells, de liederen, de schermutselingen, de journalisten – en uiteindelijk de politie, getrokken wapenstokken, arrestaties... 'Dus je begrijpt vast wel waarom ik Goudhaartje niet heb begraven. Ik heb haar door het raam van een politieauto gegooid. Dus haar leven, of liever gezegd haar dood, heeft de zaak van de vrede gediend, nog afgezien van het feit dat die me eindelijk van Trig bevrijdde.'

'Was je niet bang dat de politie je zou aanhouden?'

'Er zat niemand in de auto. Ze waren allemaal druk bezig op mijn vrienden in te rammen. Maar het is bemoedigend om te bedenken dat ze bij terugkomst een dode kat zouden aantreffen, hoewel ik vrees dat ze haar stoffelijk overschot niet de juiste eer hebben betuigd.'

Connie leek te zijn opgemonterd door dit droeve verhaal, maar Nina werd toch getroffen door de vlakke manier waarop ze het drama ontvouwde, alsof ze belangrijker dingen aan haar hoofd had. 'Ik heb Fay gezien,' voegde Connie eraantoe.

Misschien dat dat het was: Fay. 'Hebben jullie weer contact?'

'O, nee. Fay heeft me verstoten. Ik zag dat ze samen met een man toe-keek bij de protestmars. Jong, lang. Arm in arm. Misschien heeft ze een geheime vriend.'

'Dat zou Fay ons vast vertellen,' zei Nina, en ze bedacht onmiddellijk dat ze geen idee had wat Fay hun zou vertellen. 'Het café gaat sluiten,' voegde ze eraantoe.

'Inderdaad. Zullen we naar de Rothko's gaan kijken?'

Geschrokken begon Nina te blozen, zoals ze had gedaan toen de naam van haar minnaar was genoemd. 'Daar is het nu veel te laat voor, vrees ik.'

De volgende dag, in het vliegtuig naar Ierland, vroeg Connie zich af waar-om ze Nina niet had verteld over de baby of over Trigears belachelijke reac-tie. Haar borsten waren al duidelijk gezwollen. Gevoelig. Ze had gepro-testeerd tegen de ruwheid van zijn mond en hij was zo bezitterig gewor-den dat ze hem de waarheid had verteld. Een fles wijn had ongetwijfeld geholpen. Ze had gelachen om zijn handen op haar luchtpijp, dus was hij met de arme Goudhaartje verdergegaan.

Ze had het plan opgevat om haar ouders in Mayo te bezoeken. Ze nam de bus van het vliegveld naar Dublin en ze voelde haar ziel zich verjongen, of zo hield ze zichzelf althans voor. De stad verbaasde haar. O'Connell Street had ambities om Fifth Avenue te worden. Het regende, wat haar goed deed, en weldra zocht ze zich een weg naar de rivier en keek naar de herfstmuggen die tussen de regendruppels door dansten. Ze herinnerde zich de goeie ouwe tijd, de chocoladekussen van Billy Ferguson, die haar wellicht hadden geïnspireerd om naar Amerika te gaan, en ze vroeg zich af waarom ze nooit had geprobeerd hem op te sporen. Maar deze nostalgi-sche ideeën waren minder heftig dan ze had verwacht, dus sloeg ze de weg in naar het huis van haar zuster.

Ze was nu heel nat. Haar haar, dat de laatste tijd lang was geworden, hing druipend op haar rug en sleutelbeenderen, haar schoenen waren doorweekt en ze begon voor haar plezier expres door plassen te lopen. Als Eileen niets van haar wilde weten, besloot ze, zou het het beste zijn om haar dollars bij elkaar te rapen (die nu in een kletsnat rolletje in haar zak zaten) en naar het Shelbourne Hotel te gaan om haar verdriet te verdrinken te midden van de poenerige lui.

Aan de andere kant – ze aarzelde bij een kruising en merkte onlogisch op hoe melodieus het geluid van Ierse stemmen om haar heen klonk – zou ze eerst een Paddy's whisky kunnen gaan drinken om te kalmeren en zich-zelf in stelling te brengen om haar terugkeer naar het Oude Land te vieren.

Het huis van haar zuster was niet veranderd. Toen Connie door het raam tuurde, schrok ze ervan hoe goed ze zich het smaragdgroene meubilair nog herinnerde, het bruine gedessineerde tapijt, de tafel met zijn zware glazen schaal erop, de afbeelding van een vrouwelijke heilige (niet de Maagd Maria, bedacht ze), de schoorsteenmantel met de dierenbeeldjes van onduidelijke herkomst.

'Zal ik je een kontje geven?' vroeg een mannenstem vlak achter haar.

'Denk je soms dat ik een inbreker ben? Dat is een misvatting die je niet kwalijk te nemen valt.' Connie draaide zich waardig – hoopte ze – om naar een jonge man. 'Ik ben familie,' voegde ze eraan toe, capitulerend voor zijn argwanende gezichtsuitdrukking.

'Ben je soms op zoek naar mijn moeder?'

'Inderdaad.'

'Nou, die vind je hier niet. Ze is naar Marian Hall met onze Rose en kleine Bobbie. Als je wilt, breng ik je er wel heen.'

Connie probeerde te bedenken of ze haar zuster wel wilde storen midden in haar heilige werken en besloot dat ze vast iets beters kon doen. Trouwens, de whisky was van haar hoofd naar haar blaas gezonken en ze moest dringend naar de wc.

'Ik kan hier zeker niet op haar wachten? Eerlijk gezegd ben ik vanochtend uit Engeland gekomen, en vlak daarvoor uit de States, en ik heb dringend behoefte aan een beetje rust. En bovendien zijn mijn kleren nog kletsnat van de regen van vanochtend.'

'Kom dan maar binnen. Weet je, je lijkt veel op mijn moeder.' Hij maakte de deur open en ging haar voor naar binnen.

Connie viel in slaap, met haar hoofd op de rugleuning van een stoel die zo groen was als een Iers weiland. Ze werd gewekt door een hand op haar arm.

'Jij bent tante Connie.'

Connie opende haar ogen en glimlachte de jongeman toe. Ze herinnerde zich hem nu, en hoe ze hem als kleine jongen paardje had laten rijden op haar knie. Hij heette Paddy, maar zijn karakter stemde niet met die typisch Ierse naam overeen. Hij was altijd nogal een saaie piet geweest. Ze merkte dat de vriendelijke manier waarop hij haar herkende haar middenrif deed gloeien, terwijl de slaap de effecten van de whisky teniet had gedaan. 'En met hoeveel kinderen zijn jullie nu? Meer dan een dozijn?'

Paddy trok zijn hoofd in. 'Mam voelde zich niet zo lekker na de kleine Bobbie. We zijn maar met z'n achten. Blijf je vannacht hier? Je zult wel heel wat verhalen te vertellen hebben.' Zijn verlangende blik deed Connies gevoel van minzaamheid toenemen.

'En hoe is het om het huis voor jezelf te hebben?'

'Dat blijft niet lang zo. Terry kan elk moment hier zijn; dan komen Madeleine, Brid en Michael. Mary komt uit school en ma komt vlak daarna voor de thee. Straks heb je niet veel tijd meer om uit te rusten.'

Hij was amper uitgesproken, of de deur zwaaide open en er kwam een troep kinderen binnen: twee zingende meisjes, twee jongens die tegen een bal trapten, en achter hen allemaal aan, met een kind aan elke hand, een tas over haar schouder geslagen, Eileen.

'Tante Connie is op bezoek gekomen!' riep Paddy uit.

Eileen draaide zich om in de hal en keek fronsend de woonkamer in. Connie stond op en zwaaide alsof ze op de rand van een zwembad stond, op het punt in het water te springen. En hoewel ze hield van vrolijkheid, wilde ze ook emotie en verlangde ze ernaar door haar zuster te worden omhelsd.

'Connie!' Eileen kwam naar haar toe. Met een schok van verrassing zag Connie hoe goed ze eruitzag: die fijne huid die nooit een felle zon of airconditioning had gezien, de zachte, matroneachtige contouren, het donkere haar, met hier en daar een streep zilver. Hoe kon ze er zo uitzien met al die kinderen, die kleine duivels?

'Ik ben in Amerika geweest.' Ze liet het klinken alsof ze er jaren had gezeten. 'Ik kom alleen maar even op bezoek.'

'Je had moeten schrijven.' Eileen kwam binnen en ging zitten, met tassen en kinderen om zich heen verzameld. Het was natuurlijk als verwijt bedoeld, maar terwijl Connie zich in stelling zette om uitvluchten te zoeken, groot misbaar te maken van verdriet en zich over te leveren aan de genade van haar zus, kreeg ze nog een schok te verwerken, want ze besefte dat haar thuiskomst niet het belangrijkste was in Eileens leven. Ze werd afgeleid en begon een paar van de kinderen een paar bevelen te geven.

'Je wilt zeker wel weten hoe het met ma en pa en Michael is?'

'O, ja. En met jou. Met jullie allemaal.'

'Ik zit hier voor je neus. Ik ben wat je ziet.' Ze klopte op het hoofd van het kleinste kind, dat zijn duim in zijn mond stak en op haar schoot probeerde te klauteren. Ze duwde het zachtjes weg. 'Ik heb er acht – allemaal, zelfs het laatste kleintje, gezonde, heerlijke kinderen. Ik heb een man die ons hele huwelijk lang heeft gewerkt en nu vier jaar geleden is gestopt met drinken. Ik heb een paar vrienden, ik heb de kerk.' Ze onderbrak zichzelf om een grote dochter uit te leggen waar ze wat koude aardappelen en mayonaise kon vinden. 'Blijf je theedrinken?'

'Ja, graag. Ik ben heel blij voor je.'

'Ik ben gezegend. We kunnen maar beter aan de slag gaan als we willen voorkomen dat de kinderen vervelend worden, die arme zielen.'

De keuken was, net als de woonkamer, precies zoals Connie zich hem herinnerde. Ze maakte er een opmerking over tegen Eileen, die de vingers van haar jongste dochter uit de jampot haalde. 'Rosie, wil je ophouden je te gedragen als een smerige bromvlieg? Hetzelfde? Nou, Connie, jij bent aan de andere kant van de Atlantische Oceaan zeker je geheugen verloren. Het afgelopen halfjaar hebben we de hele woonkamer opgeknapt, een nieuw bankstel en alles. Hij heeft een week vrij genomen van zijn werk om te verven en tapijt te leggen. Als je dingen wilt zien die niet veranderd zijn, moet je naar ma en pa gaan. Ze hebben nu weliswaar elektriciteit, maar het rieten dak wemelt nog net zo van het ongedierte als vroeger. Hé, Bobbie, kom eens bij me op schoot zitten en help me met boterhammen smeren.'

'En klagen ze nog steeds...' begon Connie, met haar ogen neergeslagen, maar toen ze opkeek en de kleine Bobbie tussen de armen van zijn moeder door zag glimlachen, deed ze er het zwijgen toe. Hoe hadden zijn smalle ogen, zijn papieren huid en de brede vlakheid van zijn hoofd haar kunnen ontgaan?

'Of ze klagen over je vertrek? Ach, Connie, vertel dat maar aan je biechtvader. Ze maken het prima. Ik stuur tegenwoordig een paar van de kinderen 's zomers naar hen toe. Michael heeft nog steeds geen vrouw gevonden, maar hij heeft eigenhandig een keurige bungalow voor zichzelf gebouwd. Die heeft een zilveren hek en blauwgeverfde drempels. Ga zelf maar kijken.'

Connie, die zich aan de zijlijn nooit op haar gemak voelde, voelde een groot verdriet – deels zelfmedelijden en deels schaamte. Ze was gekomen om haar zuster over haar baby te vertellen, over haar zwangerschap. Maar nu, te midden van dit hardwerkende en gelukkige gezin, met de kleine Bobbie die vrolijk boter zat te pletten met een lepel, besefte ze dat ze geen woord kon zeggen. In de ogen van de buitenwereld mocht ze dan misschien succes hebben, in deze keuken was ze niet meer dan een smerige sloerie. 'Je hebt echt een geweldig gezin, Eileen.'

'O, ja. Ik weet het.' Pas toen ving Connie een glimp op van staal, voor haar voldoende om op te staan ter voorbereiding op haar vertrek.

'Heb je telefoon?'

Connie belde Nina. 'Wat zou je vinden van een reisje naar Cork? Ik ben bezig met een fantastisch artikel over terugkeren naar huis.'

'Maar Cork is je huis helemaal niet.'

Nina werd in haar atelier geroepen door haar moeder, omdat er telefoon voor haar was. Ze had haar kwast net in een gecompliceerd mengsel van

Pruisisch blauw, Payne-grijs en chroomgroen gedoopt. Het was, erkende ze, een modderige kleur, zelfs lelijk, verre van geslaagd, helemaal niet wat ze bedoeld had, maar – ze smeerde een klein beetje op haar vinger – ze had geen idee hoe ze er iets mooiers van kon maken. Terwijl Connie haar naar Cork bleef lokken, besefte Nina opeens dat het tot nu toe allemaal een spelletje was geweest, de schilderlessen waarvoor ze zich in Hastings had opgegeven sloegen helemaal nergens op. Als ze er echt werk van wilde maken, moest ze behoorlijk studeren, wat vrijwel zeker betekende dat ze in Londen zou moeten gaan wonen. Ze zou een kunstacademiestudente worden, in een gehuurde kamer wonen, in de voetsporen van Matisse treden. Ze voelde haar hart opspringen van vreugde bij het vooruitzicht. Wat belachelijk, en het was nog veel belachelijker dat ze er geheel en al van overtuigd was dat het zou gaan gebeuren! 'Ja, ik kom naar Cork,' zei ze tegen Connie. Een dergelijke sprong van de verbeelding was nog niets vergeleken bij de sprong die ze zojuist had genomen.

Connie had er vast op gerekend dat Nina zou komen. Ze had voor hen samen één kamer geboekt in een hotel, en op zondagochtend bracht ze haar naar een cafeetje dat in de beschutting lag van een van de vele torenspitsen in Cork. Het was zondag en de kerkklokken luidden al uren. Nina kon merken hoe ingenomen Connie met zichzelf was en zag dat ze, alsof ze zo beter kon genieten van de geluiden van Ierland, haar ogen sloot. Zodoende was Nina, en niet Connie, degene die een lange man naderbij zag komen.

'Mag ik me even voorstellen? Ik ben Orlando Partridge.' Hij zwaaide met een glazen bierpul. De naam was voldoende om Connies aandacht te trekken, maar toen sloot ze haar ogen weer even, als in afwijzing. 'Constance O'Malley,' zei Orlando Partridge, met wat Nina voorkwam als een merkwaardig soort formaliteit. 'Ik had je meteen herkend. Ik heb een paar artikelen van jouw hand gelezen en vervolgens verbaasde ik me erover dat onze paden, met zo'n Ierse naam als de jouwe, elkaar niet hadden gekruist.'

Nina keek de vreemde verschijning nieuwsgierig aan. Hij had bolle groene ogen, die nu ingespannen tuurden, een indrukwekkende neus en kastanjebruin krulhaar, en hij was nogal gebogen en tenger zoals jonge mannen kunnen zijn, hoewel hij niet jong was. Ze vroeg zich, lichtelijk bitter, af waarom Connie zo graag had gewild dat ze met haar meeging als haar pad zo bezaaid was met aanbidders.

'Ik ben natuurlijk beest noch vogel,' vervolgde Partridge, wiens lippen rood waren en licht bevlekt met Guinness-schuim. 'Ik ben er een van dat verdorven soort dat Anglo-Iers heet.'

Hij was ook – dat zag Nina maar al te goed – echt Connies type, zodat het haar een raadsel was dat ze zwijgend van haar eigen Guinness bleef nippen, met haar zwarte wimpers neergeslagen. Wat is ze toch knap, bedacht Nina wanhopig. 'Nou, ik ben Anglo en Connie is Iers,' probeerde ze, aangezien meneer Partridge tenslotte helemaal háár type was: zoon van een Ierse landeigenaar en dichter, die woonde in een romantisch huis, ongetwijfeld net zoiets als het hare. Hij had geen moeder, vertelde hij Connie, zonder aandacht te besteden aan haar opmerking. Maar Connie legde geen belangstelling aan den dag, behalve dat ze nog een drankje bestelde. 'En mijn vader was vroeger geïnteresseerd in jagen en veemarkten, maar tegenwoordig brengt hij zijn dagen ermee door de dochters van Lir onrustig te maken.'

'Koning Lear?' vroeg Connie, want even was haar belangstelling gewekt.

'Nou, jij bent vast niet Ierser dan ik Engels ben!'

'Je bedoelt de zwanen, de prinsessen die betoverd waren en in zwanen veranderden.' Connie keek dromerig in haar glas. 'Uiteindelijk kwamen ze naar Mayo, weet je.'

'Ik weet het.' Heel even liet Connie haar blauwe ogen op hem rusten. 'Hoewel we het nu over geschiedenis hebben, is het een ander verhaal. Mijn vader is een directe afstammeling van de mannen die Ieren zoals jij in drijvende doodkisten stopten en hen de Atlantische Oceaan op stuurden, hun dood tegemoet. Hij is wreed, inhalig, snobistisch en bekrompen, maar hij is mijn vader en ik hou van hem. Denk je dat dit onze vriendschap in de weg zou kunnen staan?'

Nina begon minder voor Orlando Partridge te voelen en herinnerde zich vervolgens dat ze helemaal geen man wilde. Ze had een ex-man, twee kinderen, een moeder en een passie. O mijn god! Schilderen. Orlando Partridge, die zich net op dat moment tot haar richtte, ving een glimp van glorie op en veranderde abrupt van koers. 'Waar in Engeland resideer je?'

'Resideren. Resideren,' mompelde Connie.

In een flits was hij weer bij Connie. 'Ken je misschien de dichtregel van Milton?' Hij wilde daar net zijn licht over laten schijnen toen Connie zonder waarschuwing ging staan en kordaat het café uit liep. Ook hij stond op, alsof hij haar achterna wilde gaan, maar toen liet hij zich terugvallen in de stoel tegenover Nina.

Hij keek haar recht aan, knipperend met zijn bolle groene ogen. 'Je zult me wel belachelijk vinden, maar ik ga trouwen met je vriendin. Ze realiseert het zich nog niet, maar dat doet er niet toe. Jij bent mijn getuige.' Hij aarzelde. 'Waarom is ze weggelopen?'

Nina besloot ervan uit te gaan dat hij oprecht was. Inderdaad, dat geloofde ze. 'Ik weet niet. Misschien is ze naar de kerk gegaan.'

'Natuurlijk. Ik heb haar in de ogen gekeken. Die zondagochtendblik. Die hebben alle katholieken, hoe mager hun geloof ook is. Bij tijd en wijle heb ik die zelf ook.'

'Ben je katholiek?'

'Mijn moeder, moge ze rusten in vrede. Wil je me excuseren?' Hij stond op en verliet het café.

Met een golf van vreugde herinnerde Nina zich dat ze haar schetsboek en potlood bij zich had. Ze keek om zich heen in het halfduistere vertrek en zag een serie uitdagende vormen en tinten. Brueghel-gezichten, bedacht ze. Ze vergat Connie, en besloot afwezig dat er grenzen waren aan vriendschap.

De kerk was witgewassen en stond vol met grove beelden, die volgens Connie voor het grootste gedeelte vrouwelijk waren: Sint-Veronica, met haar zakdoek, de Maagd Maria, helemaal in het blauw met een diadeem van sterren, Sint-Elizabeth, Maria's meer huiselijke nicht, Sint-Anne, Maria's moeder. Wat een vrouwen, wat een druk, wat een ingetogen matriarchen. Waren dit nou tranen van ellende of tranen die bij thuiskomst hoorden? En waarom was ze hier in Cork en niet in de County Mayo bij haar familie? Er was tenminste geen dienst aan de gang, geen spookachtige stem van het geweten, geen valse zegening.

'Maak ik inbreuk op je eenzaamheid? Dring ik me tussen jou en je Schepper?'

Connie draaide zich om en keek zonder iets te zien naar deze vreemde man die op haar schouder neerstreek. 'Waarom kom je me achterna?'

'Ik wil indruk op je maken. Ik wil dat je je me herinnert.' Hij was lachwekkend serieus, maar Connie merkte hem onvoldoende op om zich er vrolijk om te maken. 'Ik heb mijn naam en telefoonnummer voor je opgeschreven. Op een goed moment zul je me willen bellen, maar neem alsjeblieft geen aanstoot aan de telefoonmanieren van mijn vader als hij toevallig mocht opnemen. Zijn doel is een eind te maken aan het gerinkel zonder een gesprek te hoeven voeren. Hij begrijpt niet dat hij alleen maar hoeft te betalen als hij zelf belt. In zijn geval is spaarzaamheid geen deugd.'

'Deugd,' herhaalde Connie, terwijl ze het papiertje aanpakte. 'Het spijt me. Wil je iets van me?' Ze was vriendelijk, een zachte kerkstem, omdat de gloeiende krullen op zijn hoofd er door een rij kaarsen achter hem, die het altaar van Christus de Verlosser verlichtten, een halo vormden. Ze zou hem niet vergeten.

Nina en Connie lagen zij aan zij in hun naast elkaar opgestelde bedden in het donker te fluisteren. Hun woorden liepen eveneens parallel, want geen van beiden waren ze dapper genoeg om elkaar te confronteren met wat belangrijk was. Weldra vielen ze in slaap.

De mannen kwamen een uur of wat later binnen. Ze botsten tegen meubels op, rinkelden met glazen en gingen zitten praten. Nina dacht eerst dat ze in hun kamer waren, te ongeïnteresseerd of te dronken om op te merken dat er twee vrouwen in hun bedden lagen te slapen.

'Connie?'

'Ja?'

'Hoor je dat?'

'Zijn ze echt? Ik dacht dat het de stemmen van mijn vader en Michael waren.'

'Ze zijn in de kamer hiernaast. De muren moeten wel heel dun zijn. Kun je verstaan wat ze zeggen?'

'Ik kan me er wel een voorstelling van maken.'

De woorden, een ononderbroken stroom, met af en toe wat gerinkel ertussendoor, waren onverstaanbaar, maar ze klonken hard genoeg om eruit op te maken wat de strekking was.

'Er is een oudere en een jongere man,' fluisterde Nina. 'maar waarom praten ze druk op dit uur?'

'We zijn in Ierland.'

Na een poosje dommelden ze allebei in; af en toe werden ze wakker en hoorden de stemmen dan nog steeds praten met precies dezelfde intonatie. Pas tegen de ochtend, toen de eerste vogels begonnen te zingen, verstomden ze.

Aan het ontbijt kondigde Connie, terwijl ze dikke plakken bacon rondschoof op haar bord, aan: 'Ik ga dit keer maar niet naar huis, geloof ik.'

'Het spijt me,' zei Nina. Dat had Connie vast al besloten toen ze haar had gesommeerd te komen. Of was ze van plan geweest haar mee te nemen naar Mayo? 'Ik kan meegaan om je te steunen.'

Connie keek verschrikt. 'Nee. Nee. Ik heb tenminste mijn zuster gezien. Zij geeft het verhaal wel door.'

'Maar snijd je de banden dan niet nog verder door?'

'Misschien. Ik moet terug naar Amerika. Kevin verwacht me.' Connie schonk Nina een vreemde, ernstige, taxerende blik.

'Wat is er? Wat is er aan de hand?'

'Er is niets aan de hand. Ik geloof dat ik kou heb gevat.'

Maar er was wél iets. Nina keek toe toen Connie in haar zak zocht naar een zakdoek, maar in plaats daarvan een verkreukeld stukje papier tevoorschijn haalde. 'Ik vraag me af wie me nu weer gedichten schrijft. Moet je horen:

> Immer onvermoeibaar, geliefde naast geliefde,
> roeien ze door de koude
> aangename stromen of beklimmen de lucht;
> Hun harten zijn niet oud geworden;
> hartstocht of verovering, waar ze ook heen gaan,
> wachten hun nog.'

'Volgens mij is het van Yeats,' zei Nina.

'O, mooi. Als hij niet eens zelf iets kan maken...' Connie liet het papier op de grond vallen.

'Dus je weet wél van wie het afkomstig is.'

1970

William kwam naar Nina toe en huilde. Ze hadden afgesproken te gaan lunchen in zijn club, waar hij er sterk en zelfverzekerd uitzag, en een fles goede bourgogne bestelde, die hij grotendeels zelf opdronk. Nina sloeg hen tweeën van een afstandje gade. Ze werd getroffen door de behaaglijkheid en gezelligheid van het tafereel: hun eigen gezonde, voorspoedige, goedgeklede verschijning, hun beschaafde manier van converseren, met glimlachjes op de juiste momenten, de grote tafel met het smetteloze kleed en uitvoerige couverts, de ober die erin slaagde zowel dienstbaar als superieur te zijn, de ruimere omgeving van het elegante vertrek, dat van te veel pleisterwerk was voorzien om smaakvol te zijn, maar dat net niet vulgair was en gevuld was met substantiële stellen als zijzelf. Het enige probleem, wat haar betrof, was dat het volstrekt een schertsvertoning was.

'Ik zou het liefst willen dat Jamie naar Eton ging.'

'Maar waarom in 's hemelsnaam Eton? Zelf ben je daar toch ook niet geweest?' Even keken ze elkaar aan, geschrokken. De snelheid van Nina's stem bleef tussen hen in hangen. Ze had nog nooit zo gesproken, zelfs niet in het afgelopen jaar, toen ze allebei een advocaat hadden genomen. Ze hadden beleefde gesprekken met elkaar gevoerd, over de kinderen gesproken. Maar nu hoonde ze hem op hoog volume in zijn eigen club, waar vrouwen alleen werden geduld uit lankmoedigheid, krenkte ze zijn trots alsof hij een dwaas was, een idioot, een kind. Dus begon hij te huilen. De tranen begonnen in zijn blauwe ogen en rolden over het randje van zijn onderste oogleden.

Geschrokken en geboeid keek Nina toe, maar wel met strak opeengeperste lippen, want ze kon niet zeggen: 'Het spijt me.' In plaats daarvan staarde ze langs hem heen naar de van witte vitrage voorziene ramen en moest ze denken aan hun hotel op huwelijksreis in Hastings.

'Ik zal een andere vrouw moeten gaan zoeken.' De woorden werden – en dat weersprak zijn tranen – met een soort voldoening uitgesproken, zelfs een beetje intimiderend. Nina vroeg zich af hoe het mogelijk was dat hij zich tegelijkertijd dieptriest en wrokkig kon voelen, maar bij wijze van tegenwicht vrolijk kon zijn door het vertrouwen dat hij kennelijk in zijn toekomst had. 'Ik zal altijd van je blijven houden,' vervolgde hij, wat nog verwarrender was. 'Jij bent de liefde van mijn leven, dat nu en eh... voor altijd is aangetast, maar ik heb een vrouw nodig.'

'Willekeurig welke vrouw op leeftijd?' Nina wilde het vragen, maar zag ervan af, en in plaats daarvan zei ze, om ervanaf te zijn: 'Ja, natuurlijk.' Ze merkte op dat de tranen niet langer opwelden, en degene die overbleven werden bruusk weggeveegd met zijn servet.

'Het verrast je misschien te horen dat ik al iemand in gedachten heb.'

Nina was inderdaad verrast. Hun scheiding zou pas over ruim een jaar een feit zijn.

'Je hebt misschien gehoord dat dokter Nairn een hartaanval heeft gehad.'

Dat had Nina niet gehoord. Ze voelde een scherpe pijn van nostalgie. Al die jaren geleden in Malaya had dokter Nairn haar serieus genomen. Hij had haar naar die jonge soldaat in zijn ziekenhuisbed wiens been eraf geschoten was toe gestuurd om hem te helpen. 'Hij leek onverwoestbaar, hoewel hij geloof ik al vrij oud was.'

'Vijfenzestig. Maar goed, je herinnert je hem. En zijn vrouw, Felicity.' Zijn stem was ernstig geworden.

Nina deed moeite zich Felicity te herinneren. 'Haar ogen waren verschillend van kleur. Ze kon heel goed tennissen.'

William aarzelde, alsof hij dit oordeel afkeurde. 'Felicity is een uiterst kwetsbare vrouw.'

'Dat zal best. Nu ze weduwe is.' Nina haastte zich om haar beeld van de onvermoeibare tenniskampioene de genadeslag te geven, de taaie supporter van het wel en wee van het leger. 'Ik heb het contact met mijn vrienden uit het leger verloren.'

'Ze praat hartelijk over je.'

'O, mooi,' zei Nina vagelijk, omdat ze was begonnen te denken aan Serge en aan hoezeer hun liefdesaffaire in New York haar had geholpen, hun gesprekken over de oorlog, over soldaten, uiteindelijk over haar gevoelens voor William, en zelfs over haar vader. 'Wat heb je gezegd?' Misschien had ze het al gehoord, maar ze wilde de woorden nogmaals horen, hoogdravend als ze waren.

'Ik heb gevraagd of Felicity mijn bruid wil worden.'

Dat had hij echt zo gezegd. 'Wat fijn, William, ik ben heel blij voor je.' En waarom had zíj nu tranen in haar ogen?

Connie stond naakt in de badkamer (een narcisgeel tapijt en draperieën tot op de grond) en bewonderde haar eironde buik. Ze stelde zich de baby daarin voor, opgekruld op haar zachte waterbed en hoe ze naar buiten zou zwemmen en met haar bloemengezichtje de wereld in ogenschouw zou nemen. Connie trok een waterspuwergrimas in de spiegel en stapte in bad.

Dit had Shirley verboden nadat een wel bijzonder bezorgde vroedvrouw had verteld dat wanneer de baarmoederhals zich verwijdde er zeepwater in zou kunnen komen en voor een infectie zou kunnen zorgen. 'Je kunt geen risico's nemen met leven,' had Shirley aangedrongen. Tegendraads had Connie een halve fles paars badschuim in het water leeggegoten en was toen lekker achterover gaan liggen. De zoetgeurende dampen maakten haar belachelijk slaperig voor de vroege ochtend. Al deze verwennerij zou straks over zijn en dan zou ze weer terugkeren naar de echte wereld.

Connie ging langzaam staan, ze voelde zich nogal duizelig, en keek hoe de glinsterende bubbels van haar gladde lichaam neergleden; ze voelde het water langs haar benen omlaag stromen en begon toen te denken dat er meer water was dan zou moeten. Ze boog zich een stukje en zag twee rode spatten neervallen, die op het witte badschuim bleven rusten. 'En nu breken de vliezen,' zei Connie, en ze glimlachte een dromerige glimlach van voldoening.

'Het is verschrikkelijk,' fluisterde Connie, en toen beet ze het woord zo hard terug dat het bloed op haar lippen verscheen. Haar lichaam was van haar afgenomen en hoewel ze het vrijelijk ter beschikking had gesteld in het belang van een gelukkige toekomst voor iedereen, kreeg ze nu toch het idee dat ze beter een makkelijker manier om dood te gaan had kunnen kiezen.

Geschoren, onder de medicijnen, naakt, haar benen uit elkaar in riemen gebonden, een wig tusen haar lippen, doodsbang, verzwakt en krachteloos. Het licht was scherp en er viel niet uit op te maken of het dag of nacht was. Geluiden waren teruggeweken, alsof haar oren verstopt zaten. Deze enorme marteling was erger, bedacht ze, dan wat de heiligen hadden moeten doorstaan, inclusief Sint-Glyceria in het jaar 177, die was opgehangen aan haar haar, was geslagen met ijzeren staven, in een oven was gestopt en uiteindelijk aan de wilde beesten was overgeleverd.

'Twee vingers ontsluiting,' raspte haar kwelgeest. Hoe konden vrouwen zich toch telkens weer overleveren aan zo'n wrede vernedering? Voor een kind. Was dat het antwoord? Het lieve, platte gezicht van haar neefje Bobbie kwam haar voor de geest. Voor een kind zoals zijzelf, dat wegwandelde zodra ze de kans kreeg. Voor een man? Kon dat het zijn? Bood Eileen haar echtgenoot Terry, zwak en van het tweede garnituur als hij was, vol vreugde de vrucht van zijn lendenen aan? Voelde haar moeder zoveel liefde voor haar onverbiddelijke, gebroken vader dat ze de scheppingsdaad met hem wilde delen? Het kon niet zo zijn, het was onmogelijk. 'Ah!' Ergens slaakte iemand een kreet.

'Kalm aan, jongedame,' gebood een koele stem. Maar nu voelde ze haar eigen ledematen trillen, en een golf van misselijkheid welde in haar op.

'Pas op!' riep de lelijke, despotische man die de controle over haar lichaam had overgenomen. Nina had twee kinderen. Nina, zo stilletjes, zo kalm. Nina, die William uit haar leven had gebannen. William had haar twee kinderen gegeven. Zei je dat zo – gegeven? God geeft en God neemt.

'Ah!' Die kreet. Ricky's baby zou donker en bleek zijn geweest, en rustig. Ricky's baby zou haar niet zo hebben gemarteld. Maar die van Hubert – o, die van Hubert... Maar die was er niet meer, hem was met een staak door zijn babyhart het zwijgen opgelegd.

'Het daalt...' Daalt? Wat daalde er? Waarom kon ze hier geen deel van uitmaken? Waarom werd ze buitengesloten van haar eigen bevalling? Correctie: de geboorte van haar baby. Correctie: Shirleys bevalling...

Opeens bewoog ze. Boven haar ging het licht brekend over in duisternis, er leek tumult om haar heen te zijn ontstaan, lawaai, draaiende beweging, eclipsen van licht en geluid. Overal om haar heen stonden mensen, die aandrongen op iets wat ze niet kon geven. En toen was er zwartheid.

'Ze zat klem, zie je.' Daar was Shirley, de tranen liepen over haar anders zo smetteloze gezicht.

'Connie, jullie maken het allebei prima. Kun je me horen, Connie? De baby is geweldig. Ze is een echte O'Malley. Ze heeft roodzwart haar, als een beuk in het donker.' Was dat Kevin en kwam van emotie de Ierse gave der welbespraaktheid weer over hem?

Connie wilde iets schampers zeggen, maar hij zat naast haar zwartheid.

'We gaan nu, maar morgen komen we terug.'

Dankbaar kon ze weer terugdrijven naar vredigheid.

'Daar is ze. Doe je ogen open en dan zie je je prachtige baby voor je.'

Wie was er in de nacht binnengekomen om haar zo als de duivel te commanderen? Waarom zou ze haar ogen open moeten doen om te zien wat God had gegeven en weldra weer zou nemen?

Er werd iets zachts en buigzaams op haar borst gelegd. Connie dacht eerst aan wreedheid en toen aan nieuwsgierigheid. Nieuwsgierigheid was een teken dat ze nog leven in haar lichaam had. Connie deed haar ogen open.

De baby, tegen haar boezem ineengekruld, als een gigantische broche, lag knus boven op haar.

'Ga je haar borstvoeding geven?'

Connie, die niet in staat was zich te verroeren, sloot slechts haar ogen weer en draaide haar gezicht naar opzij. Wist de verpleegster niet wat een gelukkige toekomst er voor deze baby was weggelegd? Ze had zich door Kevin laten verzekeren dat alles in kannen en kruiken was: een week in het ziekenhuis, maar minimaal contact. Was dit minimaal contact?

'Morgen voel je je wel beter,' zei de verpleegster, die de baby weer optilde. 'Een keizersnee is altijd het ergst als een bevalling al lang heeft geduurd.'

Connie lag in het donker en voelde aan haar buik, de scherpe prikkeling van de hechtingen, een lange rij prikkeldraad van haar navel tot haar schaamhaar, als er haar zou zijn geweest.

Ze reikte naar de telefoon. Wie zou ze bellen? Wanhopig of boos maken? En het bleke gezichtje van de baby, de rozenknopmond, de dooraderde slapen, de roerloze oogleden, het donkere pluishaar als vogelveren. Hoe kon ze dat ooit vergeten? Er viel niemand te bellen. Kevin en Shirley hadden haar gevangen en nu kon ze niets anders doen dan zien dat ze haar gezondheid en wilskracht terugkreeg. Connie pakte de telefoon weer op.

Nina kwam pas haar bed uit toen duidelijk was geworden dat het gerinkel niet zou ophouden. Het was zes uur op een ijskoude januari-ochtend en zij en haar moeder bespaarden op de verwarming. Ze stond in de donkere hal met haar donzen dekbed om zich heen geslagen.

'Ik heb een baby gekregen, een meisje. Ik wil dat je het weet. Alleen jij. Als ik weer ben opgeknapt, ga ik terug naar Engeland. De baby heet Kathleen en in werkelijkheid is ze niet van mij, maar het gekoesterde bezit van Kevin en Shirley.'

Nina hoorde dat Connie begon te huilen, tranen die zo treurig waren dat ze, helemaal vanaf de andere kant van de Atlantische Oceaan, ook tranen van medeleven deden opwellen in de ogen van Nina, die van afschuw vervuld en bijna even ongelovig was als zij. Dus dit was de reden waarom Connie het afgelopen jaar zo vreemd had gedaan en zo somber was geweest. Er kwamen zoveel vragen in haar op dat ze er niet één durfde te stellen.

'O, Connie...' Maar moest ze zeggen 'Het spijt me', zoals naar Connies woorden te oordelen van toepassing leek, of moest ze proberen haar te feliciteren? Connie als moeder! Het leek onmogelijk. Er waren vijf jaar verstreken sinds ze elkaar hadden leren kennen in de kliniek. Die instorting had plaatsgevonden na een abortus.

'Wanneer is de baby geboren, lieve Connie?' Een neutrale vraag, ingegeven door warme gevoelens.

'Gisteren.' Het gejammer, het geweeklaag bijna, ging door, tot de toon veranderde en er een helderder stem opklonk, die meer herkenbaar was als die van Connie. 'Ze hebben me vastgegespt, me machteloos gemaakt, en het kind uit mijn lijf gesneden. Het was een obscene ervaring. Obsceen.'

'Bevallen is een tamelijk afschuwelijk gebeuren,' begon Nina behulpzaam, hoewel zij in feite gelukkige herinneringen had aan haar ervaring in het ziekenhuis op de compound buiten Malaya. In die fase hadden de twee kleintjes, die zo leuk en welopgevoed waren, de bekroning van haar leven geleken, dat eruit bestond een goede echtgenote te zijn en het William naar de zin te maken. Het was begrijpelijk dat het voor Connie iets anders lag, ook al klopte maar de helft van wat ze zei. Waar – of beter: wie – was de vader? En was het van tevoren haar bedoeling geweest dat haar kind geadopteerd zou worden door haar Amerikaanse broer?

'Ik had niet verwacht dat ik voor het leven getekend zou zijn,' vervolgde Connie, en haar woede oversteeg haar narigheid. 'Welke man kijkt er nu nog naar me? Met het Kaïnsteken, een ritssluiting vanaf mijn middel naar omlaag, dat de hele wereld duidelijk maakt: "Ze is een zondige, gevallen vrouw, die een baby heeft gekregen buiten het Heilige Sacrament van het Huwelijk om." Mijn leven is helemaal veranderd. Ik ben gebruikt, misbruikt, geplunderd. Ik wil van mijn leven geen man meer zien.'

Ze ging zo nog een poosje door, tot Nina's voeten, die zo koud waren als vissen op ijs, haar een heel licht protest ingaven. 'Heb je dan zelf nergens voor gekozen, Connie?'

'Gekozen? Natuurlijk heb ik gekozen. Maar alleen zoals een vrouw kan kiezen, wat betekent dat er helemaal geen keus is. Ik ben van een patriarchale Kerk in een patriarchale samenleving beland, waar alle beste posities al lang geleden door mannen zijn bezet, zodat alleen het moederschap is overgebleven...'

'Is alles goed met de baby?' onderbrak Nina de woordenvloed.

'Ze zeggen van wel.' Connies stemming sloeg abrupt om en ze begon nog klaaglijker dan daarnet te huilen.

'Je moet maar gaan slapen,' adviseerde Nina, wier voeten nu gevoelloos waren geworden. Maar wat stelde het voor om geen voeten te hebben vergeleken bij waar Connie voor stond? 'Zal ik het vliegtuig nemen? Dat zou ik kunnen doen, weet je. Ik wou dat je het me had verteld. Ik zou willen...'

Connie onderbrak haar. 'Je bent een echte vriendin. Vrouwen, dat is waar het om gaat. Dat zie ik nu wel in. Neem het vliegtuig maar niet. Maar als ik naar jou toe zou mogen komen zodra ik weer in orde ben – misschien kan ik bij je logeren? Alleen maar tot ik een plek voor mezelf heb waar ik kan wonen...'

'Natuurlijk. Mijn moeder en ik en de kinderen...'

'Je moeder, je kinderen...' Connie begon weer te snikken, tot ze zichzelf opeens onderbrak en fluisterde: 'De baby leeft tenminste.'

Nina bracht Jamie naar school. Hij ging meer en meer op William lijken. Het zou niet lang duren, bedacht ze, of hij zou even oud zijn als William was geweest toen ze hem voor het eerst had ontmoet. Met een vreemde, emotieloze snik realiseerde ze zich dat Jamie op een dag volwassen zou zijn, verantwoording schuldig tegenover zichzelf en niet tegenover haar. Maar de snik had zijn boodschap nog niet uitgestoten, of ze herinnerde zich haar moeder, die er nog steeds was, nog steeds haar moeder, zoals zij nog steeds haar dochter was.

'Ik vergat je te vertellen dat er vandaag schoolfoto's worden genomen,' zei Jamie, 'en dat we allemaal een wit shirt moeten dragen.'

'O, lieverd.' Nina woog het belang van deze boodschap. Kleur was erg belangrijk voor haar, maar hoe erg was het als Jamie een grijs shirt droeg in plaats van het verplichte wit? Het was, besloot ze, helemaal geen kwestie van kleur, maar van Jamies gevoelens. 'Wil je teruggaan? Ik weet zeker dat oma wel ergens een wit shirt heeft.' Ze keek van opzij naar zijn gezicht, de zorgelijkheid om zichzelf die haar zo sterk aan William deed denken brak opeens tot een glimlach die haar aan niemand deed denken.

'Het schiet me net te binnen: die foto's zijn morgen!'

Nina lachte. 'Je maakte maar een grapje.'

'Het hád vandaag kunnen zijn.'

Ze reden verder. De jongensschool die Jamie als dagleerling bezocht was vijftien kilometer rijden over de plattelandswegen. Vaak zou Nina willen dat hij daar de hele week overbleef, net als de meeste andere jongens, maar vanochtend had ze een tegengif nodig tegen Connies nachtelijke bekentenissen. Hier was haar gelukkige, gezonde zoon.

'De zonen van Felicity zijn verrekte slim.'

Waar had Jamie Felicity's zonen ontmoet? 'Ik wist niet dat je hen hebt gezien.'

'Pap heeft het me verteld. Volgens pap zijn ze verschrikkelijk slim en keigoed in sport. Hij denkt dat ik ze wel aardig zal vinden.'

Toen hij even zweeg en zijn vraag in de lucht bleef hangen, sloeg Nina een gezaghebbende toon aan: 'Ze zijn natuurlijk een heel stuk ouder, maar dat betekent niet dat jullie niet met elkaar overweg zullen kunnen. Misschien geven ze je wel goede raad, zoals oudere broers doen.'

'Ik hoop dat ik naar Eton kan,' zei Jamie, nog serieuzer.

'Nou, lieverd, dat is geen gering streven.' Weer keek Nina opzij.

De uitnodiging was gedrukt op dik wit karton, versierd met een elegante zilveren ooievaar die een wiegje droeg, dat met een roze lint aan zijn snavel was gebonden. Een roze satijnen lintje. Fay keek ernaar en bedacht hoe leuk haar moeder het zou vinden om dit te zien. Op het kaartje stond: 'Shirley Jean Smith O'Malley en Kevin Patrick Toussaint O'Malley hebben het genoegen de komst aan te kondigen van Kathleen Mary Smith O'Malley, en nodigen u uit voor haar doop op 10 maart 1970.'

Dus ze hadden een kind geadopteerd. Fay nam het voor kennisgeving aan, omdat ze de ochtend had gereserveerd om medische tijdschriften door te nemen en 'geboortes' of zelfs 'komsten' stonden niet hoog genoteerd op haar agenda, waar Connie nog steeds helemaal niet op voorkwam. Ze mikte het kaartje in haar nieuwe bakje 'Nog uitzoeken, nog uitzoeken, nog uitzoeken'. Maar terwijl ze dat deed, viel er een kleiner kaartje uit: 'Beste Fay, ik zou het heel fijn vinden om samen iets af te spreken. C.'

Fay belde Nina. 'Connie probeert me naar dat doopgedoe van haar broer te krijgen, hoewel ik haar al maanden niet gesproken heb. In feite ben ik van plan haar nooit meer te spreken.'

'Fay, je moet gaan.'

'Maar mijn moeder maakt zich zorgen om mijn eigen broer... Wat zeg je?'

'Je moet gaan.'

Fay viel stil. Nina zei mensen nooit wat ze moesten doen of laten. Wat was dit? Een complot om haar weer met Connie samen te brengen? 'Moet je horen. Ik ben niet duidelijk genoeg. Ik kan niet naar de doop van Connies nichtje in Washington gaan.'

'Ze is haar nichtje niet.' Nina merkte dat haar hand zweette om de telefoon. 'Ze is haar dochter.'

Connie, heel mager, gekleed in het zwart, trof Fay op Kennedy Airport voor de vlucht naar Washington. Fay, die zojuist weer een telefoontje van haar moeder had gekregen over Daniels vaste voornemen om naar Vietnam te gaan en die de dag tevoren tot 's nachts had gewerkt, had haar rol als vriendin die nodig was in tijden van nood geaccepteerd, maar vond dat Connie de eerste stap moest zetten. Misschien zelfs haar excuses moest aanbieden.

'Het spijt me ontzettend,' fluisterde Connie met neergeslagen ogen. Ze waren omgeven door grote, luidruchtige mensen die riepen en druk met zichzelf in de weer waren.

Fay, die schrok van hoe ze eruitzag, begon het verleden te accepteren en te vergeven toen Connie, zo groen als een adder, herhaalde: 'Het spijt me ontzettend – maar ik ben bang dat ik moet kotsen', en ze maakte zich uit de voeten op zoek naar een toilet.

Al snel kwam ze terug en ze pakte vertrouwelijk Fays hand. 'Zou je het erg vinden om helemaal niet te gaan? Alsjeblieft. Lieve Fay. Het is heel aardig van je dat je gekomen bent. Kunnen we misschien alleen wat in dat leuke appartement van je gaan zitten?'

Toen ze bij Fays appartement kwamen, knipperde haar antwoordapparaat beschuldigend. 'Bel maar terug,' fluisterde deze droevige, boetvaardige Connie. 'Vind je het erg als ik op je bed ga liggen?'

'Nee. Nee. Ga je gang.'

Fay luisterde de boodschap af. 'Dit is je moeder. Je moet Daniel tot rede zien te brengen, Fay. Er komen daar mensen om, en dan bedoel ik Amerikanen. Hij denkt dat het een feestje van een soort broederschap is, waarbij alle broeders in de zonneschijn doen wat ze moeten doen. Hij wil zijn studie eraan geven, Fay, om erheen te gaan en zich te laten ombrengen. Het komt door Lee, dat hoef ik je natuurlijk niet te vertellen. Ze zijn uit elkaar. Amper getrouwd, en nu al uit elkaar...' Het bandje draaide door; haar moeder klonk steeds wanhopiger toen ze haar zoon een kist in praatte en het deksel sloot. Ten slotte was er geen ruimte meer op het apparaat.

Fay belde het nummer. 'Moeder...'

'O, Fay, Fay. Je moet met hem praten...'

'Moeder...' Het had geen zin. Ze repeteerde de dialoog: 'Hij is nu volwassen. Neemt zijn eigen beslissingen...' 'Hij is je broer, Fay.' 'Hij is nog een kind...' 'Ik heb een vriendin op bezoek...' 'Hij is je broer, Fay...' 'Ik moet morgen een klein meisje opereren...' 'Dit is een kwestie van leven en dood, Fay...'

'Goed, moeder. Ik kom eraan.'

Connie lag met gesloten ogen op het bed. Fay kwam binnen en ging naast haar zitten. 'Sorry.'

Buiten was de lucht blauw. In Washington zouden de kersenbomen weer bloeien. 'Het spijt me.' Connie stak haar hand uit.

Zelfs die was mooi, bedacht Fay. Ze keek naar haar eigen hand, die elke dag geschrobd werd, en haar herinnerde aan wat ze ermee kon doen. 'Het gaat om mijn broer.'

'Dat had ik al begrepen. Het spijt me.' Fay dacht dat Connie die dag vaker 'sorry' had gezegd dan in de hele rest van haar leven bij elkaar. 'Vind je het erg als ik vannacht hier blijf? Het zou me helpen. Ik vlieg morgen naar Engeland. Ik zal niet terugkomen.'

Fay besloot niet over het laatste stukje informatie te beginnen. 'Ja. Natuurlijk kun je hier overnachten. Schone handdoeken liggen daar in de kast.'

Connie glimlachte even. 'Lieve Fay. Maar je hebt gelijk: er hoeft niet gepraat te worden. Ik zou als ongehuwde moeder net zo geslaagd zijn als als chirurg. Ik zou toch geen antwoord geven op de vragen die je misschien zou willen stellen. Op één vraag na. De baby was niet van Trig. Ziezo, het woord "baby" is me over de lippen gekomen.' Langzaam begon ze te huilen.

En dus vloog Fay naar Chicago in plaats van naar Washington, en toen ze aankwam in het appartement van haar moeder merkte ze dat ze nog steeds het cadeautje voor de doop van Kathleen Mary Smith O'Malley in haar tas had.

'Wat is dat?' Haar moeders eksterblik had het roze-en-zilveren cadeaupapier gezien.

'Ik zou naar een doopfeest in Washington gaan.'

'Je hebt ze laten zitten! Nadat je zo'n chic cadeautje had gekocht!'

'Het is maar een bekertje, moeder.'

'Een bekertje! Je introduceert een beker in de Washingtonse high society...'

Fay omhelsde haar moeder en zei dat ze beter meteen op zoek kon gaan naar Daniel, in de geleende auto die haar ter beschikking werd gesteld. Hoewel ze bijna de hele dag onderweg was geweest, schepte ze toch enig genoegen in haar beheersing en vaardigheid, waardoor de onbekende auto geen probleem voor haar vormde en kaartlezen echt leuk werd.

Daniels kamer was klein en heel netjes. Wat hebben Daniel en ik toch dat we ons leven zo netjes opruimen in laden, kasten en zelfs kartonnen dozen, vroeg ze zich af toen ze er een in de hoek zag staan. Ze liep ernaartoe en maakte hem open. Boeken. Oude, stoffige boeken, sommige met rijkversierde omslagen, andere aftandse paperbacks. Ze pakte er een op. Louis MacNeice. Gedichten. Aangestreepte regels:

Nachtmerrie verlaat vermoeidheid
We benijden mannen van actie
Die slapen en waken, moorden en intrigeren
Zonder te twijfelen, zonder te worden achtervolgd.

'Fay?' Waarom voelde ze zich niet schuldig toen ze zich omdraaide om hem te begroeten? Een zuster en een spion. 'Ik weet waarom je gekomen bent, maar je kunt me toch niet tot andere gedachten brengen. Je staat er vast niet bij stil hoe oud ik ben.'

'Krijg ik een kop koffie van je?'

'Komt eraan.' Vaardig als altijd zette hij een kop lekkere koffie voor haar

143

en ze gingen allebei zitten. Buiten riep een groep studenten, zo vrij als kinderen die veel jonger waren.

'Ik wist niet dat je gedichten las.'

'Dat is geen reden om niet ten strijde te trekken. De waarheid is dat ik opnieuw wil kunnen beginnen.'

'De waarheid is dat je nog maar een jaar te gaan hebt en dan ben je ervanaf. In godsnaam, Daniel, zo erg kan het allemaal niet zijn.'

'Hoor eens, Fay, ik neem het je niet kwalijk. Maar het lijkt wel of ik over Vietnam wat jou betreft zelf niets te zeggen heb. Als ik vlak na mijn studie in dienst had gemoeten, zou ik er nu al vanaf zijn geweest. Dus wat doe ik? Ik ga verder studeren op een vakgebied dat me niet interesseert, trouw met een meisje dat niet echt om me geeft. Ik heb het gevoel dat mijn hele jeugd in het teken staat van vermijding, het vermijden van militaire dienst. Ik heb mezelf nooit als een slappeling beschouwd, maar ik geloof dat ik dat toch ben. Ik weet het wel zeker. De waarheid is dat ik altijd mijn steentje heb willen bijdragen aan Amerika. Weet je nog – oom Larry? Maar je zult je zijn oorlogsverhalen vast niet meer herinneren, omdat jij daar niet bij was. Hij vertelde ze alleen aan mij, het rasechte kleine Amerikaantje. Ik was er trots op om te horen hoe hij had gevochten voor zijn nieuwe land...'

'Maar Daniel, de Tweede Wereldoorlog was een andere tijd. Nadien is Korea gekomen, en Vietnam kun je er helemaal niet mee vergelijken...' Fay ratelde erop los omdat ze vast van plan was een einde te maken aan de afschuwelijke misvattingen van haar broer. Ze kon haar mond als een razende voelen vertrekken, in en uit. 'Snap je dan niet dat je je ontzettend vergist? Ik bedoel, helemaal níémand met jouw opleiding, met jouw mogelijkheden, vindt dat hij naar Vietnam zou moeten gaan...'

'Dat is niet waar.' Daniel onderbrak haar met zijn krachtige, vaste stem. 'Ik ken een heleboel mensen die in de dominotheorie geloven. Die geloven dat wij hierin het voortouw nemen. Maar op de campus lopen ze waarschijnlijk niet zo in de gaten.'

'Echte soldaten geloven daarin. Daar worden ze voor betaald. Degenen zonder opleiding kunnen het maar beter ook geloven als ze in een schip worden geladen naar de jungle...'

'En er is nog iets. Jullie allemaal, jullie intellectuelen...'

'Jij bent ook een intellectueel!'

'Onzin. Jullie vrienden die zich zo sterk maken voor burgerrechten, vinden het geen enkel probleem om de armen, de zwarten en de ongeschoolden voor hen de oorlog in te sturen... Elke dag zijn er hier protesten van mensen die alleen maar aan zichzelf denken, terwijl ze anderen het vuile werk laten opknappen.'

144

'Daar is niemand blij mee! We willen voor iederéén een einde aan de oorlog maken. Ik begrijp wel wat je bedoelt. Het systeem is niet eerlijk, maar dat is nog geen reden om te gaan en jezelf te laten ombrengen.'

'Wie heeft het over ombrengen?'

'Of te laten verminken.'

'Daar gaan we weer. Je weet best dat ik hier degene ben met gezond verstand.'

'Snap je het niet? Jij denkt nu aan je eigen persoonlijke situatie. Je ontevreden gevoel van dit moment. Aan Lee. Het heeft met de oorlog helemaal niets te maken. Het heeft niets te maken met principes. Jouw hooggestemde idealen zijn alleen maar een dekmantel voor...'

Daniel stond op. 'Ik haat dit soort discussies. Waarom ga je niet terug om te doen waar je goed in bent – baby's redden – en laat je mij niet met rust?' Hij draaide zich om. 'Je zou een man voor jezelf kunnen gaan zoeken.'

Om gezondheidsredenen maakte Fay elke ochtend een wandeling. Vaak zaten er demonstranten die waren achtergebleven van de vorige avond in groepjes in elkaar gedoken in portieken, gehuld in diverse lagen lappen met slaapzakken als hoofddkussens. Elke keer dat ze hen zag kromp haar maag samen bij de tegenstrijdige gevoelens die er door haar heen gingen. Ze probeerde er rationeel over te zijn: aan de ene kant verachtte ze deze mensen die geen dag werkten, geen idee hadden wat verantwoordelijkheid was en wat regelmaat en discipline inhielden; aan de andere kant had ze zich dolgraag bij hen gevoegd, om mee te schreeuwen en te roepen en bommen te gooien naar elk opleidingsinstituut van reserveofficieren op elke campus, vooral in Chicago. De gedachte aan Daniel verliet haar de hele dag niet, ook niet tijdens de meest ingewikkelde operatie. Ze begon de berichten over de oorlog met dezelfde concentratie te lezen die ze voor medische vakbladen had voorbehouden. En Daniel had de vs nog niet eens verlaten. 'Ik word gek,' zei ze tegen zichzelf, en even vond ze een uitlaatklep voor haar intense gevoelens door een paar nachten lang wanhopige seks met een collega-arts te hebben.

Ze stonden samen op, uitgeput, bezweet, en wilden net onder de douche gaan toen er op de radio een bericht klonk over een rel bij Kent State University die ermee was geëindigd dat er vijf studenten waren gedood door de Nationale Garde, die schoten op de menigte had gelost. Fay ging achteroverzitten op het bed en wikkelde zichzelf in de lakens. Haar collega-arts vervolgde zijn weg naar de badkamer.

'Nixon heeft het goed gezien,' zei hij over zijn schouder. 'Nietsnutten, dat zijn het. Ze denken zeker dat alle geweld van één kant komt. Nu zijn ze erachter dat het anders is.' Hij deed de badkamerdeur dicht zonder zich erom te bekommeren hoe ze hierop reageerde. Hij ging ervan uit dat ze er hetzelfde over dacht als hij.

Serge en Fay bleven contact houden, hoewel ze zelden naar Judson ging. 'Op 9 mei is er een grote mars in Washington,' zei hij haar toen hij haar belde. 'Het is uitgeroepen tot een dag van protest. Mijn opdracht is om mensen te bellen die niemand ooit een nietsnut of hippie zou kunnen noemen.'

'Oké,' stemde Fay toe. Ze zou het doen voor Daniel. Ze zou haar dokterskleding dragen en een spandoek maken met de tekst: WIJ REDDEN NIETSNUTTEN EN DODEN ZE NIET.

Fay bleef overnachten bij Shirley en Kevin. Ze legde niet uit waarom ze in Washington was en Shirley, die nog steeds helemaal in beslag werd genomen door de baby – Kathleen was nu een snoezig kleintje van vier maanden – vroeg er ook niet naar. Kevin was er niet. Fay, die toekeek hoe Shirley Kathleen in bad deed, bedacht dat Amerika een soort burgeroorlog beleefde waarbij het bloedvergieten tot nu toe in een ander land had plaatsgevonden. 'Moet je zien,' zei Shirley, en ze zette de blote baby op het vloerkleed. 'Zie je? Ze kan zelf zitten.'

'Dat is mooi,' zei Fay bewonderend, terwijl ze probeerde te verhullen hoe weinig ze kon meevoelen met deze moedertrots. Kathleen was een lief kind, met Connies opvallende combinatie van donker haar en blauwe ogen. De nog steeds onbekende vader moest er ook wel ongeveer zo hebben uitgezien.

Na het eten was het nog steeds warm genoeg om in de tuin te zitten, en aangezien Kevin niet thuis was en Shirley graag naar bed wilde, kondigde Fay aan dat ze een stukje ging wandelen.

'Neem mijn auto maar. De sleutels liggen op het plankje.'

Fay reed naar het Witte Huis. Ze was erg geëmotioneerd, alsof Daniels vaste voornemen om zoals hij het noemde een patriot te zijn, haar voor het eerst van haar leven met dit enorme land waar haar familie een leven had opgebouwd verbond. Nu moest ze haar eigen kader definiëren, en welke plek was daar beter voor geschikt dan op loopafstand van het Capitool? Ik neem aan dat we geschiedenis maken, vertelde ze zichzelf om zichzelf op te peppen, en ze parkeerde zorgvuldig. We maken tenminste gebruik van onze burgerrechten. Ze merkte een bord op dat tegen een hek stond: I DON'T GIVE A DAMN FOR UNCLE SAM, I'M NOT GOING TO VIETNAM. We beginnen ons te oefenen in confrontatiepolitiek, bedacht ze, en in mijn geval geheel tegen mijn zin, want ik wil alleen maar mijn werk doen en niet over zulke dingen nadenken. Ze wandelde nu over straat, de nachtlucht was een zachte balsem. De groepen demonstranten groeiden aan, sommigen verzameld rondom een zanger met een gitaar – *'Where have all the flowers gone...'* Af en toe zag ze een soldaat, nu eens fraai uitgedost in galatenue, dan weer in gevechtskledij.

Televisieberichten uit Vietnam hadden het gevechtstenue tot een onderdeel van het dagelijks leven gemaakt. Ze nam aan dat ze wanneer Daniel de oceaan overstak – het was nog steeds een ongelofelijke gedachte – verslaafd zou raken aan het televisienieuws, net als alle andere familieleden, net als het grootste deel van Amerika. Behalve zij. Zij had het te druk gehad met doktertje spelen.

Fay liep voort. Ze wilde deel uitmaken van dit protest, zich gesteund voelen door gedeelde standpunten, honend joelen zoals ze deden wanneer er politiewagens met hen meereden, maar ze was te oud, te serieus, te zeer in conflict. Ze bedacht dat ze zich altijd alleen had gevoeld, al van jongs af aan. Toen ze ouder werd en in de gaten kreeg dat haar moeder gek was, was het erger geworden. Het was geen toeval, bedacht ze, dat haar twee beste vriendinnen in het buitenland woonden – een Engelse vrouw met wie ze vrijwel niets gemeen had en een Ierse die ze de helft van de tijd niet eens mocht.

Ze ving een flard van een gesprek op: 'Die jongen was zo verrekte blij. Hij zag zijn vader op tv. De volgende dag werd er op hun deur geklopt.'

Fay huiverde en bedacht dat ze Daniel als kameraad had willen hebben. Ze had hem nodig gehad, maar hij haar niet. Ze begon zich te voelen als een schim, die onzichtbaar tussen een heleboel mensen door liep, maar ze wilde niet teruggaan, met de kans dat ze Kevin zou treffen, misschien met hem in discussie zou raken over deze niet te stuiten oorlogsmachinerie waarvan hij profiteerde.

Fay vervolgde haar weg en de witte gebouwen van Washington hadden er nooit romantischer uitgezien dan nu, hun daken beroerd door het maanlicht dat omlaag scheen uit een zachte zwarte lucht. Ze kwam bij het Lincoln Memorial. Daar waren al diverse andere groepen die er de nacht wilden doorbrengen. Ze bleef tussen hen in staan en staarde omhoog, onzichtbaar.

Het gezicht was bekend. Hij dook plotseling tussen hen op, viel aanvankelijk alleen op vanwege zijn zelfbewuste houding en verzorgde uiterlijk. Het duurde even voor het woord 'president' naar boven kwam. Hij naderde een paar jongens die te verbijsterd waren om een woord uit te brengen.

Hij leek hun de les te lezen. Andere demonstranten voegden zich bij de groep. Ze waren allemaal kalm en beleefd, alsof deze zachte avond geen geschikt moment was voor woede.

Nixon, wiens mollige gezicht zich in de plooi probeerde te zetten voor grote morele ernst, begon te praten over de Tweede Wereldoorlog, over hoe hij destijds Chamberlain had bewonderd, maar later Churchills grootheid had onderkend. Zijn publiek luisterde respectvol toe. Fay kon maar weinig verstaan van wat hij zei en kwam dichterbij.

'Ik weet dat de meesten van jullie me waarschijnlijk een klootzak vinden, maar ik wil dat jullie weten dat ik begrijp hoe je je voelt...' Fay hoorde de woorden eerst met ongeloof en toen met haat aan. Deze man, die het bevel voerde over het grootste leger ter wereld, die de afgelopen vijf jaar de dood van veertigduizend jonge Amerikaanse soldaten had veroorzaakt, en deels die van honderdduizenden Vietnamezen, stond daar in het maanlicht bij het Lincoln Memorial te vragen of men van hem wilde houden. Het was walgelijk.

Ze wilde een schampere reactie horen. Maar als in een droom, of een nachtmerrie, verhief niemand zijn stem of toonde ook maar het geringste teken van verontwaardiging. Een jonge man mompelde: 'Ik hoop dat u zich realiseert dat we bereid zijn te sterven voor de dingen waar we in geloven.'

Dit ontketende een betoog over spirituele honger − Fay kwam dichterbij toen de menigte achter haar aangroeide − '... die we allemaal voelen en die natuurlijk vanaf het begin der tijden het grootste mysterie van het leven is geweest'.

Fay baande zich een weg de kring uit. Dit is een voorbeeld van de democratische vrijheid van meningsuiting, probeerde ze zichzelf te kalmeren, net zo goed een vrijheid voor de president als voor de nederigste burger. Toen dacht ze aan de studenten die op Kent State waren gedood en gewond, en voelde het helemaal niet meer als democratie. Het voelde als gekte.

Connie werd ziek zodra ze Nina's huis was binnengestapt, ziek genoeg om in bed te blijven en niet te eten of te praten. 'Ik heb een diplomatieke inzinking,' vertelde ze Nina voordat ze ophield met praten, 'maar maak je niet al te druk. Het is niet zoals vroeger, toen wij drieën elkaar leerden kennen in de kliniek. Heb ik je al gezegd dat Fay en ik weer vrienden zijn? Die keer kwam mijn ziekte voort uit een slecht geweten, maar nu is dat volkomen zuiver. Het komt alleen doordat mijn lichaam hunkert naar zijn kind. Het gaat wel over, zoals altijd met lichamelijke kwalen.'

Nina besprak Connies toestand met haar moeder en ze overwogen er een dokter bij te halen. 'Ik weet vrij zeker dat ze niet lijdt aan een lichamelijke pijn – tenminste, ze heeft helemaal niets over de keizersnede gezegd. En als dokter Roly komt, pakt ze hem helemaal in met woorden en met haar schoonheid, en hebben we niets meer aan hem.'

'Dokter Roly is een heel verstandige man,' opperde Veronica, 'en laat zich echt niet zomaar inpakken.' Maar Nina wist zeker dat hij niets zou kunnen doen en de zaken alleen maar erger zou maken.

'Haar ziel moet alleen maar tot rust komen.'

'Ziel?'

'Stel daar maar geen vragen over.'

Nina had met haar vriendin te doen, maar maakte zich niet al te druk, omdat háár ziel (hoewel ze niet echt geloofde dat zoiets bestond) helemaal opging in de heidense energie van de lente. Binnen een paar dagen tijd dacht ze aan niets anders dan aan schilderen. Ter voorbereiding op het studentenleven in Londen, waar ze zich voor de komende herfst had opgegeven, had ze zich ingeschreven voor een cursus tekenen naar de natuur.

Als om het realiteitsgehalte te geven hield ze een dagboek bij:

Dag Een

We zijn in een stal in het midden van een netwerk van lanen die vol staan met fluitekruid. De heuvels rijzen op in een zacht patchwork, omrand door de festonsteken van mei, nog steeds wit. De stal, die misschien meer een schuur is, is geverfd in natuurlijke tinten rood en oker, saliegroen. In één kamer staat een grote tafel met een kleed erop in lichte madrasruiten. Fluitekruid, vergeet-me-nietjes, boterbloemen en koekoeksbloemen staan uitbundig te zijn in een vaas op tafel en brengen buiten naar binnen.

We worden verzorgd door een paar zusters, regelrecht uit het aantekenboek van Augustus John. Lange jongensachtige nekken, kleine ovale hoofden, allebei gekleed in lange volle rokken, met brede riemen, effen donkerblauw en rood, met witte blouses.

Ons eerste model, Harry, is een zwarte rasta uit Notting Hill, erg knap met sterk ontwikkelde borstspieren en een taille die je met je handen kunt omspannen. Hij is getrouwd met een hoogblonde vrouw en ze hebben een baby met een olijfkleurige huid en zwarte ogen.

Mijn medecursisten zijn teleurstellend, op één man na, Leo, die meteen twee schitterende olieverfschilderijen van Harry heeft gemaakt. De anderen – nou ja, de aardige, dove, degene die op de Cheshire-kat lijkt, de slimme Jome Counties, degene met de scherpe neus die herstellende is van een inzinking – hebben, om kort te gaan, niets met schilderen. Saaie mensen, saaie schilderingen.

Op de terugweg, uitgeput, wanhopig. Kijk uit naar het verdwijnende platteland en vraag me af waarom je zoveel moeite zou doen om kunst te maken wanneer de Natuur het zo moeiteloos voor elkaar krijgt. Ik denk dat de Natuur zowel mijn belangrijkste concurrent als mijn belangrijkste onderwerp zal zijn.

Dag Twee
Het is vreemd om zo ingespannen naar een naakte man te kijken. Heel opmerkelijk hoe snel je daaraan gewend raakt. Aanvankelijk vergelijkingen met William en Serge – de enige twee mannen die ik ooit naakt heb gezien –, maar al snel ben je niet meer bezig met een seksuele respons. Je kijkt, analyseert, gestalte en vorm. Zwarte huid staat de 'kunst' al meer na met die mooie, gladde ebbenhouten egaliteit. Hoe kunnen de lichtgekleurde rassen zichzelf ooit wijs hebben kunnen maken dat ze er superieur uitzagen? Het is gek om als aan het eind van de dag zijn vrouw komt met hun honingkleurige baby, die te beschouwen als een voortbrengsel van Harry's zaad, dat uitgestort is uit dat veelbekeken en gemeten orgaan en die nu – de baby bedoel ik – in zijn moeders armen ligt. Ik denk aan hoe William en ik baby's maakten zonder er iets van te begrijpen of er van tevoren over na te denken.

O, wat was ik nog een kind toen ik trouwde! Ik heb in seksueel opzicht nooit zo van William gehouden als van Serge, die ik amper kende. Ik heb sinds Serge geen man meer aangeraakt. Ben ik een oude vrijster aan het worden?

Dag Drie
Connie in bed, zoals meestal wanneer ik wegga. Mijn moeder is al vertrokken met Jamie. Ik merk geen van beiden goed op, hoewel ik hen omhels met dankbaarheid omdat ze samen gelukkig zijn. Principes van compositie. Diagrammen. Verdwijnpunten. Schetsen. 'Door een donker glas.' Gevolgd door een uitgemeten tekening. Eerst het potlood tegen het hoofd houden als maat voor de rest van het lichaam, dan naar beneden, torso, penis, benen, voeten. Met behulp van een loodlijn gemaakt van een draadje zwarte katoen dat aan een verftube is geknoopt. Ik kan hier jaren en jaren mee bezig zijn.

Ik kan niet de hele avond praten. Zit bij Jamie terwijl hij in bad gaat. Zijn lichaam is erg mooi maar hij begint zich te generen voor zijn naaktheid. Hij wil niet dat ik hem afdroog en heeft het er vaak over 'op bezoek te gaan bij pap en Felicity'. Ik vraag hem of ik hem een keer mag tekenen en hij zegt, omdat hij precies weet wat ik bedoel: 'In mijn uniform.'

Connie opgewekter. Ze zegt dat ze na de zomer op zoek wil gaan naar een flat in Londen. Misschien kunnen we wel samendoen. Ik wil aan niets anders denken dan aan schilderen.

Dag Vier

Olie. Mijn god. Maar drie kleuren. Oranje. Blauw. Wit. Een nieuw model. Clarissa. Lang, mooi, met bolvormige borsten, een smalle taille, brede heupen, sterke benen. Een naakte Matisse. Twee mensen van de groep weigerden olieverf te gebruiken en begonnen met hun gebruikelijke aquarelverf, waar ze goed mee overweg kunnen. Vraag me af waarom ze hier zijn. Vraag me af waarom ik hier ben. We leren hoe het zit met koude en warme kleuren. Nuances. Over de dramatiek van contrast. Ik ben gelukkig.

's Avonds schilder ik. Mijn atelier is zowel een uitdaging als een toevluchtsoord. Het is er altijd koud, zodat bezoekers op afstand blijven. Connie komt en kijkt toe. Ze zegt niets, behalve om de blauwe clematis te bewonderen die voor het raam bungelt. Dan zegt ze dat ze vegetariër geworden is en macaroni met kaas heeft gemaakt. Jamie komt binnen en zegt dat hij in plaats daarvan bacon wil. Ik hou op met schilderen.

Dag Vijf

Ik ben heel moe. Ik ben zwaar ongesteld geworden. Elke maand ben ik verrast dat mijn lichaam nog steeds op die manier functioneert. Het regent. De witte bloemen van het fluitekruid liggen overal rondom de bloemstelen. Ze zien er niet meer zo wit uit. Ze zien eruit als sago. We tekenen weer. Op dat terrein heb ik het meest te leren. Ik ben gelukkig.

's Avonds zegt mijn moeder me dat ik naar bed moet gaan. Ik hoor Jamie lachen in zijn slaapkamer. Ik denk aan Helen. En dan pieker ik erover wat schilderen voor mij betekent, maar net als de liefde laat dat zich niet analyseren. Ik haal me een beeld van een van Rothko's schilderijen uit de Tate voor ogen en slaap ten slotte in.

Connie zat in de tuin met een stapel boeken en een pakje sigaretten bij haar elleboog. Ze droeg een grote gedeukte strohoed. Veronica zat vlak bij haar een ingewikkeld bloemenpatroon in kruissteek te borduren. De schoolvakantie was begonnen en de tienjarige Helen lag op een kleed op haar buik en deed een poging *Pride and Prejudice* te lezen. Niemand wist waar Nina was, hoewel het duidelijk was dat ze wel aan het schetsen of schilderen zou zijn. Het schilderen had haar ertoe gebracht zich terug te trekken.

'Zijn die boeken geen zware kost?' vroeg Veronica. Ze legde haar borduurwerk neer en hurkte neer naast de stapel. *De vrouwelijke mystiek, Seks en de alleenstaande vrouw, Seksuele politiek, Patriarchale zienswijzen, De tweede sekse, De vrouwen-kamer, Een kamer voor jezelf.* Ze las de titels hardop voor en glimlachte Connie toe. 'Ik begrijp dat je iets tegen mannen hebt gekregen.'

'Jij bent een ontaarde vrouw,' zei Connie, die Veronica was gaan waarderen, vooral haar koele, weinig eisende Engels-zijn. 'Dit is geen kwestie van persoonlijke voorkeur, het is een principekwestie.'

'Ik ben er lang niet zeker van of jij wel weet wat een principe is, lieverd, dat wil zeggen: tenzij je het zelf zou hebben bedacht.' Veronica keerde terug naar haar ligstoel en pakte haar borduurwerk weer op.

'Je hebt gelijk als je denkt dat ik nog maar net begin te leren wat het principe van principes is. Maar je hebt het mis als je denkt dat dat me boven de pet gaat.'

'Houden jullie toch eens op met praten,' klaagde Helen. 'Je had beloofd dat we allemaal stil zouden zijn.'

'Sorry.' Connie plukte een madeliefje en gooide het bloemhoofdje naar Helen, die zich omrolde en haar bewonderende blik niet wist te verhullen.

'Dus nu word je zeker zo'n feministe?' zei Helen, die haar boek dicht-klapte.

Connie glimlachte. 'Het is geen kwestie van worden, lieve kind, ik bén het al, genoodzaakt door omstandigheden of Gods wil of hoe je het ook maar wilt noemen. Ik ben alleen maar aan het bijlezen, zodat ik mijn gezichtspunten goed onderbouwd aan de wereld kenbaar kan maken. Anders dan het lot dat ik jou heb voorspeld, zijn de boeken en ik al uit elkaar gegaan voordat ik de jaren des onderscheids bereikte.'

'Weet je zeker dat je die nu wél hebt bereikt?' riep Helen uit, stoutmoe-dig in haar behaagzieke stemming.

'Jij bent zo slim dat de kabouters je 's nachts nog eens komen wegha-len.'

'Je gaat zeker ook je beha verbranden, net als in Amerika.'

'Dat doen alleen degenen die er meer dan één kunnen betalen.'

'Ik had gedacht, Connie' – Veronica legde haar borduurwerk weer neer – 'dat je beter de droeve situatie zou kunnen bestuderen van je vaderland, zodat je de wereld dáárover zou kunnen vertellen.'

Connie schoof de rand van haar hoed omhoog om Veronica beter te kunnen zien. Kritiek was meestal niets voor haar. 'Ik hoef niet over Ierland te lezen. De geschiedenis daarvan zit me in het bloed. Die zat in de krom-heid van mijn vaders schouders, in de gebeden van mijn moeder aan de Gezegende Maagd, in de namen van mijn broers en zusters, die voor mijn pa en ma nu niet meer zijn dan dat. Hij zit in de ogen van mijn zus Eileen als ze trots naar haar acht kinderen kijkt die hun witbrood met bonen naar binnen slobberen. Die zit in mijn broer Kevin als hij... als hij...' Opeens viel ze stil, en met een verrassende kracht slingerde ze *Patriarchale zienswijzen* het gras op. Met trillende handen haalde ze een sigaret uit het pakje.

'Lieve Connie,' zei Veronica, terwijl Helen zich haastte om het boek op te rapen, 'dat zijn boeken uit de bibliotheek.'

'Ja. Ja. Het spijt me. De duivel werd opeens vaardig over me, over een zwakke en tere vrouw, wat ik helemaal niet wilde zeggen. Wat ik wilde zeggen – en luister jij maar goed, Helen, en hou er maar mee op de veren van dat boek glad te strijken alsof het een vleugellamme zeemeeuw is – is dat Ierlands zaken al te lang zijn behartigd door het waarlijk zwakke geslacht, door de dappere helden, door de opscheppers en lafaards, door Kevin Barry en zelfs de grote en heilige Valera. Het is de man met het wapen die naar de vrouw met de baby kijkt.' Weer brak Connie haar betoog af, maar dit keer glimlachte ze alleen maar afwezig naar Helen. 'Waarom ga je niet een stukje rijden? Meisjes van jouw leeftijd hebben een heleboel lichaamsbeweging nodig. Die kreeg ik altijd door water te gaan halen bij de put.'

Helen keek zo verschrikt alsof Connie haar had onthuld dat ze in haar jeugd kannibaal was geweest. Maar Connie wilde niet verder praten. In plaats daarvan raapte ze haar boeken bij elkaar en ging in de koelte van haar slaapkamer liggen, waar ze een stel hardwerkende pissebedden begroette met middeleeuwse litanieën: 'O Hemelpoort, o Gouden Schrijn, o Leger van Liefde en Genade, o Tempel van Goddelijkheid, o Schoonheid der Maagden, o Meesteres van de Stammen, o Fontein van de Tuinen...' Ten slotte onderbrak ze zichzelf om een van de pissebedden op te pakken, die zich in haar handpalm onmiddellijk oprolde tot een kleine harde bal.

Getroost gooide ze hem uit het raam de stralende zon in en ging op bed liggen.

Fay schreef eens in de veertien dagen aan Daniel. Ze wist niet zeker of hij haar zusterlijke bezorgdheid wel op prijs stelde, want hij antwoordde onregelmatig. Zijn brieven beschreven de schoonheid van het platteland, het ochtendgloren boven de rijstvelden, de waterbuffel die door zompige rivieren waadde. Soms vroeg Fay zich af of hij dat deed om de spot te drijven met haar bezorgdheid. Af en toe schreef hij over zijn metgezellen, hun bizarre gevoel voor humor, hun onwetendheid of juist kennis: 'Mike kent de hele Britse geschiedenis op zijn duimpje, alsof het voetbaluitslagen zijn. Ik heb hem gezegd dat jij een goede vrouw voor hem zou zijn. Je kunt hem t.z.t. verwachten.' Hij kan niet van me verwachten dat ik geloof dat hij een heerlijke vakantie heeft, peinsde Fay, en ze raakte ervan overtuigd dat hij ergens in een stad was en met ja en nee gehoorzaamde aan een halfgare generaal. Dan zou hij veiliger zijn.

Mike kwam haar nooit opzoeken. Vermist, nam ze aan, of dood.

Ze had een brief gekregen van Nina, aan het begin van haar eerste semester aan de Londense kunstacademie: 'We delen samen een flat in Londen. Connie en ik, alsof we studenten zijn. Maar ik bén natuurlijk ook een student. We beginnen opnieuw, is dat niet wat je zei? We beginnen opnieuw...'

Fay schreef Daniel over de politieke situatie, over hun moeders gezondheid, over de zware en angstaanjagende inspanning die het betekende om kinderchirurg te zijn, over de vele vrouwelijke studenten die nu naar haar toe kwamen om hulp te vragen, over de dagen dat ze dacht niet uit haar bed te kunnen komen. Toen ze Nina schreef, vertelde ze haar over haar eigen nieuwe appartement, dat op de vijftiende verdieping van een van de panden met een eigen naam aan de oostkant van Manhattan lag. De conciërge sprak haar aan met het gepaste respect – 'Een goede dag gewenst, dokter Blass'– wanneer ze naar binnen of naar buiten ging. Eenmaal per week ging ze naar een concert of theatervoorstelling. Ook al stond ze op haar vakgebied aan de top, ze verdiende zoveel en werkte zo hard dat ze er niet in slaagde ook maar de helft van haar geld uit te geven. Ze oriënteerde zich op manieren om te sparen, obligaties en dergelijke, maar ze nam niet de moeite dat aan Nina te schrijven. Ze vroeg zich af of haar hele verhaal van succes dat met hard werken was verdiend überhaupt wel enige indruk op Nina maakte, want zij had nooit een cent verdiend. En waarom wilde ze trouwens indruk maken? Het arme joodse meisje uit Chicago was toch zeker al lang geleden verdwenen?

Mijn moeder logeert hier

schreef ze, of liever gezegd typte ze, want met de hand schrijven was helemaal uit de tijd.

Moet je horen, gisteren gingen we winkelen. Ik voelde me vijftien of nog jonger. Ik drong eropaan een sjaal voor haar te kopen van zware zijde. Zij vroeg steeds of ik die wel kon betalen, dus op het laatst werd ik pissig en vertelde haar wat mijn salaris was. Ik dacht dat ze de eerste dode zou worden in een banketbakkerij aan 72nd Street. We zaten Riga-gebak te eten en zaten midden tussen de Oost-Europese intellectuelen met nummers op hun armen, dus ik neem aan dat ze gelukkig zou zijn gestorven. Stilzwijgend spraken we af nooit over Daniel te praten. Wie zegt dat het leven verandering is...

De flat rook scherp, maar niet al te onaangenaam. 'Ik denk dat het door de lijm komt,' zei Nina, blij dat ze de geur had gelocaliseerd als afkomstig van de meubelrestaurateur op de eerste verdieping. De flat lag op de tweede en derde. De 'gerestaureerde' meubels, die een samengeraapt zootje leken, werden vervolgens op de begane grond verkocht, waar een behoorlijk indrukwekkende antiekzaak was.

'Het is allemaal nepspul,' siste Connie, turend naar de glanzende tafels en stoelen.

'Nep voor wie?' informeerde Nina. 'De kopers willen niet dat hun antiek oud is, want dan zou het ontsierd kunnen worden door krassen of vlekken of lelijke plekken...'

'Net als ik,' giechelde Connie, die wat rondlummelde. Ze waren naar de pub geweest om te vieren dat ze samen dit nieuwe onderkomen hadden betrokken. Het pand stamde uit het midden van de negentiende eeuw en lag in een stille straat tussen Baker Street en Edgware Road. Vlakbij sloeg een klok de hele uren. Nu sloeg hij acht uur.

'De kopers willen dat ze er oud uitzien, of om preciezer te zijn "antiek", wat voor hen een stijl is, in plaats van een bepaling van ouderdom,' zei Nina, die achter Connie aan naar boven liep. Het was vreemd om op haar dertigste, nu ze twee kinderen had, een huis en een moeder die weduwe was, door de week weer student te zijn. Zij was met recht antiek te noemen.

Ze hoefde in elk geval geen slaapkamer te delen met Connie, die weer druk deed als altijd, hoewel ze Nina bekende dat haar privé-leven nu voorbij was en dat ze zich aan haar carrière zou gaan wijden. 'Als mijn vastbeslotenheid ooit wankelt, hoef ik maar te kijken naar het Kaïnteken op mijn buik...'

Nina was van plan vrijdags terug te gaan naar Sussex, waar ze de kinderen kon zien als ze thuis waren en kon schilderen in haar atelier. Wat ze wilde leek allemaal zo hoogst verbazingwekkend dat ze verwachtte dat de hemelen zich zouden openen en haar zouden doen neerstorten. Voor het eerst in dertig jaar dacht ze alleen maar aan zichzelf. Herstel: voor de tweede keer. De eerste keer was toen ze bij William was weggegaan. Maar wat vond ze het heerlijk om de gladde helling af te glijden! Wat gaf ze weinig om iets of iemand anders dan haar schilderen. Het was gênant. Gebogen over haar blok papier, met haar pasgekochte kleurkrijt en houtskool, bloosde Nina van schaamte en van vreugde. Was dit háár Kaïnsteken, die hartstochtelijke behoefte om lijnen en kleuren op papier te zetten? Zo kon ze het niet zien. En als het wel zo was, kon het haar niet schelen. Dit was háár leven, en ze zou ermee doen wat ze wilde.

'Je ziet eruit alsof je verliefd bent.' Connie, die slaperig in bed lag, zwaaide haar op de eerste ochtend uit. Nina was al vanaf zes uur op. Het was een nevelige ochtend vroeg in de herfst. Terwijl ze naar de straten keek, naar de bakstenen gebouwen met winkels eronder en naar de auto's die nog steeds voor de nacht geparkeerd stonden, stelde ze zich haar eigen tuin voor, en de zilveren strepen op het gras, de rozen die ver neerhingen, de jasmijnscheuten die recht omhoogstaken door de laatbloeiende clematis heen, de appels die van de takken neervielen en wegrolden. Dat zou haar onderwerp worden, maar eerst moest ze leren en leren zoals iemand die is uitgehongerd moet eten en eten.

Connie zat op de grond met de telefoon, een stapel papieren en nummers. Ze had al tien uitgevers gebeld. Ze had hun artikelen aangeboden over Vietnam, vrouwenrechten en de Ierse kwestie. Het zouden persoonlijke artikelen worden, had ze hun verzekerd, geschreven vanuit het gezichtspunt van een vrouw, en ze zou hun een paar van haar Amerikaanse artikelen sturen bij wijze van voorproefje. Connie maakte zich er niet druk om dat haar journalistieke carrière in Engeland was vervaagd zonder een spoor achter te laten. Ze was in de stemming om een nieuwe start te maken. Misschien zou ze haar naam veranderen in Glende Rudd.

1971

Connie lag op de oude sponzige bank en luisterde naar Helens pianospel. Na tien maanden met Nina in Londen te hebben samengewoond en de weekends en vakanties in Sussex te hebben doorgebracht, was Nina als een zus voor haar geworden; Veronica, Helen en Jamie waren haar familie. Humeurig schudde ze haar hoofd. Natuurlijk geloofde ze niet in zo'n belachelijk concept als 'familie'. Na een poosje vergat ze dat het Helen was en luisterde ze alleen maar naar de muziek. Het was een stuk dat ze herkende, wat, aangezien ze muzikaal gezien niet was onderlegd, moest betekenen dat het ofwel heel bekend was, ofwel dat het was gebruikt voor een religieus gezang. De kamer werd slechts verlicht door de lamp op de piano, die een gouden gloed wierp over het bleke gezicht van het meisje en haar knokige schouders.

'Dat was fantastisch, Helen! Je hebt talent.' Connie schoot naar voren, ze wilde het knappe meisje tegen zich aan drukken.

Maar Helen keek haar koel aan, alsof de muziek haar hart niet had verzacht maar juist had verhard. 'Ik wilde er net mee stoppen.'

'Maar Helen, je speelt heel goed.'

'Mama kan het niet schelen. Oma is het probleem. Die heeft het idee dat ik begin waar zij is opgehouden.'

'Maar wat zou dat?' Connie stond op het punt haar de parabel van de talenten te gaan vertellen.

'Ik wil me in de echte wereld bewegen, niet in die van de kunsten, schilderijen en muziek.' Ze keek Connie streng aan. 'Ik wil het soort baan hebben dat voor mannen vanzelfsprekend is. Ik wil een carrière.'

Connie ging terug naar haar bank. Ze hadden allemaal hun eigen plekje in deze oude kamer: Veronica op een rechte oorfauteuil bij een lamp, Nina (als ze de moeite nam bij hen te komen zitten) zo dicht mogelijk bij het grootste raam, Helen meestal op de grond of op een kruk. Zijzelf bewoonde deze bank. Die was zo groot dat er ooit, had Veronica haar verteld, maandenlang een hele muizenfamilie in had gewoond zonder dat iemand het in de gaten had gehad.

Vergeleken bij het halfduister dat in de kamer hing leek de tuin een heel stuk lichter, en ze kon de bladeren, heggen, struiken en bloemen onderscheiden die in de julischemering allemaal blauw kleurden. Ze herinnerde zich dat ergens daar buiten Nina zat te schilderen. En hier was haar dochter, een kind nog maar, die het feminisme in de praktijk wilde toepassen. Het is een nieuwe generatie, bedacht Connie, en ze glimlachte zelfvoldaan in het donker.

Nina keerde terug naar de scherp ruikende flat en vond een briefje op haar bed. Ze fronste. Het was geschreven met een van haar favoriete krijtjes, waarvan de punt nu gebroken was: 'Ik ben laat thuis. Zet de tv maar aan als je me wilt zien.'

De televisie was een paar weken geleden gebracht. Nina had al besloten dat ze een hekel had aan de opdringerige energie ervan, maar Connie keek als ze thuis was zo vaak mogelijk. Met tegenzin zette Nina het toestel aan. Het zwart-witte beeld van een opgewonden vrouw die druk gebaarde deed haar terugdeinzen, totdat ze de weelderige zwarte krullen herkende.

'Een vrouw is een vrouw, geen echtgenote, moeder of hoer!'

'Een man kan toch wel een man zijn, maar net zo goed een vader, een echtgenoot en een... een...?' De redelijk klinkende mannelijke interviewer, die er flets uitzag vanwege zijn bril en een vlinderdas, zocht naar het juiste woord.

'Mannelijke hoer. Probeer het maar eens over je lippen te krijgen. Ik daag je uit. Wat ik hier wil benadrukken is dat de vrouw een extra etiket krijgt opgeplakt alsof ze gewoon als vrouw niet bestaat. Erger nog, ze is een droevig aanhangsel van een man, een zielige nepman...'

Wat een verschrikkelijke onzin, dacht Nina, maar tegelijkertijd bewonderde ze Connies zelfvertrouwen en haar welbespraaktheid. Ze zag er maf, maar verbijsterend uit. Haar Ierse accent, doorspekt met Amerikaans en Engels, maakte haar aantrekkingskracht er nog groter op.

'Beste meneer, vrouwen hebben hun eigen zaak geen goed gedaan door te willen dat mannen voor hen zorgden. Als een man het lef heeft om voor mij een deur open te houden, zou ik hem een klap in zijn gezicht verkopen.'

'En hoe zit het met geld?' vroeg de redelijke interviewer. 'Zou je je door een man laten trakteren op een etentje, champagne, bloemen?'

'Zeer zeker niet! Zolang wij vrouwen bereid zijn om ons door mannen in de watten te laten leggen, kunnen mannen dat aangrijpen als excuus om ons onze rechten te onthouden. Herinner je je nog het verhaal van Assepoester?'

'Vanzelfsprekend.'

'Zolang vrouwen erin geloven dat ze alleen maar hoeven te zorgen dat hun haar goed zit, de juiste make-up hoeven op te doen en alsjeblieft en dank je wel hoeven te glimlachen, zullen hun levens veranderd worden door een knappe prins; zolang als ze verwachten dat hulp van buitenaf komt, van een goede fee of zo, zullen ze zich nooit kunnen ontwikkelen tot zelfstandige wezens die gelijk zijn aan – en vanwege hun vermogen om kinderen te baren misschien wel superieur zijn aan – welke man ook ter wereld. Vrouwen laten zich hun ketenen niet afnemen, ze moeten er zelf uit losbreken.'

'Dus mannen zijn niet de boosdoeners?'

'Natuurlijk wel. Ik verafschuw de mannelijke kunne.' Op dat moment schonk Connie de interviewer een ravissante glimlach. 'Mannen zijn zwak, intimiderend en hypocriet. Maar vrouwen moeten, aangezien zij de sterkere en meer getalenteerde sekse zijn, een deel van de schuld op zich nemen omdat ze zulke monsters hebben voortgebracht. Dat is de reden waarom ik vind dat vrouwen eerst zelf orde op zaken moeten stellen, omdat ze anders eeuwig onderdrukt zullen blijven. Dat is precies waar mijn boek, *Zeg nee tegen seks*, over gaat. Als ze haar zelfrespect wil herwinnen, bestaat de eerste stap voor een vrouw eruit om zichzelf niet langer te beschouwen als een seksobject voor een man. Dat is de crux van seksuele politiek. Neuken is een politieke daad.'

Toen Connie, die een gulle hoeveelheid van haar dijen toonde, dit choquerende en verboden woord op tv uitsprak, huiverde de camera, die haar in close-up had gefilmd, onwillekeurig, waarna het shot abrupt overging op de interviewer. Zijn ogen rolden door zijn hoofd, en even leek hij geen woord te kunnen uitbrengen, waarna hij stamelend een nieuw item aankondigde. Connie kwam niet meer terug. Nina vroeg zich af welk lot degenen wachtte die er zo'n misbruik van maakten dat ze in de ether waren. Arrestatie, de gevangenis in, of ouderwets uitkleden en billenkoek, toegediend door een van die zwakke, intimiderende en hypocriete mannen waar ze het over had gehad?

Drie uur later, toen Nina allang in bed lag, kwam Connie thuis. Ze had een halflege fles champagne bij zich, die ze met een klap neerzette naast Nina's bed. 'Ik ben er, Nina! Kun je me horen? Ik ben er.'

'Ik heb eeuwen op je zitten wachten,' mompelde Nina, wat Connie lachsalvo's ontlokte.

'Dat soort "er zijn" bedoel ik niet. Ik bedoel, ik als feministe, als activiste, als iemand wier naam op ieders lippen ligt, als bestsellerauteur. Eén keer "neuken" – het woord alleen al, snap je –, en ze vallen allemaal over me heen.'

'Maar, Connie, jij gebruikt nooit krachttermen. Je hebt me eens een keer verteld dat je, sinds een van je nonnen je heeft gezegd dat *bloody* "by Our Lady" betekende, geen vloek meer over de lippen komt.

'Mijn lieve Nina, ik zou normaal gesproken nooit zulke taal gebruiken, maar dit was voor een goed doel. Je moet niet vergeten dat Onze Gezegende Vrouwe een van de eerste feministen was, evenals veel van onze heiligen. Heb je ooit wel eens goed nagedacht over de kwestie van maagdelijkheid in verband met vrouwenrechten? Vast niet. We kennen allemaal koningin Elizabeth de Eerste, de Maagdelijke Koningin, die regeerde zonder man om de boel in de war te sturen, maar hoe zat het met Sint-Pelega van Tarsus, maagd en martelares, in het jaar 304, die zich liever dood liet roosteren in een gloeiend hete koperen stier dan in te gaan op de avances van keizer Diocletianus? Of met Sint-Amalburga, die zich vastgreep aan het altaar, zodat koning Pepijn haar arm moest breken, of met Sint-Regina, die toen ze de boosaardige Pepijn weigerde werd opgesloten in een kerker, en werd gemarteld en uiteindelijk onthoofd? Deze heldhaftige vrouwen beseften dat ze, zodra ze zich aan een man zouden onderwerpen, machteloos zouden worden. In *Zeg nee tegen seks* zal ten minste één hoofdstuk aan de vroege kerkgeschiedenis worden gewijd. Je zou moeten weten dat de Maria-cultus vaak verkeerd is begrepen.'

Nina, die tijdens de beschrijving van wreedheden uit naam van het geloof half in slaap was gevallen, werd weer wakker. 'Maar je hebt toch geen boek geschreven, of wel?'

Connie onderbrak haar gelurk aan de champagnefles om nog eens goed te lachen. 'Inderdaad, een echt boek heb ik nog niet geschreven, maar op grond van de artikelen die ik al heb geschreven kun je zeggen dat ik genoeg woorden heb om er een paar boeken mee te vullen.'

Toen wendde Connie zich af. Ze wilde niet dat Nina iets afdeed aan haar triomf, of wellicht haar gevoel van triomf. Maar desondanks gaf ze haar een zoen, en ze merkte vriendelijk op dat ze dwaas was om geen champagne te nemen als die haar door een medevrouw werd aangeboden. Ze ging naar haar eigen kamer, die zo vol kleren en boeken en andere merkwaardige bezittingen was (zoals een gipsafgietsel van Trigears penis in erectie, dat ze ooit opwindend had gevonden, maar nu belachelijk vond) dat haar bed, dat toch al klein was (een kampeerbed uit een winkel voor tweedehands padvindersspullen) niet meteen te zien was. Nadat ze allerlei troep achter zich had neerslingerd dook ze in haar slaapzak. Even lag ze te genieten van de rust, maar algauw werd die saai en reikte ze naar een boek. Dit keer liet ze *Heiligenlevens* links liggen en koos ze voor *The Mill on the Floss*. Voor dit verhaal was ze enthousiaster geworden sinds Nina haar had verteld dat George Eliot een vrouw was geweest. Belangstelling voor zelfontwikkeling was iets nieuws voor Connie, en dat op zich was al opwindend. Ze had haar grenzeloze energie verlegd van mannen, seks en zichzelf naar vrouwen, succes en zichzelf.

Een uur of wat later was Connie weer uit bed. De spiegel was klein, versierd met geëmailleerd verguldsel en glas. Connie bewoog hem omlaag langs haar lichaam tot ze bij haar buik kwam, waar ze hem een poosje stilhield. Het ritssluitinglitteken was nu bleek, maar nog steeds goed te zien. Een fotograaf die gebruikmaakte van een goede belichting zou er geen moeite mee hebben om er een duidelijk herkenbaar plaatje van te maken van de vernedering van vrouwen door mannen. Zo'n Kaïnsteken zou een prachtige omslag zijn. Het was ook een mooie langgerekte vorm. Al met al had ze echter het idee dat het een anonieme bijdrage zou moeten worden aan de presentatie van haar boek. Ze bracht de spiegel omlaag en streek met haar vingertoppen over de tweeënhalve centimeter breedte van het litteken, en stond het zichzelf even toe terug te denken aan de sensatie van het gladde babyhoofdje dat van binnenuit tegen haar huid had gedrukt.

Nina kwam 's avonds zo uitgeput en opgewonden terug in het appartement dat ze zelden zin had om meer te doen dan soep maken en lezen. Aangezien er geen centrale verwarming was en het herfstweer almaar aanhield, met turbulente en ijzige winden, die makkelijk naar binnen kwamen door de slecht passende ramen heen, ging ze vaak in bed liggen. Ze had geen pogingen gedaan om in Londen vrienden te maken, en omdat ze wist dat iedere bezoeker die kwam voor Connie was, schonk ze geen aandacht aan het verre gebons op de deur naar de straat. Het was zodoende een behoorlijke schok toen ze voetstappen het appartement binnen hoorde komen, die algauw via de woonkamer en de keuken naar de trap kwamen, naar waar zij zat met het beddengoed opgetrokken tot onder haar kin.

'Wie is daar?' riep Nina.

Er verscheen een heel lange man, met een gebronsd gezicht en brede schouders, waarop de epauletten van een lichtgekleurde regenjas strak tot hun volle lengte werden uitgerekt. Nina besefte dat ze hem al eerder had gezien.

'Trigear. Is Connie in de buurt?' De stem was Amerikaans, de naam gedenkwaardig.

Trigear! Nina's hoofd weergalmde van het gefoeter dat zijn naam Connie de afgelopen jaren had ontlokt, hoewel de details van zijn gelaatstrekken er in zekere zin amper toe deden, omdat hij vanwege het feit dat hij man was de fundamentele test niet had doorstaan. 'Ik ben bang dat ze niet thuis is.' Het leek bij zo'n man geen zin te hebben vragen te stellen over de manier waarop hij was binnengekomen, ook al zou haar voorovergebogen houding een aanval niet moeilijk hebben gemaakt. Aan de andere kant was ze niet van plan voor hem te gaan staan, op haar sokken en in een onderbroek en een van Jamies rugbyshirts. 'Ik ben Nina,' zei ze. 'We hebben elkaar in New York ontmoet.'

'Ik ben na die tijd weggegaan.' Van de glimlach die met deze mededeling vergezeld ging kreeg Nina de kriebels.

'Ze komt vanavond niet meer terug.' Liegen is nooit mijn sterkste kant geweest, bedacht Nina toen ze de deur beneden hoorde dichtslaan en Connies stem hoorde zingen: 'Zing tot Maria, elke dag, o mijn hart, zing haar lof!'

Trigear draaide zich zwijgend om en ging haar tegemoet.

Connie zag hem als een goedgekleed standbeeld boven haar bij de trap staan. Een gênant ogenblik lang stond ze op het punt zich in zijn armen te storten en vol vreugde uit te roepen, als een kind dat haar vader ziet: 'Trigear! Trigear!' Ze stelde zich voor dat ze zijn enorme klauwen naar haar borsten zou brengen, ze omlaag zou trekken over haar lichaam... Het was een oeroude reflex, die haar bekroop aan het eind van een zware werkdag, en ze zette hem van zich af voordat Trigear meer kon opvangen dan een heel kleine flits van snel onderdrukt welkom in haar mooie ogen.

'Trigear,' zei Connie hooghartig. 'Ik wist niet dat je in Londen slachtoffers had gevonden.'

Trigear lachte, de lach van een man die verbijsterd wordt door zijn godin en geen woord kan uitbrengen.

Connie bleef staan, te midden van ijzige luchtstromen als bliksemschichten. Trigear staarde haar aan en wist uiteindelijk een paar woorden uit te brengen. 'Ik heb je gemist. Je bent een bijzondere vrouw.'

'Nou, ik moet je zeggen dat ik niet kan zeggen dat ik jou heb gemist, behalve in die zin dat ik met vreugde kennis heb genomen van je afwezigheid – nee, dat is te sterk uitgedrukt. Met opluchting.'

De betekenis van haar woorden leek niet tot Trigear door te dringen. 'Ik moest je zien,' verklaarde hij gewichtig. 'Ik ben naar Londen gekomen om je te zien.'

'Ik zal maar niet vragen hoe je me hebt opgespoord, want ik weet dat jij zo je maniertjes en middelen hebt, maar je bent voor niets gekomen. Ik heb mannen afgezworen. Niet alleen jou, maar alle mannen. Je lichaam wekt evenveel belangstelling bij me op als een blok steen, en aangezien je geest

162

me nooit een zier heeft geïnteresseerd, hebben we helemaal niets gemeen.'

'Connie!' Hij kwam omlaag en legde een hand op haar arm, zoals een enorme mastiff smeekt om de liefde van zijn baasje.

'Ik wil niet beweren dat je voor anderen niet aantrekkelijk kunt zijn, maar wat ons betreft is het verhaal uit. Het is slecht afgelopen, weet je misschien nog wel. Ik ben nu feministe. Ik beschouw de man als onderdrukker. Ik zie seks als het middel daartoe. Ik ben bezig er een boek over te schrijven. Voor jou valt hier niets te halen. Je kunt maar beter gaan.'

In plaats daarvan deed Trigear een stap naar voren. 'Je hebt de baby gekregen, hè?'

Connies godinachtige gerechtvaardigheid brak en ze liet zich neerzakken in een stoel. 'Aangezien je er zo bot op aandringt, en aangezien ik je toch nooit meer zie, mag je net zo goed weten dat ik de baby heb gekregen, die is geadopteerd en voorgoed uit mijn leven is verdwenen.'

'Mijn baby? Mijn baby?' Trigear hing dreigend over haar heen.

'Natuurlijk was de baby niet van jou. Er mankeert zeker iets aan je geheugen, of je eigendunk. Ik heb je destijds al de waarheid gezegd, waardoor je ertoe kwam mijn kat de strot dicht te knijpen. Je was ten tijde van de conceptie, die trouwens zo goed als onbevlekt was, ergens op een van je slagvelden aan het spelen. O, hou op met dat dramatische gedoe, Trigear, ik krijg er hoofdpijn van.'

Trigear ging aan tafel zitten. Hij sloeg zijn handen voor zich in elkaar. 'Ik heb echt met je te doen.'

'Wat ben je toch irritant.' Connie keek hem voor het eerst echt aan en stond het zichzelf toe zich te herinneren hoe gelukkig hij haar had gemaakt, ook al was dat dan iets puur lichamelijks geweest. 'Maak je alsjeblieft uit de voeten, beste Trig.' Ze was opgestaan en probeerde hem overeind te trekken.

Trigear, als een rots, leek hier niets van te merken. Met een grafstem zei hij: 'Jij bent wel de laatste vrouw van wie ik potteuze neigingen zou verwachten.'

Geërgerd omdat hij het verkeerd begreep vergat Connie tijdelijk de solidariteit van zusterschap. 'Je zit er helemaal naast! Beschouw me maar als een maagd en martelaar, of misschien als een Vestaalse maagd. Seks staat niet meer op de agenda. Mannenlijk, vrouwelijk en/of runderachtig!'

'Ik vond jou helemaal het einde,' vervolgde Trigear, die het kennelijk niet eenvoudig vond Connie ineens als maagd te gaan zien. 'Verdomme, ik hou van je.'

Connie ging weer zitten en hield haar hoofd in haar handen. 'Beste Trig. Wees nou even reëel. Jij bent het niet voor mij. En ik ben het niet voor jou.

Onze levenspaden hebben elkaar even gekruist. Er is meer dan een continent van verschillen tussen ons. We hebben elkaar leren kennen, we zijn weer uit elkaar gegaan. In feite ben jij weggegaan. Dus ga alsjeblieft! Weg hier van mijn keukentafel. En bid tot Sint-Jozef, de beschermheilige van goede echtgenoten, dat je de volgende keer een betere keus mag maken.' Ze zweeg even. 'Of misschien is het Sint-Anne...'

'Ik zie dat je niets meer met me te maken wilt hebben. Jij geeft me woorden terwijl ik je kut wil. Jij bent mijn vrouw.' Trigear stond ten slotte op, waardig, en deed nog maar vagelijk denken aan een Samoaans opperhoofd. Vastbesloten hem niet serieus te nemen voerde Connie een paar balletoefeningen uit, als een losse demi-pointe.

'Vaarwel, Connie. Nog één ding...'

'O, Trig...'

'Als je me ooit nodig mocht hebben, moet je dit nummer maar bellen.' Hij overhandigde haar een kaartje en liep de trap af de flat uit, haar leven uit.

'Heb je dat gehoord? Hoe zou ik ooit kunnen?' Connie, gillend en happend naar adem, vloog omhoog naar Nina. 'Waarom heb je me niet tegengehouden?'

'Dat hebben we geprobeerd,' protesteerde Nina zwakjes.

'En toch had hij toen hij wegging bijna iets nobels.'

'De nobelheid van een gorilla,' opperde Nina, en ze begonnen allebei hysterisch te lachen.

'Hij had vervelend kunnen worden,' bracht Connie hijgend uit.

'Je kunnen vermorzelen tussen die enorme kaken.'

'En het is helemaal niets voor hem om me een kaartje te geven.' Connie hield op met lachen en las: 'Violetta Sugden, restaurateur en stemmer van vleugels', waardoor ze opnieuw begonnen te gieren.

Nina staarde naar de ramen van Londense schilderijengaleries zoals een kind naar de etalage van een snoepwinkel kijkt. Ze ging zelden naar binnen, maar bleef staan kijken naar de schilderijen die waren uitgekozen om voor het raam te hangen, om een indicatie te krijgen van wat zich daarachter bevond. Soms stond er een deur open en waren er mensen binnen, een glas in de hand, en werd er buiten op het trottoir eveneens gepraat en gelachen, alsof de schilderijen niet essentieel waren. Bij deze vernissages glipte Nina, een grote, stille vrouw met een bleek gezicht en ver uiteenstaande ogen en haar bruine haar glad naar achteren in een vlecht, onopgemerkt de galerie binnen. Maar bij nader inzien waren de schilderijen vaak teleurstellend, makkelijke en modieuze abstracties die niets anders leken te weerspiegelen dan een talent om vormen en kleuren met elkaar te combineren.

'Hier valt niet veel te leren.' Nina was zich er niet van bewust dat ze hardop gesproken had, totdat een man bij haar elleboog lachte en weerwoord gaf.

'Dit is een kunstgalerie, geen opleidingsinstituut.'

'Maar als je naar schilderijen kijkt, gaat het er toch om dat je er iets van kunt leren?'

De man was in Nina's ogen angstwekkend verzorgd en knap, maar om de een of andere reden bleef ze doorpraten alsof hij een van haar medestudenten was. Het was het soort theoretische discussie waar ze van hield. 'In feite verwacht ik van alles waar ik naar kijk iets te leren – van dingen waar ik echt goed naar kijk, bedoel ik – want anders is het zonde van mijn tijd. Bij dit schilderij vraag ik me bijvoorbeeld af of het rood en zwart van een gloedvolle zonsondergang onder een regenwolk me niet meer zou doen.'

'En dat zou niet het geval zijn?'

'Ik vrees van niet.' Opeens werd Nina zich van zichzelf bewust. Ze was indringer, gekleed in een vuile jurk, op sandalen en met een mand aan haar arm waar een brood en een fles melk uitstaken. De kans was groot dat ze na een lange, zware dag lichaamsgeurtjes verspreidde. 'Ik moet ervandoor.'

'Nadat je hebt geconstateerd dat er iets aan de schilderijen mankeert. Dat is niet eerlijk. Wil je mijn kant van het verhaal niet horen?' Hij was even lang als zij, slank, in de dertig, met blond golvend haar dat zoals de mode voorschreef bijna tot zijn schouders kwam, een fraaie rechte neus die overging in zijn voorhoofd, brede, volle lippen, lichtbruine ogen. Waarom nam ze hem zo aandachtig op?

Nina voelde de zwakte van lichamelijk verlangen. Ze was niet aan die sensatie gewend en kleurde. Toen ze zich omdraaide om ervandoor te gaan, pakte de man een glas van een voorbijkomend dienblad en gaf het haar. Ze nam het dankbaar aan en dronk ervan met neergeslagen ogen.

'Zie je, ik ben hier de baas – de eigenaar zou je kunnen zeggen – en ik ben erg dol op dat schilderij. Ik zou het veel liever zien dan die sombere lucht waar jij het over had, en met een beetje geluk denken genoeg mensen er vanavond ook zo over, zodat ik mijn zaak kan runnen, of ze er nu iets van leren of niet.'

Nina hield haar glas omhoog en haar moed keerde terug. 'Ik sprak alleen maar voor mezelf. Dat wil zeggen, ik dacht dat ik tegen mezelf sprak.'

Hij lachte weer. 'Kom, ik zal je mijn lievelingsschilderij laten zien. Misschien kan ik je ertoe verleiden er nog eens over na te denken.' Hij pakte haar arm, duwde haar tussen de gasten door en zette haar neer voor een groot abstract doek in geel en blauw.

'Het probleem,' zei Nina na een poosje, 'is dat het geen Rothko is. En dat is volgens mij ook het probleem met dat rood-zwarte.'

Dit keer klonk er geen lach. 'Natuurlijk zijn het geen Rothko's. Wie heeft gezegd van wel? Dit is een kleine galerie, gespecialiseerd in jonge, vrij onbekende eigentijdse schilderijen. Als ik iets zou ophangen met tafels en stillevens en ingewikkeld behang, zou je waarschijnlijk de kritiek hebben dat het geen Matisse is.'

'Dat zou kunnen.' Nina was behoedzaam. Ze zag dat andere mensen, glamoureuze mensen, in de rij stonden om met deze man te praten, en ze begon zich gevangen te voelen. 'Dank je wel. Nu moet ik gaan.'

'Ik hoop dat je je naam in ons boek hebt geschreven.' De man klonk nu zeer geprikkeld. 'Het ligt vlak achter je.'

Het gesprek bleef haar door het hoofd spoken toen ze langzaam over de trottoirs liep en de frisse lucht even opgelucht inademde als ze van de wijn had gedronken. Ze had gesproken, in de galerie, alsof ze de schilderijen die aan de muren hingen verachtte. En toch schilderde zijzelf veel minder goed. Betekende dat dat ze het alleen de moeite waard vond om te schilderen als je een Matisse of een Rothko verwachtte te worden? Was een mindere ambitie zelfverwennerij? Maar hoe kon ze zoveel vertrouwen hebben in haar eigen talent? Het was onmogelijk. Met een ellendig gevoel wachtte Nina een hele poos bij een bushalte en toen begon ze weer te lopen. Ze zou Fay schrijven.

Fay pakte het bundeltje post dat de conciërge haar voorhield vermoeid aan.

'Ze overdrijven met die circulaires, dokter,' zei hij meelevend. 'Wilt u dat ik ze in de stortkoker gooi?'

Maar Fay ontwaarde Nina's handschrift en liep haastig naar de lift. Dat was tenminste iets om naar uit te kijken, na een dag waarop de aircondi-tioning het in haar werkkamer had begeven, het management had gepro-beerd vraagtekens te zetten bij sommige van haar instructies op hetzelfde moment dat haar werklast werd verzwaard, en een van haar nieuwe jonge vrouwelijke artsen een zenuwinzinking had gekregen. In haar grote, luch-tige appartement trapte ze haar schoenen uit, sneed de envelop open met een briefopener en begon te lezen.

'Lieve Fay, ik geneer me dat ik je veel te vaak schrijf over mijn proble-men...' Onmiddellijk werd Fay verrast door deze aanname, die helemaal niet waar leek te zijn. Het was juist altijd een kwestie van tussen de regels door lezen, die voortstroomden in een zoetvloeiende herhaling van schil-deren, kinderen, het platteland en Connies laatste escapades.

... Ik heb hem maar één keer ontmoet en onmiddellijk raakten we zo diep in gesprek als ik sinds Serge niet meer heb meegemaakt. Maar uiteraard heeft het niets te maken met seks. Ik heb daar niets meer mee. Maar ons gesprek gaf me een dwaas gevoel, alsof ik een overrijp schoolmeisje was, met hoogdravende ideeën over KUNST – kunst met een grote K. O, Fay, hoe kan ik schilderen als ik me zo voel?

Fay las de rest van de brief, maar ze had al een besluit genomen. Ze ging meteen achter haar typemachine zitten.

Lieve Nina,
Volgens mij doe je te moeilijk. Hou je hoofd koel en verwar een versnelde hartslag niet met wat er gaande is met je schilderen... Ontwar, beschouw de dingen op zichzelf, stel prioriteiten... En ten slotte: neem jezelf stevig onder handen! Hoe zou je het vinden als ik je kom opzoeken?

Nina deed haar afwashandschoenen uit en hing ze netjes over de zijkant van de gootsteen. Van de vingertoppen druppelden een paar glinsterende bellen. Toen borg ze alle afwasspullen met volmaakte precisie op en spoelde tot slot haar eigen handen af, waarna ze ze methodisch afdroogde aan een papieren handdoek. Ze besefte dat dit allemaal een zorgvuldig uitgewerkt plan was om de Nina in haar die obsessief wasgedrag vertoonde te verslaan.
'Waarom schilder je niet meer?' Haar moeder had haar gadegeslagen.
Ze wilde haar moeder niet vertellen dat ze, sinds haar gesprek in de galerie, de moed had verloren. Afwassen was nu vol gevaren. Strijken of met de kinderen praten, die vakantie hadden, kalmeerde haar enigszins. Helens gezichtspunten, haar vroegwijze kennis en zelfvertrouwen, verlichtten allebei haar defaitisme (ze had tenminste een slim kind voortgebracht) en vergrootten eveneens haar nederigheid. Je kon niet spreken van een mislukking, omdat haar schilderen, totdat ze dat fatale gesprek had gehad, niet had afgehangen van of gestreefd had naar de hoop op succes. Ze was ook niet competitief geweest. Ze had alleen geschilderd – of geleerd hoe ze moest schilderen – omdat het de meest opwindende bezigheid was die ze kon bedenken. Zelfs nu kleurde ze bij de gedachte een kwast op te pakken die in Pruisisch blauw was gedoopt – een cellokleur, bedacht ze. Maar de ontmoeting in de galerie, haar belachelijke oververhitte en gebloemde verschijning, zoals ze het nu zag, haar hoogdravende beweringen over kunst, KUNST, hadden haar zelfbewust gemaakt, en zodoende in staat om te begrijpen hoe onmogelijk het was dat zij, de echtgenote van een militair, moe-

der van twee kinderen, onveranderbaar deel van de Engelse middenklasse, zich een schilder van enige betekenis zou kunnen voelen. Fays antwoord op haar brief, dat ze die ochtend ontvangen had, met zijn makkelijke aannames, had haar alleen nog maar meer in de war gebracht.

'Ik had er niet zo'n zin in,' mompelde Nina, en ze barstte in tranen uit.

Veronica zei niets, kwam niet naar haar toe. Ze draaide zich zelfs af, en om de een of andere reden dacht Nina dat ze piano zou gaan spelen. In plaats daarvan kondigde ze abrupt aan: 'Ik zie dat Helen vergeefse pogingen doet om Prince te vangen. We kunnen beter wat suikerklontjes gaan brengen.'

Nina, die haar ogen afveegde, liep achter haar moeder aan. Buiten waren houtduiven energiek aan het koeren; het gras op het grasveld, dat niet meer was gemaaid, was veel te lang maar glinsterde spectaculair groen. Een verwilderde rozenstruik was overdekt met felrode rozenbottels.

'En hier is allemaal door William voor betaald!' riep Nina wanhopig uit. 'Waar ben ik – ikzelf?'

Veronica bleef staan en keek naar haar dochter om. 'Hemel! Zes uur 's avonds en nog zo licht. We moeten niet vergeten de klokken vanavond terug te zetten.'

Toen Veronica voortstapte en naar Helen riep, die de pony aanspoorde, die in handgalop naar de overkant van het veld was gelopen, waar hij bedachtzaam met zijn staart stond te zwaaien, bleef Nina staan op de plek waar de woorden van haar moeder haar hadden getroffen, onder een robuuste appelboom die er in haar jeugd ook al had gestaan. Nu was hij kromgegroeid, verweerd met ruwe knoesten en karbonkels. De meeste bladeren waren afgevallen, maar de appels, een weelderige overvloed bij zo'n oude boom, hielden nog steeds stand, rond en rood. Ze had de boom in het verleden vaak geschetst en geschilderd, maar nooit met ook maar het geringste succes. Hij liet zich obstinaat nooit vangen op haar papier of doek.

Nina deed een paar stappen naar achteren om de vorm en details van de boom beter te kunnen zien. Wat had Fay gezegd? 'Neem jezelf stevig onder handen!' Het was zo on-Engels om het zo te stellen, en ze merkte dat ze ondanks haar ellende glimlachte. Fay volgde zeer zeker haar eigen advies op en stampte door het leven alsof ze een samurai was. Ze keek weer naar de boom. De lucht erachter was paarsblauw. Ze stelde zich voor hoe de wortels van de boom diep doordrongen in de aarde onder haar voeten. Ze liep er een stukje omheen, zette een paar stappen naar voren, een paar stappen naar achteren, draaide zich toen plotseling om en rende terug naar het huis. Ze kwam weer tevoorschijn met haar schetsboek en een klein matje.

Nina ging op het matje zitten terwijl de vochtigheid haar omringde, de donker wordende lucht dampig maakte en de boom veranderde in een zwart silhouet. Over de tuin daalde stilte neer toen de vogels terugkeerden naar hun roest en een windje beroerde de bomen. Af en toe reed er verderop op de weg een auto voorbij, maar Nina merkte het niet. Ten slotte was ze op het laatste vel van haar schetsboek aanbeland, in het laatste spoortje licht.

Fay arriveerde op een winderige novemberdag in Sussex, toen de bladloze bomen door de lucht zwiepten. Het was bijna vier jaar geleden dat ze Nina had gezien. Ze hadden elkaar brieven geschreven als aan anonieme vertrouwelingen. Het was een schok om elkaar in levenden lijve te zien. Het verraste Fay dat Nina kleiner, maar ook zwaarder leek. Ze was haar gaan beschouwen als een stukje van het romantische Engeland, charmant maar niet helemaal echt, maar hier stond een bijna mooie vrouw, lang en met een ovaal gezicht, lang kastanjebruin haar dat losjes achter op haar hoofd was opgestoken. Ze droeg een dikke trui en een rode rok met een riem om haar taille. Ja, ze was bijna mooi. Ze was ook bijna – maar niet helemaal – ontzagwekkend vanwege haar gebrek aan zelfbewustzijn, haar desinteresse, nam Fay aan, omdat Nina's manier van doen in haar ogen daarop duidde.

'O, Fay! Wat heerlijk om je te zien! Wat zie je er elegant uit.' Ze omhelsden elkaar op het kleine station, waar een oerwoud van oude bomen hen beschutting bood tegen de wind. Fay wist dat ze er verzorgd en succesvol uitzag, met haar donkere pakje, fijne nylons en mooie schoenen. Nina droeg sokken en sandalen. Toen Nina met Fay naar de auto liep, bood ze haar excuses aan voor de rommel die het daarbinnen was.

'O, alsjeblieft,' protesteerde Fay, die monter plaatsnam tussen de flessen terpentijn en oude lappen, 'ik heb vakantie van steriele doeken. Beschouw me maar als een meisje uit de binnenstad dat veel tekort is gekomen. Wat ik nodig heb is een cursus moddertaart bakken.'

Geleidelijk aan vervaagde de schok van hun verschillen en ze herinnerden zich dat het diezelfde verschillen waren, hoezeer ze nu ook waren aangezet, waardoor ze in het verleden belangstelling voor elkaar hadden opgevat. Nina stond Fay een kort bezoek aan haar atelier toe. Ze wilde niet de doeken die omgekeerd tegen de muur stonden omdraaien, maar ze liet Fay wel het onlangs voltooide doek op haar ezel bekijken. Het was een landschap met als centraal element een oude appelboom.

Fay, die naar Nina's gezicht keek, dat afwisselend rood en bleek zag, voelde een druk om het juiste commentaar te leveren. Zou ze ermee weg kunnen komen om niets te zeggen? Nee. Nina's gezichtsuitdrukking van angstige verwachting maakte duidelijk dat ze iets moest zeggen en dat eventuele toekomstige penseelstreken van haar woorden afhankelijk zouden zijn.

'Het is de oude appelboom in de tuin,' mompelde Nina. 'Die schilder ik tegenwoordig vaak. Ik weet niet waarom. Waarschijnlijk omdat ik ermee door wil gaan tot ik er tevreden over ben.' Ze stapte met nederig gebogen schouders naar voren, alsof ze het doek wilde weghalen.

'O, laat staan!' riep Fay uit. 'Sorry dat ik er niets van zei. Ik werd er alleen door overweldigd. Zie je, ik had me niet gerealiseerd – dit klinkt je vast wreed in de oren, maar je weet hoe dat gaat met vrienden... Ik had me gewoon niet gerealiseerd dat je écht schilderde!' Ze stonden nu dicht bij elkaar, Fay met één arm gestrekt, Nina met een hand aan haar doek.

Fays emotionele woorden verbaasden haarzelf evenzeer als Nina. Toen ze het schilderij zorgvuldig had bekeken, had Fay gezien dat Nina echt talent had. Nu merkte Fay op dat haar vriendin tranen in haar ogen had. Nina, die ze kennelijk wilde verbergen, liet een schallende lach horen, draaide om haar as en liet zich in de roze fauteuil vallen.

'O, Fay, wat maak je me blij.' Onvermijdelijk begon ze het schilderij vanuit dit lagere gezichtspunt te bestuderen.

'Ik ben ook blij voor je,' zei Fay, tevreden over zichzelf dat ze precies datgene had gevoeld en uitgedrukt waarmee ze haar vriendin het best had kunnen helpen.

Fay vertelde Nina over haar voortdurende zorgen om Daniel, die verstrikt was geraakt, zoals zij het zag, in de onverkwikkelijkheden van een onrechtvaardige oorlog. 'Heb je ooit wel eens met William over Vietnam gepraat?' vroeg ze toen ze op een avond nog lang natafelden. Telkens wanneer de mannen in Nina's leven ter sprake kwamen, kreeg ze iets opgejaagds en gekwelds over zich.

'William discussieerde niet met mij. Misschien dat dat met zijn nieuwe vrouw anders is.'

Fay bedacht dat Nina's nauwverhulde gebrek aan belangstelling voor de wereldpolitiek het waarschijnlijk maakte dat zij ook niet zo'n discussiedier was. Misschien door de met gulle hand geschonken sherry waar ze niet aan gewend was, hoorde Fay zichzelf in een opwelling uitroepen: 'Je weet niet hoe het is om elke dag op te staan in de wetenschap dat wat je doet echt belangrijk is!' Ze bedoelde daar niet mee dat wat Nina deed niét belangrijk was – althans, dat dacht ze – maar ze hoorde dat het wel zo klonk.

'Dat moet wel zwaar zijn,' reageerde Nina nederig. 'Ik heb grote bewondering voor je.'

Maar Fay ving een glimp van hardheid op in Nina's ogen, en probeerde terug te krabbelen. 'Ik klink vast erg verwaand...'

'Nee, nee,' onderbrak Nina haar. Ze veranderde van onderwerp. 'Heeft Connie je geschreven dat Trig ineens kwam opdagen?'

Onmiddellijk boog Fay zich verwachtingsvol naar voren. 'Connie vertelt mij nooit iets...'

De dag daarop vertoonde Connie zich in eigen persoon. 'Ik ben wel oud,' riep ze, met een blik op Fay, die in de *Daily Telegraph* naar nieuws over Vietnam zocht, 'maar nog niet zo oud als jij, lieve Fay. Hoe kun je het soort krant lezen waar alleen Veronica iets aan vindt?' Ze liet zich neer op de bank en gunde Fay een voordelige blik op haar benen in een roze-paars gestreepte maillot onder een superkort rokje.

Haar komst, bedacht Fay, veranderde direct de sfeer in huis. Met enige jaloezie moest ze toegeven dat Connie daar nu erg thuis was, zoals ze Veronica opmonterde met haar dwaze grappen en met Nina omging met de warme onverschilligheid van een zuster. Ze had zelfs haar eigen slaapkamer, een smerig hok waar het naar wierook rook. Ze is net een koekoek, bedacht Fay onaardig.

Maar na de lunch, in diezelfde koude eetkamer waar ze voor het eerst waren samengekomen – nu zes jaar geleden – kondigde Nina aan dat ze naar haar atelier ging om te schilderen; Connie en Fay moesten maar een wandeling gaan maken. Het leek wel een bevel.

Het was weer een heldere, winderige dag en ze besloten een wandeling over de velden naar het bos te maken.

'We gaan er niet in, hoor.' Connie maakte een huppelpasje. 'We gaan zeker niet zoeken naar die oude taxus. Niet zonder Nina.'

Fay glimlachte bij de herinnering aan dat absurde eerste bezoek. Ze liepen een poosje voort, tot ze de stilte als drukkend begon te ervaren. 'Nina zegt dat Trig je heeft weten op te sporen.'

'Trig?' Connie leek de naam amper te herkennen.

'Je minnaar,' kwam Fay haar droogjes te hulp.

'Niet zo vals, Fay.' Connie maakte weer een huppelpasje en keek alsof ze het liefst ook met haar armen wilde gaan zwaaien. Maar toen trok ze een serieus, vragend gezicht. 'Hoe is het met jou, lieve Fay? Ik mis Amerika, weet je.' Ze zweeg even, en tot Fays verrassing leek ze zich vast te hebben voorgenomen om te luisteren. Dus begon Fay te vertellen, niet helemaal zoals ze haar verhaal tegenover Nina had gedaan, omdat ze Connie nooit helemaal kon vertrouwen, maar ze vertelde haar niettemin over Daniel, en Connie, die af en toe een meelevende opmerking maakte, bleef luisteren.

171

Ze waren diverse velden overgestoken en overwogen nu terug te gaan. Connie had een stok opgepakt, waarmee ze zwaaide naar het gras. 'Ben jij in Washington geweest?' mompelde ze.

Onmiddellijk begreep Fay wat ze bedoelde, en het verbaasde haar dat ze zo traag was – zo op zichzelf gericht, moest ze toegeven. Connies baby. Dat was de reden waarom ze haar die vraag had gesteld. Misschien wel de reden waarom Nina hen uit wandelen had gestuurd. Connie wist dat ze vriendschap had gesloten met Shirley en wilde een verslag.

'Ja. Ik ben een paar keer naar Washington geweest.' Ze aarzelde. 'Kathleen maakt het goed.' Ze probeerde zich voor te stellen welke woorden het minst pijnlijk zouden zijn, maar het leek of ze al genoeg had gezegd. Connie was de weg naar huis ingeslagen en riep over haar schouder: 'Dank je wel, lieve Fay. Je bent altijd heel vriendelijk.'

Fay liep langzaam achter haar aan en bedacht dat ze helemaal niet vriendelijk was.

Toen ze terugkwamen in het huis, troffen ze een uitgebreide thee met scones en cake aan, waarvoor in de keuken was gedekt. Fay leunde tegen de warme Aga, een kop thee in haar hand, en merkte dat zij het middelpunt was van allerlei soorten liefde en aandacht van Nina, Connie en Veronica.

'Je ziet er moe uit,' zei Veronica, die op een stoel naast haar klopte. En het was waar. Ze voelde zich moe tot op het bot.

'Je werkt veel te hard,' zei Nina streng. 'De komende vijf dagen moet je uitrusten en ons voor je laten zorgen.'

'Je zou best wat dikker mogen worden,' luidde Connies bijdrage; ze smeerde met gulle hand jam op een scone en gaf die aan Fay.

Fay bedacht dat ze, als haar moeder zo tegen haar zou doen, heel kwaad op haar zou worden, maar in dit koele, comfortabele huis, met de haveloze tuin die tegen de ramen bonkte, kon ze het zichzelf toestaan om zich, slechts voor de vijf dagen van haar bezoek, te ontspannen.

Nina, die moe en nat terugkwam naar de flat, luisterde naar Connies onwaarschijnlijke welkom: 'Er is een flitsend figuur op bezoek geweest. Hij zei dat hij Hector Pijane heette. Helemaal niets voor jou, volgens mij. Maar toen ik hem probeerde te waarschuwen, zette hij zijn stekels overeind en zei me dat ik me met mijn eigen zaken moest bemoeien – of woorden van gelijke strekking. Wat heb je uitgespookt, Nina, dat je zo'n haai op je af krijgt?'

Nina kreeg nooit bezoek. Ze keek naar Connies uitmonstering van gelukkige weduwe, een korset met daarboven een veren boa. 'Heb je hem in die kleren ontvangen?'

'Inderdaad ja. Ik heb hem weten uit te leggen dat we een strikt feministisch huishouden vormen en dat hij aan mijn decolleté geen macho-aannames mocht verbinden.'

'En luisterde hij?' Nina ging op de stoel in haar woonkamer zitten en trok haar natte laarzen uit.

'Hij hield zichzelf bewonderenswaardig in bedwang. Maar hij heeft beloofd terug te komen.' Beneden werd er op de deur gebonsd. 'Ah, dat zal hem zijn.'

Hector Pijane ging op een stoel in de woonkamer zitten – de enige stoel – terwijl Nina heen en weer liep om iets te zoeken dat ze hem kon aanbieden en Connie, die tegen een zitzak zat, een agressief gezicht trok boven haar boa en informeerde of kunst niet langer een noodzaak was.

'Die is nooit een noodzaak geweest,' antwoordde Hector, tikkend op de glanzende, lichtelijk met verfspatten bedekte neus van zijn laarzen, 'omdat het iets fundamenteels is.'

Nina, die deze woorden opving en eraan begon te wanhopen dat ze op zure melk na nog iets anders vloeibaars in huis zou kunnen vinden (Connie werkte alcohol weg door eraan te beginnen zodra die in huis was en de fles vervolgens in één keer leeg te drinken), had zin om naar bed te gaan. Maar toen die gedachte in haar opkwam, ving ze Connies blik.

'Ga toch zitten, Nina. Ik moet ervandoor om mijn artikel over de obsessie van mannen met de afmetingen van hun penis af te maken. Ontzettend leuk om je te leren kennen.'

Stijfjes nam Nina Connies plaats op de zitzak in.

'Waar schilder je?' vroeg Hector op neutrale toon.

'Op de academie. Thuis op het platteland. Daar heb ik een atelier.'

'Een meisje van het platteland, aha. Dat verklaart het.'

'Wat?'

'Ten eerste het feit dat je er niet was toen ik je de eerste keer kwam opzoeken. Ten tweede je frisheid.'

Nina probeerde haar verwarring niet te laten blijken. Ze trok haar wijde rok over haar knieën. Ze was eenendertig en had heel wat meegemaakt. Hoe kon je 'fris' zijn, zoals hij het stelde, met een ex-man en twee kinderen? 'Het spijt me dat je me bent misgelopen.'

'In spirituele zin fris, snap je? Hoe gaat het met je schilderen?'

'Ik leer nog steeds.' Ze keek hem behoedzaam aan. Ze praatte niet over haar schilderijen, zeker niet tegen flitsende galerie-eigenaren, en ze herinnerde zich dat de moed haar in de schoenen was gezonken na hun laatste gesprek.

'Ik kom je eigenlijk uitnodigen voor een opening. Kijk.' Hij stak haar een

173

kaartje toe. 'Gravures van Matisse. Die zijn verbazingwekkend goedkoop.'

Nina wist dat ze erheen zou gaan, niet vanwege de gravures, maar omdat ze Hector weer wilde zien. 'Ik heb het er momenteel erg moeilijk mee om naar het leven te tekenen.' Ze zei het ernstig.

'Misschien moet ik je voorlezen wat Matisse daar voor gedachten over heeft. Ik heb de tekst op het programma gedrukt.'

'Ja, graag.' Hector begon te lezen, en Nina, die met een deel van haar brein haar best deed om te luisteren, realiseerde zich in een ander gedeelte daarvan dat ze zijn stem het aantrekkelijkst aan hem vond. Donker-oker met hier en daar wat paars en goud.

Hector kwam aan het einde van zijn lectuur: ' "... een snelle weergave van een landschap representeert maar één moment van zijn bestaan. Ik geef er de voorkeur aan door de nadruk te leggen op de wezenlijke aard ervan het risico te lopen aan charme in te boeten om meer stabiliteit te kunnen creëren." '

'Nou, dat klopt wel, niet?' Nina schudde zichzelf wakker. 'Je moet de wezenlijke aard zien te vinden. Of het nou die van een vrouw is of die van een boom.'

'Precies.'

Kort daarna vertrok Hector.

'Jullie zijn net twee oude heksen op een heksenvergadering, zoals jullie over dat geschilder zitten te praten,' gromde Connie, die even pauze genomen had van haar nieuwste provocerende artikel om op de trap te gaan zitten luisteren.

Nina lachte zonder antwoord te geven.

'Ik voorspel je dat deze haai die met die mooie donkere stem van hem zo glad kan praten je niets dan ongeluk zal brengen.'

'Alleen maar omdat jij met niets anders bezig bent dan met de theorie dat mannen de wortel zijn van alle kwaad, hoef je nog geen Cassandra te spelen ten aanzien van mijn toekomst. Hij is galerie-eigenaar. Je zou tegen me moeten zeggen dat ik hem warm moet houden.' Ze draaide zich af van Connies ironische blik.

1972

Connie had nooit van de ondergrondse gehouden. Het donker achter de raampjes, alsof woeste handen verduisteringsgordijnen omlaag hadden getrokken, gaf haar een ongemakkelijk gevoel. Ze zag zich genoodzaakt haar aandacht op het interieur te richten: de reclames, de metalen spijlen, de zwaaiende leren lussen, de beklede stoelen en – onvermijdelijk – haar medepassagiers.

Aldus zat ze op een ochtend, rusteloos als altijd, naar een jong meisje te kijken. Dit meisje, met goudkleurig kroezend haar, een bleek en schrander gezicht met een mond zonder lippenstift, leek een niet te beteugelen vreugde uit te stralen. Evenals Connie wipte ze met een voet in de lucht; haar hand raakte haar haar aan, beklopte haar wang, werd weggestoken onder haar heup. De andere hand hield een boek vast, waarin ze met blije concentratie las. Helaas voor Connie onttrokken de vingers van het meisje, die ze wijd en beschermend had gespreid, de titel aan het zicht.

Wat kon er in zo'n klein boek staan dat degene die het las zo gelukkig maakte? Op het moment dat ze peinzend neerkeek naar haar lege schoot – ze had er nooit het geduld voor om als ze onderweg was te lezen – was het meisje opgestaan, met een gloeiend gezicht, het boek tegen haar borst gedrukt.

Connie sprong op en ging bij haar in de buurt staan. De vingers verplaatsten zich en de titel werd onthuld. *Boete in het licht van de kruisiging van Christus*, las Connie, die in haar verbazing de woorden geluidloos uitsprak. Om er geen misverstanden over te laten bestaan was Christus, met een doornenkroon op zijn hoofd en met bloedend hart, afgebeeld op het omslag. De trein reed een station binnen, de deuren gingen open en het meisje, dat er nog steeds uitzag of ze een lied hoorde in haar hart, stapte bruusk uit.

Connie volgde haar. Ze raakte de arm van het meisje aan. 'Neem me niet kwalijk. Heb je er bezwaar tegen... Ik zag het omslag van je boek... Je extase...' Het woord leek niet al te best gekozen. Het meisje draaide zich om en leek nu iets minder gelukzalig. Plichtsgevoel en beleefdheid kwamen ervoor in de plaats. Ze had Connies verzoek niet gehoord, maar voelde het getrek aan haar arm, zag het dringende, onderzoekende gezicht. 'Wat is er?'

'Boete,' zei Connie. 'Hoe kun je van boete zo stralend gelukkig worden?' Het meisje leek uit het veld geslagen. 'Ik heb haast.'

'Maar het is belangrijk – ik moet...'

Het meisje liet zich vermurwen, de gloed keerde terug. Ze stak Connie het boek toe. 'Hier, neem maar. Ik kom zó weer aan een ander exemplaar. Het is het antwoord op alles!' Terwijl ze Connie een stralende glimlach schonk haastte ze zich weg door de menigte.

Connie, die te ongeduldig was om te wachten, ging op een bankje op het station zitten. Het was Baker Street. Bakstenen bogen schonken de massa's naar huis terugkerende mensen enige beslotenheid. Het licht was zwak en suggestief. Voor hetzelfde geld zat ze in een kerk. Connie huiverde en sloeg de eerste bladzijde op.

Nina keek op naar de appelboom, en toen eronder. Golven van appels, goud en rood, halfverborgen tussen de heldergroene sprieten van het gras. Sommige waren weggerold en lagen er wat verder vandaan; andere waren van de verste takken gevallen en lagen glanzend op het pad.

In diepe ernst zei ze tegen Hector, die naast haar stond, met een breedgerande panamahoed op: 'Ik heb al deze appels horen vallen.'

Hij begreep het eerst niet. Maar ze ging door. 'Dat is waar ik de hele zomer mee bezig ben geweest: hier zitten en proberen deze boom te schilderen. Het is Beauty of Bath. Die zijn vroeg rijp. Ze vallen vroeg in het seizoen af. Toen ik begon, was de hele boom overdekt met groene appeltjes, die je tussen de bladeren amper zag; toen werden ze groen en geel, en vervolgens groen en geel en rood, en nog weer later geel en rood, en daarna vielen ze van de boom. Ze maken een hard plopgeluid, vooral als ze op het pad terechtkomen.'

'Moest je ze niet oprapen?'

Nina keek verrast. 'Hoezo?'

'Om ze op te eten. Of zoiets. Om er cider van te maken. Wat mensen ook maar doen met appels.'

'Aha.' Ze waren allebei serieus, ze stonden iets te ver uit elkaar. 'Daar heb ik niet aan gedacht. Ik bedoel, ik heb er wel een paar opgegeten, maar als je een hele boom hebt is er geen beginnen aan. Je kunt ze niet bewaren, snap je. Vroeger moest ik ze van mijn vader altijd oprapen en in een kruiwagen doen, zodat de tuinman het gras kon maaien.' Ze fronste. 'Hoor eens, zou je het erg vinden om me te laten afmaken wat ik wilde zeggen? Het gaat over mijn schilderen.'

'Nee, natuuurlijk niet, ga je gang.' Hij spreidde zijn handen.

Allebei bleven ze even in gedachten verzonken zwijgend naar de boom staan kijken. Toen draaide Nina zich om en begon terug te lopen naar het huis.

'Wat is er nou?'

'Niets. Ik geloof alleen niet dat het iets kan worden tussen ons.'

Hij haalde haar in. Ze had snel gelopen. 'Het hoeft niets te worden tussen ons. Ik ben gekomen om naar je schilderijen te kijken.' Hij klonk geërgerd.

'Sorry. Het spijt me.' Nerveus knoopte Nina een knoopje aan haar blouse open en weer dicht. 'Dat was niet zo handig van me.'

Zonder iets te zeggen pakte Hector Nina's hand en drukte die tegen zijn volle lippen. Nina keek even op, net op tijd om boven hun hoofden een appel zich te zien losmaken van zijn tak. Ze boog zich voorover en haar lippen vonden die van Hector. Ze voelde de appel rakelings langs haar rug scheren, waarna hij op het pad viel.

Nina begreep nooit wat Hector zag in haar grote, logge zelf. Het was waar dat ze urenlang over kunst konden praten als ze na het vrijen lekker bij elkaar lagen. Om eerlijk te zijn was zij het vaakst aan het woord, terwijl hij luisterde en af en toe instemmend iets bromde. Soms beschouwde ze seks met Hector als voorspel op die gesprekken, maar als ze hem een poosje niet had gezien gloeide haar lichaam van verlangen. Zijn ogen waren lichtbruin en bijna geel, de kleur van kattenogen. Zijn schouders waren recht en breed, zijn heupen smal, zijn benen lang. Zijn jongensachtige volmaakte proporties deden haar denken aan Bernini's beeld van David.

Connie, die toekeek hoe Nina zich voorbereidde op zijn komst, schudde een soeplepel als een waarschuwende vinger voor haar heen en weer. Ze maakte tegenwoordig vaak pannen soep vol onduidelijke groenten. 'Je straft jezelf met Hector.'

'Waarom zou dat zijn?' Nina hield even op met haarspelden in haar haar te steken, dat heel lang en zwaar was geworden.

'Uit schuldgevoel tegenover William misschien. Je zou je moeten schamen om een verhouding te hebben met zo'n arrogante kwast.'

Nina glimlachte bij de gedachte aan hoe de rollen waren omgedraaid en antwoordde op milde toon: 'Ik zie al zijn fouten net zo scherp als jij. Hij is verwaand, op zichzelf gericht en geestelijk bekrompen, en ook een intellectuele en sociale snob. Bovendien is hij lui, vals, jaloers en onbetrouwbaar.' Die lange lijst met minpunten verraste haarzelf. Maar Connie geloofde niet langer in de betekenis van geluk, dus het zou verspilde moeite zijn.

177

Hij maakte haar gelukkig omdat hij haar lichaam streelde en haar een prettig gevoel gaf, en haar verzoende met zichzelf, en omdat hij haar schilderen serieus nam. Wat een bedwelmende combinatie! Misschien hield ze wel van hem – met al zijn fouten. 'Ik ben zo gelukkig!' riep ze uit, en ze liet alle behoedzaamheid varen. En kreeg de al verwachte afkeurende frons van Connie.

'Liefde is een zoektocht naar iets wat in wezen niet bereikbaar is. Maar het helpt wel als je een goede man hebt.'

Nina ging er nader op in. 'Goede mannen! Schuld. Je praat alsof Trigear nooit heeft bestaan.'

'*Touché*, schattebout. Maar ruim twee jaar celibaat geeft mij het goede advies. Onthoud: *Zeg nee tegen seks.*' Connies boek, dat eerder dat jaar was verschenen, lag op tafel. Toen Nina glimlachend de deur uit ging, wierp ze haar een kushandje toe.

Toen ze de donkere trap af liep naar de straat, waar de lucht scherp was, bedacht ze dat Connie de spijker op z'n kop had geslagen: Hector en zij hadden heel goede seks. Dat was wat hen bond. Ze versnelde haar pas, en onderdrukte met de beweging en urgentie van haar verlangen de wetenschap dat zij haar eigen gevoelens voor hem net zomin vertrouwde als zijn gevoelens voor haar.

Fay stond altijd heel vroeg op, vooral in de zomer. Ze mocht graag de zon de watertorens zien doen oplichten op de daken om haar heen. Het was een van haar favoriete tijdstippen geworden om Nina te schrijven.

NY, augustus 1972

Lieve Nina,

Jij denkt dat je verliefd bent op die Hector, maar je lijkt hem helemaal niet leuk te vinden. Per separate post stuur ik je een medisch boek over de seksualiteit van de mens. Probeer er elke dag een stukje in te lezen. Dit is niet het juiste moment voor romantiek. De wereld is een stukje gekanteld en we kunnen sommige dingen nu duidelijker zien. Het lichaam heeft als elke andere machine onderhoud nodig, maar wat de liefde betreft: die kan alleen ontstaan tussen heel goede vrienden. Ik stuur je ook een boek over het oude Griekenland. Ik heb het idee dat antieke opvattingen over de huwelijksliefde bij maar een kleine minderheid in stand zullen blijven, bij mensen die te bang zijn om de waarheid toe te geven…

Nina, die die avond voor de verandering eens samen met Connie at, liet haar de brief zien. 'Denk jij dat dit een lesbische ouverture is?'

'Homoseksueel, alsjeblieft, Nina. Nee, dat denk ik niet.' Ze las de rest van de brief. 'Ze is doodsbang om Daniel. Dit is volgens mij een brief van een wanhopige vrouw. We moeten haar uitnodigen voor een nieuw hart-verwarmend reisje naar dit land van vrede. Overigens, ik heb Hector al een week of twee niet gezien.'

'O, Connie. Je weet hoe Hector is. En ik moet niet zoveel hebben van een vaste relatie.' Zelfs in haar eigen oren klonk dit niet overtuigend. Hector was er alleen maar in geïnteresseerd om van tijd tot tijd met haar het bed in te duiken. Was dat de waarheid? 'Zolang hij zijn belofte maar niet verbreekt om volgend jaar een tentoonstelling te houden.' Deze stem klonk krachtiger.

'Helemaal mee eens,' stemde Connie in. 'God zegen de greep.'

Connie, die zich had teruggetrokken in haar kamer, liet zich languit op bed vallen en haalde een envelop uit haar zak. De brieven waren begonnen na de publicatie van haar boek. Ze waren haar toegestuurd via haar uitgever en kwamen van een man met de absurde naam Orlando Partridge, die haar eraan herinnerde dat ze elkaar een paar jaar geleden op een zondag in Cork hadden ontmoet. De eerste brief bevatte een acrostichon met haar naam:

Cursed be
Orlando Partridge
Never to see
Never to touch
Illuminous O'Malley
Exoticissima Connie*

Hoe kon ze weerstand bieden aan zo'n benadering? Hoewel ze zelden meer dan een kort briefje aan hem schreef, begon ze uit te kijken naar zíjn vuri-ge brieven. Ze las zelfs met tolerant ongeloof zijn verkondiging dat ze voor elkaar waren gemaakt en dat het alleen maar een kwestie van tijd was voor-dat dat goed tot haar doordrong. Hij was duidelijk heel anders dan een nor-male man – maar hij woonde in Ierland, waaraan ze helemaal niet van plan was een bezoek te brengen. Hij was haar correspondentievriend en bewon-deraar, zelfs geheim voor Nina.

* Vervloekt zij Orlando Partridge, omdat hij nooit de illustere O'Malley, de super-exo-tische Connie, kan zien en kan aanraken.

Vandaag was er een brief van drie pagina's, inclusief een lang volksverhaal over een Ierse druïde en een vlinder dat moest bewijzen dat de ziel bestond.

Nina bracht de herfstvakantie op Lymhurst door. Dag na dag wikkelde laaghangende mist, die bestond uit talloze druppeltjes regen, wat haar deed denken aan een sjaal die gebreid was van water, zich om het platteland. Niets had scherpe contouren; de kleuren die nog in de tuin waren overgebleven – mauve voor de herfstasters, crème voor de late rozen, zelfs het felle oranje van Suzanne-met-de-mooie-ogen – vervaagden in een nevelige, sombere stilte. Er stond geen wind, wat de reden was waarom de mist niet optrok. De bovenste bladeren van de hoogste bomen bewogen niet, behalve om af en toe een doorweekt en ontzield blad los te laten, dat op de weg viel, waar het algauw een glanzende plek vormde, een roestige ongerechtigheid op het natte asfalt.

De natuur staat stil, bedacht Nina, die op een middag een wandeling maakte. Net als ik. Ze had wekenlang niets meer van Hector gehoord. En ik kan mijn kwast niet in woede opheffen. Als om te bewijzen wat ze bedoelde, onderbrak ze haar bruuske, mechanische tred, plantte haar voeten stevig neer en staarde omlaag, met haar handen in haar zakken en opgetrokken schouders, haar hoofd gebogen. Ze daagde het lot ertoe uit haar in beweging te krijgen.

De kikker was geheel zwart, zo zwart als een schaduw, en lag keurig languit op de weg, platgewalst, volmaakt in alle opzichten, hoewel onmiskenbaar dood.

Nina bleef er een hele tijd naar staan staren. Het was zonneklaar dat hij niet anders kon zijn dan een boodschap van het lot. Er was geen andere verklaring voor waarom ze juist op die plek zou zijn blijven staan. Maar wat betekende het? Een geplette kikker? Er waren geen ingewanden om te lezen; misschien waren die eruit gehaald door een hongerig roofdier. Het was het lege karkas van een kikker. Het was, aan die indruk kon ze zich niet onttrekken, de belichaming van haar eigen kijk op zichzelf. Maar het was ook belachelijk, een van de meest belachelijke dingen die ze ooit had gezien. Een platte kikker. Alsof er een wals overheen was gegaan. Kon een kikker zelfmoord plegen?

Met abrupte energie liep Nina terug naar het huis en stormde de keuken in, waar ze een kolenschep vond. Ze vroeg zich bezorgd af of de kikker er nog wel zou liggen – de boodschapper van het Lot zou kunnen zijn opgegaan in de wereld aan gene zijde –, maar hij lag er nog, zwarter dan ooit in het afnemende licht. Ze stak de schop er voorzichtig onder.

'Wat heb je daar?' De jongen was ongemerkt naderbij gekomen, zijn spitse gezicht nieuwsgierig boven zijn volumineuze anorak, een stok in zijn handen.

'Een dode kikker,' zei Nina, terwijl ze een kinderlijk stemmetje onderdrukte dat zei: 'Hij is van mij. Wie hem vindt, mag hem houden!' Ze hield de schop dichterbij toen de jongen zijn stok uitstak.

'Wat ga je ermee doen? Ik heb een zakmes, als je hem open wilt snijden.'

'Nee! Nee, dank je,' voegde ze er sussend aan toe, want ook de jongen zou een boodschapper kunnen zijn van het Lot. 'Ik neem hem mee naar huis om hem te bestuderen.' Ze legde nadruk op het laatste woord, waarvan ze het gevoel had dat het verdere belangstelling van zijn kant zou kunnen ontmoedigen.

'Ik bestudeer wormen door ze in tweeën te hakken en dan weer in tweeën en dan nog eens. Als je ze klein genoeg maakt, houden ze op met kronkelen.'

'Dat zal best.' Nina maakte aanstalten weg te lopen.

'Ik zal hem niet aanraken,' zei de jongen, die haar gedachten las. 'Ik kan aan een heleboel levende kikkers komen uit de vijver, en die zijn veel leuker om te bestuderen. Je zou ze moeten zien springen. Tot ik mijn mes tevoorschijn haal.'

'Veel leuker,' herhaalde Nina, die een huivering onderdrukte. 'Nou, dag dan maar.'

Hij liet haar gaan en weldra hoorde ze het geluid van een stok die tegen een boom sloeg. Toen ze haar hoofd omdraaide, zag ze dat hij wilde kastanjes uit hun stekelige schil haalde.

Ze haastte zich terug naar het huis en haar atelier in, waar ze de kikker op een vierkant stuk wit karton legde. Opgewonden kneep ze verse verf uit tubes en zette een nieuw doek op haar ezel. Ze bleef met bonzend hart naar de kikker staan staren.

Nina werd zich ervan bewust dat de telefoon ging. 'Hallo.'

'Kan ik Nina Purcell spreken?'

Hij had haar stem niet herkend, omdat ze aan het werk was, waardoor ze iemand anders werd.

'Ik ben het, Hector.' Haar kalmte was buitengewoon en schonk haar een luchtigheid die haar deed glimlachen. Ze had hem niet nodig.

Hij begon uit te leggen dat hij weg was geweest, op bezoek bij een nieuwe jonge schilder. Ze merkte op, zelfs door haar luchtigheid heen, dat hij de nadruk legde op 'jong'. Alsof zoiets haar iets deed.

'Hallo. Ben je er nog?'

'Ja. Ik ben hier. Sorry, ik ben aan het schilderen.'

Er viel een stilte. Ze kon horen hoe hij de woorden tot zich door liet dringen. Ziezo. Hij had nu een excuus om op te hangen, of tenminste de officiële verhoudingen weer te herstellen. Ze gaf hem een kans om haar te verloochenen, omdat ze zich nu sterk voelde. Haar ogen schoten terug naar het doek en vervolgens naar de kikker.

'Wil je erover praten?' Hij was behoedzaam.

Ze voelde zich nog krachtiger. 'Nee. Ik geloof niet dat ik erover wil praten.'

Een stilte. 'Nina...'

'Ja.' Het woord was een abstractie, zonder ook maar in de verste verte iets van een uitnodiging.

'Zal ik je... komen opzoeken?'

Hij meende het niet helemaal van harte, maar het kon haar niet schelen.

'Ik ben aan het werk. Kom de eerste twee of drie weken maar niet. Niet voor ik iets heb om je te laten zien.'

Hij was teleurgesteld. Nu wist ze dat hij van plan was geweest om te komen. Vanavond misschien. Ze zouden de deur van het atelier op slot hebben kunnen draaiden en het vertrek hebben kunnen vullen met hun vrijerij, haar lichaam rozig en warm hebben kunnen maken. Maar daarna zou hij zijn weggegaan, zijn lichte ogen wegkijkend van de hare, zijn handen die zijn lange haar weer achteroverstreken.

'Ik bel je nog,' zei ze. Dit was goed. Ze had toch nog íéts opgestoken van de waarschuwingen van Fay en Connie. *Zorg dat jij de troeven in handen houdt. Speel ze zelf uit.*

'Als je het zo wilt...' Hij begon ongeduldig te klinken. 'Ik neem aan dat je wel de telefoon opneemt als ik bel om je te vragen hoe het gaat?'

'Wie weet. Als ik de hoorn er niet naast heb gelegd.' Nu ging ze te ver. Ze herinnerde zichzelf eraan dat het ruim drie weken geleden was dat hij voor het laatst behoefte had gevoeld om te bellen. 'Ik ga nergens heen,' zei ze bij wijze van compromis, met een soort verzachting waar ze onmiddellijk spijt van had. 'Maar ik moet nu gaan!' Ze legde de hoorn op de haak en trok de stekker uit de muur.

Een paar dagen later kreeg ze een brief van Fay. 'Afgelopen week heb ik het weekend bij Shirley in Washington doorgebracht. Uiteraard was Kathleen het hele weekend bij ons. Denk je dat ik Connie erover zou moeten vertellen? Ze is me er anders wel eentje; ze lijkt uiterlijk precies op Connie, wat gelukkig hetzelfde is als Kevin...'

Nina schreef terug: 'Zeg niets tegen Connie. Ze is al genoeg in de war.' Ze legde de pen neer en keek naar de woorden. Was Connie meer in de war

182

dan anders? En zo ja, in welke zin? Ze was zo in beslag genomen door haar eigen besognes dat ze de laatste tijd amper aandacht aan Connie had besteed. En natuurlijk was dat best vreemd. Normaal gesproken drukte Connie, in welke staat van opwinding of narigheid ze ook verkeerde, altijd een nadrukkelijke stempel op haar omgeving. Maar de laatste tijd was ze stilletjes geweest, onopvallend, terughoudend.

Vader O'Donald zag er anders uit. Hij had minder haar gekregen, zodat de roodheid hem niet langer als een halo omgaf; zijn gezichtsuitdrukkig leek, hoewel die liefdevol en hartelijk was, behoedzaam. Misschien is hij altijd wel zo geweest, bedacht Connie, en ben ik het vergeten of heb ik er geen aandacht aan geschonken. Ze was hem gaan opzoeken in zijn kantoor in het Huis van de Aartsbisschop, een imposant gebouw naast de enorme Victoriaanse kathedraal met zijn hoge Italiaanse toren.

'Zo, u zit er warmpjes bij,' zei Connie.

'Mijn omstandigheden zijn inderdaad uitstekend. We hebben het niet voor het kiezen, weet je.'

'Een assistent van een aartsbisschop te midden van fraai rood baksteen en tierelantijnen. U hebt vast amper tijd voor zo'n nederige zondares als ik. Ik heb een exemplaar van mijn boek voor u meegenomen.'

'Ah, het boek!' De priester boog zich voorover naar een theeblad dat tussen hen in stond. 'Misschien heb je trek in een kopje en een biscuitje?'

'Graag.' Het boek, met zijn waanzinnige omslagfoto van haar dichtgenaaide buik, lag naast haar in een bruinpapieren zak. Ze beeldde zich in dat er een beetje damp vanaf sloeg, als van pornografie.

'Je komt natuurlijk over je boek praten. Ik heb het uiteraard met veel belangstelling gelezen.'

'U hebt het gelezen!' Ze had maanden geaarzeld voordat ze hem durfde te benaderen. Nu ontdekte ze dat hij het al gelezen had en leek hij haar aan te kijken met een uitdrukking die ze zich niet herinnerde: mildheid die een sterk verlangen om te discussiëren verhulde.

'Natuurlijk wilde ik het lezen. Vier hoofdstukken over feminisme in het Nieuwe Testament – het behoort tot mijn taak om zoiets te lezen! Het heeft tenslotte veel media-aandacht gekregen, als serie afgedrukt in een'– hij aarzelde – 'serieuze zondagskrant. Hoofdartikelen in twee katholieke weekbladen. Mij persoonlijk is gevraagd of ik het wilde recenseren voor een katholiek schotschrift.'

'Aha, ik begrijp het.' Nu voelde ze zich belachelijk met haar bruinpapieren zak. Ze haalde het boek eruit en legde het met de voorkant naar beneden neer.

'Ik ben blij, Connie, dat je op zoek bent naar een eigen stem. Je hebt een krachtige ziel. Mag ik je iets vragen?'

'Ja. Ga uw gang, vader.' Vader – dat woord had ze een jaar of twee niet in de mond genomen. Waar was haar doldrieste zelfvertrouwen gebleven dat de regels bepaalde voor interviews in radioprogramma's of tegenover kopstukken van de televisie?

'Waarom heb je niet overwogen je ideeën eerst met mij te bespreken voordat je een boek schreef?'

Zijn vraag verwarde haar. Het antwoord, nam ze aan, was dat het boek haar te choquerend had geleken voor een priester om er iets mee te maken te willen hebben. De taal van geweld, van seks, die ze had gebezigd, was bedoeld om de wereld op te schrikken, wat niet wilde zeggen dat ze niet geloofde in haar stelling of haar woede zou willen ontkennen. En voorts maakte een priester deel uit van een georganiseerde Kerk, met geloofsartikelen die hij moest volgen en zonder ruimte voor twijfel of een afwijkende mening. De enige ware Kerk. Ze mocht dan bewonderend hebben geschreven over het feminisme in het Nieuwe Testament, maar dat betekende nog niet dat ze evenveel bewondering had voor de Kerk waarvan de paus in Rome het hoofd was. Integendeel. Wat haar betrof was er na het jaar 33 amper sprake geweest van feminisme. Ze besloot eerlijk te zijn.

'Ik heb er geen moment aan gedacht om met u te gaan praten. Ik dacht waarschijnlijk dat een priester, zelfs een priester zoals u, zich er niet voor open zou kunnen stellen. Vergeet niet waar ik ben opgegroeid.'

'Daar ben ik ook opgegroeid. Ik zou je niet hebben gezegd wat je moest schrijven. Het is jouw boek. Het is jouw leven. Heb ik je ooit gezegd hoe je je leven moest leiden?' Hij keek op zijn horloge, wat deed vermoeden dat hij nog andere afspraken had. 'En, waarom kom je bij me? Wil je dat ik je mijn zegen geef of moet je je eigen weg gaan, altijd alleen?'

Connie voelde tranen in haar ogen opwellen. Hoe kon hij precies dat zeggen wat haar het meest droevig stemde? Dus moest het een biecht worden. Natuurlijk was dat de reden waarom ze gekomen was; het boek diende alleen maar als excuus. Ze keek hem recht aan, hoewel ze niets zag. 'In 1970, vader, heb ik een kind gekregen, een dochter. Ze is nu geadopteerd door mijn oudste broer en zijn vrouw, die in Washington wonen. Ze heet Kathleen en ze zal opgroeien zonder van mijn bestaan te weten. Voor het geval u het zich afvraagt: de vader betekende niets voor me.'

Verrast merkte Connie dat ze naast de tafel geknield zat. Ze boog haar hoofd en liet haar tranen de vrije loop. Ze voelde zich alsof ze ergens om bad, hoewel ze niet wist waarom precies.

De priester boog zich naar voren en raakte haar hoofd zo licht aan dat ze het amper voelde, maar toch liet het gebaar een indruk achter en suste het de strakke spanning. Hij sprak zacht, de aloude woorden van vergeving, woorden die ze bijna haar halve leven lang niet meer had gehoord.

Het was altijd een mysterieus gedoe, dat wat 'Kerstmis met de familie' heette te zijn. Veronica belde Nina in Londen om zich te verontschuldigen. 'William klonk zo wanhopig, Felicity is in Engeland met de baby, haar zoontjes komen thuis van school, William is tot op het laatste moment in Belfast. Ik kon hem niet goed níet uitnodigen. Het betekent in elk geval dat we Helen en Jamie bij ons hebben.'

'Mama, heb je er ooit bij stilgestaan dat ik stapelgek van William word? Dat is niet zijn schuld, maar het is wel een feit.'

'Dat is allemaal een hele tijd geleden. Trouwens, je kunt ertussenuit om te gaan schilderen.'

'Ik zal Connie uitnodigen.'

'Vanzelf. Doe dat, lieverd. Daar rekende ik al op.'

'En Fay. Ik weet dat haar broer verlof heeft, dus misschien moeten we hem ook vragen.'

'We kunnen de zolder gebruiken!'

'En Hector.'

'Heeft Hector geen familie?'

Nina glimlachte, blij dat ze haar moeder voor was: zij mocht Hector niet. En wie zou haar dat kwalijk kunnen nemen? Als ze bij elkaar waren, wat de laatste tijd maar weinig gebeurde, dacht ze dat ze hem begeerde, maar als hij wegging was ze opgelucht, totdat – na een week of twee – zijzelf of haar verraderlijke lichaam – zeker niet haar ziel – weer naar hem begon te verlangen. 'Hector is nogal op zichzelf,' verklaarde ze, hoewel de waarheid was dat hij helemaal niet graag alleen was, wat waarschijnlijk de reden was van zijn trouweloosheid.

'Het is een hele tijd geleden dat ik zoveel mensen aan tafel heb gehad,' zei Veronica. 'Als je de baby meerekent zijn we met z'n dertienen, dus misschien moesten we dat maar niet doen.'

Jamie ging met Nina mee om hulst te knippen. 'Ik vind het leuk om dingen te knippen,' zei hij toen ze hem verrast aankeek. Dus gaf ze hem de snoeischaar. Er stonden drie struiken in de tuin, allemaal beladen met bessen. In een halfuur hadden ze een grote hoeveelheid takken in een zak verzameld.

'Het wordt een koude winter,' zei Nina. Ze wachtte hoopvol tot Jamie zou vragen waarom. 'Dat zie je aan de hoeveelheid bessen,' vervolgde ze.

'De natuur regelt het zo dat er extra veel zijn voor de vogels wanneer er vorst en ijs aan zitten te komen.'

'Op school hebben we ijs aan de binnenkant van de ramen,' zei Jamie, die nog een paar takken afknipte, hoewel Nina hem al had gezegd dat ze genoeg hadden.

'Maar je vond het toch altijd fijn op school?' Het was een aarzelende vraag, want de afgelopen jaren had Jamie zich bekwaamd in de kunst van zich Oost-Indisch doof houden. De laatste tijd was dat zo opgevallen dat Nina zich schuldbewust afvroeg of hij vermoedde dat zij zijn antwoorden niet wilde horen, en zeker niet als die de kant op gingen van iets wat wees op minder dan volmaakt geluk.

'Het is wel oké.' Hij zweeg even. 'Mama?'

'Ja?' Ze boog zich om hem beter aan te kunnen kijken en zag weer zijn keurige tweedjasje, zijn Viyella-shirt, zijn keurig geknipte haar, zijn serieuze, bijna volwassen gezichtsuitdrukking, en ze stroomde over van liefde. 'Ja, lieverd?'

'Wanneer komt papa?' Hij knipte de snoeischaar dicht en keek ernstig naar zijn schoenen.

Nina herinnerde zich de reden waarom ze niet meer op dezelfde golflengte zaten, maar haar liefde, die niet afhankelijk was van begrip of zelfs maar van doodgewone affectie, bleef onverminderd. Ze nam aan dat het wel altijd zo zou zijn; ze zouden altijd vreemden voor elkaar blijven, maar van hem kon ze tenminste houden. 'Ze komen rond theetijd. Allemaal samen, denk ik.' Haar liefde maakte haar stoutmoediger. 'Felicity was een vriendin van mij, weet je. In Malaya, toen jij klein was. Voordat papa en ik gingen scheiden. Ik vind haar heel aardig.'

Hoewel hij zijn blik neergeslagen hield, zag Nina dat Jamies hals en wangen rood werden. Had ze de subtiele regels overtreden die golden voor gesprekken tussen moeder en zoon? Werd ze niet geacht degene die haar plaats had ingenomen te mogen? Opeens wenste ze dat Hector niet zou komen; zijn volwassen mannelijkheid was lang niet zo aanlokkelijk als de perzikachtige wang van haar zoon. Hoe zou Jamie op hém reageren?

'Ik vind Felicity aardig. Ze is heel leuk,' mompelde Jamie, alsof Nina niet zojuist hetzelfde had gezegd.

'Mooi. Mooi.' Nina wilde hem nu tegen zich aan drukken, maar kennelijk wilde hij dat niet. Hij wilde herenigd worden met mannelijkheid, met William, met zijn broers – zijn stiefbroers, Lyndon en Robert. Hij wilde helemaal niet weten wat zijn moeder voor zijn stiefmoeder voelde.

'Laten we de hulst naar binnen brengen,' zei ze. 'En vergeet niet dat er nog een kerstboom opgetuigd moet worden.'

Fay omhelsde Daniel. Ze troffen elkaar op het vliegveld van Heathrow. Zij was uit New York komen vliegen, hij over Bangkok vanuit Vietnam. Nadat ze elkaar hadden omhelsd, stapten ze wankelend terug, meer vanwege de vermoeidheid dan om iets anders. Ze besloten dat koffie geen gek idee zou zijn en gingen aan een tafeltje onder felgroene plastic druiven zitten. Fay slaakte inwendig een zucht van verlichting dat hij er was. Het sloeg om in een slap en giechelig gevoel, alsof ze high was.

'Je hebt me weten te ontvoeren,' zei Daniel schertsend, 'en nu leer ik dan eindelijk de vrouwen in je leven kennen. Herinner je je nog dat je me aan Connie wilde koppelen? Wanneer was dat ook weer? In '69, '70?'

Fay herinnerde het zich nog. Destijds had ze geen contact met Connie gehad, omdat ze kwaad was om hoe zij Merlin de Witt had behandeld. 'Je hebt haar toen min of meer ontmoet. We vluchtten een café binnen tijdens een demonstratie, misschien weet je het nog? Toen die voorbij was, ging Connie de straat op en legde haar dode kat in een politieauto.'

'Het klinkt helemaal als mijn type.'

'Niet meer. Je zult het wel zien. Ze is de meest toonaangevende feministe van Londen – nou ja, een van de, dan. Ze heeft een bestseller geschreven, *Zeg nee tegen seks.*'

'Zo zeg! Ik kan niet wachten om haar te ontmoeten.' Daniel nam zijn hoofd in zijn handen. Fay merkte met een warm gevoel op dat zijn dikke haar bovenop door de zon gebleekt was. 'En hoe zit het met die andere vriendin, Nina?'

'O, ik kan maar beter geen moeite doen om Nina te beschrijven. Ze schildert, geloof ik. Je vindt haar huis vast leuk. Haar moeder. De hele entourage is erg Engels. Wacht maar af.'

'Dus dit is Daniel. Een lopende, pratende Daniel! Ik heb veel over je gehoord.' Connie dacht: mijn god, hij is militair. Ze was uiteraard op de hoogte van zijn geschiedenis, en van Fays zorgen om zijn besluit, maar ze had niet stilgestaan bij de fysieke realiteit van deze forse jonge man – hij leek wel twee keer zo groot als zijn zuster – die ervoor had gekozen deel te nemen aan een onrechtvaardige oorlog. Op dat moment herinnerde Connie, die zojuist over dit onderwerp een artikel had voltooid waarin ze het bestaan van een vrouwenleger postuleerde, de christelijke omschrijving van een rechtvaardige oorlog: een oorlog die een redelijke kans van slagen heeft. Zelfs de bloeddorstige priesters van Mayo zouden kunnen inzien dat dit stinkende moeras van mislukkingen dat de Vietnam-oorlog was dat nooit meer zou kunnen worden. Ze zaten opgescheept met een ellendige toestand waar geen rechtvaardiging voor was, en als Daniel Fays broer niet was geweest zou ze hem dat onder de neus hebben gewreven. Maar hij was wel haar broer en ze kon dat niet doen.

'Treed binnen, alsjeblieft, in mijn nederige stulp.' Connie, die de alomtegenwoordige veren boa over haar degelijke trui (de flat was koud) had gewonden, deed een stap naar achteren, en dat was de trap op. Ze kon deze jonge geliefde broer die met verlof uit een hel van een jungle kwam met de beste wil van de wereld niet aanvallen. 'Kom binnen, kom binnen! Dit is een centrum voor alle werelddelen. Mag ik je omhelzen, Daniel? Of misschien is een vredeskus meer op zijn plaats?' Hij was militair. Zijn lichaam vulde zich met spanning, zijn hoofd rustte als een wig op zijn schouders, zijn angst om in te storten maakte hem bijna gek – of dat besloot Connie althans. 'Ik heb een voedzame soep klaar,' riep ze uit. Pas toen dacht ze eraan om naar Fay te kijken en te zien hoe zij het maakte.

Fay voelde zich opeens wegglijden en de arm die ze door die van Daniel stak diende voor haar eigen steun. Het komt door de jetlag, hield ze zichzelf voor. Dit intermezzo in Londen, bij Connie, die eruitzag als een kruising tussen een barbiepop en een lerares aan een middelbare school, was niet te vatten. Terwijl ze de groezelige trap op klom dacht ze erover na hoe Connie zou rijpen en ze probeerde zich haar even vergeefs voor te stellen als ze op leeftijd zou zijn.

'De soep is gemaakt van linzen met een scheutje ossenbloed. Hoewel ik zelf vegetariër ben, kan ik anderen mijn overtuigingen niet opleggen.' Ze waren in de keuken, de tassen werden van Daniels brede schouders op de grond gezet.

Fay keek hem bewonderend aan. Hij zag er goed uit: zongebruind, fris, als een sportman. Ze had het voor zijn vertrek met hem over drugs gehad, en hij had haar een poosje aangehoord, waarna hij haar goedmoedig had onderbroken: 'Dokter Blass, je doet alsof ik de eerste de beste redneck ben die regelrecht uit Georgia of die buurt vandaan komt. Wat vind je hiervan: ik ga niet verder dan af en toe een joint – oké?' Tijdens zijn vorige verlof had hij haar nog verder gerustgesteld: 'Ik hoef niet naar het slagveld. Daar vinden ze me een te slimme jongen voor. Hier voor je staat waardevol legermaterieel.'

'En wanneer is de oorlog afgelopen?' vroeg Connie tussen neus en lippen. 'Ik heb gedroomd dat hij al voorbij wás,' voegde ze eraan toe, alsof dat belangrijker was dan de realiteit.

En toch, bedacht Fay, is de realiteit zo ongelofelijk – we zijn daar nog steeds bezig met bommen gooien, moorden en ons laten vermoorden – dat haar droom misschien wel serieus genomen moest worden.

'Je kunt er je leven onder verwedden dat hij volgend jaar om deze tijd voorbij is,' zei Daniel.

'Jouw leven,' zei Connie, en ze schonk een felpaarse soep in.

'Pardon?'

Fay fronste geërgerd. Dit was Daniels verlof, een moment van respijt. Waarom deed Connie zo confronterend? Wanneer deed Connie níét confronterend? Vooral wanneer er een aantrekkelijke man bij betrokken was. Maar dat behoorde vast allemaal tot het verleden, zoals ze Daniel zojuist had verteld. Maar op dit moment viel het niet mee om niet het behaagzieke en verleidelijke in elke curve van haar lichaam te zien, in elke bijtende vraag.

'Je bent nooit in Londen geweest, of in Engeland,' zei ze nu, 'waar op elke straathoek een standbeeld staat van een mannelijke held met veroveringen op zijn conto. Wat vrouwen betreft komen ze niet verder dan koningin Victoria. Als we er tijd voor hebben, zal ik je een rondleiding geven.'

'Daar zullen we geen tijd voor hebben,' onderbrak Fay haar, terwijl ze zag dat het gezicht van haar broer de uitdrukking kreeg van een gehypnotiseerd konijn die al Connies bewonderaars had gekenmerkt.

'Na de kerst,' opperde Daniel. 'Dan stel ik mijn horloge in op toeristentijd.'

De waarheid, bedacht Fay, die haar onmiddellijk duidelijk had moeten zijn, is dat Daniel helemaal Connies type is. Niet dat hij een killer was zoals Trigear was geweest, maar momenteel verkeert hij in een gevaarlijke situatie, een gevaarlijke en uiterst mannelijke situatie. Connie is geen spat veranderd, al beweert ze nog zo hard van wel.

'Wil je even rust nemen, Fay,' stelde Connie vriendelijk voor, 'voordat we naar Sussex gaan?'

'Ik ben gewend aan lange dagen, maar ik weet niet hoe het met Daniel zit.'

Toen Daniel naar boven was gegaan, sloeg Connie haar arm om Fays schouders. 'Hoe staat het met de zaken van leven en dood?'

'Die staan op scherp. Het is een nieuwe trend geworden om artsen gerechtelijk te vervolgen als het resultaat niet honderd procent is.'

'Maar alleen God kan de toekomst voorspellen.'

'We nemen tegenwoordig minder patiënten aan die een groot risico betekenen.'

'Je bedoelt dat je geen risico's neemt.'

'Dat is de theorie. Maar elke keer dat ik een scalpel oppak, neem ik wel degelijk een risico. Ik probeerde vroeger altijd mijn patiënten en hun families voor te houden dat ze optimistisch moesten blijven, maar tegenwoordig heb ik het over de risico's. De sfeer is aan het omslaan, Connie.' Fay bedacht dat praten met Connie eveneens een risico inhield, maar ze had zich vast voorgenomen haar als een volwassene te behandelen.

'Dat is vervelend voor je, want je hebt hard gewerkt om te komen waar je nu bent.'

Fay glimlachte ironisch. Ze had hard gewerkt om te komen waar ze was, maar ze had ook gehoor gegeven aan haar roeping om levens te redden. Maar toch. Was het de veranderde situatie die haar zelfvertrouwen ondermijnde? Of was het iets in haarzelf? Waar was die aloude vertroosting die 'bevrediging in je werk' werd genoemd? Waarom voelde ze zich de hele tijd zo gespannen? Fay zuchtte.

Toen ze opkeek, zag ze dat Connie haar onderarmen op tafel had gelegd en haar hoofd erop liet rusten. Haar stem klonk verstikt. 'Heb je Shirley nog gezien?'

Fay mocht Shirley. Ze vergaf Kevin zelfs zijn agressieve opstelling ten aanzien van de oorlog. Misschien mocht ze hen omdat ze rijk en vriendelijk waren, en omdat er zelfs op de logeerkamer bloemen stonden. Misschien was ze moe.

'Ja. Ik ben twee of drie keer in Washington geweest en ben Shirley toen gaan opzoeken. Je broer maakt het goed, nog beter nu hij zich inlaat met het Republikeinse kamp, maar niet te veel. Kevin heeft het dik voor elkaar, zou ik zeggen.' Onbewust viel ze stil. 'Ik heb Kathleen gezien...' Ze zweeg weer, want Connie slaakte een kreetje. 'Ze is een heel mooi meisje. Donker haar, blauwe ogen, delicaat...'

'Delicaat! Delicaat in de zin van "verfoeilijk", "verwend", "stijfjes", "kind van Maria"?'

'Ssst. Ze is een dotje, in de zin van *petite*...'

'Petite!' krijste Connie. 'Petite zoals in "fijntjes", "'meisjesachtig", "zelfbewust", "brabbelend"...'

Fay begreep dat Connie haar niet kon zetten omdat zij haar dochter had gezien. 'Ze is een schattig meisje, Connie. Ze zit nu op de kleuterschool. Voor haar leeftijd kan ze goed praten. Ze heeft alles wat haar hartje begeert. Shirley aanbidt haar. Dat is het enige wat ik je kan zeggen. Sorry.'

Connie liep naar boven naar de slaapkamer en ging naast de uitgestrekte gestalte van Daniel zitten. Ze wilde iemand omhelzen, maar aan dat soort dingen deed ze niet meer – toch? Dus kneep ze in plaats daarvan in zijn arm. Hij had zijn schoenen uitgetrokken, die als bakstenen op de vloer stonden. Zijn ogen waren bedekt met een zwart masker, zijn armen had hij achter zijn hoofd geslagen.

'Ben je wakker of droom je? Ik denk niet dat je van die fijne dromen zult hebben.'

'Ik heb mijn contactlenzen uitgedaan,' zei Daniel, die het masker omhoogtrok en met één hand op de grond rondtastte. 'Ik ben zo goed als blind.'

'Dat is waar. Maar ik denk niet dat een paar stukjes plastic daar veel aan zullen veranderen.' Ze kwam nog dichter naar hem toe en ademde zijn mannelijke geur in.

'Hè?' Daniel ging rechtop zitten. Zijn haar was zo streperig blond dat Connie wel kon janken. 'Hier zijn ze.' Ze boog zich vooruit en gaf hem het doosje met de contactlenzen aan. 'En hier heb je nog wat.' Ze kuste hem zachtjes op zijn mond. Ze kon zich niet meer heugen hoelang het geleden was dat ze een man op zijn mond had gekust.

'Er komt een auto de oprijlaan op!' riep Jamie, en per ongeluk trapte hij de hulst de hele gang door. 'Dat moet papa zijn!'

Nina haastte zich naar de twee slaapkamers op de bovenste verdieping van het huis. Ze kon zich amper herinneren dat ze ooit gebruikt waren. Ze bevonden zich onder het schuine dak en roken muf, ondanks het feit dat ze de ramen met kracht open hadden geduwd en een schaal zelfgemaakte potpourri op elk nachtkastje hadden gezet. Jamie had de ene kamer al geannexeerd; zijn kleren waren keurig uitgelegd, wat verrassend was voor een tienjarige. Op het tafeltje naast de potpourri stond een kleine zilveren beker die hij het vorige semester met zwemmen had gewonnen.

De tweede kamer was groter en er stonden twee bedden in. Op het tafeltje ernaast was een boek neergelegd en Nina herkende vagelijk het verschoten groene omslag. Ze pakte het op en zag dat het inderdaad het bomenboek was dat ze voor Connie en Fay had opgezocht toen ze voor het eerst op bezoek waren. Toen ze het doorbladerde en de gravures bewonderde, viel er een stuk papier uit, met maar een paar regels tekst. 'Ik zal nooit zo ongelukkig zijn als ik nu ben. Ik schrijf dit op en leg het in het boek zodat ik het me, als ik het na jaren weer vind, zal herinneren en blij zal zijn.'

Wat buitengewoon om zulke woorden te lezen! En nog buitengewoner dat ze helemaal was vergeten dat ze ze had geschreven. Dat moest wel een heel ellendige tijd zijn geweest – gescheiden van William, in de ban van de angstaanjagende aandrang om zich te wassen. Ze had het boek in de schuur gevonden, herinnerde ze zich, schimmelig en ruikend naar uien en zachte appels. Bij die gelegenheid moest ze het briefje hebben geschreven. Ze keek er nog eens naar en realiseerde zich met een schok dat het niet haar eigen handschrift was, maar dat van haar moeder.

Ze ging met angst en beven naar het raam en keek omlaag. Het was niet William die arriveerde, maar Connie, met Fay en Daniel.

Het vuur in de haard brandde, de lampjes van de kerstboom flikkerden, het verschoten behang was versierd met papieren slingers en hulst. Daniel zat het dichtst bij het vuur en zijn zongebruinde gezicht weerkaatste een rossige gloed. Hij gaf antwoord op Jamies vol ontzag gestelde vragen over jungles en helikopters, hoewel hij nadrukkelijk aangaf dat het jaren geleden was dat hij ergens in de buurt van zulk gevaarlijk speelgoed was geweest. 'Ik zou het net zo griezelig vinden als jij.' Uiteindelijk liep Jamie met Veronica mee om een kerstkous uit te zoeken.

'Wat een dwaasheid allemaal,' verontschuldigde Nina zich. 'Laten we dit huis uitroepen tot oorlogsvrije zone.'

Fay trok haar doktersgezicht, merkte Nina op, wat erop duidde dat ze niet tot een compromis bereid was.

Het viel Nina op dat Hector, toen hij de volgende dag arriveerde, heel goed het T-shirt zou hebben kunnen dragen dat mode was in zijn kringen: ALLEEN EEN SPLEETOOG KAN EEN SPLEETOOG OMBRENGEN. Hector, bedacht Nina, zou zich bij kunst moeten houden. Maar deze zelfverzekerde beoordeling werd snel ondermijnd door de knagende twijfel die van tijd tot tijd was opgekomen sinds ze in 1967 naar New York was geweest: dat haar eigen kunst mank ging aan een gebrek aan politieke inhoud. Dat zijzelf (en hoe zou zij kunnen worden gescheiden van haar kunst?) met precies dezelfde manier van kijken appelbomen zou hebben geschilderd in de Hof van Eden als op het slagveld. Dat haar schilderijen nooit enige importantie zouden hebben, omdat zij, de schilder, nergens iets van begreep.

'Wat is er, Nina?' Fay kwam bij haar op de bank zitten. 'Je trekt een gezicht alsof je in een wel heel zure citroen hebt gebeten.'

'Sorry. Sorry. O, Fay, wat ben ik blij dat je gekomen bent. Jij bent de enige van ons die echt weet waar ze mee bezig is.'

'Hé, kom op zeg. Ik doe alleen maar wat gedaan moet worden. Daar hoef je helemaal niets voor te weten.'

'Wat is er gaande in Vietnam? Wanneer zal er een einde komen aan de oorlog?'

Fay keek verrast bij deze vraag. 'Zijn we de oorlogsvrije zone zo snel kwijtgeraakt? Nixon probeert ons met bombardementen vrede te brengen. Vanaf 18 december zijn er bommen gegooid op wegen rond Hanoi en Haiphong. Hij heeft voor eerste kerstdag een staakt-het-vuren afgekondigd, maar de dag erna vecht hij vast weer door.'

Nina had dit nieuws op de radio gehoord, ze had het in de kranten gelezen, maar het had zich niet vertaald in een realiteit die haar op enigerlei wijze raakte.

'Heb je Serge de laatste tijd nog gezien?' vroeg ze. Serge had tegenover Vietnam persoonlijk stelling genomen en had het centraal gesteld in zijn leven.

'Serge zit nog in Judson,' zei Fay. 'Ik geloof niet dat hij goed weet of hij een politiek of een creatief dier is.'

Dat was precies waar het om ging, dacht Nina. Zoals Fay die twee dingen scheidde. 'Waarom zou hij niet allebei kunnen zijn?'

'Ik bedoel, hij zou de politiek in kunnen gaan of hij zou ervoor kunnen kiezen theater te regisseren.'

Nina was teleurgesteld. 'Jij denkt in termen van carrière.'

'Doen we dat niet allemaal? Ik ben arts. Een professional. Als ik het over de oorlog heb, laat ik mijn burgerrechten gelden, maar ik ben geen politicus. Jij schildert; dat is jouw professie. Als jij Cézanne voor me verklaart, luister ik.'

Nina voelde zich hulpeloos. Fay vergiste zich, dat wist ze vrijwel zeker, maar ze kon niet uitleggen waarom. Het had iets te maken met het hele idee van 'professional'. Ze was pas een professional geworden toen ze een schilderij had verkocht, maar voor die tijd had ze Cézanne niet minder goed begrepen dan erna.

'Maar jij gelooft dus,' probeerde Nina het nogmaals, 'dat jouw ideeën van hoe de oorlog in Vietnam beëindigd kan worden minder geldigheid hebben dan die van Kissinger?'

'Ik zou kunnen zeggen dat het allemaal draait om kennis. Artsen baseren hun zelfvertrouwen op superieure kennis. Ik weet niet wat Kissinger allemaal uitspookt, met al die bezoeken aan Hanoi, Saigon en Moskou. Ik heb het idee dat hij allerlei soorten informatie heeft verzameld waar ik geen toegang toe heb. Misschien zal ik achteraf zeggen dat ze hebben gedaan wat ze konden, gegeven de kaarten die op tafel lagen. Misschien zouden Serge en de anderen het aan de professionals moeten overlaten...'

'Mijn probleem' − Nina keek Fay met een bittere blik aan − 'is dat ik altijd denk dat andere mensen het beter weten.'

'Zo heeft het er van buitenaf nooit uitgezien. Wanneer mag ik je schilderijen komen bekijken?'

Nina's gezichtsuitdrukking veranderde meteen. Het was alsof het feit dat haar schilderijen ter sprake kwamen hun hele gesprek uitwiste. 'Morgen. Als het licht is.'

'Ik vraag maar niet naar Hector,' zei Fay met een glimlach.

'Nee. Dat kun je maar beter niet doen.' Nina probeerde haar glimlach te laten terugkeren, en werd toen serieus. 'Wat ik daarnet probeerde te zeggen is dat ik het jammer vind dat ik niet bij wereldkwesties betrokken ben. O hemel. Wat klinkt dat zwaarwichtig.'

'We moeten ons eigen leven leiden,' zei Fay. 'De truc is om erachter te komen wat dat inhoudt.'

Fay was blij toen ze zag dat dit Nina opluchtte, alsof er een last van haar schouders werd genomen. Ze wenste dat ze haar eigen verwarring van de laatste tijd kon verklaren, haar dubbele gevoelens over haar prioriteiten, haar plotselinge – en hopelijk belachelijke – gevoel dat ze haar leven verdeed. 'Mijn therapeut beweert dat al mijn problemen met één ding samenhangen,' zei ze op ironische toon. De therapeut was iets nieuws in haar leven. 'Dat ik mezelf er maar niet toe kan zetten om van mijn moeder te houden.'

'Connie heeft om de een of andere reden de mijne geadopteerd.' Nina keek niet alsof ze het onderwerp al te serieus nam. 'Ik twijfel er niet aan dat er nog genoeg moederliefde voor jou over is. Trouwens, te oordelen naar wat je me hebt verteld is jouw moeder ook niet bepaald iemand om van te houden.'

'Daniel kan wel van haar houden.' Met een bitter gezicht draaide Fay zich om om naar Daniel en Connie te kijken, en hun jonge acoliet, Helen. Ze hadden ergens een oud bordspel opgediept en dat zaten ze nu vol overgave te spelen.

'Iedereen weet dat dochters problemen hebben met hun moeders.' Nina zei het luchtig. 'Ik mag van geluk spreken dat mijn *roots* zo acceptabel zijn.' Ze gebaarde met haar arm de oude, ruime kamer door, de gestoffeerde stoelen, de boekenkasten met de niet-afgestofte boeken, de prenten, met maar een klein stukje vrije ruimte ertussen waar een licht plekje van de muur erachter te zien was.

'Verontschuldig je maar niet,' zei Fay. 'Nodig me gewoon maar vaak uit om te komen logeren.'

William, Felicity en hun baby arriveerden een uur voor het diner. De baby, die een felroze kleur had, en een groot hoofd met weinig haar, leek precies op Jamie toen hij die leeftijd had. Nina, die haar bewondering uitsprak, vond het vreemd dat Williams genen die van haarzelf en die van Felicity konden wegdrukken en uitwissen. William was tenslotte helemaal niet iemand met een sterk karakter – althans, als de basis van een sterk karakter het vermogen was om op eigen benen te staan. Hij kon niet overleven zonder vrouw. Nu had hij Felicity. Nina voelde een golf van dankbaarheid dat zij had weten te ontkomen.

De baby vroeg zoveel aandacht met zijn dringende behoeften dat het gezelschap zich pas aan tafel goed met elkaar mengde.

Helen had plaatskaartjes gemaakt. Op sommige had ze een passende tekening gemaakt. Nina had een penseel, Connie een pen, Fay een scalpel, Veronica een lepel; op de kaartjes van William en Daniel stond een geweer.

Nina keek er vol afgrijzen naar, en niet in de laatste plaats omdat ze links en rechts naast haar waren neergezet. Maar het was te laat om daar iets aan te veranderen.

'Ga toch zitten,' nodigde ze iedereen uit. 'Moeder kijkt even of alles goed gaat bij mevrouw Bundy in de keuken, maar ze komt zo.'

Fay, die aan Williams andere kant zat, begon over Londen te praten, en Felicity, aan de andere kant van Daniel, haakte in op hetzelfde onderwerp. Opeens begreep Nina dat niemand iets belangrijks zou aanroeren. Er stond te veel op het spel – zoveel mogelijkheden om het met elkaar oneens te zijn dat ze elkaar neutraliseerden. Dit was kerstavond aan een familiedis, met een Engelse weduwe uit de middenklasse als gastvrouw, die hen allemaal bij elkaar had gebracht en overal voor had gezorgd in de veronderstelling dat ze zich aan de meest strikte gedragscode zouden houden. Zijzelf had die code haar hele leven lang gevolgd, ook toen ze het meest werd bedreigd, toen haar man ziek was en verliefd was op een andere vrouw. Ze stelde zich het gekrabbelde briefje voor in dat oude, door vocht aangetaste boek. Ze had destijds niets gezegd en ze verwachtte niet dat iemand zich nu zou uitspreken. Veronica, in een lange zwartfluwelen jurk, kwam de kamer binnen en nam haar plaats aan het andere eind van de tafel in.

'Ik ben heel blij jullie te zien.' Nina boog zich elegant naar William toe met bijna de eerste woorden die ze sinds zijn aankomst tegen hem had gesproken. Met een beetje geluk zou het tot zijn vertrek hun intiemste uitwisseling zijn.

Fay vond het leuk om met William te praten. Ze had hem nog nooit ontmoet en kende hem alleen als degene die Nina tot haar obsessieve gedrag had aangezet. Maar deze knappe en uiterst Engelse man leek over prima eigenschappen te beschikken. Hij was bescheiden, bedachtzaam en charmant. Ze spraken uiteraard niet over Noord-Ierland, dat wilden ze geen van beiden, maar ze kon zich goed voorstellen dat hij een toegewijde en verantwoordelijke officier was, die zijn ondergeschikten graag mochten en respecteerden.

'Het is niet niks om een nieuwe baby te hebben,' zei hij nu, met een blik van bescheiden geluk en trots. Fay wilde vragen hoe oud hij was; het kind zag er erg jong uit. 'Het grootste probleem,' vervolgde hij, 'is om onderdak te vinden dat groot genoeg is voor alle vijf de kinderen.' Hij zweeg even en keek haar met vaste blik aan. 'Daarom zijn we nu hier. Om allemaal samen te kunnen zijn.'

'Ja. Natuurlijk.' Fay raakte nog meer onder de indruk van zijn pater familias-houding en probeerde zich vergeefs te herinneren waarom Nina ook alweer niet met hem overweg had gekund. Ze keek naar Daniel aan de andere kant van de tafel, en toen ze zag dat hij op levendige toon werd onderhouden door Felicity, stond ze het zichzelf eindelijk toe zich te ontspannen in een slaperige, door jetlag getekende sensatie van een weldadige wereld.

Het huis, bedacht Connie, zwoegde en puilde uit en ademde zwaar nu de dertien mensen binnen zijn oude muren sliepen. Ze sloop de houten trap af, doorkruiste de gang, waar maanlicht naar binnen scheen door een raam op de overloop, en opende de deur naar de eetkamer. Soms was een glas whisky het enige antwoord, hoewel het onder deze omstandigheden makkelijker was de hele fles mee te nemen.

De trap kraakte met bekende goedmoedigheid toen ze weer naar boven liep, en ze voelde heel scherp dat er maar één ding was dat ze liever zou hebben dan een fles drank. Ze zette de whisky neer en glipte Daniels slaapkamer in. Hij sliep opgevouwen in Jamies kleine bed, met zijn armen zo wijd uitgespreid dat ze de vloer bijna raakten, zijn hoofd achterover, af en toe een snurk, en eenmaal mompelde hij iets, hoewel ze de woorden niet kon verstaan. Ze hurkte naast hem neer en legde haar hand op zijn voorhoofd. Hij schoot onmiddellijk overeind en schudde daarmee haar hand van zich af, maar meteen daarna keek hij haar in het gezicht.

'Hoi, Connie.'

'Zalig kerstfeest.'

Hij kuste haar eenmaal.

'Dit heeft niets te maken met hoe ik over oorlog of mannen denk,' verklaarde Connie welwillend tussen hun kussen door. 'Jij bent het kerstcadeautje dat ik mezelf geef.'

'Je had geen betere keus kunnen maken.' Daniel trok haar haar T-shirt uit, het enige wat ze aanhad. Hij was al naakt.

Het was heel donker in de kleine kamer en hun vrijerij voltrok zich geheel op de tast. Pas toen Daniels vingers Connies buik aanraakten, deinsde ze terug en hij hield niet aan, alsof ze een recht op privacy had wat de ribbels die in haar huid waren gegrift betrof. Ze vermoedde dat hij de afgelopen drie jaar een heleboel over verwondingen geleerd had.

Naderhand rolde Connie zich op de grond in het donzen dekbed. Daar bleef ze verzaligd naast hem liggen, wachtend op het schuldgevoel, dat niet kwam. Vroeg in de ochtend kwam Daniel naast haar liggen en vrijden ze weer, zo teder dat Connie merkte dat de tranen haar over de wangen liepen. Hoe konden vreemden elkaar zoveel gelukzaligheid schenken? Ze was helemaal vergeten hoe het voelde om seks te hebben en te vrijen.

'Het is voor het eerst in jaren dat ik weer met iemand vrij,' fluisterde ze hem toe, hoewel ze niet verwachtte dat hij haar zou geloven.

Nina had Fay al verteld dat Hector een erg slechte chauffeur was, wat een van de weinige dingen was die ze gemeen hadden. Op eerste kerstdag keek Fay uit het raam van de woonkamer toen hij te snel de oprit op kwam rijden, rakelings langs Williams huurauto.

De twee mannen stonden ernaar te kijken terwijl Connie uit het raam van haar slaapkamer hangend aanmoedigingen riep. Zwakjes zei Nina: 'Het ziet er tenminste nog naar uit dát hij kan rijden.'

Hector maakte amper excuses. 'Daar zijn ze nou eenmaal voor, die huurauto's. Trap ze op hun staart en je scheurt ervandoor.'

'Ik geloof dat hij verzekerd is tegen ongevallen,' gaf William stijfjes toe.

Helen kwam, als om partij te kiezen, naast haar vader staan.

Hector liep naar Nina toe en pakte haar arm. 'Krijg ik nog een kop koffie, of wordt die me voor straf onthouden?'

'Komen jullie allemaal maar binnen voor koffie.' Bij het woord 'koffie' verscheen Veronica alsof het haar claus was bij de voordeur.

Fay, die nu deed alsof ze las, zag hen langslopen en dacht: wat bizar dat Nina, die zo kalm overkomt, het middelpunt is van zoveel emotioneel drama. En toen bedacht ze dat ze echt bewondering had voor William, des te meer op deze zonnige ochtend. Ze sloeg hem gade toen hij weer terugliep naar buiten, en toen verscheen Daniel, die zich achter hem aan haastte. 'We gaan een wandeling maken!' Hij zwaaide haar vrolijk toe, maar kwam niet naderbij. Even later liep Hector langs, die zijn kraag opsloeg over zijn lange haar.

'Waarom glimlach je?' Connie, die blootsvoets en nog niet aangekleed was, met haar zwarte haar in de war, kwam zachtjes de kamer binnen.

'Zomaar.'

'Dus de mannen zijn uit moorden gegaan.' Connie ging zitten. Haar lichaam voelde verzadigd, een gevoel dat ze helemaal was vergeten. Ze dacht: ik ben vannacht naar bed geweest met een prima man, getrouwd noch veracht, een man die ik mag en die mij mag. Dit is een primeur. Even gingen haar gedachten naar haar laatste brief van Orlando Partridge, die zoals altijd zowel komisch als smekend was geweest. Was er nu ruimte voor een man in haar leven?

'Ze maken een wandeling,' zei Fay kortweg. 'De mannen maken een wandeling? Heb jij soms gezien dat ze een wapen bij zich hadden?'

Connie boog zich voorover om te fluisteren: 'En als William en Hector elkaar nou de hersens inslaan? Ik vind William wel een type om een vrouw niet los te kunnen laten, ook al heeft hij dan voor een ander gekozen.'

'In een Engels landhuis wordt niet gevochten.'

Nina kwam binnen met een mok koffie. 'Zal ik jullie nu mijn schilderijen laten zien?'

'Op voorwaarde dat ik het begin mag voorlezen van mijn nieuwe boek, Zestien en te jong voor seks.' Connie trok haar peignoir strakker om zich heen en maakte aanstalten om achter Nina aan te lopen.

Fay stond op en gaf hun allebei een arm. 'De volgende keer dat jullie allebei in New York zijn, nodig ik jullie uit om te komen kijken hoe de meesterchirurg een spoed-blindedarmoperatie doet bij een kind van drie.'

Toen ze de deur openden en de koude ochtendlucht in gingen, voelde Connie, die huiverde en over haar blote huid wreef, zich jong en dwaas, en blij met de geheimen die ze voor zich hield.

1973

Fay ging zitten zonder haar operatiekleding uit te trekken – het mutsje, de handschoenen, de jas, zelfs het masker bungelde nog rond haar nek. Ze probeerde zichzelf voor te houden dat dit het eerste kind was dat ze op de operatietafel had verloren, dat ouders hun kinderen naar haar toe stuurden omdat ze zo goed was. Maar haar brein weigerde om die informatie te accepteren. Dat vertelde haar dat haar incompetentie de oorzaak was van de dood van deze driejarige jongen – Luke heette hij – die een blanke moeder en een zwarte vader had. Een prachtig kind, met donkerbruine ogen en roodgouden krullen. Hij was aan haar zorg toevertrouwd; zij had hun voorgehouden dat ze haar konden vertrouwen. Ze had hun niets gezegd over het enorme risico, omdat ze daar zelf niet aan had willen denken.

Ze nam zichzelf twee dingen kwalijk: het was verkeerd van haar geweest om op zo'n onprofessionele manier van de jongen te houden, en het was verkeerd geweest om die liefde te laten verhullen wat zijn werkelijke kansen waren om erdoorheen te komen, en aldus – en dat was nog het ergste – de ouders te veel hoop te geven. Dat was een wreed en gevaarlijk soort arrogantie. Ze was weliswaar een uiterst bekwaam chirurg, maar ze was geen god.

Fay stond langzaam weer op. Nu moest ze de ouders onder ogen komen: Peggy met haar zwierende gele haar en bruine hippiegezicht, en Royston, een mensenrechtenadvocaat. Misschien zou hij haar een proces aandoen, bedacht ze ellendig. Misschien zouden ze heel kwaad worden.

Maar natuurlijk werden ze dat niet, en op een merkwaardige manier waren zij degenen die Fay troostten. 'Hij was al zo lang ziek,' zei Peggy terwijl de tranen haar over het gezicht liepen. 'We hadden de operatie bijna niet door laten gaan. Op de een of andere manier wisten we dat het niet de bedoeling was dat hij in leven zou blijven. Maar uiteindelijk waren we zwak en konden we het niet nalaten om ons aan een laatste strohalm vast te klampen, hoe klein ook.'

'We hadden voor onszelf al afscheid genomen,' voegde Royston eraantoe. 'Hij was gelukkig toen hij onder narcose ging. Ik had hem beloofd dat we naar een footballwedstrijd zouden gaan.'

'Wij zijn gelovig,' zei Peggy. 'We geloven dat hij die dingen doet die hij het fijnst vindt...'

'... en dat is football,' vulde Royston aan, die niet in de gaten had dat ook zijn tranen nu stroomden.

'Op dit moment!' besloot Peggy, die haar man tegen zich aan drukte. 'Dus we zijn blij voor hem. Maak uzelf alstublieft geen verwijten.'

Een halfuur later zat Fay in haar praktijk papierwerk af te handelen toen haar persoonlijk assistent de deur opendeed.

'Mijn deur zit dicht, Yoko. Ik ben aan het werk.' Ze fronste naar de vrouw, die niet wilde weggaan en naar haar knipperde in wat eruitzag als stille paniek.

'Ja. Neem me niet kwalijk. Ik...'

'Wat is er?' Fay zag dat ze een stuk faxpapier in haar hand hield. 'Je hebt een fax voor me. Geef maar hier.'

Misschien vanwege de tragedie van die ochtend voelde Fay geen teken van waarschuwing. Ze las de woorden alsof ze betrekking hadden op haar werk: met harde, scherpe energie.

Daniel was omgekomen bij een incident met een helikopter. Fays gedachten vlogen van deze informatie terug naar het gezicht van Luke in de operatiezaal, zijn kleine lichaam, zijn mannelijkheid, de pijn die ze had gevoeld bij zijn dood. Ze had gedacht dat dit de grens was van haar vermogen om pijn te voelen. Nog maar een paar uur geleden had die dood bijna onverdraaglijk geleken. En nu bleek dat het een generale repetitie was geweest.

En toen bedacht ze dat niet alleen Lukes dood een generale repetitie was geweest, maar dat alles in haar leven – haar jeugd, haar studietijd, haar werk in het ziekenhuis – een voorbereiding was geweest op dit moment. Ze wist dat het nergens op sloeg en toch was ze ervan overtuigd dat het zo was: dat ze, door zo hard te werken om levens te redden, Daniel in leven had gehouden, de dood op afstand had gehouden, en dat op het moment dat ze Luke niet had kunnen redden en zijn hart had opgehouden met slaan, en hij, een klein slachtoffer, op de operatietafel lag – dat toen Daniel kwetsbaar was geworden. Ze had haar greep op de dood verloren.

'Ik heb hem gedood,' mompelde Fay, maar zo hard dat Yoko het kon verstaan. Yoko haastte zich naar haar toe, sloeg haar armen om Fays schouders, drukte haar tegen zich aan. Fay leek het niet te merken. 'Mijn moeder zal mij de schuld geven. En dan zal ze sterven.'

Yoko smeekte: 'Zeg niet zulke dingen. Je bent van slag.' Fay dacht heel even dat Daniels dood haar had overvallen op een lange reis waarvan ze wellicht nooit zou terugkeren. Ze verliet haar praktijk, nam de lift en liep de gangen door tot ze op straat was. Yoko bleef bij haar en liep zijwaarts met haar mee in een poging haar te beschermen. Fay liep over de drukbevolkte trottoirs. Het was warm en ze liep snel. Door haar witte doktersjas viel ze erg op, zodat de mensen ruim baan voor haar maakten.

Het gebouw waarin Fays appartement was bevond zich aan First Avenue; de dakkap kondigde zichzelf al van verre aan te midden van de supermarkten, cafés en kleine kantoorgebouwen. Een jonge portier kwam opgewekt naar buiten. 'Goedemiddag, dokter.'

Yoko was achteropgeraakt, maar nu haalde ze haar bezorgd in. Fay stak haar handen in de zakken van haar werkjas. 'Ik ben doodmoe,' zei ze, zonder dat ze haar eigen woorden leek te horen.

'Volgens mij voel je je niet in orde,' begon Yoko.

'Volgens mij ook niet,' zei de portier. 'Neemt u een paar uur rust. Trek uw witte jas uit.'

'Ik heb mijn sleutels laten liggen.' Fay keek verward.

'Geen probleem.' De portier ging op zoek naar reservesleutels.

Voordat hij terugkwam had Fay haar jas uitgedaan, hem opgerold en aan haar assistente gegeven. 'Neem jij die maar mee terug. Ik zal hem niet meer nodig hebben.'

De portier, die nieuw en nieuwsgierig was, liet Fay haar appartement binnen. Ze merkte zijn smalle, schrandere gezicht op, met haar dat te lang was voor een portier. 'Met jou komt het wel in orde,' zei ze. 'Als ze je nu nog niet te grazen hebben, ontkom je er wel aan. Nog een maand of twee en dan is het allemaal achter de rug. Daniel had gewoon pech.'

'Pardon?'

'Mijn broer heeft zojuist de pech gehad om om te komen bij een helikopterongeluk in Vietnam. Zoals de zaken er nu voor staan denk ik dat het de laatste helikopter zal zijn die in Vietnam neer zal storten.'

De portier kwam naar binnen. Hij pakte Fays hand en bracht haar naar de slaapkamer. Hij deed haar schoenen uit en legde haar keurig op het bed. Hij leek precies te weten hoe hij haar moest behandelen, en dankbaar liet ze haar ogen op zijn gezicht rusten.

'Ik wil niet alleen zijn,' hoorde ze zichzelf zeggen, hoewel ze bedoelde dat ze graag wilde dat deze jonge portier bij haar bleef. Ze had behoefte aan iemand die ze niet kende. Alleen een vreemde zou het begrijpen.

Hij ging op het bed zitten. 'Ik heet Ted,' zei hij. 'Ik moet even een andere portier opsporen om beneden te gaan zitten.' Hij ging, en terwijl hij weg was riep Fay haar gedachten een halt toe en bleef met haar gezicht naar de muur liggen. Ze was zich er amper van bewust dat hij terugkwam, alleen had iemand de airconditioning in de woonkamer aangezet. Het monotone geluid wekte haar op de een of andere manier tot een vorm van bewustzijn.

Ted kwam binnen toen ze naar de telefoon graaide. Ze draaide het nummer van haar moeder maar besefte toen de telefoon aan de andere kant overging dat ze geen woord kon uitbrengen. Ted nam de hoorn van haar over. 'Ik bel namens dokter Blass. Ze komt over een uurtje of zo aan de lijn.'

'Zeg dat ik een vlucht ga boeken,' fluisterde Fay.

Dat deed hij, en vervolgens keek hij naar haar omlaag. 'Er waren veel mensen daar. Er nam een jonge vrouw op.'

'Het is het nummer van mijn moeder. Dus het moet goed zijn.'

'Ik ben hiernaast.'

Fay ging op het bed liggen en wendde al haar energie aan om niet na te denken en niets te voelen. Vanuit de woonkamer klonk muziek, gecompliceerde harmonieën. Fay besefte dat ze nog steeds kon horen, wat erg gevaarlijk leek.

Ted verscheen in de deuropening. 'Ik heb mijn recorder meegenomen. Dat vindt u toch niet erg? Ik ben ermee aan het werk.'

Fay deed geen moeite om het te begrijpen. Ze probeerde nog steeds de dood te imiteren. Buiten werd het donker. Ze ging naar de badkamer. Ted bracht haar een sandwich, die ze niet opat. De muziek in de belendende kamer werd nog gecompliceerder: snaar- en percussie-instrumenten, terwijl de airconditioning het ritme aangaf. Ze kwam haar bed uit en liep erheen. Haar benen trilden zo dat ze abrupt moest gaan zitten. Eén kleine lamp bescheen Ted, die met over elkaar geslagen benen in een hoekje van de bank zat te schrijven.

'Je bent student, hè?' Ze wilde het niet als een beschuldiging laten klinken: het toonbeeld van een dienstplichtontduiker.

'Ja, mevrouw.'

Fay ging aan de andere kant van de bank zitten. Ze wilde ten slotte toch iets zeggen. 'Hij was geen held, mijn broer.' Ted zei niets. 'In het telegram stond dat hij op slag dood was. En hoewel ze dat altijd schrijven, zou het wel eens kunnen kloppen bij een helikopterongeluk.'

'Dat lijkt mij ook.' Hij leek meer op zijn hoede nu ze praatte, of misschien zat hij met zijn gedachten bij zijn aantekeningen.

'Wat schrijf je?' Waarom had ze dat gevraagd? Wat deed het er allemaal toe?

'Spelen met muziek. Als ik geen portier ben, ben ik muziekstudent.'

'Dat is leuk. Daniel zou nu advocaat hebben kunnen zijn.' Hoe kon ze dit soort dingen zeggen?

'Ja. Hij was vast een slimme kerel.'

'Waarom denk je dat?' Ze zat aan de andere kant van de bank. Ze keek zonder een traan te laten deze jonge man in het gezicht.

'Met zo'n zuster als u. Een arts.'

Fay dacht daarover na, over wat voor invloed al haar harde werken en haar ambitie op hem zouden kunnen hebben gehad. Ze had een voorsprong op hem, lag altijd vijf jaar op hem voor, en toen was de oorlog gekomen. 'Hij was getrouwd, weet je. Dat wil zeggen, hij was getrouwd geweest. Hij trouwde toen hij zo oud was als jij.'

'Kinderen?'

'Geen kinderen. Ze waren uit elkaar. Heb je wel eens van oorlogshuwelijken gehoord?'

Ted zei niets. Daar leek hij goed in. Hij zette de muziek en de airconditioning uit en maakte zich op om te luisteren.

In de stilte van de late avond realiseerde Fay zich dat de airconditioning in haar hoofd had geklonken als een helikopter en dat die nu gestopt was. Uiteindelijk begon ze te huilen. Ted kwam met tissues aandragen. Toen begon ze weer te praten. Teds gezichtsuitdrukking veranderde niet, alsof er niets anders van hem werd gevraagd dan naar haar te luisteren. Maar hij bleef ook op afstand, een vreemde.

De nacht ging langzaam voorbij.

Om zes uur rekte Ted zich uit en zei dat hij maar eens moest opstappen om nog een beetje portier te spelen. 'U gaat slapen,' zei hij, 'en daarna kom ik weer terug.'

Dus ging Fay, uitgeput, slapen.

Om elf uur kwam hij terug met croissants en koffie van de overkant van de straat. 'U kunt beter uw moeder bellen en op dat vliegtuig stappen.'

Tot haar verrassing merkte Fay dat ze daar sterk genoeg voor was. Ze kon zelfs de koffie opdrinken en een koffer pakken. Ze was niettemin blij dat haar moeder niet aan de lijn kwam. Ze lag te rusten, wat, bracht Fay zichzelf in herinnering, niet hetzelfde was als dood zijn.

Connie had een afspraak gemaakt met vader O'Donald. Zodra ze binnen was in de kleine kamer, zodra ze het crucifix met Christus en zijn in doodsnood vertrokken gezicht had gezien, begon ze te fulmineren. Ze vermoedde dat ze net zo stompzinnig klonk als een ontevreden klant die een defect aan een broodrooster had gevonden. 'U kunt die God van u echt helemaal niet verdedigen! Hij is een schande! Een charlatan! Het zou veel beter zijn geweest als hij nooit had bestaan.'

De priester wist al waarom ze was gekomen en zei haar dat dit niet het moment was voor een theologische discussie. 'Ik zal je eens iets zeggen,' zei hij, en zijn gezicht klaarde op, zodat ze besefte hoe moe hij eruit had gezien toen ze haar stormachtige entree had gemaakt. 'Laten we naar de kathedraal gaan. Het koor is nu ongeveer aan het repeteren. We kunnen onze gebeden voor de doden zeggen' – hij sprak het woord met rotsvast zelfvertrouwen uit – 'tegen een achtergrond van hemels gezang.'

'Hij was trouwens joods,' mompelde Connie, 'en met kerst hebben we het beest met twee ruggen gespeeld.' Maar dat was niet zo'n handige opmerking, omdat het weer tranen en herinneringen losmaakte. Toen ze weer terug waren in de stad had ze Daniel de beloofde tournee door feministisch Londen gegeven en toen Fay even niet in de buurt was had hij tegen haar gefluisterd: 'Je bent gewoon een droom, wist je dat? Een droom.' Dat compliment had haar veel goed gedaan.

De priester wachtte tot ze zichzelf weer onder controle had en liep toen bruusk weg, over de glanzende houten vloeren, tot ze via een kleine deur naast het altaar de kathedraal binnengingen. Ze liep achter hem aan. Wat kon ze anders? In de kerk was het heel donker; het enorme onversierde hoge plafond ging over in zwarte duisternis, maar de hele ruimte was wel gevuld met gezang. Vader O'Donald ging haar voor naar de kerkbank helemaal vooraan, Connie zag het koor hoog achter het altaar: enkele rijen jonge jongens, met achter hen rijen mannen.

'Wat een voorrecht,' mompelde de priester. 'Lijkt het een beetje op Faurés Requiem?'

Ze gingen samen zitten luisteren. Connie, die de gewoonte had aangenomen een klein flesje sherry bij zich te dragen, dronk er afwezig uit. 'Bloed van Christus,' riposteerde ze op de licht vragende blik van de priester. Maar drinken was alleen maar een reflex en was helemaal niet belangrijk. Om dat te bewijzen stopte ze het flesje onder de bank en ging net als hij met gevouwen armen zitten.

Na ongeveer een halfuur voelde ze dat hij weg wilde gaan en kon ze de waarheid amper nog voor hem verzwijgen.

'Ik geloof nu. Ondanks alles. Vanwege alles.' Ze keek hem aan om te zien hoe hij dit opnam. Hij was haar vriend. De vertegenwoordiger van Christus op aarde. Ze geloofde zelfs dat. 'Ik denk dat ik altijd gelovig ben geweest.'

Hij glimlachte, zegende haar in stilte, leek te willen weggaan en draaide zich toen om. 'Zal ik een mis voor hem opdragen, voor je vriend Daniel, die is gestorven?'

'Als u dat zou willen doen, vader.'

Toen hij was vertrokken, bleef Connie vredig zitten. De koorleden liepen in ganzenpas weg, onderling pratend.

Connie deed haar ogen stijf dicht. Toch geloof ik nog, en ik aanbid nog steeds mijn God en ik rouw nog steeds om Daniel, van wie ik op de een of andere manier hield. Ook al was hij van het verkeerde, inferieure geslacht.

Connie huilde tussen haar vingers door en voelde dat ze nu sterk genoeg was om Fay te kunnen troosten. Ze zou, met Nina, naar haar toe gaan.

Toen ze wegliep over het grote, brede gangpad van de kathedraal, waar ze zich nu helemaal thuis voelde, bedacht ze dat ze op een dag – maar nu nog niet – Fay zou vertellen wat de dood van haar broer voor haar had betekend.

Zij kon tenminste aan Orlando Partridge schrijven. Hij zou een aanval van belachelijke jaloezie krijgen, en alles begrijpen.

Het was Connies voorstel geweest dat ze Fay zouden treffen in de Rainbow Room, vijfenzestig verdiepingen boven Rockefeller Plaza. 'Dan hebben we overzicht,' liet ze Nina weten.

'Dieptepunten op hoogtepunten,' was Nina's afwezige commentaar.

Ze zaten samen in een gele taxi, want Fay zouden ze daar zien. Het was drie maanden geleden dat Daniel was gestorven, maar dit was hun eerste afspraak. Ze arriveerden in de donkere ruimte met zijn glinsterende stuk lucht en bestelden een garnalengerecht en een fles Californische chardonnay, hoewel Nina nadrukkelijk beweerde dat het ongepast zou zijn om eraan te beginnen voordat Fay er was.

'Het zou in haar flat te akelig zijn. Kun je je voorstellen?' zei Connie toen de tijd verstreek en Fay almaar niet kwam opdagen.

Volgens Nina wilde Connie zo ver mogelijk uit de buurt zien te blijven van het Manhattan van haar verleden. Ze liep langs de omtrek van de ruimte en posteerde zich voor de ramen van vloer tot plafond, waar de zwarte nacht tot helemaal in de hoogte werd verlicht door sterren en beneden door door mensenhanden vervaardigde blokken, piramides, pijlen, guirlandes en krullen met arabesken – het silhouet van een stad die zich even ver omlaag leek uit te strekken als de hemel naar boven reikte. Ze keerde terug bij Connie, die uitdagend haar glas hief. Nina kon het niet waarderen. 'Maar overzicht waarover? Over de dood? Ik zie alleen maar de eindeloze oneindigheid ervan, de stralende, zorgeloze schittering van deze wereld, die zich echt niets gelegen kan laten liggen aan een afzonderlijk sterfgeval. Als ik Fay was, zou ik het vliegtuig nemen naar het platteland, naar de meelevende zachtheid van groene bladeren en gras.'

'Jij bent een romantische ziel.' Connie klonk ontstemd. 'De natuur is veel meedogenlozer dan wat mensenhanden kunnen maken. Je zou ook kunnen stellen dat de mens de omgeving van Londen heeft gemaakt.'

'Laten we niet in discussie gaan. Stel dat Fay binnenkomt en ons harrewarrend aantreft.'

'Dan zouden we ermee ophouden.' Nu ging Connie staan en liep zij de omtrek van de ruimte rond, hoewel haar gezicht schamper stond en ze niet bleef staan, want het grootse uitzicht zei haar niets.

Nina, die één voor één van de garnalen zat te eten, bedacht dat dit de eerste keer was na de geboorte van haar baby dat Connie terug was in Amerika. Het onderwerp kwam tussen hen nooit ter sprake, maar je kon je makkelijk voorstellen hoe ze zich moest voelen. Misschien vroeg ze zich af of ze naar Washington moest gaan. Misschien was ze uitgenodigd.

Connie keerde even terug. 'Is Fay al ergens te bekennen?'

'Ik vrees van niet.' Connie pakte haar glas op en liep weer weg.

Nina maakte de garnalen op en begon aan de pinda's.

Connie schonk nog wat wijn in en ging naast Nina zitten. Deze avond was een van die keren dat ze Nina wel kon schoppen, haar brede rug met haar vuisten kon bewerken. Ook al wist ze dat Nina's uiterlijke kalmte vaak helemaal niet overeenstemde met wat voor turbulente emoties ze vanbinnen ook mocht voelen – zeker wanneer die vreselijke Hector erbij betrokken was – ze vond die nog steeds uitermate irritant. Hoe kon Nina uiterlijk zo kalm blijven en waarom zou ze dat willen? Het was bijna schizofreen, bedacht Connie valselijk, en vervolgens herinnerde ze zich Nina's wasobsessie. Daar was nu niets meer van te merken natuurlijk, maar misschien lag die nog op de loer, een zwak punt in haar karakter.

'Dit wachten is vreselijk. Ik geloof dat het geen goed idee van me was.'

'Ik weet niet.'

'Ik weet niet waar jij je geduld vandaan haalt.' Connie liep drukdoend om de tafel heen, riep om meer wijn en ging ten slotte zitten. Ze vocht tegen de aandrang om Nina over haar nacht met Daniel te vertellen. 'Heb ik je ooit verteld,' zei ze, 'dat ik weer terug ben bij de Heilige Moederkerk?'

Nina keek haar uitdrukkingsloos aan. Dat was een grapje natuurlijk, maar het was er geen bijster goed gekozen moment voor.

'Ik meen het. Ik wilde dat je het wist. Sinds Daniels dood. Ik ben naar die goeie ouwe vader O'Donald gegaan, en zo is het gekomen. Denk je dat ik er tegen Fay over zou kunnen beginnen? Ik bedoel, ik weet dat ze niet gelovig is...' Connie keek naar Nina's nog steeds uitdrukkingsloze gezicht en zag dat zij ook niet gelovig was. Of misschien reserveerde ze al haar geloof voor haar kunst. 'Ach, laat ook maar,' zei ze. 'Ik wilde alleen maar iets troostends tegen Fay zeggen, maar nu begrijp ik dat het zoals gebruikelijk alleen maar over mezelf gaat.'

'Hai. Nina. Connie.' Nina en Connie staarden Fay aan en keken toen naar de man die naast haar stond en met een air van kalme bezitterigheid haar elleboog vasthield. 'Dit is Ted,' vervolgde Fay, en ze glimlachte naar hun verraste gezichten. 'Hij is componist. Hé, krijg ik geen knuffel?'

Nina en Connie omhelsden haar om het hardst en schudden Ted de hand.

Ted vroeg: 'Wat drinken we?' Fay gaf de ober haar creditcard.

'Ik betaal,' zei ze. 'Ik kan niet zeggen hoe ik het waardeer dat jullie allebei hier zijn. Dat betekent veel voor me. Het kerstfeest waarbij we allemaal samen waren was de laatste keer dat ik Daniel heb gezien.' Fay keek naar Ted. Ze had deze kleine preek van tevoren geoefend voor het geval ze Teds aanwezigheid verkeerd zouden opvatten en het gevoel zouden krijgen dat zij hen niet nodig had. Maar nu leek die de sfeer een beetje formeel te maken, waardoor zelfs Connie er het zwijgen toe deed. Ze voelde zich gedwongen om verder te gaan met alle dingen die ze te zeggen had. 'Ik ben van plan een andere richting in te slaan wat mijn carrière betreft. Ik ga weg uit het ziekenhuis en de chirurgie zodra ik een eigen praktijk als radioloog kan beginnen.' Ze zweeg even en wierp weer een blik op Ted. 'O, en misschien vinden jullie het leuk om te weten dat Ted bij me is komen wonen.'

Nu barstte Connie in lachen uit. 'Dit is de meest positieve wake die ik ooit heb meegemaakt!'

'Ja, dat is zo. En het is niet oneerbiedig tegenover Daniel, aan wie ik elk moment van de dag denk, om te zeggen dat hij de aanstichter van dit alles is.'

Ted leek lichtelijk verlegen met de situatie. 'Zouden jullie het erg vinden,' opperde hij, 'om te vertrekken uit deze chique tent in de wolken en naar beneden te gaan, ergens waar we vaste grond onder onze voeten hebben? Eerlijk gezegd heb ik een hekel aan zulke duizelingwekkende hoogtes.'

'Lieve Ted,' riep Fay uit, 'waarom heb je me dat niet eerder gezegd?'

Dus namen ze afscheid van de sterren en kwamen terecht in een Italiaans restaurant op de hoek van Fourty-eighth en Third Street, waarvan Ted zei dat het hem aan zijn maanden in Napels deed denken. Weer slaakte Fay een verraste kreet, en om de anderen te laten merken wat ze wél van hem wist, vertelde ze Nina en Connie, die niet konden verhullen dat ze bloednieuwsgierig waren, dat Ted 's nachts als portier werkte om zijn studie overdag aan de Juilliard School of Music te kunnen bekostigen.

'Je bedoelt dat je student bent!' riep Nina uit. 'Ik voel me stokoud.'

'Maar Fay heeft me verteld dat jij zelf aan de kunstacademie studeert.'

'Ik ben op rijpere leeftijd gaan studeren, en dat is iets heel anders.'

'Ik kan niet zeggen dat ik je in de een of andere zin rijp vind,' wierp Connie tegen.

'Nou ja, Ted is in elk geval de meest rijpe persoon die ik ooit heb ontmoet,' zei Fay.

'Moet je je voorstellen,' zei Connie, 'is de ijzeren maagd op haar drieëndertigste toch nog verliefd geworden. Is hij joods, denk je?'

'Ik heb geen idee.' Nina had zich dat ook afgevraagd. 'Ik weet niets eens of dat voor Fay wel zo belangrijk is. Ik mocht hem wel.'

'Ik ook. Ik zal het haar vragen,' beloofde Connie. Maar uiteindelijk deed ze dat niet, omdat het er niet echt toe leek te doen. En ook, zag ze nu in, zou ze haar nooit over Daniel vertellen.

Het ruiterpad voerde omhoog, langs steile hellingen met adelaarsvarens en kruiskruid, gemaaide velden, weidse groene ruimtes met uitzicht over de hele omgeving. Het was nu half augustus; de korenvelden waren grotendeels geoogst, of werden geoogst. Nina maakte een wandeling en dacht aan Hector, die nog steeds geen datum had afgesproken voor een tentoonstelling. Hij was gewoon een leugenaar. Een charmante minnaar en een charmante leugenaar.

Nina klom over het hekje van een pad dat tussen een bos en een enorm veld door liep, dat zich uitstrekte als een hoogvlakte en over een oppervlak van zo'n twintig hectare nauwelijks enige helling vertoonde. Aan het eind stond een krakkemikkig schuurtje. De zon was warm en de lucht was helder, en ze bond haar trui om haar middel. Het verraste haar hoeveel ze was afgevallen tijdens de laatste maanden van obsessief werken: de mouwen van de trui pasten met gemak om haar taille en hingen met lange flapperende uiteinden neer. De warmte en het regelmatige ritme van haar tred waren kalmerend, en tegen de tijd dat ze bij het schuurtje was, was de voortdurende angstige benauwdheid verdwenen waar ze de afgelopen week last van had gehad (die des te angstaanjagender was voor het geval die haar weer terug zou brengen naar de obsessieve wereld van de rituelen). Ze liet haar rug tegen een nog stevig gedeelte van het schuurtje rusten en sloot haar ogen.

Ze opende ze weer toen ze een zwak geluid hoorde en zag vlak voor haar een vliegtuig, dat over het veld recht op haar af kwam; het vloog niet, maar taxiede soepeltjes over het gras. Een paar meter voor haar kwam het vrij abrupt tot stilstand en er sprong een man uit, die een leren helm losgespte zoals mannen in oorlogsfilms dat doen. Hij had een blozend, vrolijk gezicht, wit haar en stralende blauwe ogen.

'Zou je me willen helpen 'm naar binnen te duwen?'

Nina probeerde niet zo dom te kijken als ze zich voelde. 'Hier naar binnen?'

'Het is mijn hangar. Nou ja, die van mijn zoon, om precies te zijn. Maar ik probeer 'm in vorm te houden zolang hij weg is. Dat moet wel vanwege de vliegvergunning.'

Samen duwden ze het vliegtuigje zijn behuizing binnen en toen het keurig was opgeborgen haalde de piloot een motorfiets uit een hoek tevoorschijn.

Nina voelde een onbedwingbare impuls om te gaan giechelen. 'Moet je die ook in vorm houden?'

Hij lachte. 'Wil je een lift?'

'Nee. Nee. Dank je. Ik ben aan het wandelen. Maar vertel me één ding: hoe heb je zo dicht bij me kunnen komen zonder dat ik het hoorde?'

'Ik maak altijd een zweeflanding,' zei hij op zakelijke toon.

Ze namen afscheid. Hij ging er brullend vandoor met wolken blauwe rook achter zich aan en zij liep verder naar het volgende veld met een lichtheid van gemoed die grensde aan hysterie. Het gevoel was te heerlijk om het te analyseren, misschien te fragiel, maar ze wist dat het er iets mee te maken had dat het vliegtuigje volkomen onverwacht was verschenen, samen met zijn prozaïsche bewaker. Het was een belachelijk visioen dat herinnerde aan de toevallige hilariteit van het leven. Als je er geen problemen mee had dat er op minder dan een uur loopafstand van je huis een vliegtuig op een veld neerdaalde, welke vreemde, onverwachte gebeurtenissen zouden er dan nog toch niet helemaal onverwacht kunnen zijn? Ze besloot haar wandeling met een lach vanbinnen. Haar levendigheid gaf de naargeestige zwaarte van de naderende herfst, de verkleurde bladeren en het gras bijna een lenteachtige toets. Als de patrijs die met zijn paarse poten door de struiken scharrelde het woord tot haar had gericht, zou ze daar helemaal niet van hebben staan te kijken.

Het gevoel bleef haar nog bij toen de postbode van zijn fiets sprong met de middagpost: één brief. Wat haar die ochtend nog zou hebben vervuld met pure verrukking was nu nog nauwelijks een verrassing.

'Ik heb in de lente een gaatje,' schreef Hector Pijane. 'Denk je dat je tegen die tijd genoeg schilderijen bij elkaar kunt hebben?'

1974

Hector had een jurk voor Nina uitgekozen die ze kon dragen bij de vernissage. Het was niet echt een mini-jurk, maar hij was wel veel korter dan ze ooit had gedragen. Hij kreeg haar zover dat ze zijn bed uit ging waarin ze naakt naast elkaar lagen om hem te passen. Nina vond dit niet in overeenstemming met haar waardigheid; ze zou niet gaan draaien of showen zoals ze vermoedde dat hij graag zou willen zien.

'Zie je nou, je hebt fantastische benen,' zei Hector, die loom achteroverlag met zijn armen boven zijn hoofd.

Nina ging zitten, zodat hij alleen haar rug kon zien. Ze ontbood de geest van Connie aan haar zij. 'Ik ben een schilderes en geen hoer!' wilde ze uitroepen, maar voordat ze een mond open kon doen voelde ze zijn handen al naar binnen gaan door de openstaande rits van de jurk, tot ze bij haar borsten kwamen. Ze rilde hevig en zei niets.

Dus de jurk bleef, een blauwgroen glanzend geval, mouwloos, waaruit Nina's gladde, welgevormde armen en benen naar buiten staken als die van een pop in een feestjurk. Nina droeg hem voor Hector en deed erg haar best om zich er niet een toonbeeld van dienstbaarheid in te voelen.

De galerie was nog niet helemaal gevuld. Hector had haar gezegd dat ze al een succes was, want er was in een van de glossy bladen een groot artikel over haar verschenen. Hij leek zich er niet druk om te maken dat het artikel door Connie geschreven was. 'Het leven hangt van toeval aan elkaar,' had hij gezegd, en met een knipoog had hij eraan toegevoegd: 'Het gaat niet om wat je weet, maar om wie je kent.'

Helen – de scherpe, niet meer zo kleine Helen, die voor de gelegenheid vrij had gekregen van school – zei: 'O, mama, ze zijn schitterend!' Ze stond in het midden van de lege galerie de schilderijen in zich op te nemen en liep langzaam van het ene naar het andere.

Nina sloeg haar gade met een merkwaardige mengeling van emoties. 'Maar, lieverd, je hebt ze allemaal al eerder gezien.' Ze aarzelde. Misschien had ze dat niet. Soms vergat ze dat ze zelf zo terughoudend was, zoveel behoefte had om zich af te zonderen. Maar Helen had haar opmerking niet gehoord, of reageerde er althans niet op.

'Ze hangen er heel mooi bij,' zei Veronica op neutralere toon.

Dit was het, bedacht Nina – het ophangen, de vernissage, ze moesten klaar zijn als ze aan muren zoals deze voor iedereen tentoongesteld werden, ingelijst, af. Niets meer aan doen, geen geschraap aan de verf, dat hoekje dat haar niet beviel kon ze niet meer overschilderen. Dit was het, dit was wat ze had gemaakt: zestien schilderijen van een appelboom, tien schilderijen van een dode kikker en acht van een veld – of liever gezegd, een klein stukje van een veld. Vierendertig schilderijen, en ik ben vierendertig jaar oud.

'Champagne voor je, schat.' Hector fluisterde in haar oor, een glas in zijn hand. Waarom, o waarom had ze Hector nog steeds (of had ze hem niet)? 'Wijn voor mensen die een gokje durven te wagen.' Hector zag eruit als een moderne engel, met glanzend golvend haar, in een wit pak met brede schouders, smalle heupen en een broek met wijde pijpen. De galerie zou weldra, wist ze, vollopen met zijn vriendinnen; hij had haar over hen verteld, had haar gezegd dat ze zich geen zorgen moest maken: het waren allemaal exen.

Nina had zich verbaasd over zijn eigendunk; kennelijk dacht hij dat zijn seksuele veroveringen haar iets zouden kunnen schelen op het moment dat haar schilderijen gepresenteerd zouden worden aan de wereld. Maar toen hij haar alleen liet om de gasten te gaan begroeten, merkte ze toch dat ze zo kinderachtig was om zich af te vragen met wie van deze slanke en glamoureuze hippe meiden Hector naar bed zou zijn geweest. Ze sloeg haar champagne achterover en nam Helen bij de hand. 'Heb je er bezwaar tegen even met me mee naar buiten te gaan?'

Daar had Helen bezwaar tegen. 'Ik wil naar de mensen kijken als ze naar jouw schilderijen kijken.'

Nina pakte dus maar haar moeders arm, maar hoewel Veronica niets zei, leek ze ook niet mee te willen. Ook zij had zich kennelijk voorgenomen tussen de critici van haar dochter te blijven staan.

Nina ging het trottoir op in een poging onzichtbaar te blijven. Een van haar docenten van de academie, een oude man, gebogen en grijzend in zijn dienstbaarheid aan de kunst, nauwgezet gekleed in het traditionele romantische uniform dat bestond uit een fladderende das en een zakkerig jasje, sloeg zijn arm om Nina heen, die opsprong alsof ze echt in haar onzichtbaarheid geloofde. Dit was de wereld van Hector.

'Je knijpt 'm. Je knijpt 'm,' zei de grijsaard meelevend. 'Ik heb rode stippen in mijn zak voor het geval het erg benauwd gaat worden.'

'Rode stippen?' Verwarring verspreidde zich over de uitdrukkingsloosheid op Nina's gezicht. Was hij ziek?

'Stickers om aan te geven wat verkocht is. Dat doe ik altijd voor mijn vrienden. Zo komt de gang erin. Succes leidt tot succes.'

'Maar dan denkt een echte koper dat ze al verkocht zijn.'

'Dan zeg je dat er een fout is gemaakt. Makkelijk zat. Zo'n sticker is er zó weer af. Trouwens, je kunt ze het best op de schilderijen plakken die het minst goed zijn. Verkooptrucje. Niet dat jij dat nodig hebt, lijkt me.' De schilder op leeftijd klopte haar op de rug en ging de galerie weer binnen, en Nina, die achterbleef, werd bekropen door een nieuwe angst. Als er nou geen een van haar schilderijen werd verkocht? Hoe kon ze zo naïef zijn geweest om zich daar niet eerder mee bezig te houden en alleen in angst te zitten voor de reacties uit de kunstwereld, voor al dan niet gunstig commentaar, voor het betreden van het publieke domein? Maar nu begreep ze dat ze beoordeeld zou worden naar haar financiële succes.

'Al iets verkocht?' Dus het was waar. De eerste die haar iets vroeg, vroeg haar dit. De kunstwereld leek te worden bevolkt door bijzonder energieke mensen, die haar het absurde gevoel gaven dat zij zich niet kon bewegen en geen woord kon uitbrengen.

'Ik ben bang dat ik dat niet weet.'

'Ik vind sommige wel mooi, vooral de appelboom. Het is toch een appelboom?'

Overvallen door de vraag knikte Nina.

'Dat dacht ik al. Nou, je bent heel dapper. Geen pop of abstract, en niet eens iets impressionistisch, maar iets ertussenin. Nou, nou, nou. Ik kom nog wel eens terug als ik er wat rustiger naar kan kijken.'

'Bedankt.' Nina keek toe hoe hij weer het trottoir op ging, tot zijn pad werd gekruist door William, die doelgericht naderbij beende. Wie had hem uitgenodigd? Helen? Vast Helen. Nina realiseerde zich dat deze dag waar ze zo naar had uitgekeken in werkelijkheid een nachtmerrie was. Ze begon te trillen en ontwaarde, met enige opluchting, Felicity bij Williams elleboog. Felicity maakte hem tot een menselijk wezen, ze maakte het volkomen duidelijk dat hij de echtgenoot was van maar één vrouw.

'Ik hoop dat je het niet erg vindt dat we gekomen zijn.' Felicity zoende Nina. 'We waren zo nieuwsgierig dat we het niet konden laten. Lyndon is er ook. Wist je dat hij een kunstopleiding volgt?'

Nieuwsgierigheid leek maar al te zeer de werkelijke reden voor hun bezoek, alsof ze hadden gehoord dat ze in een monster was veranderd met een extra kop en dat wel eens wilden komen bekijken, terwijl Williams voortgezette stilzwijgen (waarschijnlijk verordonneerd door Felicity, zodat hij geen roet in het eten zou gooien) zijn aanwezigheid nog meer gewicht verleende. Ze vergat altijd hoe ontzettend knap hij was, een schoonheid die met de jaren leek toe te nemen. Misschien was het wel gek dat ze hem nooit sexy had gevonden. Of waren haar herinneringen vertekend?

Trillend wees Nina naar de deur van de galerie, en terwijl ze de rol van wegwijzer op zich nam vatte ze een beetje moed. 'Ga maar naar binnen. Ik haal even een frisse neus.' Resoluut ontweek ze de vragende blik in Williams blauwe ogen toen hij langs haar heen liep. Waarom keek hij haar altijd zo aan? Felicity gaf een geruststellend kneepje in haar arm toen ze wegliepen.

'Lieve hemel! En waar denk jij heen te gaan? Godsallemachtig, je loopt weg!' Connies stem, pseudo-Iers op topvolume, bereikte Nina nog voordat ze haar zag, en niet alleen haar, maar ook Fay.

Ze kwamen naar elkaar toe, kusten en omhelsden elkaar. 'O, Fay. Je bent verbazingwekkend. Ik had nooit verwacht...'

'Wacht even. Dacht je soms dat ik jou over zou laten aan de genade van deze Ierse desperado hier, of erger nog: aan Hector? Wat voor vriendin zou ik dan zijn?'

'Doe het niet. Alsjeblieft. Binnen stikt het van zijn sexy jonge meiden. Maar hoe heb je Ted alleen kunnen laten?'

'Vergeet niet dat ik nu een chirurg in ruste ben,' zei Fay zonder antwoord te geven op de vraag, maar met een glimlach die meer zei dan woorden.

'Vind je niet dat ze er ontzettend zelfvoldaan uitziet?' zei Connie. 'Kom op! Ik heb gehoord dat er in deze galerie een tentoonstelling is die de moeite waard is!'

1975

Connie had een brief van Orlando Partridge gekregen die dringender klonk dan anders:

Er gaat geen dag voorbij zonder dat ik aan je denk. Ik ben nu meer zakenman dan dichter. Heb alsjeblieft medelijden en kom me eens opzoeken. Zelfs mijn vader wil je graag ontmoeten. Mijn vriend Brendan, in de Lir Arms, over wie ik het misschien al eerder heb gehad, beveelt het onderstaande gedicht aan als een van mijn beste:

> Orlando Partridge
> Bottelt water
> Uit zijn bron.
> Maar hoeveel geld
> Hij ook verdient,
> Het neemt zijn droefheid
> Nooit weg
> Omdat hij alleen maar
> Denkt aan Connie O'Malley.

Een onthutsend moment lang deed het gedicht Connie denken aan de groteske martelingen van de oude Hubert met zijn 'meisje dat gevormd is als een ketel'. Maar toen keek ze naar het woord 'zakenman' en vatte moed. Ze wist al dat Orlando gebotteld bronwater verkocht, een gedachte die zo sterk verband hield met beelden van genade en wedergeboorte dat ze amper kon geloven dat hij het niet speciaal had verzonnen om haar voor zich te winnen. Met kinderlijke vreugde had hij geschreven dat de zaken voorspoedig gingen, dat hij nu nog niet zoveel afnemers had, maar weldra Perrier naar de kroon zou steken.

Connie vloog naar Dublin en nam een taxi naar Lir. Aangezien het april was, was het toen ze aankwam nog licht, maar een woeste wind liet het uithangbord van de Lir Arms, waarop een stel zwanen geschilderd waren die op het punt stonden op te stijgen, heen en weer zwaaien. Terwijl

Connie ernaar stond te kijken, kwam er een oude man naar buiten gestrompeld. 'Hou ze maar goed in de gaten,' zei hij. 'Menigmaal heb ik mijn hoed tot over mijn neus moeten trekken om te voorkomen dat ze me de ogen uit m'n hoofd pikten.' Dubbelgebogen haastte hij zich weg.

Connie lachte niet, maar ging snel naar binnen. Ze was niet bekend in Westmeath; het weelderige groen van de velden waar ze doorheen was gekomen kende ze niet, of de glimp van het zijdegladde meer. Zij was opgegroeid in een ruigere streek, waar het gras opschoot tussen de rotsen en niet uit de aarde, waar de aanwezigheid van de oceaan, ook al zag je hem niet, de wind en regen iets zilts en schurends gaf.

'Is er hier ene Brendan aanwezig?' Toen ze het café, met zijn donkere balken, rokerige atmosfeer en alleen maar mannelijke klanten binnenging, was Connie zich ervan bewust dat aan haar accent te horen was dat ze lang niet in Ierland was geweest: een heleboel Engels met een beetje Amerikaans. Haar vraag gericht tot de jonge man die de Guinness tapte, werd met volslagen stilte beantwoord. Connie realiseerde zich dat ze had vergeten hoe schuw de Ieren van het platteland waren, de reserve die de tegenhanger vormde van hun babbelzucht. Haar vraag was gewoon te bot gesteld geweest. Ze liep van de deuropening naar de bar, door een stuk of tien drinkers heen die uiteenweken alsof ze de pest was.

Na een korte stilte boog de jongeman zich vertrouwelijk naar voren. 'Ik ben Brendan.'

'Ben jij Brendan?'

'Klopt.' Hij liet zijn stem nog verder dalen, want in de ruimte achter hem was het doodstil. 'En jij moet Connie O'Malley zijn.'

'Ja!' riep Connie uit, waarna ze zelf ook haar stem dempte: 'Kun je me naar hem toe brengen?' Ze merkte dat ze niet in staat was zijn naam over haar lippen te krijgen.

'Ja hoor. Hoewel hij elk moment hier kan zijn.'

'Nee, nee. Ik wil hem zelf gaan opzoeken.' Connie wist dat ze in een sprookje leefde, en voor het juiste verloop van het verhaal zou ze de draad tot het einde toe moeten volgen. Dus gaf Brendan haar aanwijzingen. 'En mag ik mijn koffer hier laten?'

De onstuimige avond stond Connie wel aan. Ze maakte haar lange haar los en liet het om haar hoofd wapperen. De wind was niet koud en bracht ook geen regen. Ze sloeg linksaf over het met gras begroeide plein en vond de smalle weg die het donkere platteland op leidde. Ze had de wind in haar rug en hij duwde haar voorwaarts. De sterren en een heldere halvemaan boden genoeg licht om aan haar rechterkant de heg langs een veld te onderscheiden. Er reed maar één auto voorbij, die haar eraan herinnerde dat Ierland, zelfs dit welvarende middengebied, lang niet zo ontwikkeld was als Engeland.

En zo stormde Connie voorwaarts, de woorden van 'Danny Boy' in haar hoofd, uitkijkend naar lichtjes en de twee uit steen gehouwen flessen die Brendan had genoemd als de aanduiding van Orlando Partridges oprijlaan. Ze moest ook bedacht zijn op blaffende honden, maar hoefde daar niet bang voor te zijn, want hoewel het wolfshonden waren, waren ze zo mak als lammetjes.

De flessen vielen meteen op; het leken net lampvoeten met heldere gloeilampen erbovenop. Connie, die een vervallen kasteel had verwacht, was verrast toen ze een korte, pasgeasfalteerde oprijlaan zag, met aan het eind een moderne bungalow, uit de brede ramen waarvan licht scheen. Ze drukte op de bel, die een paar korte maten van 'Danny Boy' liet horen. Het was het lot.

Orlando Partridge deed de deur open. Hij droeg een pak dat hem een beetje te klein was en rookte een sigaar. Ze staarden elkaar aan. Orlando nam de sigaar uit zijn mond en wierp hem langs Connie heen op het gras.

'Lieverd.' Hij spreidde zijn armen.

Met een zucht liep Connie erin. Hij rook naar sigaar, zweet, turf en bacon. 'Dit is helemaal te gek,' fluisterde ze.

'Jij bent te gek! Van nu af aan zal ik altijd voor je zorgen. Kom binnen en eet met me mee. De maaltijd bestaat uit sodabrood van mevrouw Murphy, bacon van het varken van meneer Murphy, dat Kathleen heette...'

'Niet Kathleen,' protesteerde Connie, die zich losmaakte uit zijn greep. 'En heb je misschien een slokje whisky in huis?'

'Een slokje? Liters!'

Nervositeit bracht hen ertoe plaats te nemen aan weerskanten van de lelijke moderne haard (alhoewel die gestookt werd met turf), met een glas op de leuning van hun stoelen en de wolfshonden, Sodom en Gomorrah, aan hun voeten.

'Je treft me aan in een bungalow,' begon Orlando, die Connies gezicht afspeurde, 'omdat ik een beetje rijker ben geworden en het me kan permitteren zelfstandig te wonen, en niet meer bij mijn vader in de bouwval die hij bewoont.'

Connie luisterde toen hij haar meer over zijn nieuwe wereld vertelde. Hij legde zichzelf aan haar voeten en zij luisterde, haar blik op zijn gezicht, behalve wanneer ze in haar glas staarde en nog een flinke slok nam. Leren was hard werken. Het zou makkelijker zijn geweest om zich in zijn armen te laten vallen zoals ze vroeger had gedaan met mannen van wie ze hield, en dan was er nog de vraag wanneer het haar beurt zou zijn. Hij wist heel weinig over haar. Hij kwam aan het eind (nam ze aan) van zijn relaas over vroeger, dat onder andere ging over de dood van zijn moeder en zijn tiende verjaardag, een lang overzicht van de geschiedenis van Lir, die zich had afgespeeld juist aan het meer waar zijn ouderlijk huis was gesitueerd, en de inspiratie die hem ertoe had gebracht Lir-water te gaan bottelen. 'Een heilige bron.' Hij wreef over zijn lichtelijk uitpuilende ogen, die al roze waren en nog rozer werden. 'De dochter van mevrouw Murphy, Aisling, had een ernstige aanval van waterpokken, vlekken als van de pest over haar hele gezicht en bovenlichaam.' Hij zweeg even. 'Wist je, mijn duifje, mijn schattebout, dat de reden dat de hertog van Wellington niet langer verliefd kon zijn op zijn verloofde, Kitty Pakenham, die hier een paar kilometer verderop woonde, was dat ze pokken had toen hij de vijand bij Torres Vedras versloeg, en dat ze mismaakt raakte?' Hij zweeg weer even.

'Zou je van me houden als ik mismaakt was?' Connie hief haar hoofd.

Hij stond op. 'Zoals Oscar Wilde antwoordde voor een rechtbank: "Ware kunst kan nooit obsceen zijn", dus jij, mijn schat, kunt nooit mismaakt zijn.'

'Dank je,' zei Connie vermoeid. 'Ik heb mijn koffer in de Lir Arms laten staan. Ik geloof, ik geloof...'

'Je bent uitgeput. Dan moet je geen belangrijke beslissingen nemen.' Teder tilde hij haar op, bracht haar naar een grote slaapkamer, die gek genoeg was bekleed met behang met een dessin van elfjes en feeën. Voor de rest was hij Spartaans. Het bed was keurig opgemaakt, en dit gaf haar, boven alles, hoop. De woorden die hij uitkraamde mochten dan alle kanten op gaan, maar op zijn leefgewoonten was niets aan de merken. Er zou geen sprake zijn van twee mensen die leefden als zigeuners. 'Ik zal een boterham voor je maken, en als je de badkamer wilt gebruiken, die is hiernaast. Rust jij maar even uit, dan ga ik je spullen halen. Sodom en Gomorrah gaan met me mee. Vergeet niet dat we alle tijd hebben.' Hij kuste haar wang en trok zich terug in de keuken. Toen hij terugkwam met de boterham, was Connie in slaap gevallen, en ze hoorde de voordeur niet meer open- en dichtgaan.

's Ochtends vroeg werd Connie wakker van de regen die tegen het glas sloeg, de wind die de gordijnen deed opbollen en de regelmatige ademhaling van iemand die naast haar lag. Ze wist dat de kamer licht was, maar ze hield haar ogen gesloten en viel ten prooi aan de tegenstrijdige emoties van vreugde en vrees. Orlando Partridge en zij hadden de hele nacht lang als kinderen naast elkaar liggen slapen. Ze stak haar hand uit. Ja, hij was het, naakt. 'Orlando.' Dit was de eerste keer dat ze zijn naam uitsprak. Het voel-

217

de absurd en ze kreeg neiging om te gaan giechelen. Hij draaide zich naar haar toe en sloeg een arm om haar middel. Die was zwaarder dan ze had verwacht en hield haar lekker vast.

'Goedemorgen.' Zijn stem klonk slaperig, maar gemoedelijk. Ze deed haar ogen open en zag zijn krullen, zijn gezicht, zijn ogen nog steeds gesloten.

'Lieveling.'

'Ja.' Hij deed zijn ogen even open, waarna hij ze weer sloot, alsof hij werd verblind. 'Heb je trek in thee?'

Kon het zijn dat ze het bij het verkeerde eind had en dat hij niet verlangde naar haar lichaam, maar alleen maar voor haar wilde zorgen alsof ze een siervoorwerp was? Voor het eerst betreurde ze haar schoonheid. Twijfel leidde in Connies geval altijd tot confrontaties. 'Lieverd, ik wil je iets vertellen. Je iets laten zien.'

'Ja. Ja.' Hij leek afwezig, hoewel hij nu klaarwakker was. Zonder enige waarschuwing stapte hij het bed uit en liep in zijn nakie de kamer uit.

Connie bedacht hoe mooi hij eruitzag – hij was schitterend in zijn ongekunsteldheid – maar hij had haar verlaten en ze voelde de tranen in haar ogen prikken. Hij stak zijn hoofd om de deur. De honden, die 's nachts buitengesloten waren geweest, verdrongen elkaar aan zijn voeten.

'Nou heb ik er eindeloze jaren lang over gedroomd om op de eerste ochtend naast jou wakker te worden, maar ik had nooit kunnen denken dat ik me zou verslapen.' Even later hoorde ze het geluid van een cello – Bach of iets wat nog ouder was. Ze bleef op haar rug liggen luisteren en bedacht dat het, hoeveel Orlando Partridge ook van haar hield, duidelijk was dat hij de touwtjes in handen wilde hebben. Ze glimlachte.

Hij kwam weer terug, nog steeds naakt, met zijn strijkstok tegen zijn borst gedrukt. 'Ik ben jouw cello, jij bent mijn strijkstok.'

'Ik hoop dat je gevoel voor humor hebt,' zei Connie, maar alleen maar met de bedoeling een grapje te maken. Ze wist dat hij gevoel voor humor had, en alles wat ze verder nog wilde. 'En kunnen we nu gaan vrijen?'

Dat bleek te kunnen, hoewel, zoals Orlando uitlegde, vrijen met iemand met wie je de rest van je leven door wilde brengen iets heel anders was dan alles wat er op dat gebied in het verleden was voorgevallen, en dat zorg en consideratie de sleutelwoorden waren, zodat het beest de man niet uit het oog zou verliezen – of andersom.

'Ik hou van je!' riep Connie uit, terwijl ze zwakjes giechelde.

'Dat is het belangrijkste,' stemde Orlando ernstig met haar in.

'Betoverd, ongemakkelijk en verbijsterd,' zong Connie, terwijl ze over een grazig pad strompelde met een waterstroompje aan de ene en een bos aan de andere kant, en de honden snuffelend voor hen uit. Ze bleef staan en luisterde. 'Jezus en Maria, een koekoek.'

Orlando pakte haar arm. 'We hebben hier alles. Alles wat je je zou kunnen wensen.' Hij liet haar arm los en haalde een sigaar uit zijn zak, wierp er een snelle blik op en gooide hem vervolgens in de bosjes.

'Dat was een goede sigaar.'

'Die rookte ik alleen maar omdat ik jou niet had. Jij bent mijn enige liefde. Zoals ik al zei, wil ik je alles geven wat je hartje maar begeert.'

'Ik was onder de indruk van de laarzen,' gaf Connie toe, en ze keek naar haar voeten. Ze ging hem niet vertellen dat hij laarzen had gekozen die te klein voor haar waren, laarzen voor een elfje, laarzen voor een kind. Ze had hem ook niet over Kathleen verteld, hoewel hij verbaasd haar litteken had aangeraakt. Even was ze bang geworden, niet omdat ze een kind had gekregen, maar omdat ze er nog een zou kunnen krijgen. Dat was over nu ze een wandeling maakten.

'Je moet mijn werk zien,' vertelde hij haar, trots op zichzelf als een jongen. En het bevreemdde haar dat zijn werk te bereiken zou zijn via dit mossige pad, maar niet vreemder of wonderbaarlijker dan al het andere.

Het pand stond vlak aan de rand van het meer, een groot granieten gebouw waarvan het silhouet zich aftekende tegen het water, dat langzaam overging in de lucht. Golfjes met witte kammen rimpelden tegen de oever alsof het een binnenzee was. Links van hen sneed een pas aangelegde weg door het zachte groene land, een lint van hout en, dichter bij de rand van het meer, moerasland met plukken riet, wilde bloemen en struiken.

'De bron ligt een meter of honderd van het gebouw. Ik laat mijn werknemers hun auto aan de andere kant van het bos parkeren, en dan moeten ze een stukje lopen,' zei Orlando met een mengeling van trots en verontschuldiging. 'Maar de vrachtwagens moeten natuurlijk wel helemaal hierheen komen.'

O hemel, dacht Connie, is dit niet een smet, een wond, een ontheiliging van het landschap? Is Orlando Partridge niet in conflict met de natuur? Maar vlak voordat deze gedachte al te afschuwelijk dreigde te worden, herinnerde ze zich weer waarom zij haar thuis in de County Mayo was ontvlucht. Daar was het de natuur die de strijd tegen de mens won, zodat haar vader stil en van drank doordrenkt het onderspit moest delven en haar moeder achterbleef in bittere frustratie. Er was weliswaar ook liefde geweest, maar die had alleen overleefd ondanks de meedogenloze dictatuur van de natuur.

'Het ziet er schitterend uit!' riep Connie.

'En we nemen mannen en vrouwen in dienst die nog nooit eerder een baan hebben gehad. Op de dag dat we opengingen kwam de bisschop ons zegenen en priesters van beiderlei gezindten...' Hij viel plotseling stil, maar niet om, zoals Connie eerst dacht, na te gaan hoe ze reageerde op deze verbijsterende triomf van de oecumenische gedachte, maar om op een gestalte te wijzen die rondspetterde in het meer.

'Mijn vader.'

'Je vader?!'

Ze waren nu dichtbij genoeg om het witte haar op de golven te zien drijven, taaie armen die een energieke crawl uitvoerden.

'Hij zwemt elke dag. Hij is achtenzeventig, maar blijft nog wel honderd jaar leven, denk ik. Hij was vroeger altijd te oud om mijn vader te zijn, en nu is hij te jong.'

Connie drukte troostend Orlando's arm. 'Jij bent zo ongeveer de meest genereuze man die ik ooit heb ontmoet.'

Hij keek haar niet-begrijpend aan.

Ze maakten een oude roeiboot die aan de oever lag los en toen ze bij meneer Partridge kwamen, hief Orlando een roeiriem, die huiverde in de lucht terwijl de druppels eraf vielen, en riep: 'Vader, dit is Connie!'

En Connie, die met rechte rug op de voorplecht zat, dacht: deze man ga ik nu eens niet betoveren, verleiden of anderszins verschalken. Hij wordt mijn schoonvader en hij moet me maar nemen zoals ik ben, of niet.

'Goedemorgen,' zei meneer Partridge, terwijl hij naar adem snakte en watertrappelde. Connie realiseerde zich dat Orlando, die helemaal zo genereus niet was, het leuk vond om haar voor te stellen vanaf een hoogte met een dirigeerstok de lucht in gestoken.

'Goedemorgen,' antwoordde Connie, en ze onderdrukte het stemmetje dat wilde zeggen: 'Ik heb grote bewondering voor u dat u in dat ijskoude water gaat zwemmen.' Een glimlach zou voldoende zijn. Dus roeiden ze verder, en om een bocht in de oever troffen ze een groep zwanen aan, zo wit en wild en mooi dat het hen ertoe inspireerde de roeiriemen neer te leggen en de boot vrij te laten drijven, terwijl ze hun armen stijf om elkaar heen knelden.

Aan de oever renden de wolfshonden blaffend heen en weer alsof ze bang waren dat er met hen hetzelfde zou gebeuren als met de sigaar.

Connie schreef Nina:

Lieve, lieve Nina, Orlando en ik gaan op 21 juni (de langste dag) trouwen. Het is een wonder. Ik heb een verzoekschrift bij de paus ingediend om het huwelijk officieel te laten erkennen. Kom alsjeblieft. Je kunt hem niet zijn vergeten. We hebben hem ontmoet tijdens ons bezoek aan Cork. Die goeie vader O'Donald, ook al zit hij er dan tegenwoordig zo chic bij, leidt de dienst en die lieve Orlando krijgt een spoedcursus katholicisme van vader Murphy, de priester hier in Lir die alles aan hem goedkeurt, behalve dat hij water bottelt en geen whisky. Vertel me eens, wat is dit voor vreugde die over me is gekomen? Liefde en nog eens liefde. Ik heb genoeg liefde voor de hele wereld. Ik straal een en al liefde uit.

En aan Fay:

Lieverd, net als jij ga ik trouwen. Wie zou hebben gedacht dat we allebei zo ouderwets zouden zijn? Ik hou op met mijn boek over seks en jongeren onder de zestien – wat een saai onderwerp – en wil gaan schrijven ofwel over Maria Edgeworth, een negentiende-eeuwse Ierse romanschrijfster, een feministe van het zuiverste water, ofwel over de Heilige Oliver Plunkett, wiens naam werd geleend door mijn tante, de heilige non en martelaar... Ik heb maar één verzoek aan je, lieve Fay...

'Meent Connie het serieus?' Fay belde Nina vanuit New York.

'Zo serieus als Connie maar kan zijn.' Nina dacht er nog eens over na. Proefde ze misschien de smaak van jaloezie in haar mond? 'Natuurlijk is ze serieus.'

'En ze ging ervan uit dat ik met Ted ga trouwen. Maar ik geloof niet dat dat gaat gebeuren. Ik weet helemaal niet zeker of ik wel in het huwelijk geloof, en ik geloof er zeker niet in mijn naam op te geven voor die van iemand anders.'

'Maar je gaat toch wel naar Connies bruiloft?' Nina kon de melancholie in haar stem niet onderdrukken.

'We willen wel, maar of het kan is nog maar de vraag.' Het zelfverzekerde 'we' viel Nina op. 'Al was het alleen maar om haar ouders te ontmoeten, en welke familie ze verder nog wil uitnodigen. Ik moet toegeven dat ik nieuwsgierig ben naar die Ierse veenfiguren die ze zo veracht. Trouwens, ze heeft me gevraagd of ik het nieuws aan Kevin en Shirley wil overbrengen.'

'Aha. Maar die komen toch niet naar de bruiloft?'

'Ik denk het niet nee.' Er viel een stilte.

'Hoe is het met je kantoren, je spreekkamers en je cliënten?' vroeg Nina, die een ontmoedigende kortaffe toon in Fays stem bespeurde. Misschien belde ze vanaf haar werk.

'Met alle drie gaat het goed. Als ik een zakenman was, zou ik zeggen dat ik een groeimarkt heb aangeboord. Niemand wil dat zijn röntgenfoto's in een bijgebouw van het een of andere ziekenhuis worden bekeken. Ik geef mijn mensen een persoonlijke behandeling.'

Nina vond dat ze wel degelijk klonk als een zakenman en wachtte tot Fay haar zou vragen hoe het met haar schilderen stond, met haar moeder, met haar kinderen, maar vooral met Hector. De afwezige Hector.

'Ik laat je zo gauw mogelijk weten wat onze plannen zijn,' zei Fay.

Fay nam Ted met zich mee naar Washington.

'Hemel, het is weer kersenbloesemtijd!' riep ze uit toen hun taxi hen langs de witte monumenten naar Georgetown voerde.

Kevin, succesvol onder alle politieke verwikkelingen, had zijn zakelijke belangen sinds Nixons aftreden nog verder uitgebreid. Nu leek hij een flink stuk van Virginia te bezitten. Vreemd genoeg kon Ted, de portier en muziekstudent, uitstekend met Kevin overweg. Ted legde uit dat machtige mannen die worden gedreven door ambitie hem altijd mochten, omdat ze voelden dat hij geen bedreiging vormde. Fay vroeg zich af of dat ook de reden was waarom zij zo op hem gesteld was. Nee, al met al was het zijn gereserveerdheid die haar aansprak. In veel opzichten was hij nog steeds een vreemde. Ze had bijna tegen Nina gezegd: 'Ik zou niet de naam van een vreemde kunnen aannemen.'

'Ik heb een verrassing voor je.' Shirley deed zelf de deur open. Ze zag er bijna slonzig uit, voorzover dat kon in haar dure kleren. 'Ik hoop dat jullie er niet door van slag raken, maar dat jullie er net zo blij om zullen zijn als ik.'

Fay liep met haar mee de hal in, met Ted vlak achter haar. Ze realiseerde zich hoezeer ze verrassingen wantrouwde. Ze was hiernaartoe gekomen om over Connie te praten, niet om zich te laten verrassen. Ze bedacht dat ze nog nooit van haar leven echt verrast was geweest. Ze pakte Teds arm vast en vermoedde dat zijn aanwezigheid in haar leven haar voortvarendheid ondermijnde. Ze gingen de trap op naar de kinderkamer, wat Fay vreemd voorkwam, want Kathleen was nu ruim vijf.

Shirley opende de deur en begon heel snel te praten. 'Ze is een Vietnamwees, zoals je wel begrijpt. Het oude verhaal: vader komt terug uit het leger, moeder sterft, kind blijft alleen achter. Tara – ach, ze werd toen Ba genoemd – was net van de straat geplukt toen we haar vonden. Ze is nu drie, hoewel ze half zo oud lijkt. Kathleen heeft haar al een paar woordjes geleerd, hè schat? Kathleen is de beste lerares die je je als zusje kunt wensen.'

De twee meisjes zaten samen op de grond een grote zwarte pop aan te kleden. 'Rok,' kondigde Kathleen aan, om haar moeders woorden te bewijzen.

'Rok,' herhaalde Tara, en beide meisjes glimlachten trots.

'Neem me niet kwalijk, ik moet even naar de wc,' zei Fay.

'Dat is tante Fay,' hoorde ze Kathleen zeggen toen ze wegstormde.

Tara kon niet Daniels kind zijn. Dat was overduidelijk, want dan zou ze twee jaar voor zijn dood geboren moeten zijn, en Daniel zou voorzorgsmaatregelen hebben getroffen. Zo iemand was hij. Ja toch? Het kind zag er niet bepaald westers uit, haar trekken waren alleen wat zwaarder en haar blik was opener. Maar haar haar was zwart, haar ogen hadden de kleur van pruimen – geen spoor van Arische blondheid. Ze zou Daniels kind geweest kunnen zijn, met die lichte huid. Fay begon te huilen, en toen ze eenmaal was begonnen kon ze niet meer ophouden.

Ted klopte op de deur. 'We gaan een stukje wandelen. We zullen langzaam lopen, zodat je ons in kunt halen.'

Geleidelijk aan herstelde Fay zich en terwijl de zilte tranen strak opdroogden op haar gezicht, merkte ze dat ze in plaats van aan de ellendige verspilling van Daniels dood dacht aan de twee kleine meisjes en aan Teds vriendelijke boodschap. Ze scheurde een stuk wc-papier af om haar neus te snuiten en stond op om de anderen achterna te gaan.

Fay liep arm in arm met Shirley. Terwijl Ted voor hen uit ging met de kinderen, vertelde ze Shirley over Connies huwelijk.

'De O'Malleys zijn een vreemd stelletje,' zei Shirley haar. 'Als je nagaat waar ze vandaan komen – uit een hutje in het veen, aan het eind van de wereld – kan dat volgens mij ook geen verbazing wekken. Er is één zuster die wel in orde lijkt, hoewel ze zelfs naar katholieke maatstaven veel te veel kinderen heeft. We hebben wat gecorrespondeerd, hoewel ik haar natuurlijk nooit over Kathleen heb kunnen vertellen. Verder is er die dronkaard in Noord-Engeland. Ergens, diegene die ervandoor is gegaan. Kevin doet vrij vaag over zijn naam; hij heeft alleen verteld dat hij vroeger priester wilde worden. En Kevin zelf is nou ook niet bepaald ongecompliceerd.' Fay zag dat ze het soort echtgenote was voor wie het deel uitmaakte van de huwelijksgeloften om geen enkele kritiek te hebben en wendde tactvol haar blik af. Het doel van haar visite was bereikt: ze kon Connie op haar bruiloft vertellen dat Kathleen niet zou komen.

Nina kreeg een telefoontje uit Ierland. 'Ik heb je nodig. Ik kan hen niet in mijn eentje ontvangen. Ik ben doodsbang. Je begrijpt...' Nina herkende

Connies smekende passie van diverse crisismomenten uit de afgelopen jaren.

Ze protesteerde, hoewel ze wist dat het geen zin had. 'Natuurlijk moet je je ouders voor het eerst in bijna twintig jaar zien, samen met Orlando, je aanstaande echtgenoot.'

'In de wereld van mijn dromen wel. Maar het zou op een oudtestamentische ramp uitdraaien. Lieverd, Orlando is protestant.'

'Nee toch? Hij is bekeerd, dat heb je me verteld.'

'Bekeerd!' Connie liet een wilde kakellach horen. 'Weet je niet meer wat mijn broer Kevin heeft moeten doorstaan? Geen contact meer, omdat hij met een protestantse is getrouwd. En zij is ook katholiek geworden. Voor mensen als mijn ouders geldt: eens een protestant, altijd een protestant. Bovendien zijn alle Engelse Ieren protestant, wat ze ook mogen geloven. Ik moet eerst teruggaan als een pure katholieke maagd. Dan kan ik over het onderwerp van een huwelijk *à la Partridge* beginnen.'

'Waarom neem je je zus dan niet mee?'

'Mijn zus vindt me een hoer!' riep Connie uit.

'Maar je was zo op haar gesteld.'

'Ze wilde er niets van weten toen ik als ongetrouwde vrouw zwanger was.'

Het was begin mei. Nina kon zien dat haar moeder in de tuin aan het wieden was; ze gooide grote takken van de vlier achter zich neer, zoals een das aarde en stenen achter zich opwerpt. Ze had gehoopt dat ze zou kunnen blijven schilderen tot vlak voor de bruiloft.

'Ik ben ook protestant.'

'Jij bent tenminste een vrouw. Aan de andere kan zou ik ook Fay kunnen vragen. Joden staan een stuk verder van het leven van mijn ouders af, ze zouden er waarschijnlijk van uitgaan dat ze een directe afstammelinge is van Jezus.'

'Goed. Dan kom ik wel.' Nina kon er niets aan doen dat ze het gevoel had gehad dat ze met Fay wedijverde om Connies aandacht.

'O, mijn god! O, mijn god! O, mijn god!' Connie, die geheel in het zwart was gekleed, zag asgrauw.

'Zo denkt iedereen dat je naar een begrafenis gaat,' zei Nina. Ze zat achter het stuur van Orlando's auto, die aanvankelijk de stal niet had willen lijken te verlaten, want hij haperde bij elke kruising, maar nu had hij het bit tussen zijn tanden en reageerde hij alleen op de rem als je die lang ingetrapt hield.

Nina merkte dat ze het prettig vond om in Ierland te zijn. Orlando was excentriek, maar indrukwekkend. Hoe ze ook met Connie meeleefde in haar catatonische toestand van vrees terwijl ze naar de County Mayo reden, haar hart klopte vrolijk. Het refrein: 'Hector kan naar de hel lopen.'

Ze had een paar weken tevoren definitief afscheid genomen en had tot haar verrassing ontdekt dat de pijn die ze had verwacht niet was gekomen. Haar moeder, die de situatie taxerend opnam, merkte zelfvoldaan op: 'Ik heb altijd wel geweten dat je niet van hem hield.' Nina besloot niets te zeggen. Hoe kon ze nou weten of ze van hem hield of niet?

Connie had een kaart vast, maar die trilde tussen haar vingers. 'Ik zou geen kaart nodig moeten hebben om mijn ouderlijk huis te vinden. De weg zou in mijn hart gegrift moeten staan!' riep ze hartstochtelijk uit, en ze draaide het raampje omlaag met de blik van iemand die van plan was te gaan braken.

'Zoals Eleanor van Acquitanië,' stemde Nina haastig met haar in, in de hoop haar af te leiden naar een algemeen onderwerp.

'Ik weet niet wat Acquitanië te maken heeft met de County Mayo,' zei Connie geërgerd. Maar ze trok haar hoofd terug en draaide het raampje weer dicht. Het regende, natuurlijk. Het junilandschap glansde elektriserend groen; de granieten cottages, kerken en ruïnes werden zo donker dat ze bijna zwart waren.

'Hoe laat verwachten ze ons?'

'Mijn broer Michael heeft teruggeschreven. Zijn handschrift was kriebelig en verkrampt. Ik verwacht dat hij linkshandig is, of misschien is hij geestelijk achtergebleven. Waarom zou hij anders gebleven zijn? Misschien gijzelt hij mijn ouders wel. O, Moeder der Genade, heb meelij met uw nederige dienares!'

Ze reden voort. De radio kon maar op één zender worden afgestemd, die dol was op Ierse horlepijpmuziek. De regen was minder geworden, en dat was maar goed ook, want de ruitenwisser aan Nina's kant werkte niet meer. Connie leefde op en kondigde aan dat het tijd werd voor de lunch. Nina vermoedde dat dat vertaald moest worden in 'tijd voor een drankje' en vroeg zich af of een echte vriendin haar erop zou wijzen hoe gevaarlijk het was om op alcohol te vertrouwen. Maar Connie had zo lang Nina haar kende al te veel gedronken. Trouwens, nu was Orlando er om voor haar te zorgen.

Ze dronken Guinness in een leeg café, waar helemaal niets te eten te krijgen was, behalve, na veel zoeken, een pakje muffe kaaskoekjes. 'Guinness is ook eten,' vond Connie.

Toen ze weggingen, rende de jonge barman achter hen aan met een blik Spam, dat hij door het raam stak. 'Dat zou een culinair festijn zijn,' riep

Connie, 'als we een blikopener hadden.' Maar haar bewonderaar leek dit boven de pet te gaan.

'We zitten hier in een derdewereldland. De vooruitgang gaat heel langzaam. Mijn liefste Orlando Partridge is de toekomst. Die Spam staat voor het verleden.' Ze keilde het blik uit het raam. Nina zag het via de achteruitkijkspiegel openbarsten, waarna het in twee helften bleef liggen.

'Een stem uit het verleden!' riep Connie uit. Ze aten de inhoud gretig op, met twee stenen als hulpmiddelen, terwijl Connie, tussen de happen door, opperde dat Ierland, dankzij de vele regen en het feit dat het dunbevolkt was, het enige schone derdewereldland was. De zon kwam tevoorschijn. Nina ging de kaart uit de auto halen en kwam terug met haar schetsboek. Ze waren een meter of honderd van een verlaten cottage gestopt. Nina installeerde zich op de restanten van een muurtje en Connie ging op een vensterbank zitten en viel in slaap. Afgezien van de vogels en insecten was het doodstil.

Nina merkte dat ze haar adem inhield. Ze besefte dat de slapende Connie met de overwoekerde ruïneuze cottage het juiste onderwerp was voor een nieuwe serie schilderijen. Ze raakte in de ban van een dringende energie, want straks zou Connie wakker worden en haar weg willen vervolgen. Haar appelboomserie was gebaseerd op een statisch en makkelijk toegankelijk onderwerp, maar hierbij zou ze moeten vertrouwen op de informatie die ze in een korte tijdsspanne in zich op kon nemen. Ze moest niet alleen het tafereel zien vast te leggen, maar ook het geluid van de bijen, de vliegen, de vlinders, die na de lange regenbui nu en masse tevoorschijn waren gekomen en ronddartelden in de warme zon. Nina begon als een razende te tekenen. Al even razend maakte ze aantekeningen.

Stilte – geen auto's, hoewel maar een paar meter van de weg. Heel warm – hoewel daarnet nog zware regen. Insecten vliegen rond, kruipen, cirkelen, zuigen, nippen. Lucht gonst, zoemt, beweegt. Vogels tsjirpen, jubelen, scheren door de lucht, schieten voorbij, duiken, storten zich omlaag, flirten. Bladeren vouwen zich open, gaan rechtop staan, schudden het water van zich af, drogen, glanzen, worden groen. Bloemen stralen, zwaaien, maar delicaat en gedetailleerd. Fuchsia. Boterbloem. Salie. Distel. Wilde roos. Vlier. Madeliefje. Paardebloem. Fluitekruid. Overal gras, lang, in bloei, scherp, zwiepend, flitsend. Geluid opgenomen in beeld, zich in een flikkerende beweging naar buiten toe uitbreidend als een fontein of een verstuiver. De ruïne van de cottage zowel meer solide dan de duizelingwekkende natuur, maar in zijn vervallen staat ook minder. Een commentaar op het voorbijgaan van de menselijke dingen, wat de mens creëert is kwetsbaarder dan een enkele rode bloem die trilt aan een fuchsiastruik, die zichzelf elk jaar met moeiteloze triomf vernieuwt. En toch, als om dit alles tegen te spreken, was daar Connie – kijk naar Connie! Ongelofelijk mooi, een moderne sprookjesprinses, met haar blanke huid en zwarte jurk. Verstild, thuis. Gelukkig en glorieus. Slapend. Ritssluitinglitteken vergeten, wachtend op haar prins. Het geeft de krakkemikkige cottage achter haar iets van subtiele hoop.

Nina krabbelde voort. Het kon haar niet schelen of het onzin was. Ze werd rood van de felle zon en had het amper in de gaten toen Connie wakker werd en naar haar toe kwam.

'Voorwaarts!' riep Nina hartelijk uit, en ze graaide haar papieren, potloden en krijtjes bij elkaar. 'Of we zitten hier vannacht nog.'

'In het westen van Ierland blijft het in juni urenlang licht.' Connie glimlachte. Haar slaap leek haar te hebben gekalmeerd en ze gaf geen blijk van nieuwsgierigheid naar de wijze waarop Nina de tijd had doorgebracht.

Het platteland baadde in een blauw licht. Nina knipte de koplampen aan en deed ze toen weer uit, omdat ze liever zonder reed. Het landschap was niet langer weelderig en de verlaten cottages stonden nu tussen turfland of kale rotsige aarde. De weg vertoonde meer kuilen dan ooit en de wilde bloemen zagen er gekweld en bekommerd uit. Connie had eenzelfde lusteloosheid over zich gekregen, en toen ze had gevraagd of ze in het dorp wilde stoppen, was Nina ervan uitgegaan dat ze op zoek was naar een café. In plaats daarvan was ze naar een kerk gelopen. Toen ze terugkwam had ze gezegd: 'Je kunt wel enige vergeving gebruiken als je je ouders en je kind in de steek hebt gelaten.'

De blauwheid was, als een filter dat de tint van elke kleur veranderde, een opluchting, een sluier die een ongeplaveid pad verhulde. Aan het begin ervan vroeg Connie of Nina de auto stil wilde zetten en ze gaf over achter een gaspeldoorn.

'Ik herinner me die struik,' zei ze toen ze terugkwam. 'Ik probeerde er vroeger altijd aan te ruiken. Ik vond dat hij naar honing rook – niet dat ik ooit honing heb geproefd. Maar nu vind ik dat hij naar seks ruikt, en god weet dat ik daar genoeg van heb gehad.'

'Connie, weet je, je bent hier gekomen om hun te vertellen dat je gaat trouwen.'

'Je komt in elk geval onder de enorme lange doornen te zitten als je te dichtbij komt.' Ze zweeg even en staarde voor zich uit. 'Daar staat Michael in de deuropening!' Haar stem schoot opeens omhoog, alsof de aanblik van haar broer haar hoop gaf. 'Hij heeft zijn beste kleren aan. O, Nina, laat het alsjeblieft goed zijn!'

Connie stapte fier op Michael toe. Ze liep als een in het zwart geklede hoer van Babylon. Hij glimlachte haar toe, een verbijsterde, blije glimlach. Connie meende dat al haar gebeden waren verhoord.

'We dachten al dat je zou komen,' zei Michael plechtig.

'Hè?' Connie was verrast. Ze had geschreven, natuurlijk, maar hij leek iets anders te bedoelen.

'Nu ma ziek is. Ze heeft gebeden tot Onze Vrouwe van Knock.' Het leek of andermans gebeden anders waren verhoord. 'Ze is nu binnen en wacht tot je thuiskomt. Beter dan welke dokter ook, zegt ze.' Connie, die Nina, die tactvol in de auto was blijven zitten, vergat, volgde hem naar binnen.

Haar vader stond vlak achter de deur. Hij had haar toen ze kind was zo oud geleken dat hij nu nauwelijks meer gebogen of verschrompeld was.

'Ha, Connie.' Hij keek omlaag op de manier zoals ze zich herinnerde: als iemand die de wereld wilde ontwijken, toegaf dat hij verslagen was – de manier die haar had doen besluiten te vertrekken omdat ze anders deze gewoonte zou kunnen overnemen. En toch, bedacht ze, had Michael, die bij haar elleboog stond, haar in de ogen gekeken; hij was heel direct. Hoewel het huis nog vrijwel hetzelfde was, werd het schel verlicht door een lamp aan het plafond.

'Wat is er met haar? Ik wist nergens van.'

Dit leek haar vader, die zich omdraaide om haar voor te gaan naar de slaapkamer, tot zwijgen te brengen.

'Het zijn haar longen,' zei Michael. 'We dachten dat Eileen je het wel zou hebben verteld.'

'Nee. Ik wist het niet.' Ze gingen de slaapkamer binnen. De gordijnen waren anders – helderroze met blauw –, er lag een stuk tapijt op de vloer, een glanzend geel dekbed op het bed.

'Connie, o, Connie!' Connie knielde naast haar moeder neer – klein, wit kroezend haar, een doorgroefd grauw gezicht – en huilde. Ze huilden allebei. De mannen bleven in de deuropening staan, hun handen in hun zakken.

Nina, die schuchter binnenkwam, zag dat Michael de ketel opzette. Er was een nieuw uitziende elektrische kookplaat en een aanrecht met een nieuwe geiser erboven.

'Jij bent zeker Connies vriendin?' Michael hanteerde de ketel vaardig.

'Ik heb haar met de auto hierheen gebracht. Ik ben Engelse.'

'Helemaal uit Engeland?' Hij leek ironisch te doen.

'Ik heb niet het hele eind vanuit Engeland gereden.' Hij stelde geen vragen meer, maar ging de tafel dekken voor de thee. Nadat hij het water had gekookt, deed hij bacon en aardappelen in een koekenpan. Nina probeerde te helpen, maar hij leek zich goed te redden. Ze herinnerde zich Connies verhalen over de tegenzin van de Ierse man om te trouwen. 'Het is een natuurlijke vorm van geboortebeperking,' had ze gezegd, 'hoewel het meer met verlegenheid te maken heeft dan met iets anders.'

'Woon je hier?'

'Ik heb een mooie bungalow in het dorp. Maar ik ben hier elke dag om voor het eten en de turf te zorgen.'

Connie verscheen weer en ondersteunde haar moeder, die in een zware wollen peignoir was gewikkeld, waarschijnlijk een mannenochtendjas. 'Dit is mijn vriendin Nina,' kondigde ze aan. 'Je zult haar mogen, ook al is ze dan Engelse. Ze is kunstenares, ze schildert. Als je het haar vriendelijk vraagt, tekent ze misschien je portret wel.'

'We zijn je dankbaar dat je haar hierheen hebt gebracht,' zei mevrouw O'Malley. Connies vernedering was verdwenen. Ze zat elleboog aan elleboog met haar moeder en Nina zag wel dat mevrouw O'Malley achter haar ziek-zijn toch een sterke vrouw was.

'Zegen ons, o Heer, en onze gaven, en moge de Heer ons dankbaar maken,' zei Connie met een glimlach.

'Amen,' mompelde mevrouw O'Malley.

Nina bedacht dat de kracht van Connies emoties, die ze zo vaak op een zelfdestructieve manier aanwendde, haar nu standvastig voorwaarts voerde.

Connie was vervuld van liefde. Ze voelde haar moeders liefde voor haar, de liefde van een oude vrouw die niet verwachtte dat de wereld zou veranderen en accepteerde wat haar werd aangeboden. Haar broer accepteerde haar ook, hoewel hij in zijn geval met haar afwezigheid leek om te gaan alsof die nooit had plaatsgevonden. Hij had niets nieuwsgierigs in zijn manier van doen. Ze had er het meest tegen opgezien haar vader te ontmoeten, wachtend op zijn terecht wijzende vinger: 'Onze Vader, die in de hemelen zijt... vergeef ons onze zonden...' Ze had zich erop voorbereid boetvaardig te zijn, om te proberen hem voor zich te winnen met haar herontdekte katholicisme (hoewel ze zijn opstelling altijd meer heidens dan christelijk had gevonden, want hij was opgegroeid in de meedogenloosheid van het land dat hij bewerkte). Maar hoewel zijn trekken niet waren veranderd en alleen maar sterker aangezet waren, leek deze man te schimmig om kwaad te zijn. Ze bedacht dat de obstinate woede die ze als kind in hem had herkend haar eigen doel misschien wel diende, want die had haar een excuus geboden om te ontsnappen. Ze had gewild dat hij kwaad was; dat was beter dan een gebroken man als vader te moeten hebben. Maar nu kon ze van hen allemaal houden. O, Orlando Partridge, jij hebt dit mogelijk gemaakt!

Na het eten haalde Michael de wiskyfles tevoorschijn en ze dronken op de feestelijke gelegenheid, terwijl meneer O'Malley, die niet echt veranderd was, wegkeek. Zelfs zijn vrouw dronk een slokje mee, zodat er rode vlekken op haar wangen verschenen.

'Ik ga trouwen.' Connie was gaan staan om het aan te kondigen. 'Met een man uit Meath. Hij heet Orlando Partridge.'

'Wat voor soort naam is dat?' De whisky had Michael spraakzamer gemaakt. 'Het is bepaald geen Ierse naam.'

'Nee, daar heb je gelijk in. Maar voor mij is het de juiste. Jullie mogen allemaal op onze bruiloft komen en je moet zelf maar beoordelen wat voor soort man hij is.' Connie keek haar moeder aan, en haar moeder legde haar gerimpelde oude hand over de witte van Connie.

Nina, die van haar whisky nipte, voelde zich als een getuige bij een contract dat even bindend is als een huwelijk. Ze probeerde zich Connies onafhankelijkheid te binnen te brengen, haar strijdbare feminisme, maar op dit moment leek het wel of Connie zich had voorgenomen een heel andere koers te gaan varen.

Fay stuurde Connie een huwelijkscadeau met een verontschuldiging omdat ze er niet bij aanwezig was; het bestond uit een abonnement voor vijf jaar op de *New York Review of Books*, het gedeelte met boekbesprekingen van de *New York Times*. VERGEET ONS NIET, tikte ze met vette letters.

Toen de tijdschriften een maand of twee na de bruiloft binnen begonnen te komen, gebruikte Connie ze om er de manden van de wolfshonden mee te bekleden; die waren verbannen naar een koude en verre schuur.

Een paar weken later liet ze Orlando weten dat ze was gestopt met haar boek over Maria Edgeworth, aangezien zij deel uitmaakte van de verderfelijke heersersklasse, en dat ze met research was begonnen naar die Ierse heldin, de piratenkoningin, Grany Imallye, oftewel Grace O'Malley, die in zestiende-eeuwse Engelse verslagen als 'een beroemde vrouwelijke zeekapitein' te boek was gesteld en die ongetwijfeld haar eigen glorieuze voorzaat was.

Orlando stimuleerde haar, hoewel de eerlijkheid hem gebood zich te herinneren dat hijzelf deel uitmaakte van die vermaledijde heersende klasse.

Er viel zo'n dichte sneeuw, met amper ruimte tussen de afzonderlijke vlokken, dat Nina zich afvroeg of William er wel door zou kunnen komen naar het huis.

Jamie lag te slapen en snurkte licht, zijn gezicht minder rood dan tevoren en zijn armen en benen ontspannen. Nina sloeg hem nauwlettend gade en wendde zich vervolgens tot haar moeder, die haar aandacht bij een petit-pointborduurwerk had. Voorzichtig trok ze een draad kersrode wol door de mazen.

'Ik ga even naar buiten.'

'Doe dat, lieverd. Kleed je warm aan.'

Even bleef Nina in de deuropening staan, midden in de witte wereld. Toen ze naar buiten stapte was het alsof ze een nieuw schildersdoek betrad waarop witte verf overal om haar heen neerviel. Ze keek hoe de vlokken neerdaalden op haar sjaal en jas, die helemaal niet bij elkaar pasten, oranje en groen, bruin en rood. Ze nam aan dat de kleuren als ze lang genoeg stil zou blijven staan overgeschilderd zouden worden met wit en dat ze dan in het witte doek zou verdwijnen.

Mijn god! De gedachte drong voor het eerst in volle omvang tot haar door. Jamie had wel dood kunnen zijn. Hij had wel helemaal uitgewist kunnen worden, zijn tere jongenslichaam tot niets gereduceerd. Ze voelde dat ze begon te rillen, alsof de sneeuw door al haar kleuren heen ging en haar hart omvatte.

'Nina! Nina!'

Ze had haar ogen gesloten, was teruggezonken in het doek. William rilde en trok aan haar arm. 'Alsjeblieft, Nina. Hoe is het met hem? Is het erger geworden?'

Ze opende haar ogen. Hij zag er belachelijk uit in zijn Londense uitgaanstenue, in zijn overjas, bruine slappe vilthoed, met sneeuwschoenen. 'O, William, o, William, lieverd. Hij maakt het goed! Hij is hersteld. Het was longontsteking, hij lag niet op sterven!' Op dat moment, toen ze elkaar omhelsden en troostten en elkaar gelukwensten, voelde ze meer liefde voor hem dan in de hele tien jaar van hun huwelijk. Toen ze zich van elkaar losmaakten, lachend, huilend, nog steeds arm in arm, vroeg ze: 'Maar hoe kom je hier zo ineens terecht? Zomaar uit het niets? Of is de helikopterdropping me ontgaan?'

'Ik heb de auto op de oprijlaan staan. Ik wist dat ik er nooit doorheen zou komen. Je moet hier sneeuwruimen, weet je, want anders bevriest het tot een harde laag.'

Zijn stem, die verwijtend klonk, de stem van het gezond verstand en het gezag, herinnerde Nina er onmiddellijk aan hoe hij er altijd in wist te slagen het leven uit haar te knijpen. Maar zo makkelijk zou ze haar plezier niet door hem laten vergallen.

'En zit Felicity nu te bevriezen in de auto?'

'Felicity heeft het druk. Ik moest je haar groeten en beste wensen overbrengen voor Jamies snelle herstel.' Weer die zware hand van kritiek.

'Nou, haar beste wensen zijn verhoord, dankzij de onvolprezen antibiotica.' Opgewekt leidde ze hem naar binnen; ze glimlachte alleen weer een beetje vals naar hem toen ze zijn geëmotioneerdheid voelde in het oude huis. Waar kon ze hem eigenlijk van beschuldigen, behalve dat hij zichzelf was, en dat dat niet de persoon was die zij wilde? Met een mengeling van schrik en angst realiseerde ze zich, toen ze door de garderobe liepen, dat louter en alleen zijn aanwezigheid aan haar zij had gezorgd voor de angstwekkende ontwikkeling van wat het ook was dat haar ertoe bracht zich te wassen, te wassen en nog eens te wassen.

'Lieve William.' Ze herhaalde de hartelijke woorden om de waarheid ervan nog eens te bevestigen. Hij zou nooit meer haar echtgenoot worden, maar toen ze zij aan zij naast het bed van hun zoon stonden, konden ze in elk geval liefhebbende ouders zijn.

Connie keek hoe het litteken op haar onderbuik langzaam roze kleurde en breder werd. Ze wilde vervuld zijn van vreugde, maar één vraag werd steeds dringender: hoe kon Orlando zich ervan weerhouden om naar de geschiedenis ervan te vragen?

'Ik heb altijd al het hele meer rond willen lopen.' Het was winter, maar een Ierse winter, zacht en mild. Orlando had een enorme nieuwe order voor zijn gebottelde water gekregen en had een nieuw tweedehands pak gekocht, dat Connie met zijn ruimvallende comfort bijna tot tranen bracht. De bungalow was te klein voor hen, en hoe moest het als ze met z'n drieen zouden zijn? Connie spreidde haar boeken over Grace O'Malley uit in een verlaten ijskoude kamer. Het boek zou even moeten wachten.

'Ik ben nog nooit helemaal om het meer heen gelopen.' Orlando streelde peinzend haar blote arm. 'Halverwege is een leuk oud cafeetje waar ze bier schenken zoals je nog nooit hebt geproefd, en het zou me niet verbazen als er achterin ook nog een kamer is. We laten Sodom en Gomorrah hier om op mijn vader te passen. Ik zou mijn cello mee kunnen nemen op mijn rug en je na middernacht een serenade kunnen brengen.'

'Ik wil alleen maar wandelen.' Connie had de laatste tijd niet veel zin om te drinken, iets wat haar maar één keer eerder in haar leven was overkomen.

Connie voelde hoe ze naar beneden werd gezogen in de drassige grond alsof de bodem alleen maar een onvaste vermomming was voor het meer. Ze legde haar hand in die van Orlando en het gesop van hun laarzen klonk gelijk op. Hoe kon hij de grond die ze betrad blijven aanbidden (want dat deed hij, o, ja!) wanneer hij haar verleden in een modderig moeras zag veranderen? Zelfs haar kwam het voor als een modderig moeras – onbegrijpelijk, onverklaarbaar. Kon ze zowel boetvaardig zijn als koningin? Ze dacht van niet. Waarom had hij nooit om een uitleg gevraagd van het Kaïnsteken, die ellendige ritssluiting? Connie richtte haar blik op de planten aan haar voeten die kronkelden onder haar laarzen. Misschien moest ze hem eerst het goede nieuws vertellen. 'Er is iets ongelofelijks, weet je.'

'Ik ken iemand die ongelofelijk is.'

Ze was altijd als een blok gevallen voor mannen die haar vleiden. Ze nam aan dat dat op karakterzwakte duidde, maar zoals gebruikelijk schonk het haar moed. 'Je hebt het nog niet geraden?'

'Dat we een baby krijgen?'

Ze was verrast. Zo verrast dat ze bleef staan en Orlando tegen zijn borst stompte. 'Waarom heb je niets gezegd?'

'Ik hou van je. Jij bent mijn leider. Ik wilde dat jij het me zou vertellen.'

'En nu krijg je het dan te horen. Echt, Orlando, hoe kun je zo stiekem doen?' In haar gerechtvaardigde woede hoorde ze wat ze zei en ze begon te giechelen. 'O, lieverd...'

'Nou.' Hij keek haar aan met kritiekloze trots. 'Onze baby. Het is een wonder.'

'Je bent heel katholiek, ondanks je late bekering.' Connie bleef giechelen. 'Als je zo vaak neukt als wij...' Ze viel stil. 'Als je zo vaak de liefde bedrijft.' Maar nu kwam ze vast te zitten, en alsof beweging zou helpen liep ze snel naar de oever van het meer, haar voeten zuigend in de natheid. Van de liefde bedrijven kon je baby's krijgen, maar dat kon ook van andere soorten seks. Hij kwam achter haar aan. Ze bleven weer staan en keken uit over het weidse water, brak mauve-bruin aan de randen, donkerpaarszwart in het midden. De zwarte zachtheid ervan maakte Connie ongeduldig. 'Je weet dat ik eerder een kind heb gekregen,' zei ze. Ze ging nog dichter naar het water toe, zodat er zich poeltjes om haar voeten vormden.

'Dat weet ik ja,' beaamde Orlando welwillend.

'Ik kon er niet over praten.'

'Dat hoef je ook nu niet te doen.'

'Het was een meisje. Het is een meisje. Ze is nu vijf. Ze heet Kathleen. Na haar geboorte is ze geadopteerd. Ze woont in Amerika. Ik heb geen contact met haar.'

Orlando kwam naar voren en pakte haar beet. 'Zo is het wel genoeg. Je hoeft me niet alles te vertellen. Ik hou van je. Ik hou van alles aan je, alles wat je ooit hebt gedaan.'

'Ik heb een keer een abortus gehad en ik zou het niet nog een keer hebben kunnen verdragen, zelfs niet als de man in kwestie niets voor me zou betekenen.' Connie stond nu in het eigenlijke meer en plaste rond, zich niet bewust van de absurditeit daarvan, en ze ontweek Orlando's armen.

'Lieverd, je hoeft je niet te verdrinken, hoewel ik natuurlijk het meer over zou zwemmen om je te redden. Alsjeblieft, vertel niet verder. Ik weet dat je een baby hebt gekregen. Dat heb ik altijd al geweten. Je prachtige offerbuik. Eerst was ik er verdrietig over. Ik overwoog om je ernaar te vragen. Dat geef ik toe. Het was een schok. Maar dat duurde maar even. En toen werd het een deel van je.' Orlando was nu ook in het water, zijn gezicht roze van emotie, en hij hield zijn armen naar haar uitgestrekt. 'En nu gaan we onze eigen baby krijgen.'

'O, mijn god.' Zonder waarschuwing ging Connie in het meer liggen. Het water spoelde zachtjes rond haar lichaam, ze had een paar druppels op haar gezicht. Orlando keek even naar haar en liet zich toen naast haar neer. 'Dit is de gelukkigste dag van mijn leven,' zei Connie terwijl ze zijn hand pakte.

'Ik had nooit gedacht dat het water zo warm zou zijn.'

'Dat is zeker nóg een wonder,' mompelde Connie.

'Tenzij het komt doordat we de voorzorgsmaatregel hebben genomen om onze kleren aan te houden.'

1977

Er waren pauwenveren achter de spiegel gestoken.

'Het brengt ongeluk om ze mee naar binnen te nemen, ik weet het.' Connie trok een verontschuldigend gezicht. 'Maar het is zo jammer om ze op het grasveld te laten liggen. Trouwens, Leonardo vindt het leuk om ermee gekieteld te worden. Ik kan met trots zeggen dat hij een heel dwaas jongetje is.'

'Alles aan deze plek is vreugdevol,' zei Nina. Ze zag dat Connie gelukkiger was dan ooit en was blij voor haar. Leonardo – de naam leek zoveel op een anagram van Orlando als maar mogelijk was – was een mollige peuter, tamelijk rustig, maar hij kon soms ineens wild giechelen, waarmee hij deed vermoeden dat hij beschikte over een innerlijke bron van vrolijkheid.

Toen ze over het grazige pad naar het meer liepen, terwijl Connies zoon voor hen uit waggelde, dacht ze aan Jamie. Ze had hem alle ruimte gegeven die hij nodig had, en nu deed hij zijn best om haar af te wijzen. Het was een wraakoefening, nam ze aan, omdat zij zijn vader had afgewezen. Ze vermoedde dat Jamie, als ze niet bij zijn oma zou wonen, van wie hij hield, ervoor zou kiezen haar nooit meer te zien. Op school hield hij, toen hij gedwongen was haar voor te stellen, zijn hoofd omlaag en sprak het woord 'moeder' op zo'n manier uit dat het klonk als 'Maud'. Ze had hem één keer aangeboden haar voornaam te gebruiken, een goed middel om afstand te nemen, had ze gehoopt, maar hij had haar geïrriteerd versmaad: 'Doe niet zo mal, mam. Je bent mijn zuster niet!'

Connie onderbrak haar gedachten. 'Hoe gaat het met je werk? Zit er alweer een tentoonstelling aan te komen?'

Connie had, bedacht Nina, Ierland en het moederschap verkozen boven Engeland en de media. De afgelopen jaren zijn de rollen onverwacht omgedraaid, en daardoor staan we wat onhandig tegenover elkaar. Nu ben ik de werkende vrouw. Automatisch dacht ze aan Fay, die een roeping had verruild voor een baan, en beweerde dat ze zo veel gelukkiger was.

'Het eerste jaar niet,' vertelde ze Connie. Haar vorige expositie was een halfjaar geleden – niet in Hectors galerie. Hij was beledigd geweest, herinnerde ze zich met vreugde. Ze had een serie schilderijen tentoongesteld die geïnspireerd waren op Connie, zoals ze voor de verlaten cottage had zitten slapen. Ze had verkocht aan twee grote galerieën en aan haar eerste galerie in Amerika. 'Het gaat langzamer. Soms schilder ik acht uur per dag en is er geen centimeter waar ik tevreden over ben.' Ze zag dat Connies gezicht een beetje oplichtte. Ze deed er goed aan de nadruk te leggen op de moeilijkheden die ze ondervond.

'Ik heb mijn boek over de bewonderenswaardige Grace O'Malley weer opgepakt,' zei Connie met een zucht, 'maar de meeste papieren bevinden zich in Londen. Wist je dat ze koningin Elizabeth de Eerste heeft ontmoet, twee machtige vrouwen bij elkaar? Ze troffen elkaar in Greenwich in 1593, toen ze allebei al op leeftijd waren.' Ze zweeg, alsof het beeld dat ze voor zich zag haar ontmoedigde. 'Had ik je al verteld dat we dit weekend een feestje hebben?'

'Een feestje!' riep Nina vol afschuw uit, en ze werd zich er ongemakkelijk van bewust hoe teruggetrokken ze was geworden. Als ze eerlijk was, waren er maar twee mensen die ze evenzeer op prijs stelde als haar eigen gezelschap: Helen en haar moeder.

'Het is vakantie!' Connies tred werd kordater. Ze had een glimp opgevangen van het glanzende water tussen de bomen, had de zoete droogheid van tijm en salie geroken. 'Het regent maar eenmaal per dag, en het meer is warm genoeg om erin te zwemmen.'

'Ik heb Orlando's vader helemaal niet gezien,' merkte Nina op.

'Hij is in zijn bungalow. Dat vindt hij veel prettiger. Hij wil het liefst in een caravan wonen, maar dat kunnen we niet toestaan, of we zouden de Maatschappij ter Bescherming van Vervelende Oude Mannen achter ons aan krijgen. Met een beetje mazzel legt hij binnenkort het loodje.'

'Connie!'

Connie danste vooruit. 'Maak je geen zorgen,' riep ze over haar schouder. 'Leonardo gaat bij hem op bezoek en kijkt met hem naar kinderprogramma's. Hij is gelukkiger dan ooit.'

De voornaamste component van het feestje bleek een oude schoolvriend van Orlando, met wie hij nog steeds omging omdat hij, volgens Connie, 'zo *echt* was, met andere woorden: saai'. Orlando liet Nina echter weten dat hij heel slim was, hoewel een grote vis in een kleine vijver, een notaris in een plattelandsstadje. 'Hij werkt elke dag,' voegde hij er bewonderend aan toe. Geen van beiden zeiden ze dat zijn vrouw was overleden aan kanker, uit angst dat Nina zou gaan denken dat dit een koppelpoging was, wat het in werkelijkheid ook was. De andere gasten waren Connies zus Eileen, haar man en hun drie jongste kinderen.

Connie had gelogen over de regen. Het had een week niet geregend en de akkers vertoonden hier en daar gele plekken tussen het groen. Orlando, die voor zijn bottelarij meer land probeerde te kopen, zei dat hij persoonlijk naging wat de opbrengst van elk veld was en vervolgens een aanbod deed waar de eigenaren geen nee tegen konden zeggen.

'Ze weigeren toch,' wierp Connie tegen.

'Alleen in het begin.'

'Je begrijpt de Ieren helemaal niet. Ze zouden nog eerder hun kinderen verkopen dan hun land, en een heleboel mensen hebben dat dan ook gedaan.'

'Hoe kan land dan ooit van eigenaar wisselen?'

'Door alcohol, gokken en bedrog.'

Deze woordenwisseling werd onderbroken door de aankomst van een lawaaiige auto en de advocaat – op een motorfiets. Hij was aan de forse kant voor de vrij kleine motor, en aangezien hij geen helm op had was duidelijk te zien dat hij kalend was. Hij leek opgetogen door de rit en reageerde amper op het voorstellen. Binnen een mum van tijd had hij een van Eileens kinderen achterop zitten. Toen zat Nina ineens, met haar zware lichaam – ze was na Hectors vertrek aangekomen – met haar armen om deze boom van een man heen geslagen. Ze glibberden over het graspad de weg op die voor de fabrieksarbeiders van de bottelarij was aangelegd en reden naar het bos, waar de krachtige geuren van de laatste wilde daslookplanten hen tegemoetkwamen. Uiteindelijk slipte de motor te ver door op een slijmerig blad en viel op zijn kant.

Nina bleef liggen waar ze was gevallen; ze mankeerde niets, maar wilde niet in beweging komen. Een paar meter verderop ging Gus rechtop zitten en wreef over zijn hoofd. Zijn grote hand met lange, slanke vingers gleed teder over zijn huid. Schuldbewust wendde Nina haar blik af. Het was een privé-gebaar geweest, dat haar aan andere privé-gebaren deed denken. Het licht was heel vreemd geworden, de boomstammen om hen heen waren van een levendig groen met hier en daar zilveren schijven, alsof ze waren versierd voor een oeroud ritueel. Aan het eind van het pad zag ze een natte glans die afkomstig was van het meer. Nina keek ernaar en de lucht raakte vervuld van gegons en gemurmel.

'Sorry,' zei Gus met zijn zeer Engelse stem. 'Ik liet me even gaan. Doordat ik het grootste deel van mijn leven op kantoor zit, onderschat ik de gevaren van de vrijheid. Je bent ongedeerd, mag ik hopen?'

'Ja hoor. En je motor?'

'Ik ben een bewonderaar van T.E. Lawrence, hoewel ik niet van plan ben om mezelf om zeep te brengen, zoals hij.'

'Daar ben ik blij om.' Nina zweeg even, terwijl hij beleefd wachtte. Hij leek een merkwaardig beleefd iemand, bedacht ze, wat misschien kwam doordat hij het als advocaat gewend was naar cliënten te luisteren. 'Ik zou hier wel even willen blijven. Tussen de bomen, bedoel ik.' Ze merkte dat ze bloosde om de ongerijmdheid van haar verzoek, maar was te oud om zich er druk om te maken. 'Ik ben schilder, zie je, en ik heb een idee.' Het klonk hetzij pretentieus, hetzij belachelijk, maar hij bleef serieus kijken.

'Ik snap het. Je neemt de tijd maar die je nodig hebt.'

Nina, die in ademloze afwachting van grootse gedachten op de vochtige aarde terneer zat, merkte dat ze na zijn minzame opmerking vreemd genoeg niet in vervoering raakte. Misschien zag ze het hele tafereel al voor zich: de kleine motorfiets, de grote man, hoe ze samen op de mossige grond waren gevallen. De rituele tekenen op de bomen. De vochtige uitwaseming van het meer. Trouwens, de schemering ging over in donker, en er gonsde een hinderlijke verzameling muggen om haar gezicht. Nina zocht zich een weg terug tussen de bomen door, die nu meer dooraderd waren met paars dan met mystiek groen.

Connie stapte onder Orlando's bewonderende blik de grote roestige badkuip in. Leidingen die en masse van de kamer boven neerdaalden gorgelden en tikten. 'Hij deugt toch wel een beetje, hè? Je vriend Gus,' vroeg ze over haar schouder. 'Nina heeft nooit veel geluk met mannen gehad.'

'Alle vrouwen zijn ongelukkig met mannen totdat ze de ware tegenkomen.' Orlando, die zijn kleren nog aanhad, stapte in het bad. Het veroorzaakte een grote golf, die over de rand klotste.

'Ik weet zeker dat je genoeg van me gaat krijgen,' pruilde Connie toen Orlando zijn ene hand op een van haar borsten legde en de andere tussen haar benen stak.

'Ik ben geobsedeerd. En volgens mij wordt Leonardo aangenaam beziggehouden door zijn neefjes en nichtjes.'

'Maar het eten dan?'

'Dat ben je zeker vergeten. Mijn vader maakt zijn risotto, een recept dat hij van Mussolini zelf heeft geleerd.'

'In dat geval kunnen we ons ontspannen.' Connie begon met de rits van Orlando's doorweekte broek te worstelen. Water was hun geheime afrodisiacum geworden.

Beneden in de woonkamer vroeg Nina Eileen naar de O'Malley-familie en met name naar mevrouw O'Malley, wier gezondheidstoestand op wonderbaarlijke wijze was verbeterd sinds Connie weer was opgedoken en was getrouwd. De mannen waren in de belendende biljartkamer en spraken over de deplorabele staat van het groene laken. Nina merkte dat ze luisterde naar de gemoduleerde klanken van Gus' stem. 'Muizen, zou ik zeggen. Muizen, geholpen door mensen.'

'En motten,' voegde de man van Eileen eraan toe, die geen naam leek te hebben. 'Volgens mij ziet ik hier mottentandjes.'

'Hebben motten wel tanden?'

'Zoals een vampier tanden heeft, als ik jou moet geloven.'

Nina begon te lachen, tot ze Eileens gezicht zag. 'Dus we verwachten dat ze geen van tweeën nog lang zullen leven,' vervolgde Eileen dapper.

'En je broer Michael?' informeerde Nina, om haar verwarring te maskeren. Van wie werd niet verwacht dat hij lang zou leven? En toch, ondanks haar gebrek aan aandacht bewonderde ze Eileen, die heel zeker leek van de plaats die ze in de kosmos innam. Ze had haar jongste kind meegebracht, het jongetje dat altijd zijn zin wilde hebben en dat een monter gebrek aan begrip aan den dag legde. Misschien zou hij gaan sterven.

'Michael gaat zijn eigen gang.'

'O, ik dacht dat hij nogal close was met je ouders.'

'Hij heeft een heleboel vrienden.' Dit leek een onderwerp dat zijn zuster moeilijk vond, hoewel Nina geen idee had waarom. Voordat ze kon doorvragen spatte er een druppel water – een behoorlijk dikke – op haar neus.

Ze keken allebei omhoog en zagen een scheur in het plafond met een rij druppels eraan als stalactieten.

'Gus!' riep Nina (later vroeg ze zich af waarom), en Gus verscheen onmiddellijk, een biljartkeu rechtop in zijn hand als een opgestoken lans. 'Het plafond!'

'Ha! We moeten zien te voorkomen dat het instort. Het is een oud huis, als het plafond naar beneden komt is het gebeurd.'

Hij stak de arm met de biljartkeu erin op – de kinderen waren aan komen lopen om de voorstelling te zien – en prikte er drie aanzienlijke gaten in. Het water stroomde naar beneden en maakte de gepolsterde stoel waarin Nina had gezeten flink nat.

'Pies, pies!' kraaide Eileens jongste kind, waarna het werd gemaand te zwijgen.

Het incident had iedereen doen opleven, inclusief Orlando en Connie, die met nat haar en een uitgestreken gezicht naar beneden kwamen. Ze gaven uit zichzelf geen verklaring, hoewel Connie opperde dat ze Orlando's vader tot de orde moesten roepen omdat er een ongeluk was gebeurd. 'Hij is gek genoeg om het te geloven.'

Het kwam Nina, die meneer Partridge een aangename man vond, hoewel excentriek – hij noemde haar Majoor en knipoogde wellustig – voor dat Connies houding van gerechtvaardigde berisping zijn wortels had in de verschrikkelijke Hubert. Niet dat ze de oude Gorgonendichter ooit had ontmoet, maar ze wist dat hij degene was die het zaadje van Connies instorting had geplant. Letterlijk zelfs. Hij was Connies persoonlijke icoon van mannelijke agressie, en meneer Partridge was gemakkelijk binnen handbereik. Het deed er niet toe dat hij de kinderen aangenaam bezighield door hun te leren hoe ze rijst moesten koken, en ook niet dat hij een volmaakte risotto kon klaarmaken of Homerus kon citeren met een zangerige bas. Het feit dat hij onherstelbaar in verband stond met Hubert doemde hem tot uitwendig duister. Nina vroeg zich af of het tot een verzoening zou leiden als ze op dit verband zou wijzen, maar besloot alras dat herinneringen aan oude vrienden van lang geleden zelden welkom waren.

Connie fluisterde tegen Orlando: 'Je oude vriend, Gus, lijkt veel op jou.'

'Hoe zouden we anders vrienden kunnen zijn?' Ze zaten te ontbijten op het terras, waar een onverzorgde ondergroei de stenen had doen aanspoelen alsof ze papier waren. Gus, Nina en meneer Partridge waren al naar het meer gegaan, ondanks Connies waarschuwing voor de vele varkenspoep die de laatste tijd aan de oever lag. Gus leek te denken dat dit onmogelijk was en haalde allerlei soorten regels en verordeningen aan.

'Dit is Ierland,' had Orlando hem helpen herinneren. 'Iedereen heeft sympathie voor de gewoonten van varkens.'

'Wat goed dat je hier niet langer water bottelt.' Eileen had oprecht geschokt geleken en greep de arm van haar man.

'Het water kwam uit een heilige bron,' had Connie uitgelegd, met een gebaar dat iets weg had van het kruisteken. 'De varkens bevonden zich op verboden terrein.'

'Maar Nina en ik zijn veel betere bevriend dan Gus en jij, en wij lijken helemaal niet op elkaar,' vervolgde Connie.

'Dat komt doordat jij uniek bent.'

'Alleen,' zei Connie peinzend, terwijl ze het compliment met een bevallige glimlach in ontvangst nam, 'is Gus wel saai, terwijl jij dat helemaal niet bent. Het zal zich wel wreken als je elke dag op kantoor zit. Ik ben blij dat jij niet zo hard werkt, lieverd.'

Hierdoor was Orlando beledigd. Hij herinnerde haar aan zijn status van respectabel zakenman, dat hij ermee was gestopt een liefdespoëet voor haar te zijn en dat hij voortdurend gesprekken voerde met de manager van Lir Water en eenmaal per maand vergaderingen voorzat, nog los van zijn adviezen over belangrijke beslissingen als de vraag of er eerst naar Engeland of eerst naar het vasteland van Europa geëxporteerd moest worden. 'Dit is een groei-industrie, en met onze ingang op de EEG bevinden we ons in een uitstekende positie om daar ons voordeel mee te doen.'

'Nu klink jij saai,' zei Connie.

Terwijl ze door het donkere water zwommen, voerden Gus en Nina, misschien om zichzelf af te leiden van verdacht gespikkelde drab die aan het riet kleefde, een geanimeerd gesprek waarbij ze probeerden zo min mogelijk hun mond open te doen.

Gus vertelde Nina dat zijn vrouw was overleden. Ze was net als hij advocaat geweest en ze waren elke ochtend samen naar hun werk gegaan, hoewel ze bij verschillende kantoren werkten. Ze hadden nooit kinderen willen hebben, legde hij uit, maar nu speet het hem tot zijn verrassing dat die er niet waren.

'Ik heb twee kinderen,' zei Nina. 'En een moeder.'

'Ik hoop dat ze kan bridgen; dan kan ik haar aan de mijne voorstellen.'

'Ze speelt piano, vrees ik.'

Nina begreep dat hij ervan uitging dat ze samen een toekomst hadden en zwom een paar meter vooruit. Op die afstand was ze in staat te genieten van de gedachte dat hij volstrekt niet op Hector leek.

'En je hebt een ex-man, meen ik.' Zijn stem klonk krachtig genoeg om haar te kunnen bereiken.

Nina trapte even in zijn richting. 'William is militair. We pasten niet goed bij elkaar. Nu heeft hij een fantastische vrouw.'

'Aan wie jij een hekel hebt, neem ik aan.'

Nina kreeg in haar verrassing een slok water binnen. Kon hij echt zo stom zijn? 'Helemaal niet.' Ze spetterde energiek. 'Het was een hele opluchting toen hij met haar trouwde. Maar ik verdenk haar er wel van dat ze mijn zoon heeft gekaapt.' Al pratend trapte ze met haar benen en maaide ze met haar armen, want het was de eerste keer dat deze gedachte in haar opkwam: dat Felicity Jamie had gekaapt.

'Straks trekken de waterplanten je onder!' riep Gus uit, en met een krachtige, gestage borstslag kwam hij haar te hulp. Zijn huid was roze met een vaag vlekkenpatroon van blauw, behalve waar hij bedekt was met Joost mocht weten wat.

Nina vergat Jamie en liet zijn grote, koele armen zich om haar hals sluiten. 'Niets aan de hand, hoor,' zei ze behaaglijk, en ze merkte dat de gedachte dat Hector altijd een spichtig watje was geweest haar wel aanstond. 'Moet je daar zien!' riep ze uit.

Ver weg in het meer ploegde meneer Partridge door het water terwijl de witte zwanen hun hals wantrouwend omdraaiden.

1978

'Je bent er echt helemaal niet meer bij, lieve Fay. Je hebt Connies man niet ontmoet en ook haar wilde Ierse zoontje niet gezien, en nu ga ik trouwen en heb je daar ook geen idee van. Dat wil zeggen, van hem. Gus. Je moet toch echt op z'n minst naar onze bruiloft komen...'

Fay legde geschokt de brief neer op haar bureau. Ze volgde zeker iets niet helemaal meer. Nina had terloops wel iets gezegd over een 'lange, kale advocaat'– dat waren haar woorden, meende ze – maar niets had erop gewezen dat hij belangrijk was in haar leven. Of had ze de laatste paar brieven niet zorgvuldig genoeg gelezen en was ze te druk – herstel: te gelukkig, herstel: te vervuld – geweest om de details van Nina's liefdesleven op te merken? Nadat Hector uit beeld was verdwenen, hadden Connie en zij allebei een zucht van verlichting geslaakt en waren ze ervan uitgegaan dat Nina haar passie voor haar kunst zou reserveren. Met tegenzin pakte ze de brief weer op. Maar voordat ze verder kon lezen ging haar privé-telefoon.

'Heb je het druk?'

'Nee. Nee.' Het was Ted. Hij wilde graag weten of hij niet stoorde. 'Ik heb twee kaartjes voor het concert van Brendel...'

Fay luisterde met genoegen hoe hij de loftrompet stak over het spel van deze betrekkelijk nieuwe pianist, hoewel ze niet van plan was met hem mee te gaan. Ze had tot laat cliënten en keek uit naar een avondje thuis. 'Ga jij maar. Ga jij maar voor ons allebei.' Er was geen tijd om verder te gaan met Nina's lange brief. Dat was nóg een reden om het concert te laten schieten: als hij uit zou gaan, kon zij de brief lezen.

Fay zat in haar lichte en luchtige flat met het geluid van het verkeer van Manhattan als een aangenaam dramatisch koor beneden haar. Ze pakte Nina's brief op, die onder de inktvlekken zat, merkte ze toegeeflijk op, hoewel er geen verf op te zien was:

Zoals ik al vertelde, is Gus een oude vriend van Orlando – van de jongensschool of zoiets – en hij is de peetvader van Leonardo. Het geval wil dat Gus heeft gezegd dat hij een witte bruiloft wilde, omdat zijn eerste vrouw te degelijk was voor dat soort dingen. We hebben er zelfs een beetje woorden over gehad, want het deed mij denken aan mijn bruiloft met William, dus heb ik hem gezegd dat ik te degelijk was voor oranjebloesem. Maar hij zei dat ik niet degelijk kon zijn, omdat ik kunstenaar ben, en hij hield vol dat hij degene was die degelijk was, omdat hij er als advocaat voor wordt betaald mensen van goed advies te dienen.

Toen zei hij dat Leonardo heel teleurgesteld zou zijn als hij geen bruidsjonker zou kunnen zijn in een kilt en een fluwelen jasje. Dus ik moest wel toegeven. En nu krijgen we een bruiloft in de kerk met alles erop en eraan – nou ja, om precies te zijn, een kerkelijke inzegening, maar het voelt als een bruiloft – met een heleboel hulp van zijn moeder Geraldine, die weduwe is, dus je snapt wel dat Ted en jij moeten overkomen om me te steunen. De kwestie met Gus is dat hij, hoewel hij verschrikkelijk goedgemanierd en liefdevol is, altijd zijn zin krijgt.

Hoewel ze nog vellen vol had te gaan, legde Fay de brief neer. Het leek haar zonneklaar dat Nina een enorme misser beging en zich daar ergens wel van bewust was. Afgezien van haar kortdurende bevlieging met Serge hadden mannen alleen maar ellende in haar leven betekend. Waarom zou het met deze man 'die altijd zijn zin krijgt' anders gaan? Nina was gelukkig als schilderes. Was het te laat om haar te waarschuwen? Fay schonk zichzelf een whisky in, wat niets voor haar was, en tegen de tijd dat ze die op had zag ze in dat het al veel te laat was. Nina nodigde haar in haar brief uit voor de bruiloft. Er kon niets meer tegen ingebracht worden.

Nina, wie het in de weken voorafgaand aan haar bruiloft op talloze manieren had geduizeld, was ook verrast toen ze merkte dat haar moeder kennelijk genoot van deze traditionele activiteit. Ze kocht een hoed met kersen die over de rand hingen, wat haar, legde ze uit, aan de jaren veertig deed denken. Nina bedacht dat dat de periode was waarin haar vader in een jappenkamp had gezeten, de tijd waarin moeder en dochter in de schaduw van zijn dreigende hongerdood, marteling en dood hadden geleefd.

De avond voor het grote feest, dat zou plaatsvinden in de kathedraalstad waar Gus had gewerkt en gewoond, kwam Helen beschuldigend naar haar moeder toe. Ze had makkelijk toegang tot haar, want om de een of andere reden deelden ze een slaapkamer. Nina, nerveus en overvoed – er hadden al diverse feestelijke etentjes plaatsgevonden – zat op de vensterbank en probeerde weer amoureuze vreugde te voelen door de geur van de junirozen die tegen de muur groeiden op te snuiven.

'Ik snap niet waarom jullie niet gewoon naar de burgerlijke stand kunnen stappen. Het is je tweede huwelijk. En bovendien, als je een man wilde hebben, had je volgens mij net zo goed bij papa kunnen blijven. Hij is een stuk interessanter dan Gus.'

'Ik dacht dat je Gus wel zou zien zitten nu je zelf van plan bent advocaat te worden.' Nina's stem klonk zwakjes. Ze zag wel in dat Helen ergens gelijk had: William, die nu het bevel voerde over zijn regiment, zou een stuk opwindender kunnen lijken dan een advocaat van het platteland – tenzij je haar gebrek aan seksuele interesse in William in aanmerking nam, en het wilde genot dat ze op dat vlak met Gus ervoer. Niet het soort informatie dat je met je dochter deelde. 'Het spijt me,' mompelde ze op wat volgens haar, zonder dat ze er iets aan kon doen, een irritante manier was.

'Doe niet zo bevoogdend, moeder.' Helen had 'mama' kortgeleden voor 'moeder' verruild.

'Ik zou niet durven.' Dat was waar. Toen ze naar de achttienjarige Helen keek, die er zo keurig en leuk uitzag, blond en bedaard, zoals ze rechtop en gepikeerd op haar bed zat, bedacht ze dat zij zich het afgelopen jaar of daaromtrent door haar dochter bevoogd had gevoeld. Hoeveel ze ook van Helen hield, ze gaf haar het gevoel dat ze zichzelf zou moeten herpakken en met schilderen zou moeten ophouden. En toch was Helen nog maar een paar jaar geleden heel trots op haar geweest.

'Gus wilde een dienst en een feest.' Ze besloot een enigszins verzoenende toon aan te slaan. 'Ik weet dat het een beetje belachelijk is, maar vergeet niet dat hij bij ons komt wonen. Hij begint zijn kantoor in een nieuwe stad.' Nina voelde dat ze het warm kreeg toen ze zich realiseerde hoeveel Gus van haar moest houden om als de op orde en regelmaat gestelde man die hij was tot zo'n verandering te besluiten. 'Dat in de kerk is vast vanwege zijn moeder. En vergeet niet dat het alleen maar een zegen is.'

'Hoe dan ook, ik zet geen hoed op.'

Nina vatte deze eis op als een aanwijzing dat ze de woordenwisseling had gewonnen en sloot het raam voor de zoete geuren en het lichte briesje. 'Ik ga Gus even welterusten wensen.'

Er kwam geen antwoord, dus Nina maakte zich uit de voeten. Misschien zou Helen wel in slaap vallen en heerlijk dromen van haar eigen vriend, die ze op een plaatselijke tennispartij was tegengekomen. Hij leek, vond Nina, veel op William. Onverzettelijk en serieus.

'Ik hoopte al dat je beneden zou komen.' Gus greep Nina vast en kuste haar oor en haar hals, en legde zijn hand op haar borst. Ze voelden zich als ondeugende kinderen die stiekem seks hadden achter de rug van volwassenen om. 'Laten we naar de tuin gaan.'

Toen ze weer tussen de rozen was, vergat Nina alle vreemdheid en concentreerde zich erop onder Gus' shirt te voelen, langs zijn broek; ze knoopte haar blouse los zodat hij de zwellende knoppen van haar borsten kon voelen, de wasachtige tepels.

'O, mijn god, Nina. We kunnen het hier niet doen.'

'O, jawel. O, jawel.' Ze leidde zijn vingers onder haar rok.

Boven hun hoofden ging opeens een raam open. 'Moeder, Jamie zegt dat er een mug in zijn kamer zit, en je weet dat ik muggen háát.'

Ted was nog nooit eerder in Engeland geweest. In feite wekte hij de indruk dat hij nog nooit uit Manhattan weg was geweest.

'Het is zo onwerkelijk,' fluisterde hij bij de bruiloftslunch tegen Fay.

'In welke zin onwerkelijk?'

'Omdat het zo volmaakt is.'

'Ik neem aan dat je doelt op de middeleeuwse architectuur van de kerk, de gotische retabels, de Normandische gevel? Of misschien reageer je wel op de bloemenhoeden, de brallende stemmen, de dikke enkels, de zelfvoldaanheid en de charme van de Engelse regionale aristocratie.'

'Welke charme?' Ted glimlachte om Fays spot.

'De charme van het ras dat weet wie het is en wat het wil, en heel hard werkt om het zo te houden. De charme van veiligheid.'

'Maar een van de zekerste tekenen van veiligheid is toch de vrijheid om te veranderen?'

'Niemand is vrij om te veranderen,' wierp Fay tegen. 'We zijn allemaal van de wieg tot het graf voorgeprogrammeerd.' Ze zou nog wel even zo door hebben kunnen gaan, maar ze werden onderbroken door Nina. Ze droeg een lange groen-witte gedessineerde jurk, en in Fays New Yorkse ogen leek ze merkwaardig veel op de bomen die ze zo vaak schilderde.

'Ik heb Gus' tafelschikking voor de lunch veranderd,' zei Nina met een schuldbewuste blik. 'Ik heb Helen tussen jullie tweeën in gezet. Ik hoop dat jullie het niet erg vinden. Jullie hebben allebei een niet zo heel vreselijk iemand aan je andere kant. Ze loopt tegen mij alleen vreselijk te mokken en ze heeft jou altijd bewonderd. Ik geloof dat ik blij mag zijn dat ze niet zo erg is als Jamie, die zichzelf ervan heeft weten te overtuigen dat Felicity zijn moeder is.'

'Ze vormt geen probleem.' Ted leek zich te verheugen op het vooruitzicht een kwaaie tiener naast zich te krijgen. De afgelopen tijd was hij muzieklessen gaan geven en Fay had opgemerkt dat hij voor zijn meest recalcitrante leerlingen het grootste respect had. Opeens, met een belachelijke huivering van angst waarvan ze hoopte dat die aan de jetlag te wijten was, vroeg ze zich af waarom Ted haar als partner had gekozen. Of had zij hem gekozen? Misschien, bedacht ze, met ongewone vrees, had hij zich alleen tot haar aangetrokken gevoeld omdat ze na Daniels dood was ingestort. Wellicht was hij nu zelfs wel op zoek naar een meer neurotische vervanging, hoewel haar therapeut vrij duidelijk had gemaakt dat zij even neurotisch was als iedereen. Misschien wilde hij een jonger, geëxalteerder, veeleisender, minder gereserveerd iemand... Misschien zou hij wel vallen voor Helen. Ze zag er erg leuk uit: blond, net als William, maar met de harde hoekigheid die geen van haar beide ouders bezat. Ze moest zichzelf tot de orde roepen en naar die arme Nina luisteren. Gus had haar, in levenden lijve, niet meer aanleiding tot vreugde gegeven dan op papier.

'Je hoeft tenminste geen speech te houden, zoals die arme Gus,' vervolgde Nina zorgelijk. 'Hij is ervan overtuigd dat hij grapjes moet maken, en je weet hoe het bij grapjes aankomt op timing.' Ze haastte zich weer weg en liet Fay achter met het gevoel dat Gus alweer een belangrijke test niet had doorstaan. Wat zag Nina toch in hem? Toen Fay met Ted door de feesttent liep, waar ze niemand kende en vrij was om alleen te blijven, dacht ze nog eens goed over hun relatie na. De waarheid was dat ze nooit moeite had gedaan om hem bij zich te houden, aangezien ze er niet op uit was om te trouwen. Hij woonde met haar samen omdat dat hen allebei goed uitkwam. Ze waren op elkaars gezelschap gesteld. Fay keek nu naar hem, zijn lange, bottige gezicht bekroond door het absurde stekeltjeskapsel waar hij de laatste tijd een voorliefde voor had opgevat, en hield zichzelf voor dat ze een volmaakte vriendschap hadden, een volmaakte liefdesrelatie, die niet door een overmaat aan hartstocht werd gecompliceerd.

Helen gedroeg zich onmiddellijk provocerend. Ze zaten aan de hoofdtafel, met haar moeder tegenover haar, hoewel, nam Fay aan, niet binnen gehoorsafstand. 'Ze geeft geen bal om hem. Niet meer dan ze om mijn vader gaf. Het enige waar zij om geeft is schilderen.'

Ted boog zich naar haar toe. 'Wat is daar mis mee?'

'Hoe bedoel je?'

'Ik dacht dat jouw generatie persoonlijke vervulling boven alles stelde.'

'Jij bent niet veel ouder dan ik.'

'Dank u wel, mevrouw, maar je hebt geen antwoord gegeven op mijn vraag, dus stel ik je er nog maar een. Waarom denk je dat je moeder met Gus trouwt?'

'Hoe moet ik dat weten? Gemak? Veiligheid? Om William te laten zien dat ze heus wel een man kan krijgen? Ze heeft het mij niet gezegd.'

'Dus je denkt niet dat het uit liefde is?'

'Liefde! Wie maakt zich nou druk om liefde?'

Fay nam het over. 'Neem me niet kwalijk. Maar ik begrijp dat je Nina ervan beschuldigt dat ze niet genoeg van Gus zou houden, of althans minder dan van haar schilderen. Maar nu beweer je dat liefde niet belangrijk is. Ik weet niet wat ik ervan moet denken, Helen.'

'Ik ook niet!' Helens keurige en aantrekkelijke Engelsheid vervaagde en toen ze overeind was gestommeld haastte ze zich de tent uit.

Nina zag haar, stond half op en liet zich weer terugzakken op haar stoel toen haar moeder meer gedecideerd overeind kwam. Gus pakte haar hand. 'Wat ik zo leuk vind aan Helen is dat ze op de gelukkigste dag van jouw leven niet op je aandacht uit is.'

'Laat maar.' Nina nam haar toevlucht tot vaagheid. Ze probeerde zich te herinneren waarom ze ooit had toegestemd in deze afgrijselijke bruiloft met al die mensen. Die diende om iemand te behagen, maar ze kon zich niet langer herinneren wie. Het beste wat ze erover kon zeggen was dat William was weggebleven. Om zichzelf te kalmeren haalde ze zich het beeld voor ogen van het huis in Frankrijk waar zij en Gus hun wittebroodsweken zouden doorbrengen. Het was klein, gebouwd op de steile, met kastanjes overdekte heuvels van de Ardèche. Er waren twee slaapkamers, een woonkamer met een grote haard voor houtblokken en een terras dat uitzag op de vallei. Eronder stroomde een brede, trage rivier over gladde, oestergrijze stenen. Gus zou boeken lezen terwijl zij schetsen maakte. Misschien zou ze zelfs wel gaan schilderen. Terwijl ze amper besefte wat ze deed, haalde Nina de smaakvolle bloemcorsage tussen haar lokken vandaan, die daar was aangebracht door de kapper van haar schoonmoeder, en legde hem op tafel.

Gus, die dit als een teken beschouwde dat hij voort moest maken, tikte tegen de zijkant van zijn glas en riep, met zijn fraaie ronde bariton: 'Speeches! Dames en heren!'

Hij onderbrak Fay en Ted, die het erover eens waren dat Helens gedrag geheel en al te wijten was aan de niet-onderkende seksuele jaloezie van de maagd op haar moeder. 'Moet je Gus nou toch zien,' zei Ted misprijzend. 'Hij mag dan niet knap zijn, maar je kunt niet ontkennen dat hij in seksueel opzicht een mannetjesdier is.'

'En het beste van alles,' voegde Fay eraan toe, in een poging de zonnige kant ervan te zien, 'is dat hij niet Hector is.'

Het feit in aanmerking genomen dat Nina in Ierland voor Gus gevallen was, was het misschien niet verrassend dat ze verkeerd had begrepen hoe hij in elkaar zat. Ze had bijvoorbeeld geen idee hoe geïnteresseerd hij was in politiek en voetbal. In oktober gingen ze met de auto op bezoek bij zijn moeder. Gus had graag de radio aan. Hij deed alsof hij hem best uit wilde zetten, maar in feite wilde hij dat helemaal niet. Het was wat hem betrof net zoiets als ademhalen. Toen Nina dit eenmaal doorhad, raakte ze gewend aan het nieuws op het hele uur, de voetbaluitslagen en The Archers. Op The Archers was ze misschien wat minder dol nadat hij had toegegeven dat wijlen zijn vrouw, Erica, daar zo graag naar geluisterd had, maar zelfs daar leerde ze van te houden, zoals ze ook ging houden van zijn harde, rechte schouders, de manier waarop zijn wimpers krulden en hoe zijn heupen overgingen in zijn taille. Hij was afgevallen sinds ze elkaar hadden leren kennen, en zij ook. Het kwam door de seks, waren ze het trots eens.

Deze lome gedachten werden onderbroken toen Gus, die de radio harder zette, plechtig aankondigde: 'Dit is een belangrijk moment voor Engeland.'

Hij verwachtte een reactie, maar ze had geen idee waar hij het over had.

'De verkiezingen. Callaghan. Straks kondigt hij ze af. Iedereen zit erop te wachten. We kunnen ons democratische recht laten gelden en een regering eruit gooien die het de vakbonden heeft toegestaan dit land te gijzelen. Het moet je toch in elk geval zijn opgevallen dat de elektriciteitsbedrijven hebben gestaakt. Die dingen waar je doeken ineens zwart van worden.'

'Ja,' stemde Nina in terwijl de Big Ben zes uur sloeg. Ze vond het niet erg dat hij haar wees op haar onwetendheid — niet heel erg in elk geval — maar ze vond het wel vervelend dat hij zich daaraan stoorde. Opeens, alsof haar concentratie er de aanzet toe had gegeven, veranderde het hele tafereel dat ze voor zich zag op schokkende wijze toen alle auto's hun doelgerichtheid leken te verliezen en naar rechts of naar links schoten, alsof de hele snelweg even een zenuwinstorting had gekregen.

'Mijn god,' zei Gus, 'Callaghan heeft toch geen verkiezingen uitgeroepen!'

Nina realiseerde zich dat hun eigen auto net zo'n schuiver had gemaakt als de rest.

'Weet je wat dit betekent?' Gus draaide de radio zachter. 'Het einde van het socialisme, voor een heel, heel lange tijd.'

'Ik dacht dat Callaghan geen verkiezingen had uitgeroepen.'

'Nu niet. Hij heeft deze keer voorbij laten gaan. Maar zodra hij het wel doet, zijn de conservatieven niet meer weg te branden. Ik mag dan in mijn hart een socialist zijn, maar ik heb het wel in de gaten als het land toe is aan een verandering.'

'Het spijt me,' zei Nina dommig. Ze bedacht dat het haar geen zier kon schelen, en diep in haar hart vond ze dat politiek geen enkele invloed had op de dingen die ertoe deden. Wat maakte het uit of de elektriciteitsbedrijven staakten? Hadden Giotto en Leonardo, Rubens en Constable hun doeken niet vóór de uitvinding van elektriciteit geschilderd?

'Jij bent niet realistisch!' Zijn toon was wreed, verstikt door zijn verlangen haar te kwetsen.

Ze bedacht dat dit de eerste keer was dat ze onmin hadden. Die ging over allerlei soorten dingen: over haar weigering om zijn moeder bij hen in te laten trekken, over zijn zorgen dat de vestiging van zijn kantoor in Sussex meer tijd kostte dan hij had gehoopt, over het feit dat hij zich had gerealiseerd dat zij geen kind van hem wilde, over het feit dat hij de veertig was gepasseerd en ouder werd. Er was nog een reden voor zijn scherpte: scheiding. Binnenkort zou hij haar verlaten om een cliënt op Barbados op te zoeken. Ze waren sinds ze getrouwd waren nog geen moment uit elkaar geweest. Hij vond het erger dan zij.

De motorfiets had het afgelopen jaar een groot deel van Nina's atelier in beslag genomen. Ze had Gus hem binnen laten zetten, zodat ze een poging kon wagen om hun eerste ontmoeting bij het meer uit te beelden. Ze had nog nooit geprobeerd zo'n groot, onbezield voorwerp te tekenen en vond de verhoudingen ontzettend moeilijk. Toen kwam Helen met een idee. 'Waarom plak je niet gewoon de foto op het doek? Dan ben je ervanaf.' Ze sprak op haar meest schampere toon. Nina, die in de stemming was voor zelfspot, volgde haar advies op.

Toen kwam Gus haar atelier in, op de avond voor zijn vertrek naar Barbados. Hij had een korte broek aan, die te klein was, en een hemd met een bijzonder opzichtig dessin. Hij kwam haar raad vragen, maar nu staarde hij met kritische blik naar het schilderij op haar ezel. Nina stond het zichzelf voor het eerst toe onder ogen te zien dat hij misschien wel van haar hield, maar dat haar schilderijen hem niets deden. Erger nog: hij oordeelde erover alsof ze niets met haar uit te staan hadden.

'Die korte broek is belachelijk!' Aanval leek de beste verdediging.

'Het is mijn rugbybroek van school. Zie je de schoolkleuren aan de zijkant? Ik heb uiteraard geen verstand van kunst, maar gaat dat niet een beetje ver, psychologisch gezien: de motor in plaats van de zwarte hengst, het oerbeeld van de man. Ik bedoel, zou iemand dat echt in zijn woonkamer willen hangen?'

Nina begreep dat hij haar haatte en ging in de aftandse roze fauteuil zitten die ze gebruikte om werk in uitvoering te bekijken. 'Waarom poseer jij niet voor me? Ik ben niet zo goed in portretten, maar ik kan wel de lijnen van een lichaam goed neerzetten.'

'Ik ben aan het pakken, en je hebt net gezegd dat ik er belachelijk uit-zie.'

'Ga daar eens staan,' gebood Nina, die niet had bedoeld dat het meteen zou moeten, maar zich er nu verstoord toe geroepen voelde de uitdaging aan te gaan. 'Ja. Daar.' Ze stond weer op, pakte een grote kwast, doopte die in een mengeling van roze meekrap en zinkgeel, en begon Gus van top tot teen te schilderen, waarbij de kleuren soepel overgingen in de foto van de motor. Ze was onmiddellijk verdiept in haar pogingen de onverzettelijke houding die Gus had aangenomen vast te leggen. Voorzichtig kneep ze een sliertje donkergroen uit een tube voor de schaduwen. Ze vond Gus er meer uitzien als een gangster dan als een advocaat van het platteland.

'Welk deel van me ben je aan het schilderen?'

'Ik ga je lichaam af naar omlaag.'

'Je moet het zeggen als je bij het gedeelte bent waar het erop aankomt.'

Nina begon Gus' schooljongensbroek te schilderen, en ze zag algauw dat die nog strakker werd. Met opzet werkte ze door, wierp af en toe een blik op zijn opbollende kruis en keek dan weer plagerig naar haar doek. Ten slotte hield ze het spelletje niet langer vol. Ze legde haar kwast neer en liep naar hem toe om hem zijn broek uit te trekken. 'O, lieverd, lieverd,' mom-pelde Gus terwijl hij haar neerlegde op de vloer.

Met een stem die vervuld was van wanhoop praatte Nina met Connie aan de telefoon. 'Ik ben achtendertig. Ik heb twee kinderen die bijna volwas-sen zijn. Ik ben te oud om een baby te krijgen. Ik ben aan het schilderen voor een tentoonstelling, maar niemand neemt mijn werk nog serieus. Gus maait het gazon en verwacht dat ik het onkruid wied.' Ze hapte naar adem en fluisterde: 'Hij denkt dat schilderen een hobby van me is.' Nina moest zich een keer uitspreken; ze stond in elkaar gedoken in de gang en liet zich helemaal gaan. Ze had nog nooit eerder zoiets gedaan en ze hijgde en zuchtte van alle sensaties waar ze niet aan gewend was.

'Maar je houdt toch van hem?' vroeg Connie.

'O, alsjeblieft!' Connie, de tevreden echtgenote en moeder, had niets te vrezen.

'Ja toch?'

'Daar gaat het niet om.' Nina zakte in elkaar in een stoel. Kon niemand het dan begrijpen? 'Het gaat om het principe.' Er viel een stilte. Nina voel-de zich te uitgeput en te zeer van streek om een poging te wagen zich nader te verklaren. Misschien geloofde Connie ook wel niet in haar schilderen. Misschien had ze moeten volhouden bij Fay. Maar Fay was op een confe-rentie in Seattle. Fay had tenminste de moeite genomen om naar de bruiloft te komen. Ze bedacht dat Connie altijd al zelfzuchtig was geweest. En toch merkte ze dat ze haar vroeg, alsof haar wanhoop van het moment vergeten zou kunnen raken door toekomstplannen: 'Waarom kom je niet hierheen met Kerstmis?'

'Ik moet met de kerst in Lir zijn. Het zou wel eens de laatste keer kunnen zijn voor mijn moeder. En ik wil heel graag dat Leonardo zolang hij klein is Kerstmis hier doorbrengt.'

'Of met oud en nieuw misschien?'

'Laten we het onder ogen zien, Nina: ik laat je waarschijnlijk in de steek, maar ik zal mijn best doen voor nieuwjaar.'

Bitter herinnerde Nina zich alle troost die zij Connie gegeven had op momenten dat zij het zwaar had gehad.

Nina sleepte en duwde al worstelend de motorfiets haar atelier uit. Ze zette alle doeken waarop hij stond afgebeeld omgekeerd tegen de muur en zette een pas opgespannen maagdelijk wit doek op haar ezel. Maar ze kon de motor door het raam heen zien. Hij zag er agressief verwijtend uit. Ze ging naar de keuken, waar sinds Helen aan het studentenleven in Bristol was begonnen – Jamie verbleef zoals gewoonlijk bij William, en Gus was op kantoor – haar moeder alleen was en lekker in Country Life zat te lezen.

'Het is onmogelijk!' riep Nina uit. 'Die motor weegt een ton. Ligt de sleutel hier ergens, zodat ik hem weg kan rijden en van een klif kan gooien?'

'Zo doe je anders nooit,' luidde Veronica's commentaar, en gehoorzaam zocht ze tussen de potjes en schaaltjes die als verzamelplaats voor losse spulletjes dienden.

Even dacht Nina nijdig dat ze refereerde aan haar zwangerschap, totdat ze zich herinnerde dat ze haar daar niets over had verteld.

'Kijk eens hier!' riep Veronica triomfantelijk uit. 'Maar heb je voor een motor geen speciaal rijbewijs nodig?'

'Nee hoor!'

De motor schudde en trilde toen Nina vervaarlijk wegreed over de oprijlaan. Algauw was ze op de grote weg en koerste in de richting van de Downs. Het licht om haar heen was hard en helder, met plotselinge plekken zwart wanneer er wolken voorbijdreven. Ze realiseerde zich dat de opwinding vanwege het feit dat ze zomaar wist hoe ze deze motor moest besturen haar sombere stemming had verdreven. Er waren auto's op deze weg, die weldra de politie op de hoogte zouden brengen dat hier een wilde vrouw zonder helm reed. Haar oorspronkelijke doel, dat vaag bleef, was om de motor weg te brengen en ergens achter te laten, om zichzelf te bevrijden van zijn stompzinnige mannelijke aanwezigheid. Dit dreef haar voort, totdat ze een weggetje zag dat afboog naar links. Het was een onverhard pad naar de Downs, herinnerde ze zich nu, de weg waarover haar moeder en zij hadden gefietst (althans, haar moeder had het fietsen voor haar rekening genomen) op haar vierde verjaardag tijdens de oorlog. Toen ze een vlieger hadden gehad en het had geregend. De dag, vernam ze later, waarop de invasie in Normandië was begonnen. Wat vreemd dat ze hier sindsdien niet meer was geweest. Nina nam wat gas terug en de motor, die in een geul hotste, en tegen een steen en een greppel, sprong op, draaide om zijn as en lanceerde zijn bestuurder, waarna hij als een logge bult bleef liggen.

Nina bleef liggen op de plek waar ze was neergevallen. Ze was helemaal van de wereld; de kloof tussen het tochtje op haar vierde verjaardag, de grillige vlieger en zichzelf zoals ze daar op de grond lag was onmogelijk te overbruggen. Misschien had ze een hersenschudding. Of misschien zou ze graag een hersenschudding willen hebben. Ze bedacht dat de toestand waarin ze zich nu bevond veel weg had van die waarin ze haar beste werk schiep. Die sensatie van buiten de tijd geplaatst zijn had ze ook ervaren toen ze Connie had zien slapen toen ze op weg waren geweest naar haar ouders. Die serie schilderijen had haar enige tijd geïnspireerd. Het probleem was dat ze het ook gevoeld had, of gedacht had het te voelen, toen Gus en zij van zijn gehuurde motor in Ierland waren gevallen. Wat een zootje! Nina ging achteroverliggen en wachtte tot iemand haar zou vinden. Om de tijd door te komen keek ze vervuld van haat en hoon naar de verwrongen motorfiets.

Connie liep het pad naar het meer af terwijl ze een brief van Nina las:

Lieve Connie, Ik heb de baby verloren, dus als het niet uitkomt hoef je niet te komen met nieuwjaar. Ik ben bang dat ik een zware tijd doormaak. Ik vraag me af of ik er misschien niet geschikt voor ben iemands echtgenote te zijn. Gus is geweldig, en mijn moeder ook. Het ergste zou zijn als ik weer zou beginnen met mijn wasmanie. Zou je misschien een kaarsje kunnen branden om dat te voorkomen? PS: Ik zou eraantoe moeten voegen dat ik God op mijn blote knieën dank voor voetbal en politiek, want die lieve Gus heeft evenveel belangstelling voor de moeilijke tijd die Engeland momenteel doormaakt, en schept daar evenveel troost in, als hij de onpasselijkheid van zijn lieve vrouw er erger op maakt. Raken alle mannen in vuur en vlam door gebeurtenissen die zich buiten hun persoonlijke gezichtskring afspelen?

Fay pakte de brief aan van de conciërge. Connies handschrift. Connie schreef bijna nooit. Het moest wel om een serieuze kwestie gaan.

Fay, lieverd – en Ted, omdat je zo zorgzaam bent – die arme Nina heeft zich aardig in de nesten gewerkt. Ze denkt dat ze weer gek aan het worden is – niet dat ze ooit gek is geweest overigens, alleen maar obsessief, en dat is iets heel anders. Ik heb beloofd met oud en nieuw bij haar te gaan logeren, maar Orlando is er fel op tegen. Mannen zullen er wel niets aan kunnen doen dat ze jaloers zijn op oude, intieme vriendschappen van hun vrouw. Orlando beweert nadrukkelijk dat hij tijd heeft ingeruimd om dan te gaan oefenen op zijn cello, die hij de afgelopen jaren jammerlijk heeft verwaarloosd. Zijn verplichtingen bij Lir Water zijn in elk geval niet zo zwaar dat hij niet tussendoor zou kunnen oefenen als hij het echt zou willen, maar toen ik hem daarop wees, werd hij ontzettend nukkig. Dus dit is een verzoek, dierbaar duo. En ik heb het nog niet eens over de verantwoordelijkheid voor mijn ouders, mijn schoonvader en Leonardo, aan wie ik de laatste tijd mijn handen vol heb.

Fay gaf de brief door aan Ted. Ze was net terug uit haar praktijk. Hoewel er op straat papperige sneeuw lag en er een straffe wind vanuit de canyons waaide, was ze lopend naar huis gegaan en had zelfs een stukje gehold, met oorwarmers op haar hoofd en sportschoenen aan haar voeten. Ze was zich zorgen gaan maken omdat ze haar leven lang in kamers met airconditioning had doorgebracht en was gaan bijhouden wie er in het appartementengebouw allemaal op hetzelfde moment verkouden waren en griep hadden. De laatste tijd had ze er bij Ted, in zijn rol van ex-portier, op aangedrongen het gebruik van desinfecteermiddelen in het airconditioningssysteem in de gaten te houden. 'Ik zou even een frisse neus kunnen gaan halen,' opperde ze tegenover Ted.

'Daar hoef je niet voor naar Engeland.'

'Ben jij ook jaloers?' Fay glimlachte bij de onwaarschijnlijke gedachte.

'We zijn er van de zomer heen geweest voor de bruiloft.'

'Dit zou anders zijn. Jij zou kunnen werken. Misschien raak je wel geïnspireerd.' Fay kon niet begrijpen waarom Ted zo weinig ambities leek te hebben voor zijn muziek. Als ze doorvroeg, beweerde hij dat zijn manier van componeren niet aansloot bij de trends van het moment, maar dat hij een heleboel voldoening putte uit zijn lessen. Ze weigerde hem te geloven.

Ted stond op en ging zonder antwoord te geven naar de slaapkamer.

Fay pakte de *New York Times Book Review* op. Ze las over een nieuw boek dat *De kindertijd – de plaats ervan in de ontwikkeling van de mens* heette en waarover de

recensent schreef dat het 'een kritisch onderzoek' was 'naar het dikke ver-
bindingskoord waarvan men aanneemt dat het vroege en late menselijke
ervaringen verbindt...' Ze glimlachte ironisch om een boek met de titel *Een
Engeland dat werkt*. Ze zag dat er een nieuwe Updike was verschenen en
bedacht dat ze, als ze er ooit de tijd voor zou hebben, Foucaults *Geschiedenis
der seksualiteit* wel eens zou willen lezen, en Schlesingers *Robert Kennedy en zijn
tijd*; alleen wist ze heel zeker dat ze daar nooit genoeg ruimte voor vrij zou
maken. Vervolgens raakte ze verdiept in het opmerkelijke verhaal van de
Dionne-vijfling, die in 1934 was geboren. Toen ze opkeek, stond Ted voor
haar neus met een grote rugzak aan zijn voeten. Ze reageerde allereerst op
de rugzak: die zat onder de vlekken en was gerafeld aan de randen. En toen
ontdekte ze tot haar schrik dat ze niet eens wist waar Ted was geweest, of
– ze keek naar hem op, plotseling op haar hoede – waar hij heen zou gaan.
'Ted?'

'Ik heb een leerling die Miriam heet. Ik heb besloten bij haar in te trekken.' Zijn stem was vast, bijna zakelijk.

Fay keek omlaag naar haar vingers. Ze had nog nooit zulke witte vingers
gezien, en ook niet zoveel. Ze realiseerde zich dat haar blik werd vertroe-
beld door tranen. Ze voelde zich helemaal wit en glazig en had het idee dat
ze er in Teds ogen uitzag als een skelet.

'Ze speelt piano en viool.' Ted zweeg en keek haar onderzoekend aan.
'Jij bent een dappere dame.'

'Ja,' zei Fay dommig. Het was onmogelijk te geloven dat Ted, die nog
maar zo kortgeleden door Connie 'zorgzaam' was genoemd, en die in precies die rol in haar leven was gekomen, deze woorden kon uitspreken. *Jij
bent een dappere dame*. Wat betekende dat? Er stroomden, merkte ze op, nu tranen over haar vingers. Zo was het dus met haar dapperheid gesteld. Hij zei
nog iets anders, maar haar oren wilden niet nog meer pijn horen.

'Je vindt wel iemand die meer is zoals jij. Je kent tenslotte die dokter
Fleishman.'

Zelfs in haar verdoofde geest herinnerde Fay zich Paul Fleishman. Ze had
zich tot hem aangetrokken gevoeld. Ze hadden elkaar ontmoet op een con-
ferentie in Seattle en hadden verhalen uitgewisseld over hun ouders.
Misschien had Ted gedacht dat ze met elkaar naar bed waren geweest. Ze
hadden een paar keer met elkaar afgesproken in New York, en één keer had
ze hem meegenomen naar het appartement, waar hij Ted had gezien, die
een handdoek om zich heen had geslagen en een koptelefoon op had
gehad. Omdat ze dacht dat hij haar niet kon verstaan, had ze lachend
gezegd: 'Dit is mijn *toyboy*.' Dokter Fleishman, met zijn zelfvertrouwen en
succesvolle praktijk op het gebied van keel-, neus- en oorziektes, zou een

heel geschikte echtgenoot zijn geweest. Haar moeder zou dol op hem zijn geweest.

Fay wilde zeggen: 'Ik hou van jou, lieverd', maar ze kon het niet, omdat het misschien niet waar was en omdat het duidelijk te laat was. Ted had Miriam leren kennen.

'Ik kom wel terug als je niet thuis bent om de rest van mijn spullen te halen. Dag, Fay.' Hij liep weg. Fays skelet zat hem op haar stoel gade te slaan. Als in een nachtmerrie kon ze geen woord uitbrengen en zich ook niet verroeren. Toen ging de deur dicht. Nu wilde ze uitroepen: 'Wil je zo een einde maken aan vijf jaar samen?' maar zelfs dat kon ze niet zeggen. Misschien had hij alleen maar medelijden met haar gehad. Wat voor antwoord kon ze geven op Miriam, die vijftien jaar jonger was en piano en viool speelde? 'Weet je, ik vond het heerlijk om met jou naar concerten te gaan, ook al kan ik zelf geen instrument bespelen,' probeerde Fay tegen zichzelf te fluisteren, maar ze wist dat het gelogen was.

1979

'Hoe voelt het nou om twee mannen in je leven te hebben?' Fay en Nina zaten samen voor de haard te scrabbelen. Vijf minuten geleden hadden ze samen in de deuropening Jamie staan uitzwaaien, die nu langer was dan Nina, en Helen, allebei in uitgaanstenue, want ze gingen naar een nieuwjaarsbal. Dat werd gegeven in een van de huizen waar Nina als kind de quickstep en de wals had geleerd, en ze voelde een milde nostalgie. 'Ik geloof dat ik aan mezelf denk,' voegde Fay eraan toe. 'Sorry.'

Nina bestudeerde haar stenen. 'Ik heb Ted altijd graag gemogen,' zei ze.

Fay sloeg haar gade terwijl Nina de ene na de andere letter neerlegde. 'EVERGREEN. Goed gedaan! Ik weet dat Connie en jij altijd hebben gedacht dat mijn carrière meer voor me betekende dan iets anders, dan iemand anders.' Fay legde LEED neer en glimlachte.

'Maar daar bewonderen we je om! Dat je dat allemaal doet als vrouw, en dat in New York. Ik vind New York een angstaanjagende plek. Ik huiver als ik eraan denk. Er is me daar een tentoonstelling aangeboden, maar ik kon het niet aan.'

'Dat heb je me nooit verteld! En hoe zit het dan met Serge? Je vond het toch fijn om samen met hem te huiveren?'

'Serge heeft me geholpen na William. Of was het tijdens?' Nina keek Fay glimlachend aan, alsof ze wilde zeggen: wat maakt het ook uit?

'Nou, een tentoonstelling in New York zou fantastisch zijn geweest. Niet al mijn vrienden zijn artsen, weet je.' Fay keek hoe Nina REND neerlegde achter VERWAR.

'Vertel eens over Ted. Ik wil echt helpen, Fay.' Nina schoof de stenen van zich af.

Fay voelde enige verlichting van de pijnlijke beklemming die haar sinds Teds vertrek in zijn greep had gehouden. Ze was daarna aan het werk gegaan, had meedogenloos röntgenfoto's bestudeerd die allemaal het ergste hadden doen vermoeden. In haar praktijk was ze dokter Blass, met een talent om de runen te lezen, een kordate en efficiënte alleenstaande vrouw die een bedrijf te runnen had. Nu kon ze dan eindelijk zwak zijn, in de rouw, iemand die behoefte had aan troost, die verward was, en buitengewoon ellendig. Wat een opluchting! Bijna een luxe. Ze sprak gehaast. 'Hij was heel plotseling in mijn leven gekomen. Na Daniels dood. Maar misschien moet ik daar niet beginnen. Misschien zou ik moeten proberen het uit te leggen. Zie je, ik geloof niet dat je begrijpt hoe het er op dit moment in Amerika voor staat.' Ze had geen belerende toon aan willen slaan. In plaats daarvan wilde ze haar verdriet uitstorten.

'Vast niet nee,' beaamde Nina bemoedigend.

'Het feminisme wordt een stuk serieuzer genomen. In Engeland is het meer een soort spelletje. Kijk maar naar hoe Connie binnen een paar jaar in en uit de beweging is gestapt.'

'Connie is Ierse.'

'Pardon! Jij bent ook niet serieus!'

'Sorry.'

'Ik bedoel dat het feminisme in Engeland iets oppervlakkigs is, een pragmatische positie om de zaak van de vrouwenrechten vooruit te helpen, die is begonnen bij Pankhurst of eerder nog. Het gaat er niet om dat je je hele levensgevoel verandert, niet alleen je benadering van mannen, maar ook die van jezelf.'

'Zulke mensen zijn hier wel. Fay Weldon. Fay Weldon vindt het ongelofelijk belangrijk om een man in haar leven te hebben.'

Fay ging energiek rechtop op haar stoel zitten. 'Ik leg het niet goed uit, maar vrouwen in Amerika vragen, vanwege hun serieuze benadering, niet alleen om een verandering in hun eigen instelling, maar ook in die van hun mannen.'

'Maar hier proberen we mannen bij te brengen hoe ze de vaat moeten doen. Gus doet inmiddels zelfs zo af en toe wat boodschappen, en hij is een heel ouderwetse man.'

'Ik doel op iets wat dieper gaat dan dat.'

'Er zijn toch weinig meer belangrijke aanwijzingen van de veranderende kijk op de dingen van een man te noemen dan zijn bereidheid om zijn handen in heet, vet water te steken?'

Fay sloeg haar blik neer. Langzaam streelde ze haar vingers, een voor een. 'Zie je, Ted is, om je oorspronkelijke vraag te beantwoorden, een klassiek product van het feminisme van het eind van de jaren zeventig.'

'O.' Nina kneep haar lippen op elkaar.

'Hij is een man met een sterke wil en wil niet de stereotiepe leider, jager en beschermer spelen. Aan de andere kant wil hij ook geen saai vrouwtje spelen. Wat hij wil, wat hij eist, zonder een woord te zeggen, is gelijkwaardigheid.'

'Alle mensen!' riep Nina uit. 'Dat is een groot woord.'

'Ja.' Fay, die ingespannen voorover had geleund, liet zich weer achter-overzakken.

'Waarom is hij dan weggegaan?'

'Omdat ik daar niet mee overweg kon. Toen hij er eenmaal mee ophield mij leiding te geven, toen ik me herstelde van Daniels dood en de verandering in mijn carrière, begon ík hém te leiden. Eén van ons moest de baas zijn, zo voelde ik het. Ik kon gewoon zijn soort gelijkwaardigheid niet hanteren, en daarom is hij ervandoor gegaan met Miriam, die dat ongetwijfeld wel kan.' Fay stopte met praten en tuurde in het vuur, terwijl ze zich afvroeg of dit wel de hele waarheid was.

'Ik begrijp het,' zei Nina, maar Fay vond dat ze weifelend keek. Nina was nooit goed geweest in theorie. 'Dus het is nu uit tussen jou en Ted? Ik bedoel, jullie leken altijd zo goed bij elkaar te passen. Als ik het zeggen mag: jullie leken gelukkig.'

'Dat was ik ook. Maar hij kennelijk niet.' Fay begon weer haar vingers te strelen. Het gebaar bood een merkwaardige troost.

'Lieve Fay, je maakt een verschrikkelijke tijd door.' Nina sloeg haar armen om Fay heen en drukte haar tegen zich aan. Op dat moment kwam Gus de kamer binnen, met een fles wijn in zijn handen. Hij bleef staan alsof het tafereel hem verraste.

'Stoor ik? Vrouwenpraat?'

Fay ving Nina's blik, en Nina glimlachte wrang.

Connie kreeg een brief van Nina, waarin een brief van Fay was bijgesloten. Ze zwaaide met de twee brieven in de richting van Orlando, die klitten uit Gomorrahs staart stond te trekken. 'Ze zitten ofwel onder de tranen, ofwel ze is weer met dat gewas begonnen.'

'Moet je nou echt een grapje maken over de problemen van je beste vriendin?'

Connie lachte en begon Nina's brief te lezen. Na een poosje verzuchtte ze: 'O hemel, o hemel!' en hardop las ze voor: ' "Ze weet dat ik me niet goed voelde nadat ik de baby had verloren, maar ze kiest er uitgerekend dit moment voor uit om me aan te vallen. Wat kan ik eraan doen dat ik ben geboren in de Engelse middenklasse? Heb ik geen recht op een beetje respect? Heeft mijn schilderen dan niets te betekenen? Er bestaan heus wel mensen van formaat die mij als een goede schilderes beschouwen. Ze vinden schilderen zelfs belangrijk..." ' Ze legde Nina's brief neer en pakte de andere op. 'Wat zou Fay nou hebben kunnen schrijven? Wil je deze ook horen?'

'Brand maar los,' moedigde Orlando haar aan. 'Het gebeurt niet vaak dat ik de kans krijg om luistervinkje te spelen als vrouwen intimiteiten uit-wisselen.'

'Maar dan moet je me niet onderbreken.' Connie kwam dicht bij Orlando zitten en begon te lezen: ' "Ons gesprek over feminisme had veel dieper kunnen gaan. In het vliegtuig terug trof me de gedachte dat we hele-maal nooit rekening hebben willen houden met de economische factor in onze relatie. En ook niet met de kwestie van klasse. Mogelijk vanuit een dwaze wens de Angelsaksische gereserveerdheid te respecteren, of omdat bij onze eerste ontmoeting jij de rol van patiënt had en ik die van dokter. Ik heb je nooit geconfronteerd met mijn achtergrond, met het feit dat ik, hoewel niet in een getto, toch geboren ben in zeer nederige omstandighe-den, in een tehuis voor vluchtelingen die zich op niets anders konden ver-laten dan op hun gezond verstand. (Als ik Connie was, zou ik daar 'ge-loof' aan toevoegen, maar aangezien ik dat mysterieuze artikel nooit hebt ontdekt, houden we het op 'gezond verstand'). Ik weet door mijn jeugd dat ik, als ik niet zou werken, niets zou voorstellen. Man of vrouw, een werkplek met alle betrokkenheid en verantwoordelijkheid die die vraagt, was een financiële noodzaak. Jij mag me graag bewonderen om mijn car-rière, maar je hebt nooit aandacht voor het enorm belangrijke feit dat ik *geen keus had*. Anderzijds werd jij in comfortabele, zo niet luxe omstandigheden geboren. Jij had wél een keus. Je had alles kunnen gaan doen – je had geld en veiligheid achter je staan. Je hebt ervoor gekozen te trouwen. Je hebt ervoor gekozen te scheiden. Toen heb je ervoor gekozen te schilderen, een roeping die ver af staat van dagelijkse dingen. Je hebt ervoor gekozen te hertrouwen, maar wilde niet nog een kind. De reden waarom ik dit schrijf, lieve Nina, is dat ik alleen maar licht wil werpen op de verschillen tussen ons, en geen kritiek wil uitspreken..." '

'Wauw!' onderbrak Orlando haar.

'Dat is een Warhol-reactie, God hebbe zijn ziel. Wat denk je echt?'

'Dat zelfs beste vriendinnen zich misdragen wanneer ze ongelukkig zijn.'

'Fay, bedoel je. Heavy, hoor.' Connie trok spottend een pruilmondje. 'Dus je denkt niet dat Fay het bij het rechte eind heeft wanneer ze erop aan-stuurt dat Nina een verwend kreng uit de middenklasse zou zijn dat maar doet wat ze wil...?'

'Waarheid en vriendschap – nou, dat is wat je noemt een thema. Wat zou je ervan zeggen om Connie tot vredestichter uit te roepen?'

'Wauw!'

Gus en Nina lagen in bed. Nina zou willen dat ze konden vrijen, maar ze wist dat dat onmogelijk was. Gus sliep graag met het raam wijdopen en af en toe streek er een koude wind over haar gezicht. De aanraking van het geweten, bedacht ze ongemakkelijk, en toen herinnerde ze zichzelf eraan dat Connie degene was die in zulke dingen geloofde, en niet zij. 'Je bent ofwel boos op me, ofwel je denkt dat ik gek ben,' fluisterde ze in het donker. Ze wist dat Gus wakker was omdat hij niet lag te snurken.

'Je bént niet gek.'

'Dan ben je boos op me.'

'Nee, dat ben ik niet. Ik hou van je.'

'Ik heb echt alleen maar op die motor gereden omdat ik niet kon werken zolang hij in mijn atelier stond. Het had helemaal niets met de baby te maken.'

Gus gaf geen antwoord. De stilte was bijzonder pijnlijk. Nina wilde hem vastpakken, maar ze durfde niet. Het was drie maanden geleden dat ze een miskraam had gehad, maar tussen haar en Gus was niets opgelost. Zou ze haar eigen baby hebben willen doden? Zou Fays therapeut de moordenares in haar hebben ontdekt?

'Ik ben alleen heel verdrietig,' zei Gus uiteindelijk. 'Ongetwijfeld kom ik er wel overheen. Mensen komen over dingen heen.'

Nina voelde het loden gewicht van zijn somberheid en verwijt op zich drukken. Nu zou ze willen dat hij kwaad was. De waarheid was dat ze ontzettend opgelucht was dat ze niet langer zwanger was en, volgens de dokter, ook niet snel weer zwanger zou worden. Maar hoe kon ze dat ooit toegeven tegenover Gus, die lieve, aardige, beschermende Gus, die het zo heerlijk had gevonden om een kind te krijgen? Vanochtend was ze aan een nieuw schilderij begonnen, maar toen was ze geschrokken van haar zorgeloze opwinding en had ze de verf er weer af geschraapt en had ze vijf minuten haar handen staan wassen.

'Ik geloof niet dat ik je ooit heb verteld...' begon Gus. Hij ging op zijn zij liggen, alsof hij haar in het donker zou kunnen zien. Weer verlangde Nina ernaar in zijn armen te liggen. 'Of misschien ben je het vergeten. Erica kon geen kinderen krijgen. We maakten er natuurlijk het beste van en deden alsof ze te druk bezig was met haar werk. Ik geloof dat we daar uiteindelijk zelf in gingen geloven.'

'Nou, dan had je maar met een lekkere jonge meid moeten trouwen!' riep Nina uit. 'Waarom vertel je me dit als je niet kwaad bent? Natuurlijk ben je kwaad. Jij denkt dat ik onze baby heb gedood.'

'Alsjeblieft, zeg dat niet.' Hij klonk oneindig vermoeid.

'Het spijt me.'

'Ik heb je over Erica verteld omdat ik wilde dat je weet waarom ik me zo akelig voel. Maar dat betekent niet dat ik kwaad op je ben. Ik heb je al gezegd dat ik van je hou. Ik hou van Helen, en als Jamie het toeliet zou ik ook van hem houden. Ik weet niet hoe ik je ooit zover heb kunnen krijgen, jij die zo'n bijzonder mens bent, dat je met me wilde trouwen. Je hebt een miskraam gehad. Je was overwerkt. Je hebt een artistiek temperament.'

'O god.' Nina liet haar hoofd op het kussen rusten. 'Je denkt dat ik gek ben.'

'Ik denk dat je vastdraait in jezelf. Je raakt je gevoel voor verhoudingen kwijt. Je moet meer naar buiten, de wereld in, of althans je daar meer van aantrekken. Dat wassen maakt daar allemaal deel van uit.'

Nina wilde niet langer in Gus' armen liggen. Zijn beschuldiging kwam op hetzelfde neer als wat Fay in haar kwetsende brief had gezegd. Ze kreeg het Spaans benauwd en voelde een warme vloedgolf opwellen in haar lichaam. Ze hield zichzelf voor dat hij sprak vanuit woede en ellendigheid. Hij wilde niet wreed zijn. Hij wilde haar helpen. Hij hield van haar. Zij hield van hem en had hem nodig. 'Hoe zou ik je een beter gevoel kunnen geven?' Ze zei het zo zachtjes dat hij het niet kon verstaan. Hij was aan één oor een beetje doof.

'Hè? Wat zei je?'

'Ik wil je gelukkig maken. Ik hou van je, Gus.' Nu hield hij haar in zijn armen, maar haar vloedgolf was weggeëbd en ze had het koud. Hij streelde haar hals en arm, haar borst. Ze schoof een stukje van hem weg.

'Ik wil je alleen maar tot rust brengen.'

'Ja. Ja.' Ze bleven samen liggen. Nina begon zijn warme gewicht naast zich aangenaam te vinden en bedacht nog meer verontschuldigingen voor wat hij had gezegd. Waarschijnlijk had ze hem helemaal verkeerd begrepen. Hij was er natuurlijk verschrikkelijk trots op dat ze schilderde.

'Heb je gehoord dat ze een organisatie willen oprichten die Schilders van het Zuiden gaat heten?' mompelde Gus. 'Een cliënt van me vertelde me erover. Kennelijk zijn ze op zoek naar iemand om de boel te leiden. Ik heb gezegd dat jij misschien interesse had. Ik hoop dat je dat niet erg vindt. Het werk zou betaald worden. Twee dagen per week. Zo zou je uit jezelf loskomen. Door anderen te helpen, weet je – iets in die trant. Nina, ben je nog wakker?'

'Ja.'

'Wat vind je van mijn idee?' Hij klonk nederig, hij wilde haar ontzettend graag een plezier doen. 'Hun hoofdkantoor is in de stad. We zouden er samen naartoe kunnen rijden.'

'Ik beloof je dat ik erover na zal denken.'

'Ik ben heel blij dat we gepraat hebben.' Met een zinkend gevoel hoor-

261

de Nina dat zelfs deze nietige belofte hem in een betere stemming had gebracht. 'Trouwens, lieverd, heb je opgemerkt dat de opiniepeilingen erop lijken te wijzen dat Thatcher voor de conservatieven een verpletterende overwinning gaat behalen?'

De O'Malley-clan kwam bijeen in Lir om de verjaardag van mevrouw O'Malley te vieren. Dit keer was het warm in huis. Orlando had de centrale verwarming opgedraaid, die uit 1880 stamde en zwoegend enorme hoeveelheden naar roest ruikende warmte alle kamers in pompte. Connies moeder, die in een mantel met ceintuur arriveerde met het air van iemand die niet van plan is om die uit te trekken, liep paars aan en begon te zweten.

'Je zult je jas uit moeten trekken,' gebood Connie, maar haar moeder trok hem dichter om haar borst.

'Je zou zeggen dat ze een haren kleed draagt.' Michael keek naar zijn moeder en liet een bulderende lach horen; hij had zichzelf al bediend van de whisky. 'Heb ik het niet minstens voor de helft bij het rechte eind?'

Onder haar jas had mevrouw O'Malley een grote afbeelding van de Maagd Maria kruislings over haar borst gebonden, met een soort pakketje eronder.

'Jij kent geen schaamte, Michael O'Malley!' riep ze uit, met aanzienlijke energie gezien het feit dat ze terminaal ziek was. 'En jij ook, Constance, en Eileen. Om zo om Haar te lachen alsof ze een malle popster is. Ik draag haar beeltenis op mijn huid met een spons met wijwater erachter omdat zij me voor jullie allemaal in leven houdt.'

Terwijl ze deze Gelofte van Geloof aflegde, zag Connie dat haar moeder ervan genoot alle aandacht te krijgen, en ze zag ook dat ze veel met elkaar gemeen hadden. 'O, wat maak je toch overal een drama van!' zei ze, te zacht om door iemand anders dan haar zuster verstaan te worden.

Ze waren opgesteld, tientallen van haar familieleden, in de kamer die ze 'de zaal' noemden, hoewel het een zitkamer was, en niet bijzonder groot. Eileen had alle acht haar kinderen bij zich, de twee oudsten waren getrouwd en hadden zelf kinderen. Nog vreemder, gegeven haar onwankelbare vaste voornemen om hem nooit meer te zien, was dat haar dronken broer Joe op bezoek was gekomen vanuit Warrington, waar hij nog steeds woonde, en waar Connie toen ze net in Engeland was aangekomen de eerste tijd had verbleven. Michael en hij wisselden amper een woord met elkaar, maar sloegen elkaar opmerkzaam gade, alsof de vijfentwintig jaren die sinds hun laatste ontmoeting waren verstreken hen niet alleen tot vreemden voor elkaar, maar ook tot tegenstanders hadden gemaakt. Aan de andere kant, terwijl Michael pas bij zijn aankomst naar de whisky greep, kwam Joe al aangeschoten aan met een fles in zijn zak. Mijn god, wat hebben onze ouders – die stommelingen van de blauwe knoop – ons een vloek nagelaten, bedacht Connie terwijl ze zichzelf een glaasje sherry inschonk. En dank je wel, Orlando, dat je me in vele opzichten geestelijk gezond hebt gemaakt. 'Ma, als je nu niet gaat zitten, krijg je straks nog een hartaanval, en dan kun je je tachtigste verjaardag niet meer vieren en kan de Heilige Maagd er niets meer aan doen.'

'Eureka! Eureka, lieve mensen!' Orlando kwam de kamer binnen met een krat Lir-water.

Connie moest lachen om zijn optimistische zelfbedrog. 'Dacht je soms dat ook maar één van de aanwezigen hier een glas water zal drinken?'

Maar hij kreeg gelijk. Haar moeder en Eileen dronken het keurig op, met een uitdrukking van vervoering op hun gezicht – zo puur, zo helder, zo mousserend en bruisend – Michael deed het in zijn whisky en meneer Partridge gebruikte er een beetje van om een denkbeeldig vlekje op zijn blazer mee te betten. 'Het is net zuur, dit spul,' merkte hij op met een knipoog naar zijn zoon. 'Je haalt er vlekken zó mee weg en dan bijt het de stof kaal.'

Michael haakte hier op in: 'Pas maar op dat het niet op uw huid komt, of het brandt een gat tot op het bot voordat u "God zij geprezen" kunt zeggen.'

Connie keek nog eens goed naar Michael en vroeg zich af wat hem zo anders had gemaakt dan de zwijgzame, bescheiden man die hij was geweest toen ze voor het eerst was teruggekeerd naar Ierland. Iemand die haar schoonvader op zijn eigen voorwaarden kon ontmoeten had een heleboel zelfvertrouwen. 'Heeft Michael een vrouw gevonden?' fluisterde ze tegen Eileen.

'Laten we hopen van niet.'

Connie keek haar zuster aan en verbaasde zich. Hoe kon een vrouw van in de vijftig, met een saaie man, acht kinderen – van wie er één voor altijd haar verantwoordelijkheid zou zijn – eruitzien alsof ze zojuist bij een schoonheidsspecialiste de deur uit was gestapt? Was het het geloof? Ze was diepgelovig, dat wel, en het kwam haar voor dat dit bewonderenswaardige soort vrouw iets bijzonders was van Ierland.

'Herinner je je onze tante Annie nog?' vroeg Connie, opeens geïnteresseerd. Waar was die geloofskracht die zelfs háár had aangegrepen, hoewel vrij laat in haar leven? Ergens, vermoedde ze, deelden ze een voorliefde voor het theatrale.

'Tante Annie, voor ons zuster Oliver,' zei Eileen. 'Zuster Oliver was verliefd op Dev – zo was het toch, ma? Ze had de man van haar leven één keer voorbij zien lopen in een mensenmenigte en zijn knijpbril viel op haar. Letterlijk, geloof het of niet. Die viel van zijn neus, precies op dit meisje in haar witte jurk, en zij zag zijn grote bruine Portugese ogen naar haar omlaag kijken. En ze was verloren.'

'Ik begrijp niet helemaal hoe het feit dat ze haar hart verloor aan die Valera ertoe heeft kunnen leiden dat ze non is geworden.'

'Omdat ze hem niet kon krijgen, dommie!' Eileen gaf haar zus een goedmoedig duwtje. 'Jezus was de op een na beste, en hij had ook grote bruine ogen. Hoewel sommige mensen zeiden dat ze die twee mannen nooit uit elkaar wist te houden.' Eileen verhief haar stem. 'Dat klopt toch, hè mam? Tante Annie werd toch een bruid van Christus omdat ze Dev niet kon krijgen?'

'Ze vond hem in elk geval een groot man, zoals wij allemaal, God hebbe zijn ziel.'

'Moge God zijn ziel laten rotten.' Michaels stem, zijn gezicht warm en rood van de whisky – misschien was hij de concurrentie aangegaan met zijn broer – trof de kamer als een geluid uit het graf.

'Nou, Michael...' zei mevrouw O'Malley, met het air van iemand die de vorm kende maar die niet kon veranderen.

'Vertel me alleen dit: had hij de moord op Michael Collins op zijn geweten of niet?'

'Nee, dat had hij niet,' zei Eileen resoluut, maar er werd geen aandacht aan haar besteed.

'Eerst trok hij Collins' reputatie in twijfel door hem als de sjacheraar naar Engeland te sturen om daar handjeklap te spelen, en vervolgens laat hij hem vermoorden en zijn mannen vermoorden en de geest van Ierland opsluiten in een kistje dat Eamon de Valera heet. Ik zeg: moge God zijn ziel laten rotten en ik drink op een verenigd Ierland. En mogen de Britten verdrinken in het bloed van degenen die ze hebben gedood.'

De vrouw keek naar Nina, die op het punt leek te staan het kantoor uit te vluchten. 'Ja, ik ben het,' zei ze. 'Heeft je man je niet gezegd hoe ik heet?'

Nina herstelde zich. Ze deed haar handschoenen uit. Het was maart, en het was zo koud dat als haar moeder etensrestjes naar buiten gooide de vogels zich er als hongerige honden op stortten. Wat zou Veronica denken als ze in de schoenen van deze aardige, leuke vrouw zou stappen? 'Hij heeft me die waarschijnlijk wel verteld.' Ze maakte aanstalten de hand van de vrouw te schudden en kuste haar toen in plaats daarvan op de wang. Ze dacht: zo groot kan de verrassing niet zijn om de minnares van je vader voor de tweede keer te ontmoeten – zeker niet gezien het feit dat ze zo dichtbij woont. 'Gaat het goed met je?'

'O, ja.' Lisa zat aan haar bureau, dat weldra dat van Nina zou kunnen worden. Het kantoor bevond zich op de eerste verdieping van een Georgiaaans pand. Het was vriendelijk geel geschilderd en de ramen lieten een heleboel licht en lawaai van de hoofdstraat beneden door. 'Je zult voor ons bescheiden bestuur moeten verschijnen, maar ze zijn heel blij dat een echte schilder – een beroemd schilderes – aan het hoofd wil staan van onze amateurorganisatie. Ze kunnen het amper geloven. Hangt er niet een schilderij van je in de Tate?'

'Ja. De Tate heeft er een, maar dat heeft er maar kort gehangen.'

'Wat jammer!' Lisa toonde medeleven. 'Maar toch is het een hele eer dat ze het hebben aangekocht. We vroegen ons al af hoe je de tijd zou kunnen vrijmaken om...?' Het vraagteken was op subtiele wijze geplaatst, maar Nina begreep dat er mensen waren die niet zo gecharmeerd waren van het feit dat ze solliciteerde.

'Ik schilder erg weinig op het moment.' Ze gaf zichzelf een applausje dat ze dit over haar lippen kreeg zonder in tranen uit te barsten. Ze waagde zelfs een poging tot een enthousiaste sollicitantenglimlach.

'Ik neem aan dat je wilt weten wat er van je zou worden verwacht.' Lisa werd zakelijker. 'Ik heb kopieën gemaakt van al onze cursussen en afrekeningen. Een gedegen financiële basis is erg belangrijk voor kleine organisaties, en die hebben we.' Lisa straalde helemaal terwijl ze papieren op elkaar legde en die samen in een map stak. 'Ik verwacht niet dat je veel ervaring hebt met dit soort dingen, maar die had ik ook niet toen ik begon. Het heet fondswerving.' Ze giechelde als een schoolmeisje.

'Ik weet niet of ik daar wel zo goed in zou zijn.' Het leek tijd voor een beetje eerlijkheid.

'Ach, nou ja. Dat doet er nu niet toe. We hebben de komende jaren geld genoeg. Trouwens, ik geef de touwtjes niet helemaal uit handen. Dat wil zeggen, ik draag ze aan jou over, maar als je me nodig hebt, kun je me zo naar je toe halen.'

Meer eerlijkheid leek op zijn plaats. 'Ik wil mijn moeder niet voor het hoofd stoten. Ik woon met haar samen.'

Alle sporen van meisjesachtigheid verdwenen en Lisa keek met een serieus gezicht heen en weer van Nina naar het raam. 'Ah, dat. Ja. Je weet dat ik getrouwd ben.'

Nina dacht hierover na – of het iets aan de situatie veranderde. Al met al had ze het gevoel van niet. 'Ik kan waarschijnlijk het best met mijn moeder praten. Ze is heel redelijk.'

'Ze is altijd al redelijk geweest.' Lisa keek gegeneerd. 'Sorry. Dat had ik niet moeten zeggen. Nou ja, het is allemaal louter toeval, nietwaar? Het heeft niets te betekenen.'

'Ik weet het niet,' zei Nina, die opstond. 'Misschien kan ik beter gaan en er nog eens over nadenken.'

'Vergeet de map niet.'

Nina nam de uitpuilende map aan en ging de trap af. Halverwege realiseerde ze zich dat ze haar handschoenen had laten liggen, maar ze had de moed niet ze te gaan halen.

'Ik weet dat Gus het graag wil,' zei Veronica die een paar late sneeuwklokjes afknipte. 'Ze zeggen dat het ongeluk brengt om sneeuwklokjes binnen te zetten,' voegde ze eraan toe.

'Maar wat denk jij?'

'Het punt met Gus is dat hij zowel een liefdevol als een praktisch mens is. Dat moeten we niet ontmoedigen.'

Nina keek omhoog naar de lucht en zag een paar sneeuwvlokken zo plat en dun als vloeipapier langzaam neerdwarrelen. Ze keek toe hoe ze onmiddellijk oplosten toen ze neerkwamen op het gras. Het gazon zag er keurig uit. Gus zei dat je aan iemands grasveld kon zien hoe hij er innerlijk aan toe was.

'Het sneeuwt,' zei Veronica.

'Heel lichtjes.' Maar de vlokken spraken haar tegen en bleven nu liggen. Vagelijk herinnerde Nina zich die middag in mei toen het gras helemaal wit geworden was. Dat had haar vast tot een of ander besluit gebracht, maar ze kon zich nu niet meer herinneren wat het was geweest.

Veronica stak haar arm door die van haar dochter. 'Zal ik je eens wat zeggen? Ik droom niet eens meer over je vader, hoewel ik vriendelijke gedachten over hem heb. Jij moet doen wat je voelt dat goed is.'

'O, ik ben gewoon een grote baby. Je weet hoe ik er de laatste tijd aan toe ben geweest.' Ellendig merkte Nina op dat haar moeder niets had gezegd over haar schilderen, alsof dat geen rol speelde bij haar beslissing.

'Zo meteen worden we drijfnat. Kom op, lieverd.'

1980

Connie, die zat na te denken over het nieuws van haar moeders dood in Mayo, liet eerst haar verdriet overstemd worden door woede. Hoe durfde ze alleen te sterven! Dat wil zeggen, zonder de verloren dochter die zoveel van haar hield. Ze had zich niet aangekleed en zat te midden van de chaos van haar slaapkamer terwijl de tranen over haar wangen biggelden. Buiten voor het raam kon ze Leonardo horen spelen met een jong hondje dat ze voor hem hadden gekocht. Het geluid van zijn stem, die het diertje zachtjes berispte omdat hij een lelie had afgebroken, maakte haar nog harder aan het huilen. Waar was Orlando nu ze verdriet had, bedacht ze, met een hernieuwde poging tot woede, waarna ze zich herinnerde dat ze hem had verboden achter haar aan te gaan. Aan haar kaptafel borstelde ze de krullen uit haar lange, glanzende haar terwijl ze haar knappe O'Malley-gezicht aanstaarde. Uiteindelijk legde ze de borstel weg en sloeg haar blik neer. Het was tijd om toe te geven dat haar verdriet om haar moeders dood, hoewel het heel oprecht was, een andere vijver in beroering had gebracht.

Connie haalde de telefoon vanonder een kussen vandaan en belde Fays praktijk. Ze begroette haar met 'Ik hoop dat alles zoals altijd goed en veilig voor je is, lieve Fay'. Te laat herinnerde ze zich dat Fay haar geliefde Ted was kwijtgeraakt, hoewel dat inmiddels meer dan een jaar geleden was.

'Ik ben aan het werk. Kan ik je terugbellen?'

Zonder hier aandacht aan te besteden begon Connie te vertellen over haar moeders dood, de familiebegrafenis in Mayo, de noodzaak contact op te nemen met Kevin, die het nog niet wist, en die, hoewel hij van zijn familie was vervreemd, het toch moest weten en misschien zelfs de gelegenheid moest krijgen bij de begrafenis aanwezig te zijn – met zijn gezin. Ze legde met name nadruk op dit laatste woord. Na een korte stilte zei Fay: 'Ik vertel het Kevin en Shirley wel', en ze hing op.

Verbijsterd legde Connie de hoorn neer. De echo van Fays stem klonk nog in haar oren, en tegelijk daarmee de herinnering aan Kathleens half-Vietnamese zusje. Op de een op andere manier had zij nooit deel uitgemaakt van de beelden die Connie zich in gedachten van haar dochter had gevormd. Ze realiseerde zich dat ze niet eens meer wist hoe het meisje heette. Ik ben een grote egoïst, hield ze zichzelf voor, en dat herinnerde haar weer aan Fays ongelukkigheid – veronderstelde ongelukkigheid.

De bloemen wachtten Fay op in haar appartement. Het was een enorm boeket vol met onwaarschijnlijke en niet erg harmonieuze kleuren, plus een paar vreemde cactusachtige uitsteeksels. Fay bleef in de deuropening staan en haalde diep adem. Ze keerde het boeket de rug toe om haar sleutels op het gebruikelijke schaaltje te leggen en om haar post op de vaste plek neer te leggen, en draaide zich toen pas weer om. Het boeket kwam, meende ze zeker te weten, van Ted. Hij zou hebben aangevoeld, zoals Connie niet had gedaan, dat ze zich nu op een dieptepunt bevond, dat het leven geen enkele zin meer leek te hebben, en dat ze omdat haar moeder, die last had van angina, over twee dagen jarig was naar haar toe moest. Ze was vergeten de airconditioning aan te laten en het was warm in de kamer, zodat het hele boeket, op de uitsteeksels na – die misschien meer weg hadden van wc-borstels dan van cactussen – slap hing. Ze ging snel een vaas zoeken en water halen, waarna ze het kaartje uit zijn envelopje haalde dat op het cellofaan zat vastgeprikt.

Fay ging in haar kleine fraai bewerkte fauteuil zitten, met de bloemen mooi in het zicht, terwijl de airconditioning zachtjes voor verkoeling zorgde, en las het briefje: 'Lieve Fay, je bent een vriendin die ik niet verdien. Liefs van ons allemaal in Lir, Connie.' Fay vouwde het kaartje zorgvuldig dicht en stopte het weer in de envelop. Na een poosje stond ze op om zichzelf een grote scotch in te schenken. Ze stond weer op om de bloemen in de keuken in de vuilnisbak te gooien. Ze ging terug naar de vuilnisbak en zette de bloemen weer in de vaas, hoewel ze die in de keuken liet staan, achter de deur. Ze dacht na over alle dingen die ze kon en moest doen, inclusief Kevin O'Malley bellen (of tenminste Shirley), maar deed ze geen van alle. De scotch gleed soepel naar binnen, maar ze had de energie niet om zich nog eens in te schenken. Niemand op het werk zou me herkennen, bedacht ze, en weldra begon ze zich te herinneren hoe ze zich had gevoeld na Daniels dood en hoe Ted toen bij haar was gekomen, als een beschermengel. Ze nam aan dat ze nooit had verwacht dat hij zou blijven, of ze zou hem moeten hebben gezegd dat ze van hem hield, wat ze nooit had gedaan. Of misschien was er een andere reden. Misschien hield ze helemaal niet van hem. Misschien was ze net zo onmenselijk als mensen dachten dat ze was, alleen was ze dat niet. Ze probeerde zich te herinneren wat ze tegen Nina had gezegd toen ze een analyse had gegeven van de seksueel-politieke agenda achter Teds vertrek, maar ze wist niet meer precies welke argumenten ze had gebruikt. Ze vroeg zich af of ze Nina zou kunnen bellen, maar besefte dat ze een brief had gestuurd die haar pijn had gedaan. Ze stond er alleen voor. Zoals altijd.

In het halfduister sloot Fay haar ogen. Toen ze ze weer opendeed, was er niets veranderd, behalve dat het donkerder was en dat ze zich in staat voelde nog een grote scotch in te schenken. Doelloos herinnerde ze zich dat ze, in een ander leven – die ochtend om precies te zijn – nog haar afkeur had uitgesproken tegenover een patiënt die had beweerd dat scotch de enige schakel vormde tussen hem en deze wereld. Ze wist nog precies hoe zijn röntgenfoto eruit had gezien. Je hoefde niet bijster briljant te zijn om te zien waar hij aan leed. Omdat ze er niet aan gewend was te drinken, begon ze zich beter te voelen, of althans anders. Ze was zelfs in staat te glimlachen om haar malle verkeerde interpretatie. Natuurlijk zou Ted geen contact opnemen.

Terwijl ze het nu koeler had, of koud zelfs, met de witte huid van haar armen overdekt met kippenvel, stond Fay op, pakte haar tas en ging het appartement uit. Op straat was het nog steeds snikheet. Ze haastte zich over Third Avenue de stad in tot ze bij 58th Street kwam en overstak naar Madison. De elegante boetieks, antiekzaken, antiquariaten, en restaurants deden haar haar pas vertragen. Ze vroeg zich af of dit was wat ze wilde. Ze bestudeerde van dichtbij een pakje met revers van roze fluweel en bedacht dat haar moeder er haar leven voor zou hebben gegeven, maar zonder pakje was ze ook al stervende. Iedereen was stervende, laten we elkaar geen mietje noemen. Desalniettemin zou ze, als de winkel open was geweest, naar binnen zijn gegaan en het pakje ter plekke voor haar moeder hebben gekocht, maar aangezien dat niet tot de mogelijkheden behoorde ging ze naar een schoenenzaak, waar de hakken zo dun en hoog waren dat zelfs een circusartiest ervoor zou zijn teruggedeinsd. Connie droeg altijd zulke schoenen, bedacht Fay vaaclijk, waarna ze weer verder liep. Er was een hele avenue met chique winkelmogelijkheden om te bestuderen en ze had zichzelf nog niet toegegeven dat ze een doel had. In plaats daarvan begon ze na te denken over de aard van aankopen. Had zij, Fay, het contact verloren met haar ware vrouwelijke instincten? Haar moeder had altijd gevonden van wel. Terwijl ze een beetje heen en weer wiegde voor een etalage met zware gouden en zilveren colliers probeerde Fay te begrijpen waarom iemand er een zou willen kopen. Misschien dat een vrouw als ze zichzelf mooi vond dat zou doen, het leek een gepaste versiering, maar zij had altijd geweten dat ze niet knap was en had haar belangstelling voor dat soort dingen al een hele tijd geleden verloren. Fay begon weer te lopen. Ben ik echt zo onopgesmukt? vroeg ze zich af. Haar huid was zuiver en glad, haar taille smal, haar ogen waren donker en groot. Ze keek omlaag om te zien wat ze aanhad: hetzelfde wat ze altijd in de zomer naar haar werk droeg: een korte donkere rok, een mouwloze lichtgekleurde blouse met paarlen knoopjes. Niets bijzonders. Fay bleef abrupt staan en sloeg van Madison af naar het westen, en ze stak Park, Fifth en Sixth Avenue over en kwam bij Seventh Avenue.

Hoe wist ze het adres? Ze wist zelfs haar achternaam: Miriam Suarez, een violiste die nu al enkele maanden van Teds gezelschap had kunnen genieten. Ze woonde in een oud appartementenblok zonder portier. Fay drukte op haar bel.

'Ja?' De stem klonk slaperig.

'Dit is Fay.'

'Fay? Het is...' – een pauze – 'twee uur in de nacht.'

'Ik wil Ted zien.' De kreet van een kind in het donker.

'Jij bent toch die knappe dokter?' De stem klonk amper vertekend, was nu helemaal wakker, als een klok, – misschien speelde ze niet alleen viool maar zong ze ook nog eens, dacht Fay hysterisch – maar niet slechtgehumeurd. 'Ted is een halfjaar geleden vertrokken.'

Fay verwerkte dit naar behoren. 'Ik wil praten.'

De stem lachte. 'Kom maar naar boven.'

Het meisje droeg een T-shirt en haar forse postuur deed Fay aan Nina denken. 'Maak je geen zorgen,' zei ze. 'Ik lag nog maar vijf minuten in bed. Ik hou van de nacht, jij ook?'

Fay zei: 'Nee', en dronk de slechte wijn die Miriam haar aanbood. Miriam was net als Ted, bedacht ze: tegelijkertijd losjes en gereserveerd. Ze stelde helemaal geen vragen, en zonder dat Fay er op haar beurt om vroeg schreef ze Teds adres op een stukje papier. 'Het is maar twee straten verderop,' legde ze gedienstig uit.

Ted woonde in een gebouw van bruine baksteen. Het bovenste appartement, met een klein raam. Ze wist dat hij daar woonde, omdat ze zijn silhouet afgetekend kon zien tegen het licht. Hij had zich ook nooit veel gelegen laten liggen aan het feit of het dag of nacht was. Iets deed hem naar buiten kijken (had ze een kreet geslaakt?) en hij zag haar onder de straatlantaarn staan. Ze zag hem weglopen van het raam. Even later stond hij voor haar op het trottoir. Hield zijn gezicht een oordeel in of stond het alleen maar vermoeid? Het deed er niet toe. Ze was een vrouw met een missie. Ze wenste dat ze de restanten van de whisky bij zich had. Waar het om ging was dat je zei wat je voelde.

'Ik mis je verschrikkelijk,' zei ze tegen hem. 'Ik hou van je. Zonder jou kan ik niet leven. Ik hou van je. Ik hou van je.' De tranen stroomden haar over de wangen. Ernstig nam Ted haar in zijn armen en veegde de tranen weg.

De dag daarop belde Fay Connie. 'Kevin en Shirley en Kathleen en Tara zijn allemaal vast van plan om naar je moeders begrafenis te komen. Misschien hebben ze je al gebeld?'

'Ja,' antwoordde Connie zwakjes.

'En trouwens,' vervolgde Fay, 'Ted en ik zijn weer bij elkaar. Het kwam allemaal door de bloemen die je me had gestuurd. Daardoor ging ik beseffen hoezeer ik hem nodig heb.'

'Mooi zo,' zei Connie, met een nog kleiner stemmetje. Fay realiseerde zich dat ze 'm kneep bij het vooruitzicht haar dochter te zien.

Michael O'Malley was weer tijdelijk bij zijn vader gaan wonen. Zo bleef zijn huis in het dorp leegstaan. Het was een bungalow, die Michael eigenhandig had gebouwd, met een tuin ervoor en een gepleisterde bakstenen muur die zilver was geverfd en was versierd met stukjes gekleurd glas. Het huis zelf was ijsblauw geverfd met witte en zilveren accenten. Connie bekende Eileen dat dit het enige was dat ze leuk vond aan haar broer. Eileen zei dat ze beter haar oren open kon houden voor de waarheid over Michael. Ze had niet haar katholieke 'succesvolle-moeder-van-acht'-gezicht gezet, zoals Connie het graag tegenover Orlando mocht noemen.

De zusters, die, hoewel ze sterk op elkaar leken qua gezicht, huid, haar en figuur, erin slaagden eruit te zien alsof ze niets met elkaar uit te staan hadden, reden naar het westen voor de begrafenis van hun moeder. Achter in de auto, dicht op elkaar geperst, zaten Leonardo en zijn hondje plus drie van zijn jongste neven en nichten. Ze zaten snoepjes te eten en vertelden elkaar grappen uit een moppenboek.

'Wat ik jou vertel, vertel ik niemand anders. Michael heeft contacten met hen.'

'Met wie?'

'Met die lui die een verenigd Ierland willen. Op de boerderij heeft hij dingen verstopt. Ik wil niet weten wat het is.'

'Wat bedoel je nou, Eileen? Wil je soms beweren dat onze broer in contact staat met de IRA? Dat hij stukken Semtex verstopt, of wat het ook mag zijn?'

'Ssst.' Ze had gelijk. Connie verhief in geschokt ongeloof haar stem. Ze kon zich niets verkeerders voorstellen dan het helpen en bijstaan van moordenaars van welke politieke richting dan ook. Zij maakte geen onderscheid tussen partijen. Vijf dagen geleden, toevallig op de dag van haar moeders

271

dood, had een tienjarig meisje dat was thuisgekomen van school haar moeder vastgebonden aan een stoel en aan flarden geschoten aangetroffen. IRA... INLA... UDA... Wat wist dat meisje ervan? Connie liet zich achterover-zakken op haar stoel. Ze vroeg zich af of Eileen met opzet over het onder-werp was begonnen onder omstandigheden die het haar onmogelijk maak-ten om te razen en te tieren.

'Je woont nu in Ierland,' zei Eileen. 'Je kent onze geschiedenis. Je weet wat ons is aangedaan.'

'Maar dit doet ons nog meer aan,' siste Connie. 'Als hij moordaanslagen beraamt op onschuldige mensen.'

'Ze noemen het een oorlog. In een oorlog vallen nu eenmaal onschuldi-ge slachtoffers.'

'Zou jij het een oorlog noemen?'

'Nee. Het is in het noorden, nietwaar? Laat ze het daar maar uitzoeken.'

'Nou, goddank is er nog iemand met een beetje verstand. Maar je hebt zeker nooit geprobeerd Michael ervan te weerhouden?'

'We hebben het er nooit over gehad. Hij is vijftig...'

'Dat maakt het nog erger. Er is geen excuus voor.'

Ze waren een klein dorp binnengereden, waar de traditionele rijen lage witgewassen cottages met rieten dak werden afgewisseld door geverfde bungalows, die Connie deden denken aan Michaels glinsterende muur. 'Ik neem aan dat hij wat van die Amerikaanse dollars voor zichzelf heeft afge-roomd,' zei ze bitter. 'Kevin en hij zouden het uitstekend met elkaar kun-nen vinden.'

'Als je wilt suggereren dat nationalisme een familietrekje is, dan heb je gelijk. Het komt door pa dat Michael ermee is begonnen. Je weet toch dat hij altijd die liedjes zong...'

'Eén keer per jaar, als hij dronken was.'

'Het was vast niet allemaal show. Maar onze moeder heeft hem onder de duim gehouden. Zij heeft zijn vuur gedoofd.'

Ze bereikten het eind van het dorp en kwamen terecht in kilometerslang veenland. Connie keek naar de schoonheid ervan, het paars, groen en zil-ver, en werd overmand door droefenis. Ze was in een idylle gaan leven, had zichzelf opgesloten in een ivoren toren, waarvan Orlando de sleutel had. Ze had gedacht dat ze deel uitmaakte van de ware geest van Ierland, maar nu begreep ze dat ze zich alleen maar had schuilgehouden voor de werkelijkheid. Kon het haar moeder eigenlijk worden verweten dat ze haar echtgenoot zijn patriottische manhaftigheid had ontzegd?

'Wil je zeggen dat een man moet meedoen met gewelddadigheden om zijn mannelijkheid te bewijzen?'

'Ik weet dat onze vader halfdood is gegaan omdat hij ermee moest stoppen.'

'Halfdood is niet zo erg.' Connie zag haar vader voor zich zoals hij was geweest toen zij klein was: die sombere, trieste blik van hem waar ze gek van geworden was, die misschien wel de reden was geweest dat ze was weggegaan. Het was verbazingwekkend dat hij al zo lang leefde, dat hij haar flinke moeder had overleefd, en nu leek het wel of hij zijn gefrustreerde bitterheid had overgedragen op zijn zoon.

'Kevin en zijn gezin hebben er tenminste voor gekozen om een flink eind weg te gaan wonen,' zei Eileen om een voorzet te geven.

Maar Connie wilde het niet over Kevin en zijn gezin hebben.

Het Amerikaanse contingent arriveerde voor de begrafenis op het vliegveld van Knock. Connie voelde zich heel wankel. Ze had nooit eerder last gehad van haar leeftijd, maar nu voelde ze zich veertig – wat ze ook was. De anderen kwamen haar allemaal als heel jong en sterk voor, inclusief haar oudere zusters en broers. Zelfs haar arme vader, de weduwnaar, leek haar pezig en onverwoestbaar.

Kevin en Shirley liepen over het asfalt van het vliegveld. Achter hen kwamen hun dochters, half verborgen, beladen met tassen. Het gezin wachtte opeengedromd bij de controle, drie generaties zwartrood haar. Eileens jongste maakte een kraaiend geluid dat wees op al te grote opwinding. Er was ook een priester bij, en een vriendin met wie Michael was komen aanzetten. Ze was jong, met een boosaardig masker onder oranje haar, en Connie vertrouwde haar niet. Ze was te jong voor Michael in haar krappe spijkerbroek en zag er met een pakje sigaretten in haar hand uit als een stadsmeisje. Connie dacht niet: zo ben ik ook ooit geweest, omdat ze wist dat dat niet zo was. In haar meest wilde tijd had zij immers nooit haar onschuld verloren?

Meneer O'Malley werd geflankeerd door twee van zijn zoons en de derde, de verbodene, kwam naderbij. Connie vroeg zich af of hij zich schuldig voelde dat hij zijn oudste pas toestond terug te komen nu zijn moeder dood was. Maar misschien was zelfs dat niet zeker, want mevrouw O'Malley was degene geweest die dagelijks ter communie ging, die achter priesters aan rende, de zuster van een vrome non. Misschien was zij wel degene die het Amerikaanse duo op afstand had gehouden. Hoewel ook Kevin zijn Ierse roots kenbaar maakte door een felgroen jasje te dragen.

Ze kwamen naar elkaar toe. Heel even zag Connie duidelijk haar dochter voor zich. Op hetzelfde moment pakte Leonardo zijn moeders hand. Ook hij was overmatig opgewonden met zoveel familie op het vliegveld.

Hij was een jongen van het platteland, geboren in hartje Ierland, en was nog nooit op een vliegveld geweest.

'Wie zijn die meisjes?' vroeg hij.

Connie keek naar hem omlaag. Hij droeg een T-shirt, ook groen, met de tekst LIR WATER erop. Zijn niet al te schone donkere krullen hingen over zijn blozende wangen. Kon Hij die alles goed maakte dit ook goed maken? 'Dat heb ik je al gezegd: je nichtjes uit Amerika.'

'Ze zien er niet uit als mijn nichtjes.'

Connie keek strak naar hen. Een donker, slank meisje met een blonder meisje. Dat moest Kathleen zijn. Was ze blonder geweest als kind? Of kwam het door de Amerikaanse zon? En zo lang voor een tienjarige? O, mijn god, het was Kathleen niet! Kathleen was gestorven en niemand had het haar verteld. In paniek keek Connie naar Shirley en Kevin, die nu nog maar een paar meter van haar vandaan waren. Ze verhulden hun zorgelijkheid achter een glimlach, en daar tussen hen in was Fay. Natuurlijk, ze had Fay overgehaald ook te komen. Fay zou haar op de hoogte hebben gebracht van een tragisch sterfgeval. Dit grote zongebruinde meisje was Kathleen. Haar dochter.

Er waren zoveel mensen, er was zoveel verwarring, hitte en geschud van handen, gekus en opwinding, dat Connie Kathleen had ontmoet en haar aan Leonardo had voorgesteld zonder te beseffen wat ze deed. Maar ze hield het beeld vast van een Amerikaans meisje vol zelfvertrouwen dat niet verwachtte dat het leven geheimen voor haar in petto had. Ze is niet zoals ik, bedacht Connie toen ze haar armen om Fay heen sloeg, terwijl ze haar bleef vastklemmen en erin slaagde niet te huilen. Fay begreep het. Fay was gekomen om haar te steunen. Ze mocht niet huilen, hoewel niemand daar in alle commotie iets achter zou zoeken. Connie begon zich te herstellen. Zoals gebruikelijk had Leonardo gelijk: Kathleen leek op niemand van hun donkere, blankhuidige familie. Vluchtig haalde ze zich Merlin de Witt voor de geest, maar ook hij was donker en slank. Kathleen had een metamorfose ondergaan en was precies de juiste dochter geworden voor opklimmende Washingtonse ouders. Misschien ben ik wel opgelucht, bedacht Connie, die zich aan Fay vastklemde. Of misschien ben ik heel erg verdrietig.

Fay voelde zich alsof ze deel uitmaakte van een circus, waarin iedereen een absurde rol speelde zonder dat er een duidelijk publiek was. Michael had busjes gehuurd als aanvulling op de beschikbare auto's. Ze waren afkomstig van zijn plaatselijke kerk en er waren voorstellingen van de Maagd Maria op de zijkant geschilderd. De Amerikanen – zijzelf, Kevin, Shirley, Kathleen en Tara – die heel gewoontjes hadden geleken toen ze op het vliegveld van Washington het asfalt waren overgestoken, waren nu karikaturen van zichzelf geworden. Kevin, met zijn idiote jasje, speelde de rol van krachtige clanleider in Kennedy-stijl. Shirley was cheerleader geworden, terwijl haar dochters de twee zijden van de maan waren: licht en donker, oneindig mysterieus. Zelfs zij had het gevoel dat haar joods-zijn haar tot iemand uit een andere wereld maakte.

'Je had Ted mee moeten nemen,' zei Connie opeens, over Leonardo's hoofd heen pratend – hij zat op haar schoot.

'Ik zou Ted met de beste wil van de wereld niet mee hebben kunnen krijgen. Hij heeft een opdracht gekregen om filmmuziek te componeren.'

'Filmmuziek! Wat een nieuws! Soms vergeet ik door die lastige familie die ik hier heb dat er zoiets als de buitenwereld bestaat.'

Fay, die milder gestemd raakte door Connies bewondering voor Ted, bedacht dat dat wel eens waar zou kunnen zijn. Alsof deze bus niet al genoeg circusartiesten bevatte, zaten in de andere twee spotzieke en waarschijnlijk dronken broers, een dozijn of wat kinderen (zo leek het althans), een paar lichamelijk en geestelijk gehandicapten, en een oude, duidelijk krankzinnige man met een jagershoedje op. 'Je lijkt het allemaal uitstekend onder controle te hebben.'

Op dat moment begaf hun bus het. De voorste bus, die grillig bestuurd werd door Joe, en die een flinke vaart had, verdween om een hoek.

Ze klommen naar buiten. Orlando nam, misschien uit nervositeit, Leonardo op zijn schouders, hoewel hij daar eigenlijk al te groot voor was. Meneer O'Malley ging op een grote steen zitten, die net zo goed een Keltisch kruis had kunnen zijn, en Kevin nam plaats aan zijn vaders zij en bleef met gevouwen armen staan. Niemand leek er bijster in geïnteresseerd de bus weer aan de praat te krijgen, waar Fay Connie op attent maakte.

'O, ik verwacht dat Michael zo meteen wel terugkomt. Hij werkt in een garage, weet je.'

Fay begon zich een beetje dolzinnig te voelen. Ze herkende de dwaasheid van een situatie waarover ze geen controle hadden uit haar verleden. 'Als Orlando zo rondhopst, loopt Leo serieus risico om met zijn hoofd naar beneden op het asfalt neer te komen.'

'Wat een geluk dat we een dokter in ons midden hebben,' reageerde Connie. Kathleen en Tara dansten hand in hand over de weg. Fay sloeg hen gade terwijl Connie hen bij hun andere hand pakte en hun met een plagerige blik op Fay een Ierse horlepijp begon te leren. 'Nu moeten jullie Amerikanen het verhaal eens horen over de deur op de kruising van wegen...' Ah, we zijn weer terug bij de oude taxus, dacht Fay.

Orlando liet zijn zoon te midden van de dansers op de grond zakken en kwam naar Fay toe. Hij was haar type niet, bedacht ze: te onbevallig, excentriek, harig, Iers, Engels, onbegrijpelijk. Zijn broek, merkte ze op, werd opgehouden door een stropdas, en hij leek een pyjamajasje aan te hebben bij wijze van overhemd. Hij nam haar bij de arm.

'Je stond mijn riem te bewonderen. Dat is mijn Ierse rugbydas, mijn meest gekoesterde bezitting. Een verenigd Ierland is een grote ambitie.'

'Maar jij bent Engels-Iers.'

'Ik speel ook cello. Die Ted van je is muzikant, heb ik gehoord.'

'Hij is componist.'

Fay kreeg in de gaten dat ze op en neer liepen door de berm. Ze voelde zich onbeschut, maar om de een of andere reden ook vereerd. 'En jij runt een fabriek waar water gebotteld wordt.'

'Mijn betere ik ambieert het cellospel, hoewel de resultaten tegenvallen. Ik ben niet zo'n goede zakenman, maar dankzij de EEG ben ik op weg naar ongebruikelijk succes. Ha! Het is aardig van je dat je gekomen bent.'

Ze waren nu een stukje van de bus vandaan en Fay begreep dat dit de reden was waarom hij haar arm had gepakt en haar had weggeleid. 'Ik kom graag. Connie en ik zijn al heel lang vriendinnen. We hebben stilzwijgend afgesproken dat ik een oogje op Kathleen houd. Ze is echt een schattig meisje.'

'Ja. Ja.' Orlando wendde zich af alsof hij verlegen was.

'Nou, ik neem aan dat ze het fijn vindt om Kathleen te zien.'

'Ik zou het niet weten. Het is moeilijk. Vertel eens, denk je dat het'– hij zweeg even – 'wel goed met haar gaat?' Zijn gezicht stond serieus, bezorgd, alsof hij zich op het ergste voorbereidde.

Fay hoefde alleen maar eerlijk te zijn. 'Ik had nooit gedacht dat ze zo gelukkig zou kunnen zijn.'

Orlando pakte haar andere arm, zodat ze met hun gezichten naar elkaar toe stonden. Ze zag dat hij tranen in zijn ogen kreeg. 'Dat is het enige wat ik ooit heb gewild.'

Kevins gezin en dat van Connie hadden zich in de oude O'Malley-boerderij geperst. Om vijf uur sloop Connie naar de woonkamer om afscheid te nemen van haar moeder. Ze had nog maar een paar minuten naast het gladgestreken gezicht tot de Heilige Maagd staan bidden toen Kathleen binnenkwam, op blote voeten en rillend. 'Ik heb nog nooit een dode gezien,' zei ze. Alsof dat niet helemaal goed klonk, voegde ze eraan toe: 'Ze is mijn grootmoeder, ook al ben ik dan geadopteerd.'

'Dat is ze zeker,' beaamde Connie neutraal, nog steeds op haar knieën. Kon ze doen of het door de kou kwam dat haar tanden klapperden? Maar haar handen dan, die beefden als die van een marionet? Ze klemde ze stevig in elkaar. 'Wil je samen met me bidden?'

'Als je wilt.'

Kathleen knielde neer en Connie zag dat ze O'Malley-voeten had: met een lange tweede teen en een smalle hiel. Haar hart begon te hameren, maar ze keek naar haar moeder, naar het gezicht van de dood, en herinnerde zichzelf eraan dat ze er goed aan had gedaan dit sterfelijke wezen het leven te schenken. 'Welk gebed vind je mooi?'

'Toen ik communie deed hoorde ik een nieuw gebed: "Geloofd zij Maria, Moeder der Genade..." Verder weet ik het niet.'

Connie begon het gebed op te zeggen op de zangerige toon van de jeugd:

'Geloofd zij Maria, Moeder der Genade,
Geloofd zij ons leven, onze zoetheid en onze hoop,
U roepen wij aan, arme verbannen kinderen van Eva...'

En toen Connie begon te snikken, legde Kathleen haar gladde, zonverbrande hand over de hare, en Connie dacht: ik verdien dit niet, en ze huilde nog harder.

Iedereen was het erover eens dat ze blij mochten zijn met de regen op de begrafenis. 'Wie zou willen dat de zon scheen bij een open graf?' vroeg Connie retorisch.

'Dan zou de dode denken dat hij te midden van de hellevlammen was beland,' stemde Eileen in.

De zusters, gekleed in het donkerste zwart, hielden zich aan elkaar vast. Fay had Connie nog nooit zo Iers gevonden. De drie broers, in hun nieuwe zwarte pakken en witte overhemden, waar de vouwen van uit de verpakking nog in zaten, waren tot zwijgen gebracht, leek het, door hun verantwoordelijkheid voor het dragen van de kist, samen met Eileens oudste.

Opeens nam meneer O'Malley het woord. 'Ik had vroeger vijf zonen.' Hij keek zoekend om zich heen. Finbar! Finbar, de zoon die in de oorlog naar Engeland was gegaan. Connie, die anders altijd verzot was op drama, probeerde kritische gedachten over haar vader de kop in te drukken, die niet tevreden kon zijn met het feit dat vijf van zijn kinderen op gepaste wijze aanwezig waren. Het enige commentaar werd gegeven door Michael, op een gedempte toon die boven het stoffelijk overschot van zijn moeder niet bepaald gepast was: 'Die zak van een verrader.' Verdere opmerkingen of troost werden afgekapt door de komst van de begrafenisondernemers.

Fay sloeg deze begrafenis met een soort ontzag gade. Het was de enormiteit van het katholieke geloof die haar verbaasde. Ze was ervan uitgegaan dat priesters nog steeds eeuwige vrede in het koninkrijk der hemelen in het vooruitzicht zouden stellen en dat het hellevuur tegelijkertijd met het Latijn, maagden en martelaren zou zijn verdwenen. Maar uit de preek die de priester in de dorpskerk hield, en ook uit de vergenoegde sfeer in zijn congregatie, die buiten de familie was aangegroeid met buren en iedereen die een mis wilde bijwonen, bleek zonneklaar dat er hier op deze afgelegen plek in honderden jaren niets was veranderd.

Toen ze de kerk in kwam, had een oude vrouw in haar oor gefluisterd: 'Het goede mens is overleden om haar kwijnende ziel te laven aan de vredige wateren van het Beloofde Land', waarna ze er sissend aan had toegevoegd: 'Ze heeft aan de vlammen weten te ontkomen!'

Mevrouw O'Malley zou zich voegen bij de heiligen in de hemel, niet omdat ze zo'n brave vrouw was, maar omdat ze zeven kinderen had gebaard – van wie er een was overleden (geregistreerd) en een werd vermist (niet geregistreerd), en omdat ze wanneer ze maar kon de mis had bijgewoond. Met andere woorden, zoals Fay enigszins verontwaardigd begreep, haar leven had zich niet buiten de voorschriften van de Kerk begeven. Ze begon beter te begrijpen waarom Connie uit Ierland was ontsnapt, maar slechter waarom ze tot het katholicisme was teruggekeerd.

Buiten op het kerkhof stroomde de regen neer. De grafdelvers stonden vlakbij en leunden in vertrouwde houding op hun spaden, en Eileens jongste werd door zijn broers en zussen tot stilte gemaand. Connie huilde, en toen Eileen en haar kinderen, weldra gevolgd door Kathleen en Tara. Fay was verrast door al die tranen terwijl de hemel zo troostrijk dichtbij was. Ze dacht aan Daniels begrafenis, die werd overschaduwd door haar overtuiging dat zijn leven nu definitief ten einde was gekomen, en erger nog: dat hij het had gegeven in een niet te rechtvaardigen oorlog. Maar zelfs toen had ze niet gehuild. Misschien dat tranen als een situatie te erg is een te onbeduidende reactie zijn. Of misschien zat ze gewoon zo in elkaar.

De wake werd op de O'Malley-boerderij gehouden. Eten, drinken, stoelen en tafels waren daar allemaal naartoe gebracht. Een schuur die aan het woonhuis was vastgebouwd was voor deze gelegenheid schoongemaakt en in gereedheid gebracht. Het hele dorp kwam, met allerlei middelen van vervoer: fietsen, paarden en tractors.

Om een uur of vier hield het op met regenen en de verbijsterende schoonheid van het platteland, in combinatie met de plotselinge warmte en de reeds geconsumeerde flessen alcohol, veranderde een blijmoedige christelijke viering in een hilariteit die vagelijk heidens aandeed. De priester, vader Walsh, die kennelijk vond dat hij zijn plicht naar behoren had vervuld, was een van de gangmakers. 'Zo, meneer O'Malley,' zei hij. 'Wat hoor ik over een vermiste zoon? Wilt u dat ik de kwestie aankaart bij de Moederkerk? In Kensington hebben we nu vader Patrick, die een speurdersneus heeft voor vermiste zonen.'

Toen meneer O'Malley over dit aanbod nadacht, hoewel hij in de loop van de dag steeds stiller was geworden, gaf een andere stem voor hem antwoord: 'We willen geen ontrouwe klootzakken in dit land.'

'Michael!' protesteerde Connie. Joe, die ook in de buurt stond, stond op van zijn stoel om zijn broer recht aan te kijken.

'Fin... heeft als een dapper man, een soldaat, zijn plicht gedaan...' Hij zweeg even en wankelde, zodat Michael hem kon onderbreken.

'Een soldaat! Een Britse soldaat, zul je bedoelen, in een leger van moordenaars. Het leger van de duivel! Hij heeft zijn recht verspeeld om zich een Ier te noemen. Zo iemand noem ik geen broer, en dat zou jij ook niet moeten doen.'

'Maar Michael,' begon Eileen, die ook was verschenen – plotseling was het erg vol in de kleine kamer –, 'hij was nog maar een jongen, amper zeventien, en de oorlog was een paar maanden nadat hij erbij was gegaan voorbij.'

Maar Michael keek haar aan met staalharde ogen die vervuld waren van haat. 'Zeg het hun maar, pa. Vertel die buitenlanders maar eens wat de Britten ons land hebben aangedaan. Geef hun eens een lesje in geschiedenis. Over 1798 en 1916. Over de slag bij Boyne en de tallozen die de hongerdood stierven.' Hij had met stemverheffing gesproken en alle lettergrepen werden gekleurd door woede. 'Vertel hun maar eens hoe onze grootvader zijn arm verloor en hoe onze overgrootvader het leven liet. Vertel hun hoe Miriam Daly aan haar stoel vastgebonden was voordat ze haar volpompten met Brits lood.'

Nu stapte Kevin naar voren, en Fay, die zijn respectabele, goedopgeleide voorkomen zag, voelde zich op haar gemak omdat hij vast zou gaan onderhandelen en de rust zou herstellen.

'Ik ben een Ier, net als jij, Michael. Mijn bloed is hetzelfde als het jouwe, mijn toewijding is even groot.'

'Jij bent een dikke vette yank, Kevin!' smaalde Michael. 'Al het yankengeld van de wereld kan daar niets aan veranderen. Al dat sentimentele Kennedy-gewauwel heeft hem niet Iers gemaakt, en het maakt jou ook niet Iers. Het enige waar jij goed voor bent is dollars. Jij hebt veertig jaar geleden, toen ik nog niet eens volwassen was, je keus gemaakt. Voor vaderlandsliefde krijg je geen tweede kans en een tweede plaats bestaat niet. Je hebt jezelf een Amerikaanse vrouw en Amerikaanse kinderen aangeschaft, en jij kunt niet langer de Blarney Stone van een pot met pis onderscheiden, of het lied van Kevin Barry van America the Brave! Je bent nog niet zo verachtelijk als degenen die heulen met de vijand, maar je hoeft me niet te gaan vertellen dat jij een Ier bent!'

Fay merkte op dat Connie naar haar vader keek, misschien om Michaels getier het hoofd te bieden. Te midden van het geroezemoes van stemmen liep Connie naar hem toe, zoals hij zwijgend tegen de muur leunde. Het kwam Fay voor dat hij een merkwaardige uitdrukking op zijn gezicht had. Toen ze hem aanraakte, bewoog hij even, en als een plank die uit evenwicht is geraakt viel hij pardoes op de grond.

'O, mijn god! O, mijn god!' Eileen begon te roepen. 'Kijk nou eens wat je hebt gedaan, Michael! Je hebt je eigen vader om zeep geholpen met je boosaardige woede!' Ze hurkten allemaal op de grond naast hem neer, raad gevend, vleiend, veroordelend. Fay herinnerde zich dat ze arts was. Ze knielde naast O'Malley neer.

'Ik voel geen pols,' verklaarde ze. 'Het spijt me erg. Heel erg.'

De priester herinnerde zich dat hij priester was en begon met trillende handen en een stem die amper te horen was de laatste sacramenten toe te dienen. De verwarring werd nog groter omdat alleen degenen in de keuken wisten wat er was gebeurd. In de belendende kamer was iemand aan het zingen en in de tuinen waren de kinderen weer aan het dansen geslagen en niemand had het hart om hen daarmee te laten ophouden.

Connie, die in de ene hand een glas had en zich met de andere aan Orlando vastklemde, keek toe toen Fay, Shirley en Eileen, plus een paar vrouwen uit het dorp, het lichaam van haar vader recht legden. Ze keek naar haar broers, naar Michael, naar zijn uitdrukkingsloze, blinde, wrede gezicht; naar Joe, zijn hoofd vol whisky; en naar Kevin, die enigszins was aangedaan – mannen die konden doden, maar de dood niet konden voorkomen. Ze nam nog een grote slok whisky en liet de warmte van de drank door haar hoofd wervelen. 'Ik beloof, ik beloof...' begon ze, met een luide en onnatuurlijke stem. 'Ik beloof U, God, dat ik het er niet bij zal laten, al die zinloze haat en verwarring. Wij vrouwen weten wel beter. Ik zal mezelf tot het middelpunt maken van een zusterschap voor de vrede en jullie gewelddadige mannen kunnen gaan zitten jammeren om je whisky.'

Vervolgens nam ze nog een slok uit haar glas. 'En om liefde, want wij zullen jullie vertellen over een andere manier van leven, waarbij geweren even nuttig zijn voor een gevecht als lepels...'

Connie was dronken. Haar stem stierf weg toen ze teleurgesteld haar lege glas bestudeerde. Fay, die zich tot Lir-water had beperkt, was op

Orlando na de enige die naar deze gelofte luisterde, alsof die enige betekenis zou kunnen hebben.

De schilderijen waren afschuwelijk, zo afschuwelijk dat Nina er niet langer dan een paar tellen naar kon kijken. Het lukte haar om er eentje, dat iets minder slecht was dan de andere, alleen maar omdat de schilder slechts twee kleuren had gebruikt – een best wel mooi mauve en een tint roze – te bekijken, terwijl ze mompelde: 'Charmant', en zichzelf zelfs daarom verwenste. Lisa sleepte haar meedogenloos verder.

Het was de zomertentoonstelling van de Schilders van het Zuiden, de vruchten van zes maanden arbeid van de leden. Nina werd meegetroond om hun schilderijen te bekijken, die smaakvol tegen een achtergrond van olijfkleurig hennepdoek waren opgehangen. Er werd van haar verwacht dat ze blijk gaf van bewondering. Lisa, aan haar elleboog, had allerlei woorden van lof paraat: schilderachtig, evocatief, harmonieus, sympathiek, stralend. Nina, die zich uitgedaagd voelde om mee te doen, bestudeerde een stilleven van een schaal met appels, kennelijk naar voorbeeld van Cézanne, en fluisterde, alsof ze ineens de geest kreeg: 'Ze is opvallend goed omgegaan met de gelaagdheid. Is ze een student die jij bewondert?'

'Hij is een man. Een dominee, in feite.' Nina begreep dat ze geen populaire keus had gemaakt. 'Hij wil met alle geweld meesterwerken naschilderen. Dat is het enige wat hij doet: kopieën maken van meesterwerken uit boeken.'

'Zou je liever wat meer originaliteit bij je studenten zien?'

Lisa leek te denken dat ze grappig wilde zijn en fronste. 'Uiteindelijk wel. Wanneer ze de vaardigheden eenmaal onder de knie hebben.'

Nina tuurde naar het kaartje bij het schilderij. Hoeveel beter om uit te drukken wat Cézanne uitdrukte, ook al was het dan uit de tweede hand, dan zoeken naar een eigen non-existente originaliteit of zelfs individualiteit. 'En zou dominee Ormsby-Fish zijn echte naam zijn, denk je? Heeft hij de vaardigheden onder de knie?'

'Nou, je zei al dat hij heel goed met de gelaagdheid omging.'

'Welke andere grote schilders schildert hij na?'

'Meestal Van Gogh.'

'Aha.' Ze gingen verder. Nina begreep dat het absurd was voor een Engelse dominee die Ormsby-Fish heette om te proberen de individualiteit van een krankzinnig genie uit te drukken. Onderwerpkeuze. Ze moest zichzelf ervan weerhouden daarover te beginnen. Ze kon al een koortsachtige zorgelijkheid voelen.

Inmiddels stonden ze voor een van de vele vazen met bloemen. 'Wie heeft deze geschikt?' vroeg ze. 'Of misschien zouden we het er eerst over moeten hebben wie ze heeft geplukt.'

'Kom je mee?' Weer leek Lisa in verlegenheid gebracht. 'Ik geloof dat we wel een kop koffie kunnen gebruiken,' opperde ze troostend. Ze verlieten de galerie, en Nina liep zo snel dat Lisa zich gedwongen zag achter haar aan te rennen. 'Het is natuurlijk een stuk leuker wanneer alle schilders aanwezig zijn. Het is een roerig stelletje. Je kunt je in het begin volgens mij maar beter een beetje op afstand houden. Sommigen zijn heel vraatzuchtig!' Lisa lachte en deed de deur naar haar kantoor open, dat weldra Nina's kantoor zou worden. De galerie was op de begane grond, het kantoor was erboven. Nina bedacht dat haar eigen kantoor het beste gedeelte was van dit uiterst ongeschikte baantje dat ze had aangenomen, om redenen die te gecompliceerd waren om te omschrijven – behalve midden in de nacht, wanneer de uil haar wekte en haar toestemming gaf voor duistere angsten.

'Ik neem aan dat je alles weet van antwoordapparaten.' Lisa zette een schakelaar om op een koffieapparaat. Er waren zoveel andere dingen die Nina niet kon dat het zinloos leek om toe te geven dat ze nog nooit een antwoordapparaat had bediend. Het enige wat ze kon was schilderen, en dat kon ze nu niet. Het lukte haar op het nippertje niet in tranen uit te barsten.

'Koekje?' Zelfs de koektrommel was versierd met een slecht schilderij, dat deed denken aan Renoir op z'n senielst. Nina pakte drie chocoladekoekjes, bij wijze van straf en om ervan te genieten. Ze at ze snel op. Ze bedacht dat ze best heel dik zou kunnen worden om Gus te ergeren. Mijn echtgenoot Gus, die alleen maar het beste voor me wil en van wie ik dolveel hou. Misschien zou ze mettertijd van de schilderijen gaan houden die ze zojuist had bekeken, zou ze ze voor een habbekrats kopen en ze overal in hun huis hangen.

'Een boodschap van dominee Ormsby-Fish,' zei Lisa met een knipoog naar Nina. 'Waarschijnlijk heeft hij gevoeld dat je hier bent. Zijn vrouw schildert ook en heeft een keer een schilderij op de zomertentoonstelling van de Koninklijke Academie gehad. Het waren twee goudvissen op een tafel. We waren allemaal geweldig onder de indruk.'

'Het is heel moeilijk om toegelaten te worden. Studenten komen langsrennen met de schilderijen, terwijl de mensen van de academie bouillon met cognac drinken. Dat noemen ze runderthee. Of misschien is het thee met een scheut whisky. Nou ja, ik wil maar zeggen dat ze stomdronken zijn.' Nina pakte nog twee koekjes.

'O, we zijn niet zo heel erg onder de indruk dat ze werd toegelaten voor de zomertentoonstelling. Aardig wat van onze leden weten het zover te schoppen. Waar we bewondering voor hebben is haar vermogen om te schilderen vanuit de verbeelding.'

'Maar het was toch een schilderij van twee goudvissen op een tafel?'

Lisa lachte op een superieure manier. 'Niemand zou twee goudvissen doodmaken, of wel soms, en zeker niet iemand die Ormsby-Fish heet.'

Nina probeerde te lachen om wat kennelijk een veelgemaakte grap was, maar haar hart was vervuld van bitterheid. Zij zou zonder problemen tien goudvissen doodmaken als het tot een behoorlijk schilderij zou leiden. Ze zou tien poedels kunnen doden als ze Poedel heette, en twintig pauwen als haar naam Pauw was. 'Ik moest maar eens gaan,' zei ze terwijl ze abrupt opstond. 'Ik heb een afspraak met Gus op zijn kantoor.'

Nina wandelde door de aangename straten van het kleine stadje dat ze haar hele leven had gekend. Ze had Lisa tevoren geen domme vrouw gevonden. Toen ze haar verleden had onthuld, de liefdesrelatie met haar vader, had ze waardig geleken, romantisch, zelfs wel hartstochtelijk. Nina had respect voor haar kunnen hebben en zou niet wrokkig zijn geworden. Maar de vrouw die ze zojuist had gezien was saai, pedant, kleingeestig. Ofwel ze was gecorrumpeerd door haar man, die Nina nog nooit had ontmoet, ofwel door haar dagelijkse contact met slechte kunst. Met een rij limoengroene populieren tegen de blauwe lucht, met een kat tussen het gras, met klaprozen en korenbloemen in een veld, met een donderwolk weerspiegeld in een meer, met een roodborstje dat onderzoekend toekeek, met een omgekeerde boot tussen het riet, een schaal sinaasappelen, kersen, peren, een vaas goudsbloemen, margrieten, teunisbloemen, zonsondergangen, zonsopkomsten, kalme middagen op het gras. De natuur had een heleboel te verantwoorden, bedacht Nina.

O, mijn god, mijn god. De koekjes lagen haar zwaar op de maag en ze kon haar tranen niet langer bedwingen. Kan ik hier dan helemaal niet meer uit komen?

Fay las Nina's brief in de korte pauze voordat ze naar het ziekenhuis ging, waar ze een van haar inmiddels sporadische lezingen gaf aan studenten.

Lieve Fay, je zou van me staan te kijken. Ik schrijf dit aan mijn bureau. Mijn bureau! Waarop de juiste kantoorbenodigdheden liggen, misschien niet zo geavanceerd als bij jou, maar we hebben wel een tekstverwerker en een antwoordapparaat waarop leden merkwaardige boodschappen achterlaten. Gisteren had ene mevrouw Snape het hele bandje volgekletst over het onderwerp herfstbladeren. Ik geloof dat ze een vraag had over de hoeveelheden geeloxide (als je het mij vraagt een oersaaie kleur), maar ik heb geleerd dat de benaming 'antwoordapparaat' geen commando inhoudt, en aan dergelijke telefoontjes hoef je geen aandacht te besteden, zeker niet als je ze snel wist. Ik ben erg goed met de wisknop. Mijn leden zijn een zeer toegewijd, hardwerkend stelletje. Ze zijn parttime kunstenaar die de kunst fulltime aandacht schenken. Niemand van hen heeft een greintje talent, wat hun vastberadenheid des te opmerkelijker maakt, mogelijk zelfs bewonderenswaardig. Matisse heeft eens tegen een interviewer gezegd dat hij, als hij geen emotie voelde als hij bij zijn atelier kwam, zijn paard zadelde en in plaats daarvan een stuk ging rijden. Helaas volgen ze zijn voorbeeld niet.

Ik ben zowel dagelijks directeur als af en toe docent. Het ergste onderdeel van mijn werk, en ook het belangrijkste, is de noodzaak positief commentaar te leveren op schilderijen die zo in- en inslecht zijn dat ik alle mogelijke moeite moet doen om mijn ogen niet te sluiten. Ik heb een soort gestotter ontwikkeld, zodat 'mooi' eruit komt als 'm-m-m-' – de schilder stelt, zoals je zult begrijpen, veel prijs op mijn woorden –, als 'm-m-magnifiek' of welk ander leugenachtig adjectief ik ook maar heb gekozen. Uiteindelijk heb ik het probleem wanhopig uitgelegd aan die lieve Gus, die het serieus genoeg nam om voor te stellen een avond door te brengen met Rogets Thesaurus. Op het laatst hadden we een lijst van drie vellen, die hij op kantoor had uitgetypt – ik was toen niet zo goed in typen als nu. Ik noem het 'mijn testament' en neem het overal met me mee. Ik zal je een voorbeeld geven: 'gedurfd, boeiend, krachtig, overweldigend'– voor een storm op zee; 'evocatief, spiritueel, geïnspireerd' – voor een enkele roos in een vaas. Je begrijpt wel hoe het werkt: vermijd understatement. Vergeet niet dat velen weliswaar niet kunnen schilderen, maar wel heel goed weten hoe ze complimentjes in ontvangst moeten nemen. Het is uiteraard erg goed voor mijn karaktervorming. Ik ben in het verleden niet streng genoeg voor mezelf geweest, en ik heb vriendschap met iemand gesloten. Hij heet Dudley Ormsby-Fish en hij is dominee. Hij schildert in feite alleen om zijn vrouw te ergeren, die zich bezighoudt met het genre 'Romantische plekjes' (echt waar), die ze op plaatselijke kunstnijverheidsbeurzen verkoopt. Ik zal ze niet voor je beschrijven, maar merk alleen op dat ze een stapel guirlandes van kunstbloemen in de hal heeft liggen die gebruikt worden wanneer een plekje niet romantisch genoeg is. Misschien is dat wel het leukste aan haar, want het geeft blijk van praktisch inzicht.

Mijn vriend Dudley draagt een panamahoed en, wanneer mogelijk, een driedelig pak. Hij heeft het over zijn 'schaartje' – de schare gelovigen is niet bijster talrijk – en hij gebruikt Latijnse gemeenplaatsen tegen zichzelf: 'Dementia virtutis umbra.' Gus vindt hem belachelijk, maar dat komt doordat hij jaloers is, en dat is pas echt belachelijk, want ik ben de laatste tijd zoveel aangekomen dat geen enkele man anders dan een liefhebbende echtgenoot of de koning van Tonga mij zou zien zitten. Dit komt vooral doordat mijn voorgangster (de minnares van mijn vader, maar dat is een ander verhaal), altijd een koektrommel op haar bureau had staan – om leden die een praatje kwamen maken een koekje te kunnen aanbieden. Nou, ik hoef maar naar een koektrommel te kijken, of ik kom kilo's aan…

Toen ze op dit punt was aanbeland voelde Fay zich zo beroerd dat ze de vellen neerlegde. Ze nam een slokje vers geperst sinaasappelsap en bedacht dat ze degene die deze merkwaardige brief had geschreven amper herkende: een opgewekte, ironische stem die helemaal verkeerd klonk. Het was net, besloot ze, een brief voor het thuisfront in de oorlog, een missive van de frontlinie uit de Eerste Wereldoorlog, waarin vrolijk wordt gedaan over de modder omdat die zo goed voor je huid zou zijn en over lollige maten die grappen maken zoals: 'Wat beweegt er wanneer het dood is? Een lijk in niemandsland.' De brief deed haar, kortom, denken aan de brieven die Daniel haar vanuit Vietnam geschreven had. Leugens, allemaal leugens. En hoewel ze er nooit achter was gekomen wat Daniels leugens moesten verhullen, voelde ze wat Nina betrof een sprankje hoop. Wat er mis was, was kennelijk ontzettend mis, en waarom maakte 'die lieve Gus' deel uit van het hele afschuwelijke tafereel? Fay nam een paar tabletten in – ze was de laatste tijd Mexicaanse yamswortel gaan gebruiken – en las verder:

Van mijn taken als docent – in de lesperiode eenmaal per week een les – leer ik zelf meer dan mijn leerlingen, geloof ik. Sommigen krijgen al twintig jaar les, terwijl ik maar drie jaar academie heb gehad. Eerst hadden ze een beetje te veel ontzag, maar alleen voor mijn reputatie, niet voor mij. Ze wisten dat ik een paar jaar geleden veel succes heb gehad en schilderijen aan belangrijke galeries heb verkocht (dat komt me nu ongelofelijk voor), maar niemand van hen had een van mijn schilderijen gezien en weldra vergaten ze het en behandelden me als een docent die van toeten noch blazen wist – wat ook zo is. Al met al vertellen zij mij wat ik moet zeggen: 'Als ik de vaas hier een donkere schaduw geef, komt daardoor de tekening van de hulstbessen beter uit' – ze schilderen momenteel allemaal stukken in kerstsfeer. Ik persoonlijk ben zo goed als vergeten hoe het is om schilder te zijn. Alleen mijn moeder lijkt het nog te weten. Ze heeft laatst een van mijn onvoltooide schilderijen in de keuken gehangen. Het was een enorme verrassing voor me, als een geest uit een fles. Ik keek ernaar en zocht naar de juiste adjectieven – 'mysterieus', 'geëmotioneerd', 'magnetiserend' – waarna me te binnen schoot dat ik me daar niet druk over hoefde te maken. Het was mijn eigen schilderij. Als ik wilde, kon ik het 'slecht' noemen. Eerlijk gezegd was het vrij goed. Degene die ik vroeger was en die het had geschilderd had geweten waar ze mee bezig was. Desondanks vroeg ik mijn moeder om het van de muur te halen. Het was een schilderij van Gus' motorfiets in het bos bij het meer van Connie...

Met Connie gaat het geloof ik wel goed, behalve dan die poppenkast van haar moeders begrafenis, of misschien deed ze het voorkomen als een poppenkast om mij op te vrolijken. Ik ben er heel trots op een werkende vrouw te zijn...

Weer legde Fay de brief neer. Aan de twee vellen die volgden zag ze dat Nina verder nieuwtjes vertelde over Connie, Veronica, Gus, Helen en Jamie.

Later op de dag liet ze de brief aan Ted zien, die hem doorkeek met de concentratie die hij meestal reserveerde voor bladmuziek. 'Een *cri de coeur*, zou ik zeggen. Kennelijk heeft ze je die befaamde brief waarin jij haar de waarheid hebt gezegd vergeven, of ze is hem vergeten.'

'Dat was een hele tijd geleden. Misschien dat ik invloed op haar heb gehad om zich bij de werkende klasse te voegen. Hoe kan ik hier ooit op antwoorden?'

'Bied steun. Bemoediging. Gus is zo te zien degene die de operaties leidt. Je kunt niet om hem heen. Maar ze is tenminste niet weer begonnen met wassen.'

'Je bedoelt dat ze daar niets over schrijft.'

Ted begon te neuriën, een gewoonte die hij de laatste tijd had ontwikkeld. Sinds hij weer terug was bij Fay waren er twee ontwikkelingen geweest: hij had een opdracht gekregen om muziek te schrijven voor de televisie en voor een film, en hij was begonnen met neuriën. Hij neuriede vrijwel altijd wanneer hij niet praatte, of zo kwam het Fay althans voor. Ze hield zichzelf voor dat het zoiets was als het gespin van een kat. Hij hield even op met neuriën. 'Zou het kunnen zijn dat je instinct je bedriegt en dat ze echt voor het eerst in haar leven voldoening vindt in haar werk?'

'Wil je beweren dat je gelukkig kunt zijn als je maar heel hard tegen jezelf zegt dat je dat bent?'

'Zo diep gaat het niet. Maar als we haar niet kunnen helpen, kunnen we het net zo goed van de zonnige kant bekijken. Tenzij je echt schuldig bent.'

Fay probeerde Nina te bellen, maar Gus, die aan zijn bureau zat, nam op: 'Ik zal de telefoon zo dicht mogelijk naar haar toe brengen. We hebben zojuist een nieuw lang snoer geïnstalleerd. Ze is in de tuin met de cultivator bezig op het grasveld.'

'Wat bedoel je?' Fay kon horen dat Gus de kale trap af liep.

Gus was serieus. 'De cultivator haalt het mos los en werkt het weg, en hij maakt van het grasveld een enorm zootje; vervolgens zaaien we het opnieuw in, rollen het, bemesten het met een combinatie van mest en onkruidverdelger, en later brengen we er zand op aan...'

Inmiddels kon Fay een zacht getsjilp van vogels horen, en ze had er geen moeite mee zich de lucht van Sussex, de bomen, de omheinde wei en het uitgestrekte, vlakke gazon voor te stellen.

'Waar is Nina?' riep Gus, in een terzijde tegen een onbekend persoon (waarschijnlijk Veronica), die – voor Fay – iets onverstaanbaars mompelde.

'Ha. Ha,' zei een blij klinkende Gus toen hij weer aan de lijn kwam. 'Daar is ze, druk bezig met loswerken.' En inderdaad werd een geluid van de een of andere trillende machine geleidelijk aan harder.

'Nina!' riep Gus, en zijn stem werd bijna overstemd door het mos-etende monster. 'Hier is je vriendin Fay.'

Op dat moment vroeg Fay zich af of Gus wel besefte dat het een transatlantisch telefoontje was – ze had niets gezegd, ervan uitgaande dat hij dat wist – en zo ja, of hij door zich zo weinig aan te trekken van haar telefoonrekening ook op haar wraak wilde nemen, de al te intieme vriendin. Zo niet, dan bleek hieruit ofwel een nonchalant gebrek aan beradenheid, ofwel een nonchalante houding tegenover geld.

Uiteindelijk klonk het zwakke geluid van Nina's stem. 'O! Nee. Wacht even.' Er klonk geknars, een piep, en toen werd het stil. De verbinding was verbroken.

Fay ging achteroverzitten in haar stoel en begon te lachen. Waarom het zo grappig was wist ze niet. Het had iets te maken met een volwassen vrouw die de middag eraan spendeerde om mos met wortel en al uit te roeien (als mos wortels had), met de term 'het gazon loswerken', en voorts had Nina waarschijnlijk, omdat ze nu eenmaal Nina was, op de verkeerde knop gedrukt. Echt, het werd allemaal te veel. Iemand die het gras aan het loswerken was kon zich toch niet al te ellendig voelen?

Na een poosje keek ze op haar horloge. Misschien dat haar patiënt van halfnegen niet zou komen opdagen. Heel even keerde ze terug naar haar efficiënte beschouwing van de röntgenfoto's, die aan haar muur opgloeiden als beschaduwde bergen, en toen belde ze omdat ze er geen weerstand aan kon bieden nogmaals naar Engeland. Gus nam onmiddellijk op, met de stem van een man die weer achter zijn bureau zat, maar hij klonk nu wat zenuwachtiger. 'Het spijt me, Fay. Ik vrees dat Nina de verbinding heeft verbroken. De cultivator heeft de neiging je helemaal in beslag te nemen, je bent met je gedachten niet meer in het hier en nu, als je begrijpt wat ik bedoel...' Zijn stem stierf weg.

'Het geeft niet,' zei Fay. 'Ik bel later nog wel.' Ze moest weer lachen en hing de hoorn op de haak.

Fays besluit om te trouwen hield niet direct verband met de mosverwijderaar, besefte ze. Het was niet zo dat het landelijke tafereel zoals ze dat aan de andere kant van de oceaan via de telefoon had ontvangen, haar overtuigde van de vreugden van een huiselijk leven. Het had helemaal niets te maken met Gus' bereidheid om een gecompliceerde wandeling de tuin in te maken. Het stelde haar gerust wat Nina's welzijn betrof, maar het zou onmogelijk zijn een vergelijking te trekken met haar eigen leven en doelstellingen. Aan de andere kant was het juist de absurditeit van dit gebrek aan overeenkomst die haar eerst had doen lachen en vervolgens voor een onverwachte ommekeer had gezorgd.

Opeens leek alles wat onveranderlijk, onvermijdelijk en bindend had geleken van vorm te veranderen. Haar joods-zijn, haar gevoelens tegenover haar familie, haar schuldgevoel, haar ambitie, haar angst om te veel van iemand te houden die altijd elke gedachte en elke handeling had gedomineerd, kregen een ander perspectief. De solide muur waar ze in het beste geval halsreikend overheen kon kijken was tijdens haar lachbui veranderd in een berg puin, zodat zij de vrijheid kreeg erachter vandaan te komen en te doen wat ze wilde.

Later, toen ze een poging deed om deze sensatie aan haar therapeut uit te leggen, slaagde ze daar niet beter in dan door te zeggen dat het een gevoel was van de toevalligheid van elk willekeurig moment dat haar had vrijgemaakt. Het leek niet langer verstandig om zoveel nadruk op alles te leggen. En in dat geval kon ze net zo goed kordaat het onbekende tegemoet stappen. Dappere overgave kwam in de plaats van controle. Binnen een paar minuten werd wat onmogelijk had geleken makkelijk. Die avond was ze met Ted naar een Italiaans restaurant gegaan, waar ze zeven jaar geleden met Nina en Connie waren geweest, en daar, bij een straffe martini, deed ze hem een aanzoek.

Hij maakte haar, eerder gehoorzaam dan omdat het hem in een feestelijke stemming bracht, duidelijk dat hij haar glanzende ogen en gebarende handen niet vertrouwde. 'Het ligt toch zo voor de hand!' riep ze uit.

'Dit was toch de zomer dat je het zo druk had?' hielp hij haar herinneren. 'Radiologie in je praktijk, radiologie in het ziekenhuis, colleges voor middelmatige studenten, en iets wat vakantie heet. En dan hebben we het nog niet eens over je moeder.'

'Sommige dingen kunnen niet wachten.'

Het was de verandering in hun manier van vrijen die hem leek te overtuigen. Het begon met hoe ze haar kleren uittrok. In plaats van ze op efficiënt georganiseerde wijze uit te doen – jasje, schoenen, kousen, rok, hemd, slipje, beha – en ze een voor een los te maken zoals je diverse lagen van een verpakking los zou halen, trok ze zich van hun bestaan niets aan, kuste hem met zoveel hartstocht dat zijn sterke muzikantenhanden trilden toen ze friemelden aan ritsen en haakjes. Vaak waren ze geen van beiden helemaal naakt voordat hij bij haar binnen ging, en het duurde niet lang of de liefde steeg hun allebei naar het hoofd. Wanneer ze tegelijk klaarkwamen, en haar lichaam, dat het voorbeeld van haar hoofd volgde, zowel gewichtloos als supergevoelig werd, kraaide ook zij, die in bed altijd heel stil was geweest, het uit van plezier.

Achteraf verzette ze zich tegen gevoelens van angst en schaamte, en ze lachten samen bij de gedachte aan het chagrijnige advocatenstel dat onder hen woonde. 'Het huwelijk wordt geacht het einde te betekenen van lekkere seks, dokter Blass,' merkte Ted op met zijn hand tegen het zachte gedeelte van haar dij – veel, veel zachter dan die tevoren ooit was geweest. 'De vorm van het vlees,' hield hij haar voor, 'wordt gedicteerd door de instelling van de geest, zoals de geest ook beweging controleert. Dat zou je in een college kunnen verwerken.'

Veel later in de nacht werd ze zich ervan bewust dat hij het bed uit was gegaan, en van de andere kant van de deur klonk zachtjes muziek.

Waarom was Fay getrouwd? Fay wist dat Nina en Connie zich dit afvroegen toen ze met felicitaties kwamen. Het leek zo weinig bij haar te passen, zoiets gedurfds, zoiets ontregelends en desorganiserends om op haar leeftijd te doen terwijl ze zoveel *succes* had. Ze had toch zeker geloofd dat de ridder in het zilveren harnas met de gepluimde helm allang vermorzeld was onder de hiel van de met de bijl rondmaaiende vrouwelijke jager? Trouwen – ze meenden dat ze haar goed genoeg kenden om te weten hoe ze erover dacht – was iets voor romantische dwaze Ieren, zoals Connie, of voor de gemankeerd zelfgenoegzame Engelsen, zoals Nina. Fays rol in het leven zou een strengere zijn, zoals het altijd was geweest en altijd zou blijven (op dit punt kwam er iets van zo niet anti-, dan toch *semitisme* bij kijken). Ze had zich strijdbaar opgesteld, geweigerd met haar wimpers te werken, en had ook niet haar zakdoek aangeboden zodat de ridder die in zijn handschoen kon dragen, omdat zij wel beter wist. Zo dachten ze, dacht Fay, omdat zij *ergens heen ging*.

'We zijn dolblij voor je,' schreef Connie. 'We wensen je alle geluk,' faxte Nina. En Fay, die hen goed genoeg kende, wist wat er in hen omging en was heel blij dat ze hadden besloten haar geen koude douche te geven. Ze had zich nog nooit van haar leven zo gelukkig gevoeld. En ze werkte nog steeds.

1981

Nina voelde de kilte tussen haar moeder en haar man onmiddellijk aan. Ze stonden aan weerskanten van de haard, de een met een tang waarin een stuk houtskool zat geklemd, de ander met een blok hout, groen bespikkeld van het mos. Ze moesten woorden hebben gehad, en aangezien ze verkozen er het zwijgen toe te doen zodra zij binnenkwam, moesten ze woorden hebben gehad over haar. Nina voelde zich kwaad, uitgeput en vernederd. Was het niet genoeg dat ze de Schilders van het Zuiden tot zo'n succes had gemaakt dat de leden haar nu beschouwden als een van hen, wat haar in een troostende mantel van onzichtbaarheid hulde? Ze had gedaan wat haar man en haar dochter haar hadden aangeraden (Helen, geloofde ze, was er werkelijk van onder de indruk hoe goed ze met de typemachine overweg kon, en met het antwoordapparaat en de fax – misschien zouden ze binnenkort zelfs een computer krijgen). Ze deed haar plicht, uit liefde (uit wanhoop), maar betekende dat per se dat ze ook gelukkig moest zijn? Want ze wist dat haar geluk de oorzaak was van de woordenwisseling. Of liever gezegd: haar gebrek daaraan.

'Sta elkaar toch niet zo dreigend aan te kijken,' zei Nina, op haar nieuwe kordate en opgewekte toon.

Gehoorzaam gooide Gus het houtblok op het vuur en Veronica opende de klauwen van de tang, zodat de houtskool neerviel en zich inbedde in de as. Nina sloeg het afwezig gade.

'Ik ga thee zetten,' zei Veronica, en ze ging de kamer uit.

Gus nam Nina's arm en ze liepen samen naar de bank. Ze voelde zich zelf als een bank, zo log, plooibaar en onproductief. Dat wil zeggen, niet productief op een manier waar zij echt bewondering voor kon hebben, en toch hield Gus steeds meer van haar en hield zij van hem. Haar vlees warmde zich nu hij haar aanraakte. Als haar moeder er niet was geweest, zouden ze nu op het kleed voor het vuur zijn gaan liggen. Seks is zo troostrijk, bedacht ze, en zoals zo vaak merkte ze dat ze de neiging om te gaan huilen onderdrukte. In plaats daarvan glimlachte ze en zei ze tegen Gus: 'Ik heb een echt productieve dag gehad.' Hoe kon ze precies het woord gebruiken dat ze zojuist had afgewezen? 'Irene Vane is lid geworden van de club en volgend jaar wordt ze burgemeester van Brighton.'

'Wat een coup!' stemde Gus met haar in. 'Betekent dat dat je aan de tweehonderd zit?'

'Er is er nog één te weinig,' zei Nina stralend, terwijl ze bedacht dat deze grens van tweehonderd leden volslagen belachelijk was, en als ze ook maar een beetje lef had zou ze, in plaats van toe te werken naar een groei, haar best doen om juist minder leden te krijgen en alleen diegenen aannemen die een schilderij konden maken dat het aanzien waard was. Deze week waren haar leden, hoewel het februari was, al aan de slag gegaan voor de paastentoonstelling met zijn gebruikelijke hoeveelheden eidooiergele narcissen. 'Ik denk dat de paastentoonstelling beter wordt dan ooit,' zei ze vol vuur. 'Misschien maakt die wel een bescheiden rondreis.'

'Mooi zo.'

Nina keek naar Gus, naar het gezicht waar ze zoveel van hield, de warmgekleurde huid, lichte ogen, de krans haar, de iets te lange bakkebaarden, en ze werd verscheurd door schuldbewustzijn en een gevoel van lafheid. Ik lieg je de hele tijd voor, dacht ze, om je te laten denken dat ik een verstandig en gelukkig iemand ben, omdat je, als ik je de lelijke, ellendige puinhoop zou laten zien die ik ben, alle reden zou hebben om niet meer van me te houden.

'Wat kijk je ernstig,' zei Gus. 'Zullen we naar de film gaan?'

'Zolang die maar goed afloopt.'

'Dat is tegenwoordig iets onmogelijks.' En Gus bedoelde niets meer dan dat.

De kleine, particuliere bioscoop in de stad liep het gevaar voor de bijl te gaan, en de eigenaren hadden om plaatselijke steun gevraagd, dus verraste het Nina niet dat ze haar schilderende dominee en zijn artistieke echtgenote tegenkwam. En Gus was degene die een gekreun onderdrukte.

'Gegroet, prof en mevrouw prof.' Dudley Ormsby-Fish was als zijn vrouw erbij was altijd op z'n grappigst. Nina nam aan dat hij zo deed met de bedoeling te ergeren en ze probeerde niet te veel te lachen. 'En hoeveel narcissen zijn er vandaag binnengekomen?'

'Bloeiden tulpen maar voor Pasen,' verzuchtte Pippa Ormsby-Fish. 'De tulp is zo'n historische bloem.'

'Je doelt zeker op de handel in tulpenbollen in het zeventiende-eeuwse Holland?' informeerde Gus, die altijd alles over alles wist, wat een van de redenen was waarom Nina van hem hield, omdat hij daarmee compensatie bood voor het feit dat zij nergens iets van wist.

'Inderdaad,' antwoordde Pippa, die met haar mascarawimpers knipperde. 'Ik laat me niet makkelijk door de geschiedenis overtuigen, maar in het geval van de tulpenbol zou dat best eens kunnen gebeuren.'

Samen gingen ze de bioscoop in, haastig vanwege de kou. Er kwam een doelloze gedachte in Nina op: misschien zou ik verliefd kunnen worden op iemand anders, hoe oud en dik ik ook moge lijken. Maar dit vleugje ondeugd maakte al snel plaats voor de gebruikelijke steek van wanhoop. Ook die ging voorbij. In de foyer was het warm en Gus wilde per se popcorn voor haar kopen. Iedereen beweerde dat *The French Lieutenant's Woman* een geweldige film was. Daar zou ze het ongetwijfeld mee eens zijn.

Connie keek hoe Leonardo toekeek terwijl de merrie werd beslagen. Ze moest glimlachen toen ze bedacht hoeveel hij leek op een miniatuuruitvoering van Orlando, met diezelfde geprononceerde neus en ver uiteenstaande groene ogen. Zijn pony was aan een roestige ring in de muur gebonden en wachtte op zijn beurt. Zo nu en dan deed Leonardo een halfhartige poging om een beetje aangekoekte modder weg te schrapen, maar het grootse deel van de tijd keek hij naar de smid, die een hoef bijwerkte. 'Doet dat geen pijn?' vroeg hij ten slotte, en hij kneep zijn lippen op elkaar alsof hij zelf die pijn kon voelen.

'Evenveel als wanneer je moeder bij jou je teennagels knipt.'

Het regende zachtjes. Van de stallen was niet veel meer over: de leistenen dakpannen waren eraf gevallen, gebroken of opgetast, stenen muren hielden stand, maar de ruiten waren gebarsten of hingen scheef. Over de buitenmuren groeide klimop, en kruiskruid en distels, hoog opgeschoten naar het licht, kwamen boven de dakloze vertrekken uit. Alleen de oude tuigkamer en de hooizolder erboven stonden nog fier overeind, en op deze plek speelde Leonardo vaak, en deed hij, zoals hij Connie een keer had uitgelegd, of hij een stel speelkameraadjes had. Hij was nog geen zes jaar, maar leek ouder; wanneer mogelijk was hij sociabel, maar hij was niet bang om alleen te zijn.

'En hoe vullen jullie deze grote stal die jullie hier hebben?' hoorde ze de hoefsmid aan hem vragen. 'Jullie hebben hier genoeg gebouwen staan om half Dublin onderdak te bieden.'

De vraag leek Leonardo van zijn apropos te brengen, alsof hij een verwijt inhield. Hij liep naar de staldeur, die half uit zijn scharnieren hing, en gaf er een paar trappen tegen, waarna hij niet naar de smid, maar naar zijn moeder liep. 'Het zou best kunnen, hè, dat we hier een paar arme kinderen heen halen?'

'Ja, dat is een uitstekend idee!' De smid zette de paardenhoef op de grond. 'Laat ze hier komen, dan kunnen de oudere jongens het hier opnieuw opbouwen. Geef ze een doelpaal en een paar bootjes voor op het meer, dan voelen ze zich de koning te rijk. Jij hebt geweldige ideeën, jongen!' Hij gaf Leonardo een gebiedend duwtje. 'En nu hoef je, als de goede God je bijstaat, alleen nog maar je vader en moeder zien te overtuigen.' Hij knipoogde nadrukkelijk in Connies richting. 'Dan wordt je huis niet in de fik gestoken door de aanhangers van Bobby Sands.'

Fay streelde Teds naakte schouder en arm, hoewel ze wist dat hij wilde slapen. Hij had zojuist een van zijn eigen composities gedirigeerd in een klein theater in de West Village, en er waren maar zes mensen naar komen luisteren. Hij was desondanks gewoon doorgegaan, maar nu wilde hij slapen, in zwarte, stille vergetelheid, en als hij wakker werd zou er een nieuwe dag zijn aangebroken. Zo was hij: gesloten, weinig communicatief, en vastbesloten. Fay begreep het omdat zij ook zo was, maar nu wilde ze hem iets vertellen. In de stilte kon ze haar hart opgewonden horen bonzen. Dit nieuws kon geen moment meer wachten.

'Denk je dat ik ooit zwanger zou kunnen raken, Ted?' Ze wachtte zorgelijk af.

'Ja.'

'Zou je het leuk vinden als ik zwanger werd, Ted?'

'Ja.' Na elk van haar vragen leek hij in slaap te vallen, maar zijn antwoorden waren duidelijk.

'Vind je niet dat er al te veel kinderen geboren worden?' Ze rolde zich om op haar elleboog en boog zich over hem heen. 'Of dat er te veel wreedheden en leed zijn?'

'Hebben we het nu over Daniel?'

'Nee. Ja. Nee.' Ze vergat Daniel nooit, maar dat betekende niet dat ze het altijd maar over hem had. Of misschien had Ted wel gelijk. 'Niet alleen over Daniel.' De laatste tijd was Ted, die zoveel jonger was dan zij, kaal geworden. Hij had zijn haar kort laten knippen en had een kleine baard laten staan. Fay kon de omtrek ervan in het donker zien. Hij kwam naar haar toe, nu helemaal wakker.

'Heb ik hier deel aan?'

'Ik was bang dat ik geen kinderen zou kunnen krijgen.'

'Hoezo?' Hij hield haar nu vast, luisterde naar wat ze te zeggen had. Nog geen geneurie.

'Omdat ik nooit zwanger ben geraakt.'

'Dat komt doordat je een efficiënte vrouw bent.'

'Of doordat ik geen baby wilde.'

Ze sliepen allebei naakt. In het begin had Fay dit moeilijk gevonden, omdat het haar deed denken aan witte lijken die erop wachtten om opengesneden te worden. Nu vond ze het heerlijk om huid tegen huid te liggen. Ook al vrijen ze niet, ze genoot van deze huidcommunicatie, en elke nacht verraste dat haar.

Ted reikte omlaag en legde zijn hand op haar kleine, platte buik. Hij neuriede een paar subtiele maten en fluisterde vervolgens in haar oor: 'Wil je me vertellen, lieve dokter, dat ik vader word?'

'Ik geloof het wel.'

Ted werd doodstil, alsof hij zijn adem inhield. Fay hield de hare ook in. 'Zal ik je eens wat zeggen?' zei hij uiteindelijk. 'Ik geloof ineens niet meer dat de "Ode aan de Vreugde" oubollig is.'

'Luister eens, Nina,' piepte Connie over de telefoon. 'Fay krijgt een tweeling. Twee jongens. Ze weet al alles over ze. Ze heten Lex en Jim, en ze worden geboren op de verjaardag van Fays moeder. Wat wil Fay toch altijd graag de controle hebben!'

Nina schreef naar Connie: 'Fay stuurde me een foto van haar tweeling in haar buik... Ze zegt dat ze ze, omdat ze op leeftijd is, en arts, op alle mogelijke manieren in de gaten houdt voorzover ze hen daarmee niet doodt.'

Fay stond in haar spreekkamer en keek naar de echonegatieven op de lichtbak aan de muur. Dit was haar werk: naar foto's kijken om afwijkingen op te sporen. Terwijl ze naar haar baarmoeder keek en naar de twee wezentjes die daarbinnen keurig naast elkaar opgekruld lagen, werd ze overvallen door een enorme golf angst, met onmiddellijk daarna een even sterke golf opwinding. 'O, mijn god! O, mijn god!' Merkwaardige woorden voor iemand die niet gelovig was, maar wat moest ze anders zeggen? Trillend tastte ze naar haar stoel en liet zich erop neerzakken.

Connie belde Nina: 'Denk je dat je kunt bidden voor mensen die niet in bidden geloven? Ik zou graag willen dat Fays bevalling goed verloopt. Orlando beweert dat God voor zulke problemen zorg draagt, maar ik zou Fays gebrek aan geloof niet willen beledigen.'

Ted krabbelde dezelfde fax aan Nina als aan Connie:

30 november 1981
Lex en Jim zijn om 4.10 respectievelijk 4.15 uur gezond ter wereld gekomen. STOP. Fay heeft een keizersnede ondergaan, maar maakt het prima. STOP.

Er volgde een muziekregel die Connie noch Nina kon ontcijferen, maar Veronica herkende hem als afkomstig uit Beethovens 'Ode aan de Vreugde'.

1984

Fay kreeg een fax van Connie, met als opschrift 'Zusterschap voor de Vrede':

OP BEZOEK BIJ BROER KEVIN VIA NEW YORK STOP BEREID DE TWEELING VOOR OP PEET-MOEDER CONSTANCE STOP

Fay hoopte dat Connie niet in een al te uitbundige stemming zou zijn. Lex en Jim hadden 's nachts elkaar wakker gemaakt, en vervolgens haar. Ted en zij waren van plan een huis in Brooklyn te gaan bekijken, dat ze misschien wilden kopen, als de huishoudster kwam opdagen. Als ze zou komen opdagen. Carole had problemen met haar eigen kinderen: een tienerdochter was zwanger en weigerde de naam van de vader prijs te geven.

Fay zuchtte. Een van de vele problemen van een oudere moeder zijn was dat ze het soort jeugdige egoïsme was kwijtgeraakt dat haar ertegen zou hebben beschermd met andermans leed mee te lijden. Of misschien kwam het doordat ze arts was. Ze dacht erover na en concludeerde dat ze al een poos niet bepaald een zorgzaam soort arts was geweest, wat ze aan haar leeftijd weet. Op haar vierenveertigste was ze belachelijk oud om zoontjes van drie te hebben. Fays hart sloeg over van moederlijke zorgelijkheid. Het was te vaak een slag overgeslagen. Gelukkig trad Ted kordater op. Hij was altijd terughoudend als het hemzelf betrof, en hij had pas kortgeleden onthuld dat hij uit een gezin met acht kinderen kwam en tot zijn tiende op een kleine boerderij had gewoond. Ted vond dat kinderen zichzelf opvoedden – zeker tweelingen. Er kwam een tweeling voor in zijn familie; de een woonde in Nova Scotia, de ander in India. Toen Fay tegenwierp dat kinderen in Manhattan zichzelf niet konden opvoeden als je wilde dat ze de volwassenheid haalden, opperde hij dat ze naar Brooklyn zouden kunnen verhuizen, naar een huis dicht bij de universiteit, waar hij al een groot deel van zijn tijd doorbracht met lesgeven in componeren.

'Waar is Ted?' vroeg Connie zodra ze het appartement binnenkwam. Het was een koude dag vlak voor Kerstmis, en ze was gearriveerd gehuld in lagen van wollen vesten, kennelijk handgebreid, en, hier en daar, zelfs met opgemaasde motieven. 'Van mijn moeder,' antwoordde ze op Fays blikken. 'Waar is Ted?' herhaalde ze.

Fay had het wel vaker opgemerkt sinds de jongens geboren waren: vrienden die Ted nooit serieus boven aan hun agenda hadden geplaatst, leken zich nu gedwongen te voelen vragen te stellen over zijn doen en laten en over zijn algehele welzijn, terwijl hoe zij eraan toe was kennelijk minder interessant was. Het viel niet mee om te concluderen dat dit het gevolg was van het moederschap.

'Hoe gaat het met Lex en Jim?' vervolgde Connie, waarmee ze bewees dat Fay niet eens op de tweede plaats kwam. 'Je begrijpt dat ik doel op hun spirituele welbevinden, want ik weet dat je heel wel in staat bent om in lichamelijke zin voor hen te zorgen.'

Connie had zichzelf uitgeroepen tot de peetmoeder van de jongens, een rol waaraan ze gestalte gaf door hen ijverig te bestoken met religieuze zaken, inclusief gebedenboeken, heiligenprentjes, rozenkruisen en plastic beeldjes van de Maagd Maria met heilig water erin uit Knock. Dit alles ondanks het feit dat Fay uitlegde dat Ted en zij niet van plan waren hun kinderen een geloof op te dringen, en zeker niet het katholicisme. 'Ce n'importe pas,' had Connie vrolijk geantwoord. 'Ik ga het helemaal alleen doen, zonder hulp van jullie.'

'Lex en Jim zijn weg met Carole, de huishoudster, naar hun speelgroep, en Ted is in Brooklyn huizen kijken.' Toen puntje bij paaltje kwam, was Fay te moe geweest om met hem mee te gaan.

Connie was klaar met zich uitpellen en richtte haar aandacht op Fay. 'Je gaat toch wel met me mee Shirley opzoeken, neem ik aan?'

Fay had wel vaker opgemerkt dat mensen met een missie niet aarzelden om hun eigen behoeften op de eerste plaats te stellen. Ze veronderstelde dat zij in haar obsessieve jaren als chirurg ook zo was geweest. Nu staarde Connie haar met haar grote blauwe ogen aan, haar vrijwel smetteloze huid een beetje blozend. Fay voelde dat zijzelf er twintig jaar ouder uitzag en kon haar eigen gedachte in Connies gezichtsuitdrukking weerspiegeld zien.

Met enige moeite dacht ze serieus na over Connies redenen om hier te zijn, en ze herinnerde zich haar jaren in New York, toen de Vietnam-oorlog werd gestreden en ertegen werd geprotesteerd. Was dit van invloed geweest toen ze had besloten die Zusterschap voor de Vrede op te richten? Waarschijnlijk wel, al was ze vooral omgegaan met mannen die met geweld van doen hadden, zoals die verschrikkelijke Trigear.

'Ik heb je geschreven wat mijn bedenkingen zijn. Kevin verdient een stuk makkelijker geld dan dat hij het weggeeft.'

Connie keek ongeduldig. 'Ik weet dat Kevin duizenden dollars aan Sinn Fein geeft, maar dat maakt het nog belangrijker om Shirley aan te schieten. Weet je, Kevin is mijn broer!'

'Neem een kop koffie,' zei Fay, in plaats van te wijzen op wat vanzelf sprak, namelijk dat Michael ook Connies broer was. Na een kort intermezzo vanwege het moederschap was Connies leven weer dramatischer geworden dan dat van wie ook, bedacht Fay. Of deed ze alleen maar alsof dat zo was?

Aan de koffie werden ze ontspannener tegen elkaar. 'Je denkt zeker dat mijn bezoek iets met Kathleen te maken heeft?' zei Connie tegen Fay. Dat had die zich inderdaad afgevraagd. 'Ik zal je zeggen, dierbare vriendin die me door zoveel crises heen heeft geholpen, met name op dit vlak, dat ik sinds de begrafenis van mijn moeder en het overlijden van mijn vader Kathleen niet langer als mijn dochter beschouw.'

Fay, die nog maar pas met het moederschap kennis had gemaakt, probeerde haar ongeloof te verbergen. Niemand kon een dergelijk rationeel oordeel over zijn kind vellen, zelfs niet als dat het leven makkelijker maakte.

'Op de begrafenis beschouwde ik Kathleen' – Connie sprak de naam zonder aarzeling uit – 'als een Amerikaans meisje, de dochter van Shirley en Kevin, heel anders dan ik of Eileen of haar kinderen, of die lieve Leo. Ze was groter, zongebruind, blond, net zoals Kevin heel anders is dan wij. Ze was vrolijk, maar niet geestig. Ik heb een emotievol moment met haar beleefd bij de kist van mijn moeder, toen ik opeens intiem met haar werd. Maar alsof ze mijn nichtje was, geen moment als mijn dochter. Hoor nou toch eens hoe makkelijk ik dat woord over mijn lippen krijg! Dochter, dochter, dochter. Niet de mijne. Toen het allemaal voorbij was, dacht ik er nog een poosje over na, en ik besefte dat ik me had vastgeklampt aan de gedachte dat ze míjn dochter was, zoals je je kunt vastklampen aan een geliefde wanneer je allang niet meer verliefd bent. De realiteit verdwijnt meer en meer in de verte.'

Fay, die nooit had gevonden dat Connie veel greep op de werkelijkheid had, gaf het op medeleven te tonen. 'Maar ze is wél je dochter.'

'O, Fay!' Connie trok een pruilmondje als een kind. 'Natuurlijk is ze dat. Ik wil alleen maar zeggen dat dat alleen een biologische waarheid is, terwijl de realiteit, de *emotionele* realiteit, die altijd veel belangrijker is dan wat ook, is dat ze de dochter van Kevin en Shirley is.'

Fay bedacht dat 'emotionele realiteit' waarschijnlijk een contradictio in terminis was, maar had de energie niet om er een punt van te maken. 'Bedoel je dat je haar nooit zult vertellen dat jij haar moeder bent?'

'Jozef, Jezus en Maria – nee!' Connie leek zo te schrikken van die gedachte dat het Fay het best leek haar niet te wijzen op de moderne theorie die zei dat het voor het geestelijk welbevinden van een kind noodzakelijk was zijn ouders te kennen. Aangezien Connie nog nooit had verteld hoe Kathleens vader heette, had het vast ook geen zin om over vaderrechten te beginnen.

'In Ierland,' zei Connie, en ze begon op dreef te raken, 'hebben moeders altijd de bastaardkinderen van hun dochters opgevoed. Een kind heeft behoefte aan liefde, niet aan een geboorteakte.'

Weer ging Fay er niet op in. 'Ik ga wel met je mee naar Washington,' zei ze om van onderwerp te veranderen, 'maar je hebt vast niets aan me als het erom gaat Shirley ervan te overtuigen dat ze je zusterschap moet steunen, en ik betwijfel of jij daarin zult slagen. Kevin geeft een feestje op St. Patrick's Day. Hij kweekt klaver in bakken op zijn patio.'

'Ik geef ook een feestje op St. Patrick's Day en mijn hele tuin staat vol klaver. Pas maar op of ik benoem je tot president van de New Yorkse tak!'

'Ik? Een jodin?'

Fay zei het spottend, maar Connie keek verrast. 'De vrede heeft niets te maken met ras of religie,' zei ze luchtig. '*Paix, paz, pace, pais.*'

'Ik heb liever *amor*, liefde, *amour, amore.*'

'Wat zijn we allebei veranderd! Trouwens, het komt op hetzelfde neer. Lieverd, ik ben blij dat je meegaat.'

Connie was sinds 1970 niet meer in Washington geweest, maar toen Fay haar op een paar dingen wilde wijzen die veranderd waren, werd ze ongeduldig. 'Ik ben hier niet als toerist,' zei ze. 'Alle geschiedenis is een soort toerisme.'

'Behalve de Ierse geschiedenis?' vroeg Fay.

'Misschien bedoel ik niet geschiedenis, maar het verleden. Het soort verleden waardoor alles in kersenbloesem verandert. Ik haat kersenbloesem.' Het was kersenbloesemtijd geweest toen ze met Merlin de Witt naar dat hotel was gegaan.

Ze zaten in een taxi, en aangezien het december was liepen ze geen gevaar kersenbloesem te zien. In plaats daarvan waren de bomen getooid met zilverige kerstlampjes.

'Ik wilde je het Vietnam-monument laten zien. Het heeft heel wat tijd gekost om er een op te richten, maar daar is het dan.'

'O Fay, het spijt me zo.' Connie werd onmiddellijk bekropen door spijtgevoelens. Was ze nog steeds de grootste egoïst die er op twee benen rondliep?

300

Ze lieten de taxi halthouden bij het Vietnam-monument en Fay liet Connie de zwartgranieten muren zien. Ze begonnen langzaam te lopen, zoekend naar Daniels naam tussen de 58.000 inscripties. Het was heel koud en weldra gaf een miezerregen de muren meer glans. Verontschuldigend zei Fay: 'Ik wilde hier eerst met jou komen, voordat ik er met iemand anders heen zou gaan, zelfs vóór Ted, omdat jij Daniel die kerstavond hebt meegemaakt.'

'Ja. Hij is belangrijk voor me.' Connie bleef staan en legde haar hand tegen het natte steen. Wat bedoelde Fay met 'die kerstavond met Daniel hebt meegemaakt'? Ze had haar nooit verteld dat ze met elkaar naar bed waren geweest, en Daniel had daar amper de tijd voor gekregen. In feite had ze het niet eens aan Orlando verteld, ook al vertelde ze hem verder alles. Na zoveel jaren – bijna tien – leek het dwaasheid om een dergelijk geheim voor zich te houden, terwijl Fay, als ze het haar vertelde, zich misschien minder alleen zou voelen in haar rouw. Toch weerhield iets haar daarvan. Ze wilde tenslotte niet dat Fay het zou weten voordat Orlando het wist. 'Ik ben het juiste gezelschap om dit te gedenken,' zei ze ernstig, 'omdat ik geloof in een leven na de dood.'

'Dan mag je jezelf gelukkig prijzen.'

'Het is hard werken. Ik weet dat het onwaarschijnlijk klinkt, maar Daniels dood heeft me teruggebracht naar de Kerk. Daardoor ben ik gaan beseffen dat ik in mijn eentje niet zou weten te overleven.'

Fay stond perplex. 'Gaf je zoveel om hem? Maar je kende hem amper!'

Connie keek naar Fays verraste gezicht, dat een uitdrukking had die grensde aan verontwaardiging, en wenste dat de regen niet over haar rug kroop en dat ze in een leuk café zouden zitten met een glas in hun handen. Het was ook zo moeilijk om te bepalen wat je moest zeggen ten overstaan van deze marmeren plaat – ze begon er nu een hekel aan te krijgen en verlangde naar een kruis, een kerkhof, een belofte van onsterfelijkheid. Wat moest ze tegen Fay zeggen?

'We zijn met elkaar naar bed geweest,' zei ze, en haar grote blauwe ogen keken Fays vertrokken gezicht ernstig aan. 'Hij heeft me in zekere zin weer tot leven gewekt. Hij was de eerste man na... na...' Ze maakte haar zin niet af, niet in de laatste plaats omdat Fay zich had omgedraaid en een paar meter was weggelopen. Misschien had ze het niet verstaan, bedacht Connie. Het regende hard genoeg om een mens doof te maken.

Fay staarde naar het zwarte marmer. 'Je bent naar bed geweest met mijn broer. De allerlaatste keer dat ik hem zag. Had je hem niet met rust kunnen laten?'

'We zijn met elkaar naar bed geweest. Fay, alsjeblieft,' smeekte Connie met een stem die het begaf. Het was alsof ze overdreef, hoewel ze wist dat dat niet zo was.

'Naar bed...' herhaalde Fay met een uitdrukkingsloze stem.

'Ik wilde je niet van streek maken,' zei Connie met hetzelfde kleine stemmetje. Ze nam aan dat het irritant was, maar kon geen andere stem vinden. 'Ben je erg boos? Het spijt me. Het gebeurde gewoon. Het was fantastisch. Hij was fantastisch. Alsjeblieft, Fay, wees niet kwaad.'

Fay leek naar twee mensen te kijken die aan de andere kant van de gedenkplaat verschenen. Ze droegen allebei een efficiënt ogende paraplu. 'We hebben niet eens een paraplu bij ons.'

Ze is woedend, bedacht Connie mistroostig. Ik kom helemaal naar Washington, met een hart dat beeft van angst om mijn dochter te zien, ik kom helemaal hiernaartoe om geld bij elkaar te brengen tegen die moordzuchtige klootzakken die zonder gewetensbezwaren moorden, en ik zorg alleen maar voor narigheid. Ik ben oud, bedacht ze. Toen ik jong was, maakte ik me nooit druk om narigheid. Maar wat viel er anders te doen dan de waarheid te dienen? Alleen was de waarheid zo koud. 'Ik heb hem niet van je afgenomen, Fay. Het was voor hem alleen maar seks. Voor mij betekende het meer. Niet meer dan een gelukkig toeval. Jij was belangrijk voor hem.'

Fay draaide zich om. 'Ja.' Ze liep dichter naar Connie toe, wier blanke huid oplichtte in de regen. Ze keek haar zuchtend aan. 'Jij bent ook zo knap, maar dat kan ik je niet verwijten.' Langzaam stak ze haar hand uit. 'Het spijt me dat ik zo reageerde. Jij bent degene die ruimhartig is, Connie. Jij moet mij vergeven. Ik heb Daniel nooit na gestaan, om je de waarheid te zeggen. Hij vertelde mij niet wat hem bezighield, en over het ene dat belangrijk was, de oorlog, verschilden we sterk van mening. Laten we samen naar zijn naam zoeken.'

'Zusters,' stemde Connie gretig in. Ze bedacht hoe klein en koud Fays hand was.

Hand in hand liepen ze langs de stromende zwarte muren en uiteindelijk vonden ze Daniels naam, en Connie, die nooit iets half deed, knielde neer en zegde een lange reeks gebeden op, terwijl Fay de regel tekst die haar broer herdacht keer op keer herlas. Ten slotte zweeg Connie en Fay stak haar een hand toe om haar overeind te helpen. 'Ik stelde me hem voor als jonge man en als jongen, maar ik zag steeds Lex en Jim voor me. Zijn naam leeft tenminste voort. Hoewel zelfs die is aangetast, want hij vocht in een onrechtvaardige oorlog.'

'Het is onmogelijk te begrijpen,' zei Connie, die de modder van haar knieën veegde. 'De dood, bedoel ik. Als katholiek zou ik die toch tenminste moeten kunnen accepteren. Maar zelfs dat lukt me niet. Ik neem aan dat ik daarom mijn organisatie begonnen ben.'

Ze kwamen uitgeput bij het huis van Shirley en Kevin aan. Fay realiseerde zich dat Connie helemaal vanuit Ierland was gekomen om te proberen Shirley puur met de kracht van haar persoonlijkheid voor haar Zusterschap voor de Vrede te interesseren, en nu zag ze zo wit als papier en was ze tot zwijgen gebracht door verdriet. Het was zelfzuchtig geweest om haar mee te nemen naar het monument, ook al besefte ze heel goed dat Kevin zijn vrouw nooit bij deze gepassioneerde zusterschap zou laten gaan. Hij was ook gepassioneerd. Als de subtekst bij Connies bezoek een niet-toegegeven wens was om Kathleen te zien, dan zag het ernaar uit dat ze ook in dat opzicht teleurgesteld zou worden, want zij of Tara was nergens te zien.

'De meisjes zijn gaan zwemmen.' Shirley leek in verlegenheid gebracht, wat Fay het idee gaf dat dit niet helemaal de waarheid was. Ze serveerde hun Chinese thee en Engelse muffins. Terwijl ze praatten over Fays zoontjes en Anna Quinlans relatie met Ben Bradlee – Washingtonse roddels die Connie niets zeiden – begon ze zich te herstellen.

'Lieve Shirley,' zei ze, 'je weet waarom ik hier ben, niet bepaald achter Kevins rug om.'

'Ik heb geschreven om je ervan te weerhouden,' onderbrak Shirley haar, wat nieuw was voor Fay. 'Niet dat Kevin niet even graag vrede wil als ieder ander, maar hij heeft ook geen fijn gevoel over de Engelse bezettingsmacht en wil heel graag dat Ierland een verenigd, onafhankelijk land wordt.'

'Wil hij dat graag genoeg om te gaan doden?' begon Connie, maar toen zweeg ze abrupt. Fay nam aan dat ze eraan dacht hoe goed haar broer had geboerd door de Vietnam-oorlog.

Ze luisterde beleefd, hoewel met een wat afstandelijke blik op haar gezicht, toen een verschrikte Shirley protesteerde dat Kevin nooit zou vergoelijken dat er gedood werd en dat het geld dat hij bijeenbracht geheel bedoeld was om de politieke strijd die Sinn Fein streed te steunen.

Tot Fays verrassing kwam Connie niet met andere argumenten aandragen, en ze probeerde niet eens uit te leggen dat Sinn Fein niet goed kon worden gescheiden van de IRA. Uiteindelijk viel er een vrij lange stilte en zei Connie, heel behoedzaam, terwijl ze naar haar vinger keek: 'Zeg hem alleen dat hij geen geld naar Michael moet sturen. Als hij Michael geld stuurt, gelooft hij misschien wel in de vrede, maar daarmee geeft hij moordenaars wapens in handen.'

Fay dacht dat Shirley een soort hijgend geluidje maakte, alsof een dergelijke frase niet in haar fraaie woonkamer mocht worden uitgesproken.

Maar misschien werd haar daarmee onrecht aangedaan. 'Kevin is weg. Dat heb ik je ook geschreven. Hij is met golfvakantie in Florida.'

Aangezien Connie hier niets op antwoordde, deed Shirley een plotselinge poging om eerlijk te zijn. 'Hij kan niet begrijpen wat jou voor ogen staat, Connie. "Een O'Malley uit Mayo die heult met de vijand." Zo praat hij over je.'

Connie ging rechter zitten. 'Hij is te lang uit Ierland weg geweest. Hij is niet in het noorden geweest.' Weer deed Connie er het zwijgen toe. 'Het spijt me, Shirley. Fay had gelijk. Ik had nooit moeten komen.'

Ze vertrokken zonder de meisjes te hebben gezien. 'Denk je dat Kevin hen weg heeft gehouden van mijn vervuilende aanwezigheid?' vroeg Connie Fay in hun taxi terug naar het vliegveld. 'Hij heeft in elk geval zichzelf weggehouden.'

'Ik denk het wel.' Het was voor Fay tijd om Connie tegen zich aan te drukken. Stiekem geloofde Fay er niet in dat die Zusterschap voor de Vrede ooit veel kon voorstellen. 'Je kunt niet alleen voor het resultaat werken,' had Connie de avond tevoren tegen Ted gezegd. 'Je moet eerst doen wat goed is, en als je geluk hebt volgt het gewenste resultaat misschien vanzelf.'

'Vrede,' had Ted gezegd.

Connie had gelachen. 'Zoiets kleins als dat, ja.'

En Ted had gezegd: 'Nou, volgens mij ben je een idealist.' Waarop Connie, die innig tevreden had gekeken, had beaamd dat idealisme inderdaad nog zo'n groot woord was dat ze binnen handbereik zou willen hebben.

Maar ik neem aan dat het probleem, bedacht Fay toen ze jfk Airport naderden, is dat ik te veel over Connie weet om haar serieus te nemen, ook al neemt ze zichzelf serieus. En vervolgens vroeg ze zich af of Orlando dat gevoel ook had. Of misschien veranderde liefde het plaatje. Nu kon ze van Connie houden omdat ze was meegegaan naar het oorlogsmonument, omdat ze daar met haar had gehuild en gebeden. Emoties, die waren Connies fort. Zij, Fay, was goed in andere dingen.

Wat haar eraan herinnerde dat ze helemaal geen cornflakes en sap meer hadden; ze moest onderweg naar huis tijd maken om een paar boodschappen te doen.

De geluiden waren die van iemand in nood. Helen. Maar Helen zat nooit in nood. Nina, die de nacht doorbracht in de flat in Londen, ging haar bed uit en trok sokken en een trui aan. Kwam het door de deur dat ze was gealarmeerd, door hoe die open en dicht was gegaan?

'Mama, ga naar bed.' Nina realiseerde zich dat Helen zich altijd gedroeg alsof zij wist wat het beste was. Maar haar gezicht was gespannen, de huid zo strak als het zeil van een schip.

'Wat is er?'

'O, niets, mama. Ik zei toch dat je naar bed moest gaan?'

'Hoe laat is het?' Wanneer was zij de dochter van haar dochter geworden? Misschien was het na haar allereerste jaren altijd wel zo geweest.

'Twee, drie uur. Ik weet niet. Doet het er iets toe?' Helen ging zitten en keek naar de grond. Ze was helemaal in het zwart gekleed, op haar witte shirt na. Rechte zwarte schouders, rechte zwarte rok, zwarte benen en schoenen. Natuurlijk was dit haar rechtbankoutfit. 'Ik vertel het je wel als je het per se weten wilt.' Ze keek op. 'Hoe oud ben ik helemaal? Vierentwintig. Vier jaar ouder dan toen jij met papa trouwde. Druk bezig om strafpleiter te worden. Het ene examen na het andere. Maar goed, ik stond vanavond met een man op een drempel. Precies genoeg ouder dan ik, niet onaantrekkelijk. We zagen elkaar wel zitten. De drempel voerde het pand in waarin hij bovenin een appartement heeft. Geweldige flat. We waren er eerder geweest. Samen. Tot het onder zijn dekbed te warm werd. We kunnen het goed met elkaar vinden. Om eerlijk te zijn is hij geweldig. Dus we staan op de drempel, helemaal klaar voor een herhaling, en hij steekt zijn sleutel in het slot en ik kijk terwijl ik sta te wachten op naar de lucht; ik zie de koele sterren en de koele maan, en opeens begrijp ik dat ik alleen maar doe alsof. In werkelijkheid heb ik geen gevoelens voor deze man – hij heet trouwens Philip en verdient een belachelijke smak geld in de City. Een echte Thatcher-jongen. Hij is daar toevallig aanwezig en seks lijkt een geschikt besluit van de avond. Wat erger is, is dat ik er vrij zeker van ben dat hij dezelfde dingen denkt. We zijn net twee automaten, geprogrammeerd voor een afspraak, een etentje, seks, afscheid en weer naar het werk gaan.'

Ze zweeg of laste een pauze in, Nina wist niet welke kant het precies op ging. Het leek in elk geval verschrikkelijk koudbloedig. 'Ik begrijp niet helemaal goed...' begon ze zwakjes.

'Waarom ik het doe – wil je dat gaan zeggen? Ik ben op Philip gesteld. Zelfs nadat de maan naar me had gefronst, ging ik nog met hem mee naar boven en hebben we uiterst bevredigend gevreeën. Welwillend en sexy. Maar nu komt dat gevoel weer terug en ik vraag me af wat het allemaal te betekenen heeft.'

'Allemaal?' Nina moest denken aan haar ergste maanden met William. Het was het soort vraag dat ze zichzelf toen ook had gesteld, totdat de pijn te erg werd en ze er in plaats van te zoeken naar een antwoord toe over was gegaan zich obsessief te wassen. Maar Helen was niet getrouwd met een man met wie ze niets gemeen had. Ze was een carrièrevrouw, met haar voet succesvol op de eerste treden van de ladder van de juristerij.

'Liefde. Seks. Andere mensen. Wat werk betreft is het allemaal zo duidelijk als wat.' Ze klonk ongeduldig en Nina herkende haar weer. 'En ga me niet vertellen dat ik de ware nog niet heb gevonden.'

'Waarom zou ik? Je vergeet dat ik van de generatie ben die het idee dat een vrouw de ware nodig zou hebben om zeep heeft geholpen.'

'Maar jij bent pas gelukkig sinds Gus op het toneel is verschenen. Als je zijn pet met pompon ergens ziet, lijk je net een romantische tiener.'

Nina dacht over deze beschrijving na, die deels een verwijt en deels een compliment inhield. Bijna, maar niet helemaal fout. Ze wilde niet ontrouw zijn aan Gus of zijn aandeel in haar leven onderschatten, zeker niet tegenover Helen, die nooit goed had begrepen wat ze in hem zag (opeens bedacht ze dat dit soort onbegrip altijd een rol speelde bij Helen). De keukenklok begon luid te tikken terwijl Helen bleef wachten, met de schrandere, verwachtingsvolle blik die Nina tijdens de jonge jaren van haar dochter zo nerveus had gemaakt.

Het enige wat ze niet kon doen was Helen met haar eigen problemen opzadelen. Als Helen het idee had dat het tussen Gus en haar een en al romantiek was, waarom zou ze haar dan uit de droom helpen? Als ze niet van Gus hield, zou er geen probleem zijn. Ze bracht zich te binnen dat dit Helens verhaal was, niet het hare. Ze moest proberen lijn te zien in wat zijzelf niet begreep en zien te klinken als een behulpzame, sterke moeder.

'Ik was al vrij oud toen ik Gus leerde kennen, en we hebben geen kinderen samen.' Ze zweeg even. 'En ik heb mijn werk, zoals jij het jouwe hebt.' Wat zou Helen willen horen? Als ze het wist, zou ze het zeggen. Misschien moest ze meer lef hebben. 'Ik moet zeggen, lieverd, dat het een beetje deprimerend klinkt om met iemand naar bed te gaan om wie je niet geeft.'

Onmiddellijk kwam Helen overeind, en al haar vermoeidheid was verdwenen. 'Je snapt helemaal niets van wat ik zeg. Natuurlijk voel ik wel iets voor Philip – zoals jij het noemt. Misschien hou ik zelfs wel van hem, wat dat ook moge betekenen. Maak je maar geen zorgen. Laten we naar bed gaan. Je ziet er uitgeput uit. Naar bed, naar bed.' Haar energieke commando klonk dreigend.

'Ja,' beaamde Nina nederig. 'Zoals je weet, mag ik Philip graag.'

'Je kent hem niet eens.'

'Nee. Nee... Ik kan maar beter naar bed gaan.' Terwijl ze dat zei, en – voelde ze – faalde als moeder, bleef haar blik gericht op de schaduw van haar dochter tegen de lichte muur, de donkere muur erachter, en ze voelde een golf van opwinding. Zou dit een schilderij kunnen worden: contrasten met een afwezige figuur? De schaduw bewoog. Hij had gesproken. Haar dochter. En ze had de laatste zin gemist, wellicht de zin die alles zou verklaren.

'Lieverd, lieverd.' Ze stapte de ruimte in tussen het licht en het donker. 'Ik ben zo blij dat we hebben gepraat. Heel blij, vereerd...' Wat klonk ze absurd, maar deed dat er iets toe? Goddank glimlachte Helen en ze waagde het erop haar te omhelzen. Het intense ogenblik dat een schilderij was geweest ging voorbij en werd uitgewist.

1986

Connie zat in bed omgeven door kranten. Ze had de avond tevoren een vergadering in Dublin georganiseerd en was pas om een uur thuisgekomen. Vervolgens had ze behoefte gehad aan een borrel terwijl ze haar verhalen vertelde. Nu zocht ze naar verslagen. 'Naar de hel met die leugenachtige, hypocriete kerels.' Ze smeet de derde krant op de grond.

'Je hebt het RTE-nieuws gehaald, lieverd,' bracht Orlando, die op de rand van het bed zat, haar vriendelijk in herinnering. 'Dat is voor mij veel belangrijker dan welke krant ook.'

'O, ja! O, ja! Tien seconden lang dat malle mens...'

'Dat geweldige mens...'

Connie onderbrak haar razernij en zag Orlando in het licht van de glanzende regenachtige ochtend, zijn dierbare gezicht omgeven door een stralenkrans van zilveren krullen. 'Mijn god, Orlando, je bent helemaal grijs geworden!' Verbijsterd door deze plotselinge ontdekking – wanneer was het gebeurd? van het ene moment op het andere, terwijl zij op de vergadering was? – vloog Connie op hem af om te kijken of het echt waar was. Daarbij kwam een pagina van de krant die tegen het bed aan lag in close-up in beeld, en ze keek regelrecht in het gezicht van een man dat ze meer dan half herkende. Ze schoof de krant opzij om er later beter naar te kijken, en vervolgde haar weg naar Orlando. 'Wat vreselijk voor je, lieverd, dat je zo oud wordt.' Ze liefkoosde zijn gezicht, en om te laten blijken dat het haar niet kon schelen streek ze met haar vingers door zijn door ouderdom getekende lokken.

'Wat doet het ertoe,' antwoordde Orlando, 'als ik jou heb – niet dat ik je de laatste dagen veel zie, trouwens – en Leo – die ik de laatste tijd ook niet veel zie?' Leonardo zat tegenwoordig op een kostschool in de buurt van Dublin.

'Gij zult niet mopperen, ik ben hier het hele weekend.' Ze kusten elkaar, maar toen Orlando een hand op Connies borsten legde, trok ze zich terug. Van wie was dat gezicht? Het gezicht van een politicus zij aan zij met de premier van Groot-Brittannië. Ze pakte gehaast de krant op en las de kop. 'Hemel, Orlando, mijn eerste vriendje. Degene over wie ik niet praat en aan wie ik niet denk is ondersecretaris voor Noord-Ierland. Waarom wist ik daar niets van?'

'Omdat de posten opnieuw zijn verdeeld,' zei Orlando. Hij liep naar het raam. 'Ik ga naar het meer. Donal beweert dat mijn stieren weer zijn ontsnapt.'

'Jij met je stieren.' Heel even dacht Connie hoe leuk het was dat Orlando onlangs vee en land had aangekocht om zichzelf bezig te houden, en keerde vervolgens terug naar de krant. Ja, het was echt Rick – dikker, bijna kaal, met dikke brillenglazen. Geen wonder dat ze hem amper had herkend. Hij moest tegen de vijftig zijn, maar hij leek ouder. Connie boog zich schuin uit het bed om zichzelf in de spiegel van de toilettafel te kunnen bekijken. Na een uitputtende week, een avond waarop het laat geworden was, en zoals gebruikelijk te veel drank zag ze er nog vrij goed uit, met een parelende huid, heldere trekken, haar van het soort rood waar ze een paar jaar geleden voor had gekozen, zodat ze zich amper haar eigen kleur nog kon herinneren. Ze zou zichzelf eens uitnodigen voor een lunch in het Lagerhuis om eens te zien hoe het er met het land voor stond. 'O, Heilige Maria.' Connie liet zich soepel op haar knieën vallen. 'Geef me het equivalent van de spirituele kracht van een vamp om deze vrij machtige ex-minnaar ervan te overtuigen dat het zijn plicht is te helpen. Amen.'

Deze manier van bidden, of beter gezegd van om voorspraak vragen, was het afgelopen jaar een gewoonte voor Connie geworden, en vormde voor Orlando een bron van snaaks commentaar. 'Je kunt de Moeder Gods niet verleiden.'

Connie zat er niet mee. 'Ze is een vrouw, toch, net zo goed als de rest?'

Nadat ze was opgestaan uit haar geknielde positie, bestudeerde ze Ricks foto weer. Haar eerste indruk werd bevestigd: hij was harder geworden, een man die ze in de verste verte niet aantrekkelijk kon vinden. Dat zou haar taak makkelijker maken. Haar brief zou formeel zijn: 'Geachte Richard Wyberley, ik schrijf u als voorzitter van de Zusterschap voor de Vrede, een organisatie die ik in 1980 heb opgericht. Mag ik u ten eerste feliciteren met uw nieuwe benoeming enzovoort, enzovoort.' Pas na haar handtekening zou ze er in handschrift onder krabbelen: 'We hebben elkaar in een ander leven gekend...'

Toen ze naar Londen kwam, logeerde Connie in Nina's flat. Het was dezelfde flat die ze twaalf jaar geleden samen hadden gedeeld. Hij herinnerde Connie eraan hoe weinig de geografie van Nina's leven was veranderd toen ze eenmaal van William was gescheiden. Ze woonde nog steeds in het huis waarin ze was geboren. In feite werd de flat voornamelijk gebruikt door

Helen, die strafpleiter was. Ze had zijn liederlijke charme weldra om weten te zetten in een cleane, functionele ruimte, waar Connie, die zelf zo'n sfeer niet wist te creëren, aardig wat bewondering voor had.

'Ik voel me hier altijd zo kalm,' zei ze. Ze was minder te spreken over de verandering van de twee verdiepingen onder hen tot een gelikt modern appartement voor een gelikt modern stel dat tegelijk naar hun werk ging op gelikte moderne fietsen. 'Waar is de lijmgeur gebleven?' klaagde ze. 'De geluiden van antieke meubels die in een vloek en een zucht in elkaar worden geslagen? Die twee zijn net muizen, ze scharrelen rond en maken tik-geluiden en draaien respectabele klassieke muziek op een respectabel volume. Je bent te jong om het te beseffen, Helen, maar de tijd glipt ons allemaal door de vingers. Een week geleden zag ik dat Orlando's haar helemaal grijs is geworden. Ik zie je geliefde moeder nu niet meer dan tweemaal per jaar. Ik heb amper de tijd om aan het ene jaar te wennen of het volgende breekt al aan. Straks lig ik in mijn graf.'

'Onzin.' Helen lachte. Die ochtend zou Connie de minister in het Lagerhuis ontmoeten. 'Die hoed moet je niet opzetten, Connie,' raadde Helen haar aan. 'Niet als je gaat lunchen in het Lagerhuis, of waar dan ook, bij voorkeur.'

Hoewel Connie dankbaar was voor de tip, trok ze zich er niets van aan. Hoe kon iemand die gedwongen was de hele dag zwart en wit te dragen gevoel voor mode blijven houden? Trouwens, ze had Helen niets verklapt over de rol die de minister in haar vroegere leven had gespeeld. Hij had 'Sur les toits de Paris' gezongen op dat kleine zolderkamertje en had haar verteld dat het hele weekend in het teken zou staan van wijn, vrouwen en gezang, en hij had zich zo laten meeslepen door de energieke manier waarop hij de liefde bedreef dat hij haar schuldbewuste matheid niet had opgemerkt. Ze had aan Hubert gedacht terwijl de handen van zijn zoon knepen en stompten. En toen ze zich aankleedde en zich erop voorbereidde weer met de boot naar Londen te gaan, had hij aangekondigd, op een toon die ze niet kende, het soort toon waarvan ze zich voorstelde dat hij die op zijn werk aansloeg: 'Ik heb je een brief geschreven. Lees die maar op de boot.' Dat was wreed geweest, hoewel niet zo wreed als zij.

Ja, een roze strohoed was prima; die zou haar onderscheiden van de massa en eventuele lichte veranderingen die de tijd haar verschijning had laten ondergaan verzachten. Haar haar, bijvoorbeeld, had misschien niet meer precies dezelfde tint als hij zich herinnerde. Connie maakte nooit de fout te geloven dat een hoge morele doelstelling minder belangrijke zorgen kon verdringen. Ze bewonderde de roze hoed die ze had uitgekozen, met Orlando's goedkeuring, in een van de chicste winkels aan O'Connell

Street. Die ochtend had ze op het vliegveld een bijpassende nieuwe koraalroze lippenstift gekocht.

Connie trok een stapel papieren naar zich toe. Die gingen over alle nieuwe gewelddaden van de IRA en de UDA, en diverse aanverwante en onafhankelijke geluiden. Het was belangrijk tot in detail van zulke afschuwelijke feiten op de hoogte te zijn. Wat zij wilde was dat de minister (hij was bijna niet langer Rick) voorop zou gaan in een mars voor de vrede die ze op kerstavond wilde organiseren.

Connie trof Rick in de lobby van het Lagerhuis. Ze was er eerder geweest en voelde zich aangenaam opgewonden door de ronde overkoepelde hal, de marmeren vloer, de Victoriaanse schilderijen, de bezoekers, de parlementsleden – de laatste enigszins gepreoccupeerd door staatszaken. Een vrouw zou nooit zo gewichtig doen, hield ze zichzelf voor, en precies op dat moment herkende ze een vrouwelijk parlementslid met precies hetzelfde air van zalvende neerbuigendheid als haar mannelijke collega's.

'Connie!' En daar was hij dan, niet zo dik en kalend als op de foto, maar lang, krachtig en hartelijk.

'Rick, hallo – of is het nu Richard?'

'Richard.' Hij probeerde haar onder de rand van haar hoed te kussen, maar zijn bril nam alle beschikbare ruimte in beslag.

Connie slaagde erin een spottend lachje te onderdrukken. Ze moest haar ernstige missie voor ogen houden. 'Dus je hebt de City opgegeven,' zei ze op nonchalante toon terwijl ze naar de eetzaal liepen.

'Die heeft me gegeven wat ik nodig had om politicus te kunnen worden.'

'Geld, bedoel je?'

'Ik vrees van wel.' Hij was opgewekt, een en al bonhomie, maar onder zijn zelfvertrouwen bespeurde ze een vage angst, hoewel ze niet kon bepalen of die in haar voordeel zou werken of niet. Ze liepen tussen de tafeltjes door op zoek naar het hunne, en heel even moest ze denken aan die eetzaal in Hastings, waar ze Hubert voor het eerst had ontmoet toen Nina op huwelijksreis was geweest. Maar vervolgens concentreerde ze zich in plaats daarvan op Richards populariteit, want ze merkte op dat hij bleef staan om gelukwensen met zijn ministersfunctie in ontvangst te nemen.

Wat zijn mannen toch uitslovers, bedacht Connie, waarna ze besloot dat dat haar allemaal tot voordeel strekte.

'Wijn?' vroeg Richard.

'Als jij ook neemt.' Dat deed hij. Ongebruikelijk voor een politicus aan de lunch. Misschien was hij echt nerveus.

'Ik heb bewondering voor wat je doet,' vertelde hij haar over de menukaart heen. 'Elk protest dat door het zuiden wordt georganiseerd is uiterst waardevol.'

'Ik vind het iets positievers dan een protest.'

'Ja. Natuurlijk. De Schotse gerookte zalm is goed hier.' Hij zweeg.

Connie lachte. 'Laten we hem Keltisch noemen.' Ze bestelden.

'Ik heb mijn secretaresse krantenknipsels over je laten verzamelen. Je bent getrouwd en hebt een zoon die Leonardo heet. Maar ik heb er niet uit kunnen opmaken hoe je hierin verzeild bent geraakt.' Weer zweeg hij.

'Daar kan ik geen antwoord op geven. Het is privé.' Ze zou nooit iemand over Michael kunnen vertellen – tenzij ze het Britse leger op de hoogte bracht, maar dat zou ze nooit kunnen. Ze dacht er nog eens over na. *Niet nu in elk geval.* 'Ik probeer twee marsen te organiseren voor kerstavond, de ene begint in het noorden en de andere in het zuiden, en ze treffen elkaar voor een oecumenische dienst zo dicht mogelijk bij de grens.'

'Ik denk niet dat je daar veel protestanten warm voor krijgt.'

'De vrouwen komen wel, wat hun geloof ook is.' Connie keek naar zijn gladde gezicht, dat ooit het antwoord had lijken te bevatten op de vraag naar de zin van het leven, en ze realiseerde zich voor het eerst dat het vanuit veiligheidsoverwegingen hoogst onwaarschijnlijk was dat hij erbij zou zijn, en ten tweede dat ze hem er niet langer bij wilde hebben. 'Het is ook een oefening in fondsenwerving; het geld gaat naar slachtoffers van zowel protestanten als katholieken.'

'Kennelijk waardeer je het dat deze regering erg zijn best doet voor een nieuwe overeenkomst. Een staakt-het-vuren van beide kanten.'

'In het zuiden zijn de meeste mensen zich minder bewust van de problemen dan jullie Engelsen. Maar uiteraard worden we niet gebombardeerd. Ik vind het nogal gênant allemaal. Het noorden lijkt voor ons allemaal ver weg, tenzij je natuurlijk benzine of alcohol smokkelt.' Connie lachte. Ze besefte dat ze niet eens met Richard, die niet langer Rick was, over Ierland wilde praten. Hoe zou hij het kunnen begrijpen? En wát hij wist zou hij haar niet kunnen vertellen.

'Je bent niet veel veranderd.'

Dus nu gingen ze op de persoonlijke toer. 'Jij wel. Ben jij ook getrouwd?'

'Ja. Ik heb vier kinderen, een vrouw en een buitenhuis.'

'Groot?'

'Heel groot. Mijn vrouw houdt van paardrijden. Ze is vrederechter en zit in allerlei besturen en trusts. Wil je verder nog iets weten?'

Connie dacht hierover na. Zijn toon was verzoenend, maar niet bijster

312

gekleurd door emotie. Ze bedacht dat ambitie en succes alle persoonlijke trekjes leken te hebben afgevlakt. Het drong tot haar door dat ze nog niet eens aan het hoofdgerecht waren begonnen, maar in haar hart verveelde ze zich al bijna. Orlando verveelde haar nooit. Ze boog zich iets verder naar voren. 'Ben jij ooit verliefd op mij geweest?'

Zelfs dit riep weinig meer op dan een beetje opgelaten ogengeknipper en een lichte blos onder de kin. Hij leek weer dikker te zijn geworden. 'Je weet toch wel dat iedereen die ooit contact met je heeft verliefd op je wordt?'

Connie voelde zich opleven. Ze keek vanonder de roze rand van haar hoed, die iets naar beneden gezakt leek te zijn, en stelde zich voor hoe haar blauwe-lagune-ogen op hem zouden overkomen. 'Ik had het niet over *iedereen*.' Maar het effect was te groot. Hij kon nu wel eens, zag ze, somber worden, of, waarschijnlijker nog, mal gaan doen. Ze kreeg medelijden met hem. 'Vraag nummer twee: hoop je erop premier te worden?'

'Iedereen die politicus wordt hoopt er toch op premier te worden?'

Connie herinnerde zich dat, hoewel Rick de man was geweest van wie ze had gedacht te houden, het zijn vader, de bleke oude dichter Hubert, was geweest naar wie haar verbeeldingskracht het meest was uitgegaan — en als ze helemaal eerlijk was ook haar lichaam, al was hij nog zo'n bruut. Wat had deze *Richard*, deze premier in spe, er ooit van geweten, áls hij al iets had geweten? Connie besefte dat ze te snel had gedronken, dat ze een te groot drama maakte van haar herinneringen en niet luisterde naar wat haar gastheer zei. Waarschijnlijk had hij altijd geloofd dat ze een Ierse slet uit het veen was. 'Het spijt me zeer,' zei ze, en het klonk te vaag om overtuigend te zijn. Ze zag dat hij gekwetst was. Hij schoof zijn bord van zich af en glimlachte naar een bewonderaar in de verte. Vervolgens zette hij zijn bril af en boog zich over de tafel. Tot haar afgrijzen zag ze dat hij tranen in zijn ogen had.

'Ik wist het van jou en mijn vader. Toen je naar Parijs kwam. Ik wist het al. Hij had het me verteld, natuurlijk. Erover opgeschept, moet ik zeggen. Ik heb je dat briefje, waarin stond dat het voorbij was tussen ons, geschreven uit zelfverdediging. Begrijp je wat je me hebt aangedaan, Connie?'

Connie werd afgeleid door deze plotselinge ommekeer. Zou dat echt de waarheid zijn? Was zij niet het slachtoffer, maar de dader? Maar natuurlijk was ze dat. In haar hart had ze het altijd al geweten; de Kerk had het haar verteld. In een onbewuste poging om zich van dergelijke verdwazende gedachten te bevrijden zette ze haar hoed af en hing hem achter op haar stoel. De hoed viel onmiddellijk op de grond en werd weggetrapt door een passerende kelner, die hem met overbeleefde irritatie oppakte en aan

Connie gaf, die hem weer op haar hoofd zette, ditmaal achterstevoren. 'Je wist alles!' fluisterde ze. 'In Parijs.'

'Ja.' De minister zette zijn bril weer op. Hij herpakte zich. 'Mijn vader heeft een uitermate destructieve persoonlijkheid. Zelfs nu nog.'

'Het spijt me.' Connie zonk achterover in haar stoel. Wat kon ze anders zeggen? 'Het spijt me,' herhaalde ze. Maar toch, dacht ze, heeft hij niets gezegd over mijn zwangerschap. Wat merkwaardig! Toen dacht ze: ik neem aan dat mannen zich niet zo druk maken om dergelijke dingen. Niet het soort man dat hij was, in elk geval. Dat was allemaal haar verhaal, niet het zijne. Ze rechtte haar rug. 'Volgens mij wordt het tijd voor platitudes; het is allemaal heel lang geleden. We waren toen piepjong.'

Hij glimlachte niet. 'Natuurlijk vindt mijn vader het vreselijk dat ik een conservatief politicus ben geworden.'

Connie kreeg het benauwd in de drukkende eetzaal, vol mensen die meenden dat politiek de manier was om problemen op te lossen, terwijl iedereen kon zien dat die meer problemen veroorzaakte dan oploste. Onder andere omstandigheden zou ze een discussie zijn begonnen over de kleine minderheid van vrouwen in het parlement. Ze kon wel raden wat hij daarop zou antwoorden: *We streven ernaar meer vrouwen van het juiste kaliber aan te trekken.* Ze kon tenslotte niet aan het persoonlijke ontsnappen. Ze legde haar gezicht in haar handen en keek op. 'Dat reisje naar Parijs was gedoemd te mislukken. Weet je nog dat ik destijds aankwam op een schip vol verdronken lichamen? Het mistte en we pikten ze op van een Joegoslavische vissersboot.'

'Dat was ik vergeten.' Hij speelde met zijn eten voordat hij verderging, weer met een afschuwelijk gepijnigde blik op zijn gezicht: 'Je hebt je man pas een tijd later ontmoet?'

Dus hij wilde meer horen over haar levensverhaal. Connie, die nu maar wat graag een overdosis van haar emotionele verleden uit de weg ging, besloot hem alleen feiten te geven. 'Ja. Mijn man heeft Lir Water opgericht. We wonen aan de rand van een meer. De afgelopen drie jaar hebben we een deel van het huis en de oude stallen gebruikt om er kinderen in onder te brengen uit verschillende gemeenschappen in Belfast en ook een paar uit Dublin. Een soort zomerkamp voor een stuk of tien kinderen, maar het geeft me het gevoel dat ik nuttig bezig ben.'

'Dat wist ik niet.'

'We geven er niet veel ruchtbaarheid aan, voor het geval er problemen mochten ontstaan. Het is iets kleinschaligs. In feite was het het idee van mijn zoon.'

Tot Connies opluchting zette Rick weer zijn ministersblik op. Hij vouwde zijn handen in elkaar. 'Als je ooit behoefte hebt aan extra fondsen, zou ik je misschien een duwtje kunnen geven in de goede richting.'

Dus het werd toch een zakenlunch. Connie voelde zich milder jegens hem gestemd, en in een plotselinge opwelling besloot ze de waarheid onder ogen te zien. 'We hebben natuurlijk nooit goed bij elkaar gepast. Je vader heeft ons allebei een gunst bewezen. Hou mijn hand vast, omwille van de goeie ouwe tijd.' Ze stak haar hand uit over tafel.

Rick wilde de zijne ernaartoe brengen, maar kwam niet verder dan zijn koffiekopje, want hij werd onderbroken door een privé-secretaris. 'We zijn al laat, minister.'

Connie nam afscheid terwijl de man ongeduldig bij de elleboog van zijn baas bleef staan. Er werden geen handen vastgehouden en er was geen gelegenheid voor een tweede kus.

Nina was naar Londen gekomen voor een vergadering met de kunstraad. Connie en zij zagen elkaar tegenwoordig zelden zonder hun mannen of kinderen. Die avond lieten ze Helen achter in de flat en vonden een Italiaans restaurant om de hoek. 'Het moet heel goedkoop zijn,' drong Nina aan, 'want anders voel ik me schuldig omdat Gus niet bij ons is.'

'Hoezo? Is hij je oppasser of zoiets?' Connies stem klonk afkeurend.

'Sorry. Ik had even een zwak moment.' Nina voelde dat ze fronste in zelfverwijt. Ze wilde niet dat Connie haar geheel en al verachtte.

'Ik word oud,' zei Connie later. 'Ik begin over het verleden te praten. Vandaag aan de lunch.' Nina luisterde naar Connies verhaal en haar gedachte dat ze van de verschrikkelijke vader had gehouden, en niet van de pretentieuze zoon.

'Volgens mij hield je van geen van beiden.' Nina glimlachte. 'Je wachtte tot je Orlando tegenkwam.'

'Lieverd, je hebt helemaal gelijk!'

Nina dacht: we zijn te oud om dit soort dwaze gesprekken te voeren, en zoals zo vaak tegenwoordig wanneer ze aan persoonlijke dingen dacht, had ze het gevoel dat ze in tranen zou uitbarsten. 'Mijn bespreking met de kunstraad ging goed, geloof ik. De vrouw die ik sprak was bijna net zo dik als ik. Dat schiep een band.'

'Je ziet er fantastisch uit!' riep Connie. Maar Nina wist dat ze loog, en Connies volgende opmerking bewees dat: 'Waarom ga je niet op dieet?'

'Dat kan ik niet.' Om te laten zien waarom niet, reikte Nina naar nog een deegballetje en propte het in haar mond. 'Gus beweert dat hij graag ziet dat ik dik ben!'

'Ik bedoel niet dat je er niet geweldig uitziet.' Ze kon haar eerlijkheid niet nog meer geweld aandoen. 'Ik zal nooit begrijpen waarom je niet meer schildert.'

'Connie!' Het klonk als een wanhoopskreet. Hoe kon iemand die haar al zo lang kende zoiets zeggen?

'Sorry. Ik kan je niet zeggen op hoeveel tragedies ik stuit via de Zusterschap voor de Vrede. Ik ben er waarschijnlijk ongevoelig voor geworden. Maar goed, volgens mij is het aan Gus te wijten.'

'Gus steunt me fantastisch! Ik wil niets ten nadele van Gus horen!'

'Me dunkt, mevrouw protesteert een beetje te veel.'

'Zonder Gus zou ik in een hoekje liggen te creperen!'

'Doe niet zo pathetisch.' Connie keek Nina aan. Nina keek terug met zwemmerige ogen, maar ze kon Connie op geen enkele manier in vertrouwen nemen. Want als iemand buiten haarzelf haar zwarte gedachten zou begrijpen, zou ze regelrecht in een inrichting belanden; en trouwens, Orlando en Connie hadden haar met Gus in contact gebracht; en ten derde hield ze van hem. Zij was het probleem, hij nooit. 'En heeft je lunch nog iets nuttigs opgeleverd?' vroeg ze vastbesloten.

'Wellicht.' Connie veranderde van onderwerp. 'Vertel me eens over Helen. Je had gezegd dat ze misschien zou gaan trouwen.'

'Niet onmiddellijk. Ik begrijp helemaal niets van haar. Ik voel me alleen maar schuldig. Maar ja, hoe kan ik haar helpen als ze me niets vertelt?'

'Waarom niet? Ik heb je altijd iemand met een groot inlevingsvermogen gevonden.'

Nina glimlachte om Connies zelfzuchtigheid. Om de een of andere reden kikkerde ze daar altijd van op. 'Volgens mij is het heel simpel en heeft ze me het nooit vergeven dat ik bij William ben weggegaan. En ik neem aan dat dat haar ook zenuwachtig maakt voor het huwelijk.'

'Liefste Nina, daar moet je je niet schuldig over voelen. William heeft je gek gemaakt.' Nina overwoog of ze zou zeggen dat ze zich nu ook niet bepaald geestelijk honderd procent voelde, maar dat was een veel te lastig scenario om Connie toe te vertrouwen. 'Ik denk dat die dochter van je zo haar eigen prolemen heeft. Ik zal haar eens in Ierland uitnodigen en het uit haar los proberen te krijgen. Vertrouw maar op je oude wijze vriendin Connie.'

Weer glimlachte Nina. 'Graag.'

Helen vloog naar Ierland voor een vakantie bij Connie en Orlando. Ze arriveerde in een hippe huurauto, en nadat ze Leonardo had geamuseerd met verhalen over moordenaars en rechters, nam ze Connie mee de tuin in en barstte in tranen uit. 'Het enige wat ik doe is werken.' Ze slikte moeizaam.

'Maar dat past ook bij je.' Connie had nooit geloofd in te veel sympathie tonen voor de jongen en sterken. 'Het gaat je goed af.'

'O mijn god, je klinkt net als mijn moeder.'

'Ja. Waarom praat je niet met je moeder?'

Helen hield op met huilen, maar toen ze te dicht langs een natte laurierstruik liep deed de regen tranen over haar lichaam stromen. Ze bleef staan om ze weg te vegen. 'Ik praat best wel met haar, maar elke keer als ik dat doe raakt ze zo van slag dat ze niet meer luistert.'

Connie lachte. 'Ze is altijd hopeloos geweest als het om emoties gaat. Dat zal wel komen door die soldatenvader die haar het gevoel gaf dat het al een daad van verzet was als ze een bloempje plukte. Zij denkt dat je nog steeds kwaad bent omdat ze William heeft gedumpt. Ik heb haar gezegd dat dat onzin was.'

'Goeie hemel!' riep Helen uit. 'Dat is eeuwen geleden. Ik krijg af en toe de zenuwen van de warrige manier waarop mama het leven benadert. Door papa te dumpen stelde ze tenminste een daad.'

'Dus als het niet Nina's fout is, wat is dan het probleem? Hoe zit het met Philip? Jullie zijn nu al jaren samen. Jullie wonen samen, toch?'

'Ja.' Helen gaf verder niets prijs.

'Waarom trouw je niet met hem? Nemen jullie geen kinderen?'

'Ik werk!' Het was bijna een schreeuw, gevolgd door nog meer tranen. Ze liepen verder; Helen mepte geagiteerd naar een paar muggen die een wolkje hadden gevormd boven haar hoofd. 'Afgelopen jaar hebben we een abortus gehad omdat we er nog niet aan toe waren om te trouwen.'

Connie voelde de temperatuur om zich heen dalen. Ze bleef even huiverend staan en loodste Helen toen naar een plekje met zon dat ze onderweg naar het meer had opgemerkt. Ze mocht niet oordelen, hield ze zichzelf voor. Het was een eer om door Helen in vertrouwen te worden genomen. 'Hou je van hem?' vroeg ze voorzichtig.

Helen leek hierover na te denken toen ze dankbaar in de baan zon stonden. 'Ja,' zei ze ten slotte. 'Ik denk dat we samen gelukkig zouden kunnen worden, maar hoe kan ik daar ooit zeker van zijn?'

'Dat kun je niet.' Connie sloeg haar arm om Helen heen. Ze was veel te mager; ze kon haar schouderbladen voelen, als harde vleugels. Dat was onnatuurlijk, bedacht ze, voor een dochter van zulke forse ouders. 'Als ik jou was, zou ik het er maar op wagen.' Ze dacht aan alle keren dat zijzelf het erop had gewaagd. 'En Gus? Hij is een redelijk mens. Kun je niet met hem praten?'

'Hij heeft problemen met zijn werk. Trouwens, ik zou hem nooit over de abortus vertellen voordat ik het mam heb verteld. Ze zou zich er ont-

317

zettend druk om maken. Ik praat wel met oma, maar die is van een andere generatie. Ik zou het haar ook nooit kunnen vertellen.'

Connie wenste dat Helen erover op zou houden. 'Kreeg je er geen akelig gevoel van?' vroeg ze dapper.

'Ja. Maar het was de beste oplossing. Ik zat midden in een grote zaak.'

Connie wilde niets liever dan over iets anders praten en begon zelf zin te krijgen om een deuntje te huilen. 'We willen ons graag verantwoordelijk gedragen,' vervolgde Helen, onverbiddelijk.

'Uiteraard,' reageerde Connie nederig. Wat ontzettend, ontzettend onverantwoordelijk was zij geweest! Ze probeerde zich enigszins te vermannen, zichzelf eraan te herinneren dat ze een vrouw van middelbare leeftijd was die goede raad gaf. 'Persoonlijk zou ik je aanraden te trouwen.'

'Je klinkt net als oma. Wist je dat opa, die soldaat over wie je het net had, jarenlang een minnares heeft gehad? Mensen maken zo'n puinhoop van hun leven. Ik wil niet in een puinhoop leven.' Weer vulden Helens ogen zich met tranen.

'Ik ben bang dat het leven vaak nogal een puinhoop is, hoe je ook je best doet om het op orde te krijgen.' Connie probeerde niet al te verdrietig te klinken, want hier voelde ze zich niet verdrietig over. Dit feit des levens was haar altijd duidelijk geweest, en ze was alleen maar verbaasd dat ze de afgelopen jaren zoveel persoonlijke vrede en geluk had gevonden. Ze nam aan dat ze om die reden, nog afgezien van het feit dat ze een beschamende broer als Michael had, met de Zusterschap voor de Vrede was begonnen. Maar ze wist niet hoe ze dit aan Helen zou moeten verkopen. Die zou er zelf achter moeten zien te komen. 'Lieve Helen, je bent zo'n goeie meid. Probeer te doen wat je prettig vindt.'

'En Philip?' zei Helen verwijtend.

'Philip ook,' vond Connie.

'Nou, Philip wilde trouwen,' barstte ze opeens met een glimlach uit, 'dus zit het er dik in dat dat gaat gebeuren!'

'De hemel zij dank!' riep Connie, en ze gaf het op haar emoties te beteugelen en lachte uit volle borst.

Pas naderhand vroeg Connie zich af of ze er verkeerd aan had gedaan Helen geen morele principes mee te geven waaraan ze zich vast kon houden. Als katholiek geloofde zij tenslotte in zulke dingen. Ze mocht niet vergeten vader O'Donald te bellen voor een van hun periodieke gesprekken, zodat ze de hele kwestie met hem kon bespreken.

1988

'Hoe weet ik nou of je van me houdt als we niet met elkaar vrijen?'

Gus maakte ondanks de diepe duisternis zijn ongenoegen kenbaar. Nina voelde zich ook ongelukkig – maar niet zo héél ongelukkig. 'Kunnen we niet gewoon liefde voor elkaar voelen zonder daadwerkelijk te vrijen?' Ze lagen op een koele zomeravond op bed.

'Volgens mij niet.'

Nina draaide zich op haar zij, van hem weg. Hoe kwaad was ze op hem? Wilde ze hun huwelijk in de waagschaal stellen? 'Lieverd?'

Hij draaide zich meteen om, vol verwachting. Kon vrijen zo belangrijk zijn?

'Lieve Gus.' Ze streelde zijn wang. Ze hield van hem. Waarom zouden ze niet vrijen?

De volgende ochtend stond Nina vroeg op. Haar voeten voelden heel zwaar aan. Haar hele lichaam voelde zwaar aan, maar vooral haar voeten. Ze deed alle dingen die ze anders ook deed: naar de wc gaan, haar tanden poetsen, ontbijten. Vervolgens reed ze naar Schilders van het Zuiden. Gus was in de buurt en verrichtte hetzelfde soort handelingen, maar ze merkte hem niet echt op. Ze gaven elkaar een korte kus. Natuurlijk.

Nina en William hadden met elkaar afgesproken om te praten over de financiële regelingen voor Helens bruiloft. Nina was verrast toen ze merkte dat het gesprek gekleurd werd door rancune. Ze was zo blij geweest dat Helen haar besluit had genomen, kennelijk daartoe gestimuleerd door haar bezoek aan Connie. Nina lunchte met William in zijn club in Londen en ze herinnerde zich dat hij lang geleden, aan dezelfde tafel, had gehuild. Nu was hij verre van in tranen.

'Sinds we uit elkaar zijn gegaan heb jij Lymhurst mogen gebruiken,' zei hij streng. Hij was nog steeds knap, hoewel zwaar en log. 'Dat staat gelijk aan een enorme som geld. Als ik het verkocht, zou ik er heel wat voor kunnen krijgen. Met vijf kinderen te onderhouden zou dat lang niet slecht uitkomen.'

Nina bedacht dat zij wel eens degene zou kunnen zijn die zou moeten huilen. Ze deed haar best om niet te gaan jammeren. 'Ik weet dat het huis veel te groot voor ons is, maar Gus betaalt nu het onderhoud. Hij dacht er zelfs over het van je te kopen.'

'Nee.'

'Wat nee?'

'Het huis is niet te koop. Het is voor Jamie.'

Nina voelde zich slapjes. Had hij daarnet niet zelf geopperd het huis te verkopen? Trouwens, waarom zou Gus Jamie Lymhurst niet nalaten? Vervolgens herinnerde ze zich dat Williams drie stiefzonen en Helen hun eigen geld verdienden. 'Dus je betaalt mee aan de catering?' Ze probeerde krachtdadig te klinken. De bruiloft was tenslotte de reden dat ze hier zaten te lunchen.

'Ik neem aan van wel.'

'En dan verzorgen wij de tent en de bloemen en het vervoer.'

'Ja.' William leunde achterover in zijn stoel. Nina vroeg zich af of ze nu kon weggaan, maar William leek nog iets op zijn lever te hebben. Hij leek nu te verzachten, nu hij was gekalmeerd nadat hij lucht had gegeven aan zijn onvrede.

'Ik ben bijna aan het eind van mijn tweede detachering in Noord-Ierland. Binnenkort ga ik met pensioen. Zeg eens, zie je je vriendin Constance O'Malley nog vaak?'

'Van tijd tot tijd,' zei Nina, op haar hoede, 'hoewel ze natuurlijk in Ierland woont.'

'Aha.' William keek enigszins verward. Het was de blik uit zijn jeugd, waardoor Nina altijd schuldbewuste warmte voor hem ging voelen. 'Ik heb bewondering voor wat ze van de grond probeert te krijgen, weet je. Het leidt nergens toe, maar dat is nog geen reden om het niet te proberen.'

'Connie weet altijd precies wat ze wil.' Opeens moest Nina denken aan het bezoek dat Connie hun had gebracht in Duitsland, toen Helen en Jamie nog klein waren, en aan hoe William haar toen had bewonderd. 'Je hebt haar niet gesproken, of wel?' Het was een vraag waaruit argwaan sprak.

'Nee. Nee.' Kennelijk had hij nog iets anders te zeggen. 'Felicity en ik zijn veel van Ierland gaan houden.'

'Het is een prachtig land.'

'Ik ben aan het vissen gegaan en Felicity houdt zich bezig met een ziekenhuisproject. We hebben zelfs een huis gekocht in County Down. Voor als ik met pensioen ben.' Hij zweeg, wachtend op een reactie.

'In het noorden, bedoel je? Is dat wel veilig?' Nina was verrast, onder de indruk.

'We zijn ver uit de buurt van de problemen. Op het platteland. Het is er heel vredig. We hebben een heleboel vrienden gemaakt. Katholieken en protestanten. Ik wilde gewoon dat je het wist.'

Nina begreep dat hij op haar goedkeuring uit was en gaf die maar al te graag. Hoe vreemd kwam hij haar nu voor, zoveel sympathieker dan ze zou hebben verwacht zonder al die vroegere strijdlustigheid. Toen ze afscheid namen, pakte hij haar hand. Geëmotioneerd zei hij: 'Zouden Gus en jij het erg vinden als ik Helens hele bruiloft betaal? Ik heb maar één dochter, weet je.' Hij slikte, fronsend. 'En als je zoveel van Lymhurst houdt, mag je het van me hebben. Eigenlijk was het altijd al van jou.'

De telefoon was gegaan terwijl Fay naar een nieuwe reeks röntgenfoto's staarde die aan de muur waren gehangen. Ze kon zich niet herinneren of ze altijd al een hekel had gehad aan dit gezoek om een tumor in de hersenen van een kind op te sporen.

'Zeg het nog eens, Nina...'

De schedel was even mooi als een zeeschelp. Ze liep ernaartoe om een tweede hoekje te bekijken en merkte op dat haar hand de hoorn van de telefoon te stijf vasthield en klam was geworden. Ze keerde de beelden de rug toe en keek naar haar bureau.

'Ja, ik heb de uitnodiging ontvangen. Het klinkt als een fantastische bruiloft. Ik ben heel blij voor Helen. Maar de laatste tijd, nu de jongens zoveel steun nodig hebben en Ted de hele tijd thuis is...'

Zonder dat ze het van plan was geweest had ze zich omgedraaid en zag vanuit haar ooghoek de donkere schaduw. Verschrikkelijk. Heel verschrikkelijk.

'Natuurlijk kom ik. Ik aarzelde maar even, in verband met de stress.'

De jongens waren jong en mager, en de kleinste was misschien nog maar acht of tien. Ze droegen anoraks en hadden de wilde blik in de ogen van kinderen die het chronisch zonder toezicht moeten stellen. Connie, Orlando en Leonardo, die Londen doorkruisten op weg naar Helens bruiloft, merkten hen allemaal om verschillende redenen op. Connie dacht meteen aan haar stadskinderen in Lir en hoopte dat niemand van hen tijdens haar afwezigheid in het meer zou verdrinken — een van haar middernachtelijke angsten. Leonardo keek naar hen met de nieuwsgierigheid van een dertienjarige die in het buitenland is en Orlando begreep waar ze mee bezig waren.

'Die jongens helpen die boom om zeep!' Zijn stem werd verstikt door woede. Voordat Connie hem kon tegenhouden of over de gevaren van de criminaliteit in de binnenstad kon beginnen, was hij al de weg over geschoten en richtte hij zich tot de langste jongen, die een baksteen vast-hield. Connie, die bezorgd toekeek, zag dat de jongen zelfs terwijl hij luisterde ermee door bleef gaan krachtig stukken van de boombast af te slaan. Het was haar duidelijk dat hij het uitermate bevredigend vond zoveel aandacht te krijgen van een vreemde man, en waarschijnlijk was dat de reden dat hij om te beginnen op de weerloze jonge boom was aangevallen. Uiteindelijk legde hij de baksteen weg, of liever gezegd, hij liet hem op een stapel vallen, waar hij in stukken uiteenbrak.

Orlando kwam terug. Tevreden over zijn interventie glimlachte hij Connie en Leonardo toe. 'Ik heb hun uitgelegd dat de boom doodgaat als ze zo op de bast bleven inhakken tot ze een cirkel om de stam hadden gemaakt. Ik heb hun verteld dat ze dan de dood van een boom op hun geweten zouden hebben. Daar leken ze wel gevoelig voor.' Orlando keek bescheiden. 'Je hebt gezien dat hij de baksteen heeft laten vallen.'

'O, liever.' Helaas kon Connie zien dat de jongen, die de voorzorgs-maatregel had genomen zijn capuchon over zijn hoofd te trekken, met her-nieuwde kracht zijn gehak op de boom had hervat.

'Wat bedoel je?' Orlando draaide zich om en sprong zonder zich te bedenken nogmaals de straat over. Alle vijf de jongens zagen hem aanko-men. De boommoordenaar stond met de baksteen geheven om hem weg te kunnen gooien, terwijl twee anderen er stukken van opraapten.

'Nee, Orlando!' riep Connie uit.

'Nee, Orlando!' deed de kleinste jongen haar na. Maar het was al te laat. Terwijl Orlando een arm vastgraaide, kwam de baksteen neer op zijn hoofd, gevolgd door andere goedgerichte projectielen, waarvan er één een snee in zijn gezicht veroorzaakte en andere afketsten tegen zijn rug. Leonardo, die achter zijn vader aan de straat was overgestoken, probeerde een van de jongens te pakken te krijgen, maar ze gingen er allemaal in volle vaart vandoor. Twee voorbijgangers, een jonge man in hemdsmouwen en een oudere man in een pak, geschokte getuigen, gingen achter hen aan. De jongens hadden een grote voorsprong, en schoten en sprongen weg.

Connie knielde bij Orlando neer. Hij zat met zijn armen om zijn hoofd op de grond en toen ze bij hem kwam sloot hij zijn ogen en viel om.

'Ik had hem moeten helpen,' zei Leonardo bijna in tranen.

'Hij is niet dood.' Connies stem klonk kordaat, hoewel ze het gevoel had of al het bloed uit haar lichaam wegtrok. 'Help me hem vast te houden, lie-verd. Alsjeblieft, God, hij heeft alleen maar een hersenschudding.'

Er bleven wat mensen staan, onder wie een politieman. Connie, die Orlando op haar schoot hield, fluisterde in zijn oor: 'Je kunt niet onder mijn ogen doodgaan. Geen sprake van. Begrepen?'

Helen nam het telefoontje aan, ook al was het de ochtend van haar brui-loft. Nina sloeg haar gade zoals ze daar stond, schraal en gracieus in haar spijkerbroek en T-shirt, en zag dat ze er moeite mee had een schokkend bericht te verwerken. Het was een heroïsche pose en Nina voelde een lang-vergeten drang om haar te beschermen.

'Wat is er aan de hand, lieverd?'

Helen draaide zich om en gaf haar onmiddellijk de hoorn aan. 'Het is Connie. Praat jij maar met haar.' Ze liep naar de geboende houten trap en ging daar met haar hoofd in haar handen zitten. Het was een donkere och-tend en de zon kwam maar af en toe vanachter de wolken tevoorschijn. Aan de andere kant van de open deur weerkaatste een grote witte feesttent een kunstmatige lichte gloed.

Nina legde de telefoon neer en kwam naast Helen zitten. 'Het komt wel in orde met hem, Helen. Het is maar een klap op zijn hoofd. Er is net uit voorzorg een röntgenfoto gemaakt. Het ziekenhuis laat hem vast snel gaan. Ze zullen nog niet eens te laat komen.'

'O, het is allemaal zo onmogelijk!' riep Helen heftig uit.

'Wat bedoel je in 's hemelsnaam?' Nina's hart sloeg een akelige slag over.

'Ik heb zo mijn best gedaan om alles goed te regelen, maar ik kan niet meer. Het is allemaal te erg!'

Nina sloeg haar arm om Helen heen. Ze was blij dat ze fors genoeg was om een warm, knuffelbaar, beschermend iemand te kunnen zijn. 'Je bent alleen maar uitgeput.'

'Maar wat heeft het allemaal voor zin? Als een paar jongens bakstenen naar Orlando kunnen gooien en hem bijna dood kunnen slaan, wat heeft het dan voor zin?'

Nina dacht aan wat Connie haar had beschreven: een verschrikkelijke droefenis omdat Orlando haar zou kunnen verlaten, gevolgd door een intense woede. 'Jij zit in de misdaad,' zei ze. 'Je weet toch wel wat voor akelige dingen er in het leven kunnen gebeuren?'

'Inderdaad ja.' Helen klonk zo mogelijk nog wanhopiger. 'Ik wilde alleen maar één zorgeloze dag. En ik hou zoveel van Connie.'

'Connie is een taaie. Connie is een overlever. Ik maak me zorgen om jóú.' Nina bedacht hoe vreemd het was dat Helens zorg om Connie hen zo wist samen te brengen. 'Het is elf uur. Koffietijd. De mensen van de catering heb-ben alles onder controle. Laten we een mok gaan halen en even ontsnappen.'

Nina en Helen zochten hun toevlucht in de oude tuinschuur. Ze trokken zakken op een blok hout en gingen kameraadschappelijk dicht bij elkaar zitten in het naar aarde geurende duister. Nina merkte dat ze haar ogen telkens een paar tellen dichthield.

Helen praatte. Ze praatte over haar jeugd, wat ze zich kon herinneren van Malaya, Duitsland, Engelse kostschool, haar grootmoeder die haar veiligheid bood, haar gevoelens voor Jamie, voor haar vader, over haar vaste voornemen carrière te maken, over Philip, die vaak zo sterk op haar leek, maar toch zo anders was.

'Hoe anders?' vroeg Nina. Dankbaar dat zij in dit verhaal niet voorkwam – een moeder die had gefaald – zei ze amper iets. Maar Philips anders-zijn leek belangrijk.

'Sterker,' zei Helen, alsof ze glimlachte.

Nina haalde adem. 'Mannen zijn niet sterker, weet je. Die fout heb ik ook gemaakt.'

Helen lachte. 'Hij is niet sterker omdat hij een man is. In feite ben ik op alle traditionele mannelijke manieren sterker. Ik ben ambitieuzer, meer gecontroleerd en controlerend, ik heb meer zelfvertrouwen – nou ja, althans in de ogen van een buitenstaander. Nee, hij is sterker op meer vrouwelijke manieren; hij is beter met compromissen sluiten, met koken en met kinderen. Hij is dol op kinderen. En hij heeft nog een vrouwelijke eigenschap: hij is geaard.'

Toen Helen verder uitweidde over Philip, ervoer Nina een diep geluksgevoel. Het leek of Helen, zoals zij het zou hebben gezegd, 'op orde' was en of zelfs die kleine inzinking op de trap, die tot dit onwaarschijnlijke rendez-vous had geleid, eerder positief dan negatief was. Als ze hun koffie op hadden, zouden ze zich weer in de strijd werpen, misschien wel arm in arm. Ze moest een moment zien te vinden om Connie te zeggen dat Orlando's korte treffen met het martelaarschap zeker niet vergeefs was geweest.

Connie was blij dat mensen nog steeds verliefd op haar werden. Het bood haar troost op dat moment van doodsschrik toen ze Orlando bewusteloos in haar armen hield. Hij was haar mast, haar bolwerk, de boeg waar ze zichzelf aan vastbond. Connies beeldende fantasie werd overweldigd door emotie.

Ze zat in Helens bruiloftstent naast Willliam, die wel de laatste was van wie ze bewondering verwachtte, maar desondanks overlaadde hij haar daarmee. Onder het voorwendsel dat ze nog wat champagne ging halen wierp Connie een snelle blik op de tafel om te controleren of alles wel goed ging met Orlando. Dat was het geval. Het verband zat slordig over de plek waar de dokter zijn zilveren krullen had afgeknipt. Felicity zat naast hem.

Connie keerde terug en schonk haar aandacht weer aan William. Voor luisteren had ze nooit veel belangstelling gehad. Het leek haar, zoals zo vaak, af te leiden van wat belangrijk was. Af en toe had ze behoefte aan antwoorden op haar vragen. Toen ze op de dokter wachtte had ze Orlando gevraagd of hij tevreden was over zijn stieren. Hij had het onmiddellijk begrepen en had haar hand gepakt. 'Ik ben heel tevreden, lieve Constance O'Malley.'

'Maar beloof je me dat je het zegt als je tevredenheidsfactor te ver daalt?' had ze hem bezorgd gevraagd.

Hij had gelachen. 'Je bedoelt wanneer de tijd die ik doorbreng in het gezelschap van mijn gekke vader, je dronken broer Joe en de stieren onacceptabel veel meer is dan de tijd die ik met jou doorbreng?'

'Ja! Ja!' had ze uitgeroepen.

'Dan zeg ik het je wel,' had hij ernstig geantwoord.

William wilde zich in Ierland gaan vestigen, vertelde hij haar. In Noord-Ierland, uiteraard. Ze nam aan dat hij eraan gewend was geraakt in een stukje van Engeland te wonen dat zich op buitenlandse bodem bevond. Ze herinnerde zich haar bezoek aan Duitsland en aan hoe aantrekkelijk hij toen had geleken. En die arme Nina, die er zo slecht aan toe was. 'Is er enige hoop dat het politiek gezien in orde komt?' vroeg ze.

William keek haar ernstig aan. 'Je hebt de beelden gezien van de begrafenis van de drie IRA-mensen die in Gibraltar zijn gedood. Jij weet veel meer over de passies van de Ieren dan ik. Ik ben maar een militair. Wat de vrede aangaat: dat moet je de politici vragen. De politici of de anderen.' Hij zweeg, met een soort vraag in zijn stem.

'Wat bedoel je met "de anderen"?' Ze had echt geen idee waar hij het over had. De anderen. Al die anderen aan beide zijden die de vrede waren vergeten. Terwijl haar hart een akelige slag oversloeg, besefte Connie dat hij misschien iets wist van waar haar broer Michael zich mee inliet. Ik ben maar een militair. Ze keek naar de slingers wit-gele bloemen in de tent, naar de jonge, blije gezichten om haar heen. Ze had al te veel aan de dood gedacht voor een dag die werd geacht een dag van vreugde te zijn. Weer wierp ze een blik op Orlando. Twee dagen geleden waren bij een kleine jongen zijn benen eraf geschoten terwijl hij in zijn vaders armen lag. Geen van beiden zou het overleven.

'Waarom huil je?'

'Nergens om. Het is niets. Het ongeluk van Orlando.' Connie veegde snel haar tranen af. Ze kon zich hier niet op haar knieën laten zakken.

Philip hield een speech. Fay sloeg hem met belangstelling gade. Het was niet meegevallen om vanuit Amerika hierheen te komen terwijl ze zich de hele tijd zo uitgeput voelde. Ze werkte vier dagen per week. Ted had het ook druk, en het huis in Brooklyn betekende dat ze moest forenzen en eindeloze logistieke problemen in verband met Lex en Jim moest oplossen. Alleen het feit dat Nina haar had gesmeekt had haar hierheen gebracht, en nu straalde Nina van gezondheid en geluk, trots op haar dochter, haar gezin. De inspanning was niet nodig geweest.

Fay richtte haar aandacht weer naar Philips speech en bedacht dat de Engelse jongelui meer geestkracht leken te hebben dan ze had gedacht. 'Het spijt me zeer.' De vreemde dominee die links van haar zat had iets in haar oor gefluisterd. Zijn naamkaartje maakte haar duidelijk dat hij – ongelofelijk – ds. Dudley Ormsby-Fish heette, wat haar tevens deed denken aan Nina's brieven. Hij was haar vriend van de Schilders van het Zuiden, herinnerde Fay zich. Hij beschouwde zichzelf als een *lookalike* van Errol Flynn, te oordelen aan de snor, en ook als een grapjas, want hij haalde een niet-grappige grap van Chesterton over te lange preken van stal. 'Ik vind dat Philip het geweldig doet,' zei Fay resoluut.

Rechts van haar zat Jamie. Fay mocht hem. Hij was rechtdoorzee, verstandig, vastbesloten. Het was jammer dat hij had besloten in de voetsporen van zijn vader te treden en het leger in te gaan. Anderzijds, als er legers moesten bestaan, was het maar goed dat daar een paar prima mannen in zaten. Het was nu onmogelijk gedachten aan Daniel te vermijden, en ze deed daar ook niet echt haar best voor; ze sloeg haar ogen neer om zich haar broer voor de geest te halen zoals hij er in haar herinnering meer dan vijftien jaar geleden in Sussex had uitgezien.

Fay opende haar ogen weer en keek naar Connie, knap als altijd, die zonder dat het haar moeite kostte William zat te verleiden. Ze glimlachte bij de gedachte aan hoe Connie die kerstavond naar het bed van Daniel was gegaan. Het was raar maar waar dat het nu een van de belangrijkste redenen was om sympathie voor Connie te blijven voelen.

Ik wou dat ik me niet zoveel zorgen maakte over Lex en Jim, dacht Fay toen Ormsby-Fish haar probeerde te amuseren – waar hij niet in slaagde – met een anekdote over een tekenles naar het levende model waarbij het model, een man, in de greep was geraakt van onbeheersbare wellustige gevoelens voor de knapste student. 'Hebt u kinderen?' vroeg ze.

'Godzijdank niet.'

Toen Fay zich afwendde van zijn laatste onbezonnen opmerking, bleef haar blik op Nina rusten, met haar formidabele lengte en breedte, bungelende oorbellen en geborduurde jasje. Ook al was haar kleedstijl een tikje artistieker dan die van de andere dames van het Engelse platteland, ze wekte nog steeds de indruk van zelfvertrouwen. De waarheid, wist Fay, lag heel anders. Misschien deed ze er verkeerd aan Nina's problemen niet serieuzer te nemen.

Na het diner werd er gedanst, twee knappe jongemannen verzorgden de disco en de stroboscoop flitste over de vloer. De meeste oudere gasten trokken zich terug in het huis, waar ze aangenaam konden kouten met een glas in hun hand. Maar dominee Ormsby-Fish greep Nina om haar middel en riep joviaal: 'De geestelijke die de huwelijksvoltrekking leidt heeft eerste rechten op de moeder van de bruid!'

Nina lachte hem toe. 'Je hebt veel te veel champagne gedronken om te dansen.'

'Onzin. Het is maar schuifelen. Ik kan me aan jou vasthouden voor steun.'

En dat deed hij. Nina, die zich steeds euforischer voelde (vandaag was een dag waarop ze niet met schilderen bezig hoefde te zijn), herkende de toenemende hardheid die tegen haar aan drukte als de erectie van de dominee. Die kwam niet geheel onverwacht. Ze wist dat hij haar aantrekkelijk vond, en hoewel zij hem bij herhaling belachelijk vond, had ze voor zichzelf nooit ontkend dat hij ook sexy was. Maar al met al was het haar voorgekomen dat hij in de eerste plaats flirtte om wraak te nemen op zijn vrouw. Nina bewoog haar heupen een beetje om na te gaan of ze voelde wat ze dacht te voelen. Dat was het geval.

'Wijs me niet af,' smeekte de dominee. 'Je Amerikaanse vriendin heeft me er flink van langs gegeven. Dat is de reden dat ik wel champagne móést drinken.'

'Fay is een van mijn oudste vriendinnen.'

'Lacht ze wel eens om je grapjes?'

'Ik maak nooit grapjes.' Op dat moment liet dominee Ormsby-Fish een van zijn handen omlaaggaan, tot die haar borst aanraakte. Erger nog was dat ze, voelde ze, opeens sterk reageerde op een manier waarop ze in tijden niet had gereageerd.

'Nee,' mompelde ze.

'Goed dan, wat dacht je van een wandelingetje in de tuin?' Opeens klonk hij veel minder aangeschoten.

Waarom ging ze met hem mee? Het kon niet zijn vanwege de oude kinderlijke reden dat ze een man niet teleur wilde stellen. Misschien kwam het domweg doordat ze een en al wellust voelde en was haar gevoel van loyaliteit jegens Gus — op dit moment van euforie die niets met hem te maken had — niet sterk genoeg. Trouwens, het donker van de tuin zou haar lichaam, dat ze nu als dik en lelijk beschouwde, als een mantel omhullen.

Niemand merkte het toen ze onder een tentflap door glipten en op weg gingen naar het diepere duister van de bomen. De avondlucht was verrassend warm, met een laaghangende bewolking die de sterren omgordde, en de dominee had zijn kleren al half uitgetrokken en sprong als een sater rond achter de appelboom. Maar zelfs dit leidde Nina niet af. Ze wilde genomen worden door een man, zijn pik binnen in haar voelen, en al het andere vergeten. Bij Gus had ze dat gevoel niet meer.

Ze gingen op het jasje van de dominee liggen, het zachte gras onder hen, en hij slaakte kreten vanwege haar magische witte glanzende weelderigheid. Het duurde niet lang; ze waren allebei te gretig. Maar naderhand moest Nina lachen en de dominee zei, op een manier die niets voor een geestelijke was: 'Ik heb nog nooit zo lekker geneukt.' En Nina was hier tevreden mee, want met haar kón je lekker neuken; op dat front had nog nooit iemand geklaagd. 'Ja,' zei ze, nog steeds met een glimlach. 'Het was erg fijn.'

Spijtig stonden ze op, kleedden zich zorgvuldig aan en bekeken elkaar of het er zo mee doorkon. Ze waren krap een kwartier uit de tent weg geweest.

De enige die iets van hun spel *sur l'herbe* had gemerkt was Connie, die Orlando, die hoofdpijn had, naar bed had gebracht en een frisse neus wilde halen.

Toen ze terugkeerde naar het huis, vroeg ze zich af in welke mate ze dit afkeurde, als de goede katholiek die ze nu was, en ze besloot dat bepaalde onderdelen van de moraal haar van nature niet waren toebedeeld. Ze voelde helemaal niets wat leek op veroordeling, maar alleen een warme sympathie dat Nina een beetje luchtig geluk had kunnen vinden. Toen ze er, terwijl ze met Gus en de anderen in de zitkamer zat, dieper over nadacht, nam ze aan dat er meer grond was voor deze kijk op de zaak omdat ze kwaad was op Gus.

'Hallo, lieve Gus,' zei Connie, en ze spreidde haar armen. 'We hebben nog helemaal niet met elkaar gepraat. Laten we deze bank annexeren die net is vrijgekomen, dan kun je me alle roddels vertellen die onder advocaten in Sussex de ronde doen. Ik hoop dat je me kunt vertellen wie het met wie doet?'

Orlando herinnerde Connie er van tijd tot tijd aan dat het een van haar zwakke punten was dat ze niet in staat was een geheim te bewaren. Connie wist zichzelf ervan te weerhouden Gus van de ontrouw van zijn vrouw op de hoogte te brengen, maar móést er iemand over vertellen. Omdat ze medelijden had met Orlando, die onrustig lag te slapen, liep ze met Fay naar een hoekje van de zitkamer. Niet in staat weerstand te bieden aan de uitdaging fluisterde ze: 'Dank God voor die vrolijke dominee. Ik heb gezien dat Nina en hij lagen te wippen onder de appelboom.'

'Je maakt een grapje. Hij is een ontzettende griezel!'

Connie lachte. 'Hij is Nina's steun en toeverlaat.'

'Hij maakt grapjes die helemaal niet leuk zijn. Tijdens het eten moest ik naast hem zitten.'

'Dat had een eer moeten zijn.'

'De duivel moge jullie allemaal halen! Ik geef het op, ik ga naar bed.'

Connie zag haar enigszins schuldbewust gaan. Ze had het haar niet moeten vertellen. Uit verzet tegen zulke preutsigheid hupste ze naar de verraste William en vroeg hem mee te gaan naar de dansvloer.

Toen ze daar aankwamen, zag Connie onmiddellijk dat Nina zedig in de armen van haar man lag. Ze begreep niet hoe ze zo snel had kunnen omschakelen, maar in haar ogen gloeide Nina nog steeds na van de goeie seks.

'Hola! Mein gastheer en gastvrouw!' groette Connie, en ze bedacht hoe moeilijk het was om geest en lichaam met elkaar te verzoenen. Dit bracht haar ertoe zichzelf in stilte weer eens geluk te wensen met het feit dat zij Orlando was tegengekomen, en weer huiverde ze toen ze dacht aan wat die wreed geworpen baksteen had kunnen aanrichten.

Later op de avond, toen ze voelde dat Orlando wakker was, zei ze tegen hem: 'Zonder jou zou ik het niet redden!' Ze omhelsde en streelde alle delen van zijn lichaam die ze maar kon vinden.

'Dan moet je me meer van je tijd geven.' De stem, hoewel omfloerst, was duidelijk.

'Maar lieverd, geloof je dan niet in waar ik mee bezig ben?'

'O, jawel. Maar je zou je meer kunnen bezighouden met de stadskinderen in de stallen en minder met de grootste ideeën van de vrede.'

De nacht was stil, zonder sterren, en heel donker. Connie was gewend aan de geluiden van een oud huis op het platteland. Ze luisterde naar de muizen achter de muren, de vogels op het dak, het geluid van de leidingen als er iemand naar de wc ging, het gekraak als er over kale vloeren werd gelopen. Ze hoorde de uil roepen en stoppen met roepen toen zijn geoehoe plaatsmaakte voor het vroege koor van vogels, tot ook die stilvielen en de zon opkwam, en de meer gewone geluiden van de dag met zich meebracht.

'En Leo is er ook nog,' merkte Connie op, alsof hun gesprek niet een paar uur onderbroken was geweest.

'Die is er ook ja,' beaamde Orlando vriendelijk. 'Hij zou ook wel willen dat je meer tijd aan hem besteedt, vermoed ik.'

'Het lijkt me leuk om naar zee te gaan,' kondigde Connie op de ochtend na de bruiloft aan. Vanuit Lymhurst gingen mensen zelden naar zee; misschien alleen om ernaar te kijken vanaf een klif, maar niet om er een bezoek aan te brengen zoals Connie graag wilde: een echt tochtje naar een badplaats. Veronica mocht achterblijven met het excuus dat ze erop moest toezien hoe de cateraars de boel opruimden en weghaalden, misschien zelfs om toe te zien op de mannen die de tent ontmantelden.

Aangezien William, Felicity en Jamie al weg waren, zou het gezelschap bestaan uit Nina, Gus, Fay, Connie, Orlando en Leonardo. Van hen was Orlando, hoewel lichtelijk verfomfaaid, degene die niets gedronken had en die het uitbundigst was.

Connie was na een lange slapeloze nacht, te veel champagne en de noodzaak om lastige vragen onder ogen te zien, terneergeslagen. Wilde Orlando nou echt dat ze het soort echtgenote zou zijn dat voor de tuin zorgde en ging zitten wachten tot hij thuiskwam van Lir Water, terwijl Leonardo op school zat? Om troost te zoeken greep ze Leonardo's hand vast − hij zat naast haar in de auto. Maar na een poosje maakte hij zich los uit haar greep. *Et tu, Brute!* Ze waren toch allebei zo trots op haar?

In de badplaats hing een sfeer van het einde van het seizoen. De helft van de winkeltjes en kiosken, waar voornamelijk zuurstokken en *fish and chips* werden verkocht, was al gesloten, en hoewel het een heldere, winderige ochtend was, had de eigenaar van het pretpark het nog niet de moeite waard gevonden om de beschilderde paarden of de slanke torpedo's te ontsluiten.

Nina liep over het kiezelstrand tussen Connie en Fay in, terwijl Gus en Orlando voor hen uit liepen te praten, zoals Nina heel goed kon verstaan, over de redenen waarom de Russen zo dol waren op Thatcher. Ver weg in zee stonden een paar jongens te vissen, terwijl een paar gezinnen thee uit thermosflessen zaten te drinken. Dichter bij het centrum van het stadje konden ze meer mensen zien, in gestreepte ligstoelen met zelfs hier en daar een parasol. Nina stelde voor de andere kant op te gaan. Leonardo liep bij hen weg en vloog strijdlustig als een gladiator op de zee af.

Ze liepen een poosje voort in wat Nina voorkwam als een niet bijster aangename stilte. Zij probeerde uiteraard na te gaan wat het belang was van wat er de avond tevoren onder de appelboom was voorgevallen. Ze kon voor zichzelf niet ontkennen dat ze er plezier aan had beleefd, maar had het ook iets *betekend?* Hoe diep ze ook nadacht, ze wist geen antwoord op die vraag. Het was gebeurd, dat was het enige wat ze ervan begreep, en heel even was ze gelukkig geweest.

'Denken jullie dat hij van me houdt?'

Nina en Fay bleven abrupt staan bij Connies wilde uitroep. De vraag was natuurlijk absurd. Iederéén hield van Connie. Misschien maakte het haar niet altijd gelukkig, maar het was een van de feiten des levens. De vorige avond had William zijn ogen amper van haar af kunnen houden, en dat gold ook voor Jamie, bedacht Nina. Als ze op Orlando doelde, naar wie haar blik leek uit te gaan, dan viste ze alleen maar naar complimentjes (Nina voelde de echo van Ormsby-Fish onaangenaam steken), want het was zonneklaar dat Orlando haar onvoorwaardelijk was toegewijd. Misschien leed Connie aan een gebrek aan echtelijke adoratie, vroeg Nina zich valselijk af. Toen ze weer naar de zwarte silhouetten van de mannen keek, die met fiere tred over de kiezels stapten, allebei ongeveer even lang en breed onder de nu donker wordende lucht, dacht ze heel even aan de mogelijkheid dat Connie op Gus doelde, dat er de vorige avond iets was gebeurd waaruit gebleken was hoezeer hij op haar gesteld was. In dit uit de zee geboren moment – de golven braken maar een halve meter vanwaar ze liepen – dacht Nina erover na of Gus verliefd geworden zou kunnen zijn op iemand anders (niet per se Connie), en ze kwam tot de ontdekking dat het haar niet echt kon schelen. Dit was zowel angstaanjagend als bevrijdend. Vervolgens probeerde ze, allemaal in dezelfde nanoseconde, te bedenken of ze van de dominee hield, en probleemloos ontdekte ze dat dat niet het geval was. Hij vrolijkte haar alleen maar op. Ze wendde zich tot Connie. 'Natuurlijk houdt Orlando van je. Hoe zou hij dat in vredesnaam niet kunnen?'

'Dank je,' zei Connie dankbaar. 'Ik was bang dat ik te veel vertrouwen stelde in de stieren.'

Niemand lachte. 'Maar ik weet niet zeker of het wel de goede vraag is,' vervolgde Nina.

'Dat is het zeker niet!' Fay verhief in haar kwaadheid plotseling haar stem. Een zeemeeuw zette haar woorden kracht bij door met een klaaglijke kreet laag over te scheren.

'Wat ik wilde zeggen,' onderbrak Nina haar, omdat het belangrijk leek, 'is dat het niet zo moeilijk is om bemind te worden, zeker niet voor iemand als jij, Connie, maar wel om zelf te beminnen. Ik geloof niet dat ik ooit van iemand heb gehouden, niet hartstochtelijk in elk geval, en ik geloof dat dat ook nooit zal gebeuren.'

'O, nee maar!' Fay bleef staan en spreidde haar handen. 'Het is een welbewezen feit dat iedereen ervoor gemaakt is om lief te hebben en liefgehad te worden.'

Nina was verrast dat Fay zo ontstemd tegen haar deed. 'Jij houdt van Ted en de tweeling...'

'Ik ben een mens met een normaal gezond verstand, Nina. Een mens met een normaal gezond verstand houdt van haar kinderen en hun vader!'

'O, hemel,' mompelde Connie. Ze nam Fays arm terwijl Nina wegliep, dichter naar het geluid van de brekende golven toe. Nina keek achterom en zag dat ze met elkaar praatten. Ze voelde zich buitengesloten en nam aan dat ze het over haar hadden. Toen ze nog een keer omkeek, had Fay zich van Connie losgemaakt en liep ze in de richting van de gele kliffen. Maar Connie kwam haar nog steeds niet achterna. In plaats daarvan voegde ze zich bij Orlando en Gus. Nina, die nu achter hen liep, zag hoe Orlando Connies arm vasthield en ze lachten en grapten allebei.

Misschien moet ik het Gus vertellen van Fish, bedacht Nina desolaat, waarna het in haar opkwam dat ze daar veel te laf voor was.

Die avond nam Nina Connie mee naar de provisieruimte, waar haar moeder rijen met potjes zelfgemaakte pruimenjam en groene tomatenchutney had neergezet. 'Ik ben de wanhoop nabij, Connie. Fay is hier nu vijf dagen. Wat moet ik met haar doen als jullie morgen weggaan? Het lijkt wel of ze voortdurend kwaad op me is. Het is zelfs Gus opgevallen, en hij mocht haar toch al niet zo.'

Connie hield een fles tegen het licht. Hij gloeide met een schitterende roodamberen kleur. Ze herinnerde zich hoe Nina vroeger door kleuren in vuur en vlam kon raken, en het werd haar droef te moede. 'Ik heb haar verteld dat je hebt liggen rollebollen onder de appelboom,' zei ze spijtig. 'En dat vond ze maar niks.'

Nina bloosde met een kleur die in de verte deed denken aan die van de jam. 'O, Connie, wat ontzettend gênant! Hoe heb je dat nou kunnen doen? Hoe wist je het trouwens?'

Connie lachte. 'Maak je maar geen zorgen. Ik ben geen voyeur. Ik kon het gewoon niet voor me houden en móést het aan Fay vertellen. Ik bied je mijn welgemeende excuses aan. Dat was niet iets wat een vriendin betaamt. Alleen is Fay ook een vriendin, neem ik aan.'

'Weet je dat het de eerste keer was?'

'Je hoeft je tegenover mij niet te verdedigen.'

'Dat doe ik ook niet. Het is een feit. En ook al kreeg ik er een prettig gevoel van, ik zal me er niet nog eens tegoed aan doen.'

'Je er tegoed aan doen?' Connie begon weer te lachen. Nina begreep dat al haar angsten om niet te worden bemind helemaal verdwenen waren. 'Je doet je tegoed aan chocola, niet aan dominees.'

'Ach, ik weet niet. In elk geval zijn dominees vermoedelijk een stuk beter voor mijn figuur. Zou Fay het me vergeven als ik eens met haar praat?'

'Dat lijkt me wel. Vraag haar naar die nieuwe radiologiemachine die ze aan het testen is, ik herinner me niet meer hoe die heet – daar praat ze graag over. Wees serieus, dat is het belangrijkste. Kom op, lieve Nina, jij staat haar veel meer na dan ik. Jij weet precies wat je moet zeggen. Jammer alleen dat ze die wellustige dominee van je toch al een stomvervelende Engelsman vond.'

'In zekere zin heeft ze daar helemaal gelijk in.' Nina zuchtte en glimlachte vervolgens bij zichzelf. 'Ik geloof niet dat Fish op wat voor manier dan ook een serieus figuur genoemd kan worden. Maar op mijn zwarte momenten maakt hij me aan het lachen. In feite krijg ik door zijn dwaasheid, zijn vreselijke grappen, het gevoel dat ik geestelijk gezond ben; ze houden me af van de verlokking van kranen...'

'Je bent toch niet weer met wassen begonnen, is het wel?'

'Ik heb het onder controle, bedankt dat je ernaar vraagt zonder dat je er een gezicht bij trekt alsof de wereld vergaat. Dus jij vindt niet dat ik een idioot en een monster ben?'

'Idioot wel, maar nee, geen monster. Wat mij betreft kun je de appelboom vannacht gebruiken. Ik wijt het aan Gus.' Toen Nina daartegen in wilde gaan, vervolgde ze snel: 'Ik weet dat je niet van wassen houdt, maar laten we een handje gaan helpen in de keuken.'

Fay, die de vaatwasser stond vol te laden, wierp een uiterst goedkeurende blik op Veronica. Dit was nu eens een vrouw die meer dan twintig jaar weduwe was geweest, die geheel op eigen benen kon staan, die schrander was, charmant, die niet nadrukkelijk aandacht voor zichzelf vroeg, een uitstekende moeder en grootmoeder. Het was heel oneerlijk dat ze van Nina was, evenals al het andere. Op dit moment had Veronica het erover waarom het goed was aan de Falkland-oorlog mee te doen. Hoewel Fay daar destijds tegen was geweest, kwam ze nu bijna in de verleiding om zich te laten overhalen, zodat ze allebei aan dezelfde kant konden staan. 'Maar wat als Jamie toen oud genoeg zou zijn geweest om daar te gaan vechten?'

'Hij wás niet oud genoeg, maar hij heeft er wel voor gekozen het leger in te gaan.' Ze zweeg even en raakte Fays schouder aan. 'Ik ben heel blij dat je nog steeds met Nina bevriend bent. Nina heeft het leven nooit makkelijk gevonden, en nu heeft ze zich helemaal op die vreselijke Schilders van het

Zuiden gestort. Ik durf er niets van te zeggen, maar misschien kun jij eens met haar praten?'

Fay sloot zorgvuldig de klep van de vaatwasser. 'Je kunt een vrouw van achtenveertig niet vertellen wat ze met haar leven moet doen.' Ze voelde dat haar gezicht strak werd.

'Natuurlijk was ze helemaal niet gelukkig met William, maar ik geloof niet dat ze met Gus beter af is. Wat denk jij?'

Fay werd een antwoord bespaard doordat Connie en Nina weer binnenkwamen. Er gloeide een vonkje jaloezie op. Moesten ze er nou echt zo samenzweerderig uitzien? Opeens – om welke reden dan ook – misschien waren het Veronica's woorden, of misschien kwam het door Nina's overduidelijke zenuwachtigheid – werd het plaatje omgedraaid, en voor het eerst sinds ze in Sussex was gearriveerd voelde ze zelfvertrouwen en wist ze Nina op de juiste wijze te beoordelen. Deze forse, getalenteerde, ongelukkige vrouw is mijn vriendin, bedacht ze, en toen ze Nina's blik ving verraste ze haar met een brede glimlach.

'Schaken?' reageerde Nina onmiddellijk – wat heel aardig van haar was, want Fay won altijd van haar.

'Of zullen we in plaats daarvan een wandelingetje maken door de tuin?'

Het was donker, maar nog steeds warm. Het gras was geplet en keek hen verwijtend aan omdat het de ondergrond had gevormd voor de tent. Nina wendde haar blik af van de appelboom en leidde Fay naar een bankje aan de andere kant van het huis.

'Lieve Nina,' begon Fay, 'ik moet me verontschuldigen dat ik zo mopperig tegen je heb gedaan. Wijt het maar aan het feit dat ik te hard gewerkt heb, een moeder op leeftijd ben en een man heb wiens beroep hem het huis uit drijft net op het moment dat hij zich nuttig zou kunnen maken. Het was een schitterende bruiloft. Helen was een prachtige bruid, Philip ziet eruit als een overwinnaar, en Jamie is de knapste jongen die ik in tien jaar heb gezien, ook al lijkt hij dan sterk op zijn vader. Ik geloof dat ik altijd jaloers op je ben geweest.'

'O, Fay!' Nina begon te huilen – dikke, moeizame tranen, die haar hele romp deden schokken en verkrampen.

'Hé, heb ik iets verkeerds gezegd?' Fay kon niets beters bedenken dan door blijven praten. 'Dat was een speech om je blij te maken, niet om je te laten verdrinken in narigheid. Ik heb nog niet eens iets gezegd over die verschrikkelijke dominee van je. Dán moet je pas gaan huilen.'

'Neem me niet kwalijk.' Nina snufte en bereidde zich op het ergste voor. 'Ik ben op het moment alleen een beetje emotioneel, en ik ben dolblij dat je me niet haat.'

'Waarom zou ik je ooit haten?'

'Omdat ik een armzalig menselijk wezen ben, daarom.' Nina vond een zakdoek, begon haar gezicht af te vegen en snoot haar neus. 'Ik weet wat je werkelijk denkt, en je hebt helemaal gelijk. Ik denk het zelf ook.'

'Wat wil je er dan aan doen?'

'Je weet wat ik eraan wil doen. De Schilders van het Zuiden eraan geven en me een jaar lang in mijn atelier opsluiten.' Nina rechtte haar rug en keerde zich naar Fay toe. 'O, Fay. Waarom ben ik in vredesnaam ooit met Gus getrouwd? Sloeg hij me maar of zoiets. Was het hier maar niet zo aangenaam, begreep hij maar iets van mijn schilderen. Hield ik maar niet zoveel van hem!' Ze viel stil en begon haar zakdoek glad te strijken. Ze zaten zo dicht bij het huis dat het licht van de ramen op de bovenverdieping hen bescheen en een schaduw wierp van hun dubbele silhouet.

'Van hem houden? Dat meen je niet.'

'Jawel! Jawel. Ik zou het niet kunnen verdragen als hij niet meer van mij zou houden.' Nina hield de zakdoek op, rood met witte stippen.

'Sorry, dat verstond ik niet goed.'

Een paar dagen na Helens bruiloft kwam Lisa naar Nina's kantoor om een kop koffie met een koekje met haar te gebruiken. Dat had ze in de loop der jaren vaak gedaan, en dan had ze haar raad gegeven, gebaseerd op haar eigen ervaringen als voorzitster, maar pas de laatste tijd was Nina gaan beseffen dat deze bezoekjes haar een uiterst ongemakkelijk gevoel gaven.

'Je bent een heel efficiënt bestuurder geworden,' zei Lisa nu, 'maar sommige leden klagen wel dat je er niet altijd voor hen bent...'

De laatste tijd was Nina gaan denken dat er iets vreemds aan de hand was met haar niet-aflatende gehoorzaamheid aan Lisa terwijl die niet langer echte hulp kon bieden, en dat die op de een of andere manier de nieuwe initiatieven die ze nam ondermijnde. Connie was degene die haar op het juiste spoor had gezet toen ze er een terloopse opmerking over had gemaakt dat Lisa haar plan om een nieuwe afdeling in Totnes op te zetten had afgewezen. 'Lisa!' had ze uitgeroepen. 'Is dat niet die minnares van je vader?' Nina was vergeten dat ze haar dit stukje informatie ooit had toevertrouwd. 'Van zo'n slet neem je toch niet van die onzin aan?!' Connie had gelachen, alsof ze een grapje maakte. Maar toen Nina later over haar opmerking had nagedacht, besefte ze dat ze, op de gebruikelijk tegenstrijdige manier waarop ze haar leven leidde, Lisa's bemoeienis tolereerde, zelfs boog voor haar meningen wanneer ze het er helemaal niet mee eens was, omdat ze niet de indruk wilde wekken dat ze haar iets verweet. Ze had zich emotioneel betrokken gevoeld bij haar liefde voor haar vader. Maar die

Lisa was al lang geleden verdwenen en in haar plaats was deze bazige vrouw op leeftijd gekomen, die meer jaren geleden dan ze Nina's vader had gekend met een andere man was getrouwd. Waarom maakte ze zich niet van haar los?

'Het spijt me echt, Lisa, maar ik vrees dat ik je het kantoor uit ga zetten. Ik heb een heleboel werk te doen.'

Lisa staarde haar aan. Op haar gezicht stonden geschoktheid, ergernis en berusting te lezen. 'Dan ga ik maar.'

Was het zo makkelijk? Lisa ging het kantoor uit en deed de deur achter zich dicht. Nina bezag haar bureau met andere ogen, enigszins angstig (het was nu helemaal van haar – wat een lafaard was ze!) en met hernieuwde energie. De telefoon ging. Het was dominee Dudley Ormsby-Fish.

'Ik vier een kleine overwinning,' jubelde Nina. 'Ik heb zojuist Lisa de deur uit gezet.'

'Dat werd tijd. Zullen we samen lunchen?'

'O, nee,' zei Nina, met evenveel gemak als ze Lisa had weggebonjourd. 'Je weet dat we dat niet kunnen doen. Niet na wat er op Helens bruiloft is voorgevallen. In feite kunnen we nog amper met elkaar praten.'

'Ik dacht juist dat we meer zouden gaan praten.' Hij klonk beledigd en helemaal niet verontschuldigend, laat staan schuldbewust.

'Ik zou het aan de champagne willen wijten.' Nina voelde zich steeds meer een soort schooljuffrouw en het deed haar niets. 'In 's hemelsnaam, Fish, je bent een geestelijke!'

'Als je zo gaat beginnen...'

'Ja, zo ga ik beginnen.' Nina legde de hoorn op de haak.

Nina zat met Gus in de tuin. Het was een warme middag, ongeveer een week na de bruiloft, en ze had ervoor gezorgd dat de appelboom niet in zicht was. Gus sliep half. Op de zaak ging het niet zo goed en als hij in een makkelijke stoel zat viel hij de laatste tijd geregeld in slaap. Nina de organisator, degene die Schilders van het Zuiden bestuurde, ergerde zich eraan, maar haar droevige zelf voelde met hem mee en zou misschien wel hetzelfde hebben gedaan.

'Gus...' Ze moest het tweemaal zeggen voor hij wakker werd, zijn blik op de krant gericht alsof hij zijn lectuur helemaal niet had onderbroken.

'Wat mogen we van geluk spreken dat we niet in Bangladesh geboren zijn.' Hij las hardop een bericht voor over verwoestende overstromingen, alsof hij zijn kennis van de wereld wilden opfrissen.

'Gus, zullen we praten?'

Er viel een vrij lange stilte. Gus vouwde zijn krant op en legde de vellen na even te hebben nagedacht op de stoel en ging erop zitten. 'Dat zijn volgens mij wel de meest angstaanjagende woorden in elk huwelijk,' zei hij. 'Zullen we praten? Zullen we lucht geven aan geheimen? Zullen we nagaan hoe sterk we zijn? Hoor eens, Nina, ik weet wat je me te vertellen hebt. Ik doe heel erg mijn best om mijn respect voor je niet te verliezen. Ik probeer in het beste geval je niet belachelijk te vinden, en in het ergste geval niet verachtelijk. Ik doe er alles aan het niet serieus te nemen.'

Nina zonk de moed in de schoenen, en tegelijkertijd daalde haar energiepeil. Ze kon hem niet eens vragen hoe hij ervan op de hoogte was gekomen. Ze wilde zeggen: 'Maar het is wél serieus. Fish is misschien niet serieus, maar de redenen waarom ik met hem onder de appelboom ben gaan liggen zijn dat wel. Dáár moeten we over praten.' Maar ze begreep wel dat hij niet van plan was haar meer te gunnen dan schuldgevoel. Vergeving was het enige waar ze om kon vragen, het enige waarover hij bereid was te praten.

'En dat op zo'n blije dag!'

'Het spijt me. Het spijt me zeer.' Wanhopig kwam Nina naar hem toe en hurkte neer naast zijn knieën. 'Het had niets te betekenen.' Ze had moeten zeggen: 'Híj had niets te betekenen, maar het betekende – betekent – een heleboel.' Maar ze leek niet in staat om een andere rol te spelen dan die van abjecte boetvaardige.

'Die man is niet goed wijs!' Gus werd kwader.

'Dat zei Fay ook al.' Nina haatte haar kleine, verdrietige stemmetje. Ze herinnerde zich wat Fay verder nog had gezegd: dat ze haar niet graag aan Gus' knieën zou zien rondkrabbelen.

'Wil je zeggen dat Fay ervan wist?'

'Ik dacht dat zij het jou had verteld.'

'Ik geloof dat iedereen ervan wist behalve ik.'

Nina keek naar Gus' rode, woedende gezicht en kreeg een sterk gevoel van onwerkelijkheid. Hij besefte toch wel dat dit alles volstrekt onbelangrijk was? Dat het enige wat er voor haar toe deed – haar schilderen – haar was afgenomen, dat hij het *voor haar eigen bestwil* zo had geregeld? Had hij dat gezegd of dacht ze dat alleen maar? Ze zouden erover moeten praten of het nog steeds de moeite waard was om bij elkaar te blijven. Of ze nog steeds van elkaar hielden. Maar ze was te bang, en ze hield van hem. 'Ik hou van je, Gus.' Waarom kon ze hem niet zeggen dat ze hem óók haatte? Dat was bijna even waar. Hoe konden zulke gecompliceerde gevoelens naast elkaar bestaan? En daar was hij, nog steeds met de stoom uit zijn oren vanwege die arme Fish. 'Maar je wist het wél.'

'Wat bedoel je daarmee?'

'Jij zei dat iedereen ervan wist behalve ik – ik bedoel jij.'

'Ik wist het níét. Ik had alleen maar een vreemd gevoel. Toen vroeg ik er Connie naar.'

'Je hebt er Connie naar gevraagd?'

'Onderweg naar het vliegveld. Ze zat naast me voor in de auto. Orlando en Leo zaten achterin te praten.'

'Dat heeft ze me helemaal niet gezegd!'

'Je hebt haar ook niet meer gezien. Ze was heel fel. Ze zei dat ik jou niet verdiende en dat het geen wonder was dat je je oog had laten vallen op zo'n vreselijke vent als Fish – al is hij dan nog zo grappig. Dat zei ze: grappig!' Gus leek hier evenveel aanstoot aan te nemen als aan de rest. 'Ze zei dat ze er spijt van had dat ze ons met elkaar in contact had gebracht en dat ik stomvervelend was, en erger nog: een potentaat.' Gus zweeg even. 'Als iemand anders dan Connie het had gezegd, zou ik er flink door van slag zijn geweest.'

Nina, die gedurende het eerste gedeelte van deze beschrijving had gemeend dat het moment van de waarheid dan toch nog was aangebroken, zag het weer voorbijgaan. Het leek wel of Gus Connie niet serieus nam. Misschien kon hij geen enkele vrouw serieus nemen.

Gus legde zijn hand op Nina's hoofd. Ze voelde zich als een enorme labrador. Ze had altijd van zijn aanrakingen gehouden. Nog niet zo lang geleden hadden hun lichamen met groot zelfvertrouwen en genoegen de liefde bedreven. Wanneer was daar een eind aan gekomen? Op de avond van de bruiloft, toen ze Fish zo graag had gewild; het had aangevoeld als jaren, maar nu, moest ze toegeven, leken het eerder maanden. Hun lichamen waren nog lang nadat hun geest zich van elkaar had losgemaakt doorgegaan.

'Misschien ga ik vervroegd met pensioen.'

'Hè?' Nina stond op, ging weer naar haar eigen stoel en keek hem met een geschokte uitdrukking aan.

'De zaak heeft behoefte aan een jongere man om de boel draaiende te houden. Ik ben bijna zestig. Ik verkoop het kantoor aan Gerald. Hij is een slimme vent.' Hij kon haar niet direct aankijken.

'Maar wat moet je dan de hele dag doen?' Het vooruitzicht stond Nina helemaal niet aan. Was hij, en niet zij, degene die een moeilijke tijd doormaakte? Was hij, en niet zij, degene die de hele dag thuis zou blijven in dit huis en deze tuin? Misschien zou hij haar oude atelier wel overnemen en gaan schilderen. Misschien zou hij wel in een vrouw veranderen! Ze realiseerde zich dat ze hysterisch deed. William, bedacht ze verdwaasd, was tenminste nooit gestopt met werken.

338

Gus stond op en kwam naar haar toe. 'Het is fantastisch dat je zo van je werk bent gaan houden!' Nina maakte een geluid dat half een kreet, half een lach was. 'Ik weet dat het niet niks is. En het zal zeker niet binnen een jaar gebeuren. Misschien langer. Maar ik wilde dat jij de eerste was die ervan wist.' Hij sloeg zijn armen om haar schouders. 'Ik wil er voor je zijn, Nina. Ik hou veel meer van je dan toen we elkaar net leerden kennen. Als ik de laatste tijd te druk ben geweest met andere dingen, je niet genoeg aandacht heb gegeven, vergeef me dan alsjeblieft.'

'Heb jij mij vergeven?' Nina was verbijsterd. Het scenario was zo grondig omgeslagen naar zijn gezichtspunt dat ze zich het hare amper nog kon herinneren.

'Natuurlijk vergeef ik je. Ik wil dat we opnieuw beginnen.' Vervolgens kuste hij haar en trok haar overeind, zodat ze elkaar konden vasthouden. Nina merkte dat haar hart bonsde met zo'n mengeling van opluchting en wanhoop dat ze niets anders wist te bedenken dan hem terug te kussen.

1990

Fays moeder was een paar maanden nadat de tweeling was geboren overleden. Er was geen tijd om te rouwen, hoewel het erg was dat ze geen grootmoeder zouden hebben. Op de dag voor haar dood had ze gezegd: 'Jij was altijd twee keer zo knap als de dochter van een ander, dokter Fay, en nu heb je dat maar weer eens bewezen.' Het was bijna een geestige opmerking. Dus uiteindelijk had ze haar toch nog een plezier weten te doen. Maar naarmate de jaren verstreken en de baby's opgroeiden tot kleine jongens, begon Fay te lijden aan een pijnlijk gevoel van falen.

Ze was er niet alleen niet in geslaagd van haar moeder te houden – wat ze zichzelf volgens haar therapeut moest vergeven, want liefde liet zich niet altijd commanderen – maar ze had ook niet met haar kunnen praten. *Ze had haar verhaal nooit te horen gekregen.* Ze had er nooit om gevraagd. Dit falen ging geleidelijk de kant van een obsessie op, een gevoel dat ze door haar moeder niet te kennen iets voor zichzelf en voor haar zoontjes verloren had laten gaan. Ze vermoedde dat haar grootmoeder aan de wortel van deze gevoelens stond, de oude dame die Auschwitz had overleefd en er nooit over praatte. Ze dacht vaak terug aan dat moment in de keuken toen ze de getatoeëerde cijfers op haar grootmoeders arm had gezien, zodat het amper meer werkelijkheidsgehalte kreeg dan een droom of een kinderlijke uitvinding.

Toen kondigde Ted op een avond aan: 'Vandaag heeft zich ene David Blass aan me voorgesteld. Hij speelt bij sessies – viool. Hij beweert dat hij een neef van je is. Waarom spreken jullie niet eens iets af? Hij woont nog steeds het grootste deel van de tijd in Chicago.'

'Hij moet de zoon van oom Larry zijn. Ik was hem helemaal vergeten. Hij was niet op mijn moeders begrafenis.'

Fay nodigde David uit voor de lunch; hij was inderdaad de zoon van oom Larry, en hij was niet op de begrafenis van zijn tante geweest omdat hij Tsjaikovsky aan het spelen was in Europa. Aan de andere kant, legde hij vriendelijk uit, was zij nog niet zo lang geleden ook niet op oom Larry's begrafenis verschenen.

'Als familie zijn we niet zo goed in het leven,' zei David voor de grap.

'Of anders gezegd,' zei Fay, 'we zijn er niet zo goed in om als familie door het leven te gaan.'

Ze zaten te eten in een klein koosjer restaurant, want Fay herinnerde zich niets van haar neef en had zich willen indekken.

Nadat hij om haar grapje had gelachen, werd David heel ernstig. Hij was slank en donker. Hij leek sterk op haar, vermoedde Fay, en helemaal niet op Daniel, wat een opluchting was. 'Het spijt me dat ik niet op je moeders begrafenis ben geweest. Er was een tijd dat ik haar vaak zag. Ze kwam geregeld bij mijn vader toen ik nog thuis woonde. Nadat onze grootmoeder was gestorven. Ik luisterde altijd naar hun gesprekken. Ik was altijd zo nieuwsgierig dat ze nooit antwoord gaven op directe vragen. Ze zeiden altijd: "Het verleden is een en al ellende. Wat moet een jonge man als jij nou met het verleden? Zorg jij er nou maar voor dat je een goede toekomst hebt." '

'Maar je hoorde wat ze zeiden?' Fay voelde zich warm en ademloos, en ook schuldbewust, als iemand die luistervinkje speelde.

'Ze waren nog verdrietiger dan zigeuners die Paganini spelen.'

Fay wilde uitroepen: 'Maar mijn moeder was helemaal niet verdrietig! Ze was een taaie, uitbundige vrouw. En jouw vader ook – beter in grappen maken dan een Griek met een stapel borden.' Maar ze hield zich in. Dit was het moment om te luisteren.

'Onze grootmoeder had hun alles verteld. Alle verschrikkingen van wat haar, haar familie en haar vrienden was overkomen. Een jonge jongen, van wie ze zeiden dat hij *als een engel* was, werd in Auschwitz opgehangen – die kleine tragedie bleef me dagen, maanden bij. Hij had een of andere meelijwekkende daad van verzet gepleegd en ze werden allemaal gedwongen toe te kijken hoe hij danste aan het eind van een touw dat veel te lang was, omdat hij zo licht was. Merkwaardig dat ik van zo'n beeld nachtmerries kon krijgen, want er zijn veel ergere dingen gebeurd. Of even erge, even grotesk. Onze ouders leefden al die tijd met die kennis van het kwaad, omdat oma niet wilde dat ze het zouden vergeten. Ze konden haar niet tegenhouden. Hoe moet je ingaan tegen de wensen van een vrouw die haar man, haar zus, haar zwager, haar neefjes en nichtjes, haar vrienden, haar buren, allemaal weggevaagd heeft zien worden? Maar ze hebben zich één keer serieus verzet.'

'Tegen ons hebben ze er nooit over gepraat.'

'Nee. Ze wilden niet dat wij er deel van werden, dat wij de last van de schuld zouden torsen die zij met zich meetorsten. Ze wilden dat wij vrij zouden zij, als Amerikaanse kinderen.'

'Maar dat is niet waar!' Fay merkte op dat ze met stemverheffing had gesproken en dempte haar stem. 'Ze hebben ons dan misschien niet de details verteld, maar het hing wel in de lucht die we inademden. De nachtmerrie waaraan we allemaal waren ontsnapt. Het was veel erger omdat er nooit over gesproken werd!'

David keek haar enigszins mismoedig aan. 'Niets zou erger kunnen zijn dan de werkelijkheid. Tot een paar jaar geleden wist ik alleen wat iedereen wist; toen begon ik boeken over de holocaust te verzamelen. Ik kon het amper verdragen om te begrijpen waarom ik ze las. Jouw moeder leefde samen met iemand die er het bewijs van was dat ze waar waren. Hoe denk je dat het was om met een moeder te leven die een nummer op haar arm had getatoeëerd? Zelfs de dood van je broer kan haar niet hebben verrast. Ze heeft er zeker alles aan gedaan om jou aan te moedigen je eraan te ontworstelen?'

'Ik heb alle mogelijke moeite gedaan om me eraan te ontworstelen!' Weer sprak ze met stemverheffing.

'O, neem me niet kwalijk. Ik ga uit van aannames. In elk geval, ze was trots op je.'

'O, ja.' Waarom zei ze dit zo bitter? 'We hebben nooit met elkaar overweg gekund. Ik werd stapelgek van haar. Ze wilde dat ik een keurige echtgenote zou worden en kinderen zou grootbrengen die op vrijdag baden.'

'Weet je dat zeker?'

'Zo voelde het.'

'Nou, misschien werd ze wel verscheurd. Ik heb alleen begrepen dat ze trots op je was. Maakte ze bezwaren toen je met een niet-joodse man trouwde?'

'Toen was ze al oud. We zagen elkaar amper. Ze heeft lang genoeg geleefd om trots te kunnen zijn op haar kleinzoons.'

David ging achterover zitten. Hij leek het gevoel te hebben dat het onderwerp was uitgeput, en misschien was dat ook wel zo. Wat had hij haar verteld? Dat haar moeders leven getekend was door de verschrikkelijke geschiedenis van haar eigen moeder. Dat ze zich er heldhaftig van had weerhouden de last door te geven. Zou het kunnen zijn dat de moeder die zij zich herinnerde − bedillerig, inhalig, dwaas, door en door materialistisch − dezelfde vrouw was die haar dochter heroïsch had geprobeerd te beschermen? Daar was ze uiteraard in het geheel niet in geslaagd, maar misschien lag dat niet aan haar.

'Nog één ding,' zei David. 'Ik vroeg me af of ik het je moest vertellen. Misschien weet je het al. Toen jouw moeder en mijn vader uit Polen vertrokken, was ze al verliefd op mijn vaders beste vriend. Ze waren de kinderschoenen nog amper ontgroeid, maar ze voelde een volwassen liefde. Zo noemde zij het. Die vriend is in Auschwitz omgekomen. Ze praatten er vaak over, omdat onze grootmoeder hem daar had ontmoet.' Hij schonk haar een ironische glimlach. 'De wereld was destijds klein voor de joden. Hij hielp haar, kreeg tyfus en werd naar de gaskamer gestuurd.'

'Ze heeft me nooit iets verteld,' zei Fay. 'Niets. Maar sommige dingen wist ik wel. Ik wist dat mijn vader niet was wat ze wilde. Ze deed alsof hij niet bestond, en toen hij stierf bewees hij haar daarmee een gunst.'

Nu was het genoeg. Ze aten hun eten op – David merkte met geamuseerde stem op dat hij ruim tien jaar niet meer koosjer had gegeten. Ze begonnen weer te praten, voornamelijk over Teds muziek.

'Hij is mijn grote held,' zei David. 'Ik ben er nog maar kortgeleden achter gekomen dat hij jouw man was.'

Fay bedacht dat hij wel erg snel mensen helden noemde, maar dat was niet zo'n verrassing. Ted begon naam te maken. Zij werd echter steeds meer een fulltime moeder. Weldra zou ze drie dagen per week werken, en vervolgens twee, en op een goede dag zou ze misschien wel helemaal stoppen.

Ted luisterde naar Fays verhalen die hem in het donker werden verteld. Ze vrijden, en daarna streelde hij haar, met een glimlach en fluisterde: 'Denk je dat we dit keer een drieling hebben gemaakt?'

'Zoals grootmoeders baby's maken.' Fay schrok van de zure toon die ze aansloeg na zo'n heerlijke vrijpartij en vlijde zich dichter tegen Ted aan als om die tegen te spreken. Ze was kwiek en jong en hun leeftijdsverschil van acht jaar stelde niets voor. Maar de waarheid was dat ze zich oud voelde, en nog ouder omdat ze kleine kinderen had. Erger nog, ze was begonnen zich zorgen te maken over haar dood, want ze had opgemerkt dat Ted, hoewel hij veel van zijn zoontjes hield, geen verantwoordelijkheid nam voor hun bestaan en instemde met al haar plannen voor hun opvoeding en scholing. Soms had ze het gevoel dat het haar ongeluk was dat hij zoveel opdrachten had dat hij er amper aan kan voldoen. Een groot deel van zijn composities was voor films bestemd, en geregeld reisde hij naar de westkust en was hij weken weg.

'Ik hou van je, Ted.'

Hij was in slaap gevallen, maar werd weer wakker en neuriede een beetje. 'Ik hou ook van jou. Jij bent mijn halfverminderde zevende akkoord.' Hij neuriede weer en viel in slaap. Hij snurkte nooit – te mager, te muzikaal. Fay lag wakker, luisterde naar zijn kalme ademhaling en vroeg zich af waarom Lex en Jim helemaal niets van zijn muzikaal talent geërfd hadden. Geleidelijk aan maakte het beeld van twee kleine Corelli's plaats voor een kleine gestalte die danste aan het eind van een touw. *Als een engel.* In een poging hem uit haar gedachten te zetten concentreerde ze zich op haar moeder en probeerde haar als een heldin te zien, maar slaagde daar ook dit keer niet in.

'Mam,' maande Leonardo terwijl hij Connies arm vastgreep alsof ze aan hem zou kunnen ontsnappen, 'kom eens kijken wat Eric heeft gedaan.' Eric was een Amerikaanse voormalig medicijnenstudent, die Fay had aangesteld en die werd betaald door Kevin O'Malley, die directeur was van het stadskinderenproject dat was gevestigd in de Lir-stallen. Het was inmiddels een onderneming waar ze het hele jaar door mee bezig waren, en er waren voortdurend veertig kinderen uit het zuiden en noorden van Ierland. Sinds Erics komst waren er steeds nieuwe projecten. Dit keer was het een indoor-rijschool. 'We kunnen springen en dressuur rijden. Een paar van ons gaan wedstrijden rijden bij de Dublin Horse Show.'

'Dat is prachtig,' stemde Connie in. 'Geef me nu even de tijd om een paar laarzen te zoeken.'

Ze liepen samen door de tuin, waar de weelderige fuchsia zich over de niet-onderhouden bloembedden verspreidde, en beukenhagen, verrassend goed gesnoeid – het zou wel een project zijn geweest voor de stallen, bedacht Connie – werden afgewisseld met grote urnen met kattekruid en hangende rozen. Leonardo had zich vast voorgenomen zijn moeder te enthousiasmeren, maar zoals gebruikelijk was ze te zeer in de ban van zijn aanwezigheid om te luisteren naar wat hij precies zei. De afgelopen paar maanden was hij een paar centimeter langer geworden dan zij, wat haar zowel bewondering als angst ingaf. Hoe zou hij, met zijn hooggestemde ideeën, omgaan met de mannelijkheid die hem zo zonder plichtplegingen werd opgedrongen? Zelfs zijn lieve gezicht, bedacht ze, was bijna helemaal veranderd; zijn elegante neusje was langer geworden, de fijn getekende wenkbrauwen waren dikker geworden, de mond had een meer besliste lijn gevormd. Wat zou ze graag zelf willen weten hoe het was om een man te zijn; dan zou ze weten hoe al die veranderingen *voelden.*

'Wat ben je toch mooi, Leo!' riep ze uit, zodat hij moest lachen, fronsen en haar stevig van repliek dienen.

'Ik moet je berispen, moeder, als je ooit nog zulke dingen zegt, vooral omdat daaruit blijkt dat je geen woord hebt gehoord van wat ik heb gezegd.'

'Berispen? Wat een woord! Mijn nederige excuses.' Ik mag niet flirten met mijn zoon, riep Connie zichzelf tot de orde.

De stallen waren niet langer overwoekerd met plantengroei, maar hadden nog steeds iets wanordelijks romantisch, ondanks Erics inspanningen. Eric, een stadsjongen, had enig ontzag voor de natuur en slaagde er niet in met de voortvarendheid van een man van het platteland de wapenen ertegen op te nemen. Een vijgenboom had midden in één gebouw mogen blijven staan en een enorme esdoorn blokkeerde bijna de ingang naar een ander. Onder de esdoorn kreeg ze haar broer Joe in het oog, wie goedmoedig de les werd gelezen door Eric. Hij probeerde Joe aan het werk te zetten als de bouwvakker die hij ooit was geweest, en Joe was al even vastbesloten zijn uren bij de Lir Arms met geen minuut te bekorten.

'Ik zie je later nog wel!' zei Eric tegen Joe, en hij kwam naar hen toe. Hij behandelde Connie met eerbied, waar ze niet van probeerde te genieten. 'Je wilt de rijschool zeker zien?'

Connie merkte met voldoening op dat hij Iers begon te praten. Het enige wat hij nodig had was een Ierse vriendin; dan zou hij nooit meer bij hen weggaan naar Amerika. De school was eenvoudig gebouwd met de restanten uit een grote oude schuur en steunbalken met een dak van golfplaat. De grond was bedekt met houtkrullen. 'Allemaal zelfgemaakt,' verklaarde Eric trots.

'Maar waar heb je de kinderen gelaten?' vroeg Connie, verrast door het gebrek aan activiteit.

'Ze zijn bij het meer. Heb je geen uitnodiging gekregen? We organiseren een regatta voor de kinderen die vertrekken. Er zijn zwemwedstrijden, bootwedstrijden...'

'Maar het is toch veel te koud? Het was juli, maar het had weken af en aan geregend.

'Eric heeft wetsuits te pakken weten te krijgen van een of ander Amerikaans bedrijf,' legde Leonardo opgewonden uit. 'Dat wilde ik je net vertellen, maar je luisterde niet. Je moet komen kijken.'

Connie liet zich overhalen. Orlando was naar zijn vader gereden, die, op zijn vijfennegentigste, er eindelijk in had toegestemd in een verzorgingstehuis te gaan wonen dat werd gerund door geduldige verpleegsters die lachten om zijn bizarre opmerkingen en het goedvonden dat er een fles whisky op zijn bedtafeltje stond. Toen hij het te bont maakte, speldden ze zijn armen langs zijn zij en stopten zijn beddengoed zo strak in dat hij geen vin kon verroeren. Leonardo had deze straf op een middag ontdekt, maar wist geen van zijn ouders ertoe te bewegen een klacht in te dienen. 'Het is nooit te laat om goede manieren te leren,' had Connie zelfgenoegzaam opgemerkt.

Ze liepen naar het meer, via een weggetje vol kuilen, breed genoeg voor een tractor of een auto. Sinds ze voor de Zusterschap voor de Vrede werkte, kon Connie er niet naar kijken zonder herinnerd te worden aan alle andere stille weggetjes en geheime paden die gebruikt werden als toegang tot IRA-bergplaatsen van wapens of de lijken van ontrouwe leden. Ze zag nog steeds de schoonheid van Ierland wel, maar die was gepokt met zwarte zweren waar het kwaad voet aan de grond had gekregen. Na bijna tien jaar van bijeenkomsten organiseren, rapporten schrijven en zelfs een boek met essays van prominente vrouwen aan beide zijden van de grens had ze een heleboel werk overgedragen aan haar zuster. Eileen was een betere organisator dan zij, want ze was eraan gewend acht kinderen in het gareel te houden, en was minder emotioneel. Trouwens, zij was getrouwd met een echte Ier.

Sinds Helens bruiloft had Connie er steeds op gelet dat ze Orlando zo weinig mogelijk alleen liet. 'Ik kan echt niet vaker dan één nacht per maand van je gescheiden zijn,' had ze hem gezegd, en daar had ze zich aan gehouden. 'Geleidelijk aan word ik een *éminence grise*.'

'Onmogelijke dat jij ooit *grise* wordt, liefste.'

Het meer, dat ook onder Erics leiding viel, was aan de oevers schoongemaakt, een paar natuurlijke inhammetjes waren in keurige aanlegplaatsen veranderd en er waren diverse boothuizen en schuurtjes gebouwd.

'Dus hier zit iedereen!' riep Connie uit, want haar blikveld werd plotseling gevuld met kinderen, die allemaal, leek het wel, druk bezig waren bij een van de oevers of op het water. Velen droegen gele reddingsvesten, die fel oplichtten tegen de zachte groen- en grijstinten van het landschap en het meer. Er werd op een fluitje geblazen en een stuk of tien kinderen kwamen aanrennen naar een rij kano's en tilden ze boven hun hoofd. 'Het is niet te geloven.' Ze vroeg zich af of je, zonder naar het accent te luisteren, zou kunnen zeggen welk kind uit Dublin en welk kind uit Belfast kwam.

'En waar zijn die kano's vandaan gekomen?'

'Philadelphia,' zei Eric, en hij keek zo zelfvoldaan als iemand die uiterst bescheiden is maar kan. 'Kevin heeft het contact voor ons gelegd.'

'Nóg een cadeautje uit Amerika.' Connie liep een stukje bij de regatta vandaan en dichter naar de waterkant. Er lag nu geen varkenspoep meer. Een zojuist doorgebroken zonnetje daalde zachtjes neer en overgoot het tafereel met zijn warme stralen. Ze besefte dat het bijna tien jaar geleden was dat haar ouders waren gestorven en dat Eileen iets had gezegd over Michael, wat de aanleiding had gevormd tot alles wat ze had geprobeerd te ondernemen. In het begin had ze gewild dat de band met Amerika belangrijk zou zijn, maar na haar bezoek aan Shirley, die het verzoek om een Amerikaanse afdeling op te zetten had afgewezen, had Connie haar pogingen min of meer gestaakt. Het was te pijnlijk geweest om te denken dat Kevins misleide patriottisme, in een vreselijk soort competitie met Michael, waarschijnlijk het soort laffe mannen leverde waar ze zo'n minachting voor had.

Maar hier, voor haar, bevond zich het bewijs van wat Kevin aan Ierland had geschonken, en dat was zo positief en krachtig als ze zich maar kon voorstellen.

'Wil hij niet komen kijken?'

'Hè?'

'Kevin. Wil hij zijn filantropie niet in actie zien?'

'We nodigen hem uit. En Fay, natuurlijk. Zij heeft Ted zover gekregen om in Manhattan een concert voor ons te geven.'

'Dat was ik vergeten.' Connie bedacht dat ze Fay niet meer had gezien sinds Helens bruiloft en voelde zich schuldig. 'Ja, wat Fay doet is ook geweldig.'

'Maar ze komen vast niet, geen van beiden. Fay heeft haar zoontjes en haar werk, en Kevin beweert dat hij foto's ook goed vindt.'

Na het eten haalde Connie een vel Lir Water-briefpapier tevoorschijn met een zwaan erop, met gespreide vleugels, en schreef aan Fay: 'Lieve Fay, ik heb het gevoel dat we een heel eind uit elkaar zijn gegroeid – althans tot vandaag, toen ik naar de stallen ging. Twee jaar geleden dat we elkaar voor het laatst hebben gezien! Leo is boomlang – nou ja, misschien een klein boompje – en Lex en Jim moeten wel...' Ze stopte, want ze wist niet meer hoe oud ze waren '... elf of twaalf zijn, denk ik? Maar vanmiddag was ik in de stallen, voor het eerst sinds lange tijd, en Eric liet me de nieuwe kano's en de wetsuits zien en nog een heleboel meer, allemaal dankzij jou of Kevin – de Amerikaanse connectie, zoals ik het ben gaan beschouwen. En ik herinnerde me hoe ontzettend graag ik de hand had willen leggen op de Amerikaanse dollars die de moordenaars hier voeden, aan de ene kant of aan de andere (inclusief, uiteraard, mijn eigen broer); daar ben ik nooit in geslaagd, maar in plaats daarvan heb ik een tegenstroom, en het is allemaal prima. Dus, mijn dierbare oude vriendin'– ze keek op omdat ze voelde dat er iemand naar haar keek, en daar stond Leo, met diepe gedachten in zijn hoofd die ze niet kon hopen te doorgronden. 'Ja, lieverd?'

'Aan wie schrijf je?'

'Aan Fay. Weet je nog wie Fay is?'

'Ze is joods, hè?'

'Ik weet niet.' Connie voelde zich dwaas. Natuurlijk wist ze het wel. Ze dacht daar alleen nooit over na. Het zou een vage belediging lijken om haar

347

zo te betitelen. 'Ja, ik geloof het wel – niet als een geloof, maar als ras.'

'Ja. Ik heb *Het dagboek van Anne Frank* gelezen. Het is verschrikkelijk wat de joden is aangedaan.'

'Eh... ja.' Connie begon figuurtjes te tekenen op haar vel papier. 'Ik geloof niet dat Fay daar erg bij stilstaat.'

'O nee? Dat zou ik wel doen als ik joods was.'

'Nou, ik geloof niet dat ze zich zo joods voelt. Althans, ze heeft het er nooit over.'

'Misschien wil je het niet horen.' Leonardo's groene ogen staarden haar aan.

'Leo!' Zijn bijna-beschuldiging schokte haar.

'Sorry.'

Connie keerde terug naar haar brief. In een impuls schreef ze: 'Orlando en ik zouden onszelf graag voor een bezoek van een paar dagen willen uitnodigen. Misschien dat we Leo ook meenemen.' Ze legde haar pen neer, zich ervan bewust dat Leo nog steeds om haar heen hing. 'Wil je ergens over praten, lieverd?' Ze stond op en liep naar de bank waar ze het meest dol op was, degene die bekleed was met versleten geel damast. Leonardo kwam naast haar zitten met zijn handen op zijn hoekige knieën. Connie nam aan dat hij wilde praten over seks en vroeg zich af waarom hij Orlando niet had benaderd.

'Ik denk erover priester te worden.'

'Daar ben je veel te jong voor! Je bent nog maar veertien.' Ze reageerde onmiddellijk, vanuit een soort paniek.

'Vijftien. En dat is niet te jong om na te denken.' Hij voelde zich bijna op zijn gemak nu het hoge woord eruit was.

Connie probeerde er een grapje van te maken. 'Het verrast me dat je geen rabbi wilt worden.'

'Er is zoveel wreedheid in de wereld.' Hij deed waardig.

'O, lieverd.' Ze moest serieus zijn. 'Jij bent zeer zeker niet te jong om na te denken. Ik geloof dat ik te oud ben.'

'Moeder...'

'Noem je me tegenwoordig zo?' Ze probeerde het vrolijk te zeggen, maar het kwam er verdrietig uit.

'Ik hou ook van sport.'

'Ik weet het. Ik weet het. Je vergeet dat ik een oude vriend heb die priester is. Ik ben niet zo geschrokken als ik misschien lijk.'

'Je lijkt inderdaad erg te schrikken. En toch dacht ik dat je wel in de gaten had dat ik een beetje anders was.'

'Ik dacht dat dat kwam doordat je mijn zoon bent.' Weer kwam het er niet zo zorgeloos uit als ze graag zou hebben gewild. 'Ik zou elke dag ter communie gaan als ik dat kon inpassen in mijn agenda.'

Uiteindelijk glimlachte Leonardo. 'Ik ben vijftien,' zei hij, 'en het voelt alsof ik de juiste toekomst voor me zie.'

'Nou,' zei Connie, 'dan zul je wel voor me bidden.'

'En voor papa.'

'Heb je het hem verteld? Hij zou nooit elke dag ter communie gaan. In feite is hij helemaal niet gelovig. Dat wil zeggen, hij gelooft in mij.'

Op dat moment kwam Orlando de kamer in. Connie voelde een warme golf van vertrouwelijkheid.

'Wat voeren jullie tweeën in je schild?' Hij had besloten een paar van de boeken die in huis waren weg te geven en droeg een hoge stapel. Toen hij bleef staan, duwde zijn nieuwe hond, een enthousiaste cockerspaniël, van achteren tegen hem aan en de boeken tuimelden uit zijn handen op de grond.

Leonardo hurkte neer om ze op te pakken en Orlando nam zijn plaats naast Connie in. 'Elke poging om orde in dit huis te scheppen leidt tot meer chaos.'

'Leo denkt erover om priester te worden,' zei Connie.

Leonardo vormde een voetenbankje van de boeken en legde Connies voeten erop. 'Ik dénk er alleen maar over,' zei hij.

'De katholieke Kerk in Ierland heeft op een heleboel vragen antwoord te geven.' Orlando keek zijn zoon aan. 'Ik kan je dingen vertellen die voor de deur van priesters worden gelegd waar je slapeloze nachten van zou krijgen.'

'Maar er is een heleboel veranderd, papa, hoewel er nog veel meer moet veranderen.'

Connie luisterde naar haar man en zoon. Ze wenste zich niet in hun discussie te mengen. Ze merkte op dat haar ene voet rustte op haar boek, dat met het omslag van de close-up van haar keizersnede. Tersluiks haalde ze het van de stapel en schoof het onder de bank. Niet dat ze zich geneerde voor haar verleden, maar soms overviel het haar een beetje.

Uiteindelijk nam Connie Leonardo mee om op bezoek te gaan bij Fay in New York. Orlando zei dat hij een directievergadering had over de vraag of Lir Water verkocht moest worden hetgeen hen rijk zou maken. 'Stel je voor,' zei hij, 'dan zouden we twee tuinmannen en een huishoudster in dienst kunnen nemen. We zouden de heggen kunnen knippen en de vloeren kunnen stofzuigen. We zouden een tuinhuisje kunnen bouwen en alle kapotte meubels kunnen repareren. We zouden zilver kunnen kopen dat geen messing is en gordijnen kunnen ophangen die niet aan flarden zijn. We zouden een bed kunnen kopen zonder veren die eruit steken en we zouden de kleden waar de paddestoelen op groeien kunnen vervangen.' Toen zijn voorraad ideeën was uitgeput, keek hij naar Connie om te zien hoe enthousiast ze was, maar het verraste hem niet dat hij weinig enthousiasme aantrof.

'We zouden champagne kunnen drinken aan het ontbijt,' zei ze ten slotte, waarna ze zichzelf een beetje opporde en eraan toevoegde: 'In de stallen is een nieuw dak nodig op de rijschool.'

Connie vond het huis in Brooklyn groot en heel netjes, en het deed haar goed dat Leonardo het leuk leek te vinden. Hij had nog nooit eerder zo'n cleane witte ruimte gezien. De kelder, die goed was geïsoleerd, was aan Teds muziek gewijd, de eerste verdieping aan het dagelijkse gezinsleven, de tweede aan de volwassenenslaapkamers en de bovenste aan die van Lex en Jim. Leonardo zou daar bij hen slapen.

'Ik hoop dat de kinderen met elkaar overweg kunnen,' zei Fay een beetje bezorgd tegen Connie op de avond dat ze aankwamen. 'Lex heeft een fase waarin hij op eigen benen wil staan en Jim is niet los te scheuren van zijn computer.'

'O, maak je maar niet druk,' antwoordde Connie. 'Het zal wel een hele opluchting zijn om te merken dat je ze uit elkaar kunt houden.' Ze was gekomen als een Barmhartige Samaritaan om Fay op te vrolijken en had er alle vertrouwen in dat Leonardo alles prima zou vinden. Had hij niet Yeats voor haar geciteerd toen ze in de rij stonden op het vliegveld van Dublin, en had hij op Kennedy Airport niet een paar regels van Ted Hughes aangehaald? 'Leo is ook erg zelfstandig.' Ze had besloten, omdat Leo het zo graag wilde, om niets te zeggen over zijn priesterlijke ambities, maar toen ze knus op Fays bed zaten lag het onderwerp verleidelijk voor het grijpen. 'Om je de waarheid te zeggen maakt hij een religieuze fase door.'

'O ja?' riep Fay uit, en ze leek nog meer gebukt te gaan onder de zorgen, wat na enige tijd ook zo bleek te zijn.

'Louter en alleen het feit dat Fay een van mijn twee boezemvriendinnen is,' merkte Connie later tegen Nina op, 'betekent nog niet dat mijn zoon haar zoontjes leuk moet vinden. Aan de andere kant is er ook geen reden dat ze een hekel aan elkaar zouden hebben.'

Ze hadden wel degelijk een hekel aan elkaar. Eén avond in dezelfde kamer was voldoende om dat te bewijzen. Leonardo zei tegen Connie: 'Ze kunnen geen gesprek voeren. Ze spelen computerspelletjes, kijken tv en praten over films en plaatsen en mensen die ik niet ken. Ze doen uit de hoogte omdat ik op een klein eiland woon en zij op een groot continent. De leeftijdskloof is zo breed als de Atlantische Oceaan. Als ik bij hen ben word ik stapelgek.'

'Dat klinkt helemaal niet priesterachtig.' Dit gesprek werd fluisterend in Connies slaapkamer gevoerd. Ze waren allebei vroeg wakker geworden vanwege de jetlag. 'Ze zullen toch vast wel een paar goede eigenschappen hebben?'

'Ze zijn opgewekt, neem ik aan. Maar ik heb er geen zin in om New York door hun ogen te zien.'

'Dan gaan we er zelf wel op uit – nu.' Connie zwaaide haar witte voeten het bed uit. Op de een of andere manier leken ze kleiner geworden. Zou dat komen doordat je kromp als je ouder werd? 'Dan laat ik je voor het ontbijt mijn oude plekjes zien. Schrijf maar een briefje, lieverd.'

'Eheu,' schreef Leo, in zijn van de monniken geleerde schuinschrift. 'Mater en ik gaan in de rozevingerige dageraad haar juvenilia bekijken. Gauw terug.'

Lex en Jim lieten Fay dit briefje zien om ermee te bewijzen dat zij het helemaal goed hadden aangevoeld. 'Hij is gek, mam. Niet gevaarlijk, maar ook niet menselijk.'

Fay was verdrietig. Het was verschrikkelijk dat Connies schoonheid in combinatie met Orlando's excentrieke maar charmante persoonlijkheid, zo'n vreemde zoon had voortgebracht. Volgens Lex had hij de hele nacht liggen snuiven en snurken, had hij af en toe in zichzelf gepraat en was hij volstrekt niet in staat een normaal gesprek te voeren. Jim had eraan toegevoegd dat hij een zwembroek droeg in plaats van een onderbroek, dat hij geen deodorant gebruikte en geen tandpasta bij zich had. 'Hij is net een uit zijn krachten gegroeid kind.' Ze waren het helemaal met elkaar eens, en hoewel ze beloofden hem de bezienswaardigheden van Manhattan te zullen laten zien, hadden ze er helemaal geen trek in hem los te laten op hun vrienden – en zeker niet op hun vriendinnen. 'Eerlijk, mam, hij gedraagt zich als een seksmaniak.'

'Dat is mallepraat,' protesteerde Fay.

'Dat zeggen alle seksmaniakken. Hij bloosde, mam, hij kreeg een kop als een biet toen Jim "shit" zei. Hij is niet goed wijs, dat kan ik je wel vertellen.'

'Hé, kom op zeg! Ik sta aan zijn kant. Ik hou niet van die woorden.' Desondanks vermoedde Fay dat er wel iets in zat in wat haar eigen slimme, stadswijze tienjarige zoontjes zeiden. Ze probeerde er een grapje van te maken. 'Maar hij heeft wel een goed stel hersens. En seksmaniakken hebben dat nooit.'

'Geloof dat maar niet.' Geen van de twee jongens liet zich overtuigen. 'Als je het er zo dik bovenop legt, kun je geen goed stel hersens hebben. Hoelang blijft hij? Hij moet wél wegwezen voordat we naar het strand gaan. Kun je je hem voorstellen in de zon?'

Connie besloot dat ze niet in de wieg gelegd was om de Barmhartige Samaritaan te spelen. En al met al vond ze dat Fay het best goed maakte. Ze had niet gezien hoe ze zich gedroeg als Ted in de buurt was, want Ted zat in Duitsland om het een of ander te dirigeren, maar ze leek op tijd te stoppen met werken, sprak vriendelijk over de wereld en was ervan overtuigd dat haar kinderen geweldig waren.

'Ik denk dat we naar Washington moeten gaan,' zei Connie tegen Leonardo, 'zodat je je oom Kevin en je nichtje Kathleen kunt ontmoeten. Ik spoor Fay wel op in haar praktijk. Maar eerst gaan we de stad in om bij Serge op bezoek te gaan. Serge zul je aardig vinden. Hij heeft hoogstaande ideeën.'

Nina zat in haar kantoor een nieuwe reeks lidmaatschapsformulieren voor de Schilders van het Zuiden op een stapel te leggen toen de telefoon ging. Het duurde even voordat ze doorhad dat dit Connie was die haar belde vanuit Fays praktijk in New York.

'Het is hier heel vreemd,' zei ze. 'Fay heeft een hele muur met licht waar ze die vreselijke röntgenfoto's van haar tegenaan hangt. De dood is uitgevoerd in zwart en wit. Spookachtig, hoor.'

'Connie, ik ben ook op kantoor, ik zit in een vergadering.'

'Worden er dan bij de Schilders van het Zuiden vergaderingen gehouden die je niet zou willen onderbreken?'

'Eventjes dan.'

'Ik bel je omdat Leo en ik op bezoek zijn gegaan bij je oude vlam Serge, en het is heel griezelig, want hij is geen spat veranderd. Hij is nog net zo'n prima kerel als altijd, hoewel hij op het platteland een vrouw heeft, en drie kinderen... of waren het er zes? Een heleboel kinderen in elk geval. Leo is met hem meegegaan om te helpen de edele armen in een gaarkeuken te eten te geven. Herstel: in een spaghettikeuken. Stel je voor, Nina, als je bij hem was gebleven zou jij ook zes kinderen gehad kunnen hebben.'

'Hoe is het met Fay?'

Nadat Connie had opgehangen, nam Nina even de tijd om terug te denken aan wat ze zich herinnerde van Serge. Ze was teleurgesteld dat de warme seks waarvan ze samen hadden genoten nu was vervaagd achter het gevoel dat zijzelf de verkeerde kant op was gegaan. Waarom had Connie het nodig gevonden om zo'n verwijtende geest weer tot leven te wekken?

Connie zat aan Fays bureau en bewonderde de ordelijke stoet paperclips, pennen, potloden, kaartjes, nietjes, elastiekjes en plakband. Ze bedacht doelloos dat die in dit computertijdperk iets uitstraalden van de weelderige en luxe sfeer van juwelen. De telefoon ging.

'Met de praktijk van dokter Blass,' zei ze, en ze drukte op de speakerknop zodat ze beide handen vrij had.

'Luister eens,' zei Orlando. 'Niets zeggen, alleen maar luisteren.'

'Ik luister.'

'Nee, je luistert niet, je praat.'

Eerst hoorde ze alleen maar het ruisende geluid van een open lijn. Dus spitste ze haar oren. Toen veranderde het betekenisloze geruis van vorm en veranderde in het geluid van brekende golven. Ze meende zeker te weten dat ze de zee hoorde, die tegen een rotsige kust beukte. Ze stelde zich de donkere lucht voor, het zwarte water, de witte kammen op de golven, de wilde vogels die opstegen van de getande kliffen.

'Wat denk je?'

Wat kende hij haar toch goed. Op elk moment, al waren ze duizenden kilometers gescheiden, wist hij, beter dan wie ook, wat ze nodig had.

'Hoe heb je dat voor elkaar gekregen? Een schelp tegen mijn oor. Het gebrul van de zee dat er binnenin gevangenzit. Tovenarij. Virtuele werkelijkheid?'

'Helemaal niet.' Hij klonk erg ingenomen met zichzelf, zijn Engelse accent verzacht door Ierse klanken. 'Je kent me toch? De werkelijkheid, of niets.'

'Hoe zit het dan?'

'Luister nog maar eens.'

Weer kwam het geweldige gebulder van de golven van de zee dicht naar haar oor en trok zich toen weer terug.

'Weet je het al? Nee. Ja, vast wel.'

'Zo stom kan ik toch niet zijn?'

'Natuurlijk wel, lieverd. Mijn bandrecorder en ik stonden aan de rand van de Atlantische Oceaan op de zwarte kliffen van Moher, waarna de volgende stop Amerika is. Dát is wat je hoort.'

Ze wilde niet dat hij verder nog iets zei. Het zat allemaal in de voorwaartse stuwing van het weidse water. Ze was niet eens bereid er een grapje over te maken. Ze legde de hoorn neer. Had Orlando geraden dat ze op zoek zou gaan naar Kathleen?

Toen Fay terugkwam in haar praktijk – ze had migraine of iets ergers onder de leden – trof ze een halsketting van paperclips op haar bureaublad aan.

'Wie is hier geweest, Maria?' vroeg ze, op haar hoede, hoewel ze het antwoord wel kon raden.

'Constance O'Malley.' Kennelijk was het meisje onder de indruk geweest van Connie en zou ze van alle details verslag kunnen uitbrengen. Toen ze Fays strakke gezicht zag, beperkte ze zich tot de hoofdzaken. 'Ze heeft hier gebeld en is er toen vandoor gegaan. Ze zei dat ze een afspraak had met haar zoon en dat ik u moest zeggen dat ze naar Washington zouden gaan.'

Fay keerde terug naar haar kamer en ging behoedzaam zitten. Stress. Vermoeidheid. Misselijkheid. Ze liet Connies halsketting van haar vingers neerbungelen. Ze draaide een nummer. 'Ik zou graag een afspraak maken met dokter Windlass.' Een controle was altijd een goed idee. 'Ja. Ik neem die afgezegde afspraak wel in.' Ze kon beter vroeg dan laat gaan. Je wist maar nooit.

Leonardo had in New York een stapel tijdschriften gekocht, waarin hij in de trein naar Washington druk zat te lezen.

'Ik kan dat niet bepaald lectuur voor een priester noemen,' zei Connie, die deed alsof de Times en de aanblik van de koude regen tegen het raam haar verveelden.

'Ik word niet het soort priester dat de wereld buitensluit.'

Connie dacht hierover na. Misschien was dit een waarschuwing voor haar. Misschien wist hij al van Kathleen, die twintig was en in haar tweede studiejaar zat. Haar twee kinderen lagen nu in leeftijd dicht bij elkaar – twintig en vijftien – en weldra zouden ze tot dezelfde leeftijdsgroep behoren. En toch was er tussen de twee bevallingen een eeuwigheid verstreken.

'Die twee geadopteerde dochters,' begon Leonardo, die haar gedachten las, 'zijn die er straks ook? Ze zijn vast niet zo erg als Lex en Jim.'

Zoals gebruikelijk was Connie Tara helemaal vergeten. 'Kevin heeft niets gezegd. Hij is er alleen maar mee bezig om met zijn pensioen naar Ierland te gaan, God beware ons.' Kevin was uit Georgetown naar een voorstad van Washington verhuisd.

Shirley stond aan de deur. 'Wat ben ik blij jullie allebei te zien. Wat is het lang geleden. En Leo, wat ben jij groot geworden! Jij kunt je mooi met Kathleen bezighouden. Ze heeft bij het skiën haar been gebroken. Ze kan een beetje vermaak goed gebruiken.'

Al pratend ging ze hen voor naar binnen. Connie merkte op dat haar eigen benen zich heel vreemd gedroegen. Als ze geen knielaarzen had gedragen, zouden ze misschien onder haar zijn opgelost.

'Koffie?' zei Shirley, die hen de keuken in leidde. 'Ik heb net verse gezet.'

In Kevins semi-pensioen leefden ze nu op minder grote voet. Geen dienstmeisjes, een huis met minder toeters en bellen en minder ruches. 'Ga maar, Leo. Ga jij maar vast vooruit naar Kathleen.'

Toen ze tegenover Shirley zat, herstelden Connies benen zich. 'En hoe is het met de meisjes?' vroeg ze. 'Afgezien van Kathleens been.'

'Ik heb naar deze gelegenheid uitgekeken om met je onder vier ogen te kunnen praten.'

'O, Gezegende Maagd, dat klinkt serieus!' Connie probeerde te lachen.

Shirley rilde even en vervolgde: 'Kathleen heeft naar haar biologische moeder gevraagd. Dat is niet meer dan natuurlijk. Het enige wat me verrast is dat ze daar zo lang over heeft gedaan.'

'Wat heb je gezegd?' fluisterde Connie. Boven hoorde ze stemmen. Hoe was ze ooit op het onzalige idee gekomen om naar Washington te gaan?

'We hebben haar verteld dat het een particuliere regeling was en dat we geen toestemming hadden om haar de naam van haar moeder te vertellen.'

'En wat zei ze?' Ze onderdrukte haar verlangen een kruisteken te maken om kwade geesten te weren.

'Ze heeft haar been gebroken.' Shirley, die anders altijd precies wist wat ze moest doen, begon hulpeloos te klinken.

'Ik heb niet het gevoel dat ze mijn dochter is. Ik was destijds een andere vrouw. Ik heb het idee dat jij haar moeder bent.'

'Ze lijkt zoveel op jou!' barstte Shirley uit, en ze zag eruit alsof ze zou gaan huilen 'En het probleem is dat, toen Kevin haar opzocht in het ziekenhuis, hij volgens mij iets heeft laten vallen, iets over dat haar moeder Iers was. Daar is hij apetrots op.'

'Jij bent haar moeder!' riep Connie uit. 'Ze lijkt veel meer op jou dan op mij. Ze is op en top een Amerikaans meisje!'

'Ze is veranderd. En dan hebben we ook nog Tara die haar vader zoekt. Gelukkig is ze wel zo verstandig dat ze niet naar Vietnam wil gaan. Maar nu Kevin van plan is jullie ouderlijk huis te kopen van Michael – niet dat Michael daar nou echt de eigenaar van is – en Kathleen zo uit haar gewone doen is...' Nu huilde Shirley wel: de kleine, naar buiten geperste tranen van iemand die er niet aan gewend was zich te laten gaan.

'Je wilt zeker niet dat ze achter de waarheid komt?'

'Ik wil alleen maar doen wat goed is.'

'Nou, je krijgt geen toestemming van haar biologische moeder. Zeg maar tegen Kevin dat hij zijn grote mond moet houden, of dat ik anders Michael op hem af stuur.'

Shirley slaagde erin te glimlachen om Connies voortvarendheid. 'Ga naar boven en praat met haar. Je zult zelf zien hoe ze is veranderd.'

Kathleen lag op bed in een kleine, pasgeverfde kamer. Leonardo hing op zijn eigen onbeholpen, charmante manier om haar heen – charmant in de ogen van Connie, in elk geval, die probeerde te vermijden naar Kathleen te kijken.

'Hoi, tante Connie. Ben ik niet oerstom?'

Toen moest ze haar wel aankijken, en ze zag onmiddellijk dat Shirley helemaal gelijk had: het middelmatig stevige Amerikaanse meisje was omgetoverd in een blankhuidige Ierse met fijne botten, een dikke bos roodzwart haar en grote blauwe ogen.

'Leo zit me net verhalen te vertellen over Fays verschrikkelijke tweeling,' vervolgde Kathleen. 'Hij beweert dat ze de hele avond computerspelletjes zitten te spelen.'

Kathleen draaide haar haar op haar schouder tot een koord in elkaar. 'Mag ik u iets vragen?'

Connie voelde dat haar hart veranderde in een machine die zo krachtig was dat het haar verbaasde dat die haar niet van de stoel af deed schieten. Misschien kon ze onzichtbaar worden en als een beschermengel boven Kathleen blijven hangen. 'Natuurlijk.'

'Het is heel moeilijk, en u moet beloven dat u mama er niets over vertelt. Het is gewoon maar een vermoeden van me.'

'Een vermoeden?' Daar gaan we dan.

'Over mijn moeder. Mijn biologische moeder.'

Connie merkte dat ze hijgde en bedacht dat ze, als dit zo doorging, wel eens een hartaanval zou kunnen krijgen. 'Wil je weten wie het is?'

'Ik geloof dat ik dat al heb geraden.' Ze deed er het zwijgen toe. Ze staarden elkaar aan. 'Ik hoop dat u er geen aanstoot aan neemt, want u bent papa's zuster...'

Pauze. Hijg. In de verleiding gebracht om het initiatief te nemen slaakte Connie een snelle verstikte kreet en slaagde er op het nippertje in stand te houden. Erger nog, ze worstelde met de neiging om 'Lieverd!' te roepen en Kathleen tegen haar boezem te drukken.

'Ziet u, ik zie er precies uit als een O'Malley. Toen ik in Ierland was en jullie allemaal zag – oom Michael, oom Joe, Eileen, u...'

'Mij?' Een gepiep.

'Ik had zo bedacht dat papa mijn biologische vader moet zijn en dat mijn moeder iemand was met wie hij een slippertje maakte. Dat is de reden waarom ze het me niet vertellen. Wat denkt u?' Ze was gretig nu ze haar verhaal had verteld.

Connie leunde achterover in haar stoel. Geen dochter vandaag. Geen dochter, punt. Op de een of andere manier moest ze iets zeggen. 'Dat zou best eens waar kunnen zijn,' zei ze heel langzaam. 'Zoals ze in de kranten zeggen: dat kan ik bevestigen noch ontkennen.'

Er viel een stilte. Kennelijk zag Kathleen dit voor een bevestiging aan. 'Ik zal mama en papa er nooit iets over zeggen. Als ze het me willen vertellen, doen ze het wel uit zichzelf.'

'Ja,' beaamde Connie. Ze werkte zich overeind en forceerde een speelse glimlach. 'Je bent een heel verstandige vrouw, behalve als je op een skihelling staat.'

Connie en Leonardo zaten in de trein die hen terugbracht naar New York. Leonardo had in Washington de hand gelegd op een nieuwe lading tijdschriften. Bij deze stonden gezichten van politici op de cover. Boven een grijnzende president Bush zei hij losjesweg: 'Weet je, het is heel gek, maar Kathleen lijkt precies op jou, maar dan met een jaar of dertig verschil.'

Toen hij deze woorden had uitgesproken en op een reactie wachtte, voelde Connie de tranen in haar ogen springen. 'Neem me niet kwalijk, lieverd...' Ze legde haar handen voor haar gezicht.

'Huil je? Waarom huil je nou?'

1991

Fay, die voor het raam stond in haar werkkamer, keek omlaag naar de straat. Het was zes uur in de avond, een levendige, heldere lenteavond in Manhattan, zo een waarop alle glazen wolkenkrabbers zich verdringen om hun weerspiegeling in hun medewolkenkrabbers aan de overkant van de straat te werpen en er beneden op de drukke straten mensen duwen en dringen en roepen, maar die in zo'n goed humeur zijn dat ze hun ellebogen bij zich houden terwijl ze staan te wachten tot het licht op groen springt.

Fay stapte achteruit en trok de rolgordijnen omlaag. Ze knipte de lichtbakken aan de achterste muur aan en voelde zich even baden in de gloed, maar het was een koud, weinig verkwikkend licht. Ze reikte naar de envelop op haar bureau en haalde de röntgenfoto's eruit – een voor elke lichtbak. 'Waarom zes?' had de verpleegster gevraagd, en zij had geantwoord: 'Omdat ik zes lichtbakken heb', waarna ze eraan had toegevoegd: 'We gaan ook een tomogram doen, zodat ik zoveel mogelijk informatie krijg.'

Ze hing ze op, één voor één, zodat het witte licht op haar arme getroffen borst gedempt werd. Ondanks al dit nauwgezette onderzoek twijfelde ze niet aan de kanker. En daar had je het, een gebied dat was aangedaan, microkalkafzetting, zo duidelijk dat een student het zou kunnen zien. Vanuit verschillende hoeken, dieptes – dezelfde aandoening. Onwillekeurig bracht ze haar hand naar haar borst en voelde de bobbel. In de röntgenologie werken was haar manier geweest om dood en ziekte op afstand te houden. Tot nu.

De telefoon ging één keer, en toen nog een keer over, en het antwoordapparaat had al opgenomen voordat ze zich herinnerde dat haar assistente al was vertrokken.

'Fay. Bel me thuis. Of beter nog: kom zelf thuis. We kunnen het aan, lieverd. Beschouw het niet als een straf.'

Ze drukte een knop in op het toestel. 'Hoe wist je dat de onderzoeken positief waren?'

'Vergeet niet dat ik ben afgestemd op de muziek der sferen.' Ze kon horen dat hij een paar toetsen aansloeg op de piano. Hij zat natuurlijk in

358

zijn muziekkamer, met de draadloze telefoon in één hand. Ze besloot niet te vragen wat hij met 'straf' bedoelde.

Nina zat voor de Rothko's, zoals ze nog steeds deed elke keer wanneer ze in Londen was. Ze vervulden haar met een soort nostalgische melancholie, een meditatieve kalmte waarin al die verschrikkelijke probeersels van de Schilders van het Zuiden werden weggevaagd. Haar blik werd weer in evenwicht gebracht en toen ze, nadat ze er een uur of wat voor zich uit had zitten kijken, terugkeerde naar de Theems-oever en terugliep naar het metrostation, met de rivier traag en olieachtig rechts van haar, was haar hoofd vervuld van mooie heldere lijnen en kleuren. Londen zelf leek van vorm te veranderen.

Af en toe ging ze – een uur of langer – op een bankje zitten en stond het zichzelf toe van deze sensatie te genieten, een verre echo van wat ze had gevoeld voordat ze aan een nieuwe serie schilderijen begon. Een- of twee-maal merkte ze dat ze de lijnen van de rivier, de gebouwen op de zuidoe-ver en de brug aan het omzetten was tot de twee dimensies van het platte vlak van het schildersdoek. Oude gewoonten raak je niet zomaar kwijt. Na een poosje herkregen de rivier en zijn omgeving hun meer gebruikelijke vorm en liep ze met kwieke tred naar de ondergrondse.

Fay keek op haar horloge. Waarom duurde het zo lang voordat Nina opnam? Ze had het telefoontje zorgvuldig gepland, om tien uur New Yorkse tijd en vijf uur Sussex-tijd, wanneer Nina terugkwam van de Schilders van het Zuiden. Een vriendin moet er wel zijn als je haar nodig hebt.

'Hallo?'

'Nina, waar zat je?'

'Maar de telefoon is nog maar een paar keer overgegaan.'

Kon dat waar zijn? Fay keek nogmaals op haar horloge, maar zonder dat ze er wijzer van werd. De nood was zo hoog bij haar, dat seconden wel minuten hadden kunnen zijn.

'Wat hebben ze gevonden?' vroeg Nina, en ze klonk bezorgd.

'O, dat is niet de reden dat ik bel.'

'Nou, Fay, je bent weliswaar dokter en zo, maar we hebben ons toch allemaal veel zorgen gemaakt.'

Fay merkte op dat Nina nog steeds het woord 'kanker' niet over haar lip-pen kreeg en zei, op vriendelijke toon: 'Ik zou het geen groot nieuws willen noemen. Ze hebben een paar kwaadaardige cellen aangetroffen, maar het valt goed te opereren. Ik ga niet eerder dood dan jij, dat beloof ik.'

'Maar Fay, dat is verschrikkelijk!' Fay hoorde Nina tegen iemand fluisteren – Veronica waarschijnlijk: 'Fays onderzoeken waren positief.'

'Dat hoorde ik,' zei Fay, die bedacht dat Nina zelfs niet tegenover haar moeder het doodswoord uit kon spreken. Misschien was ze toch niet de juiste vriendin voor de missie die ze in gedachten had. Misschien had ze beter Connie kunnen bellen, die dapper en uitgesproken was, en in staat om over passie en ellende te praten. Maar Connie was katholiek. 'Het punt is, Nina, dat ik om dringend gezelschap verlegen zit voor een reisje naar Polen.'

'Polen!' hakkelde Nina. 'Je wilt dat ik...' Ze aarzelde.

'Het punt is, ik wil graag naar Auschwitz,' legde Fay met een soort bedaarde beleefdheid uit, want ze wilde niet dat Nina bij dit verschrikkelijke woord in stukken uit elkaar zou spatten.

'Auschwitz,' herhaalde Nina zenuwachtig. 'Ik snap het.'

Natuurlijk kon ze niets *snappen*. Dat verwachtte Fay ook niet. Maar ze zou beginnen te vertellen dat ze samen zouden gaan en dat Ted voor de kinderen zou zorgen, en voordat ze ging zou ze zich laten opereren, met daarna drie weken behandeling en dan, als ze weer op krachten was, zouden ze deze reis maken. Even eruit. En als ze wanneer ze terug was nog verder behandeld zou moeten worden, was dat ook goed. Ze zouden niet lang wegblijven. Ze kon het niet verdragen lang weg te blijven.

'Zoals je weet, heeft mijn grootmoeder Auschwitz overleefd, maar veel van mijn familieleden niet. Het is noodzakelijk voor me geworden om erheen te gaan.'

'Ik snap het.' Nina klonk alsof ze in grote paniek was. 'Natuurlijk ga ik met je mee,' vervolgde ze, dapperder. 'Ik voel me vereerd dat je me hebt gevraagd.' Haar stem klonk nu vaster.

Fay, die in haar appartement stond, bedacht dat de eerste fase van haar reis nu was voltooid en liet haar adem ontsnappen. Ze liet haar oren, die afgesloten waren geweest voor alles behalve Nina's antwoord, weer opengaan en hoorde buiten op straat een politiesirene en vervolgens een gesmoorde kreet van triomf van een van de jongens – Jim, nam ze aan, die een probleem dat zijn computer hem stelde had opgelost. Ze draaide zich om en ging naar hem toe.

Onmiddellijk belde Nina Connie. Helen was bij haar te logeren en Nina had haar één maand oude baby bij wijze van bescherming op schoot genomen. De baby was een jongen die Will heette, en die er in Nina's ogen precies zo uitzag als Jamie op die leeftijd. Nina vertelde Connie over de kanker en over Fays verzoek om met haar mee te gaan naar het concentratie-kamp waar haar grootmoeder gevangen had gezeten.

'Er is zoveel wreedheid,' zei Connie, waarna ze eraan toevoegde: 'We zijn er nooit achter gekomen of Ted joods is. Ik neem aan dat we ervan uit-gingen dat het onbelangrijk was.'

'Ik ben doodsbang voor Auschwitz. De rillingen lopen me al over de rug als ik eraan denk.' Nina hield de baby dichter tegen zich aan – een slapend hoopje tevredenheid. Moest ze echt de verschrikking van een dergelijk bezoek doorstaan?

'Je overleeft het wel.' Connie leek een hysterische giechelbui te onder-drukken. 'Sorry.'

'Fay beweert dat ze misschien toch geen chemotherapie hoeft te krijgen. Omdat ze zelf arts is, zal ze er wel goed op toezien dat ze de juiste hoe-veelheid weefsel weghalen.'

'En geen kilo's,' beaamde Connie. Nina werd eraan herinnerd dat Connie nooit eens een moment serieus kon zijn. Ze had een keer gezegd dat, als je de tragedie de komedie liet overstemmen, dat hetzelfde was als je geheel en al verslagen verklaren. 'Raad eens waar ik net vandaan kom?'

'Ik heb geen idee.' Met tegenzin liet Nina Helen de baby uit haar armen tillen. Ze wilde zeggen: 'Ik ben grootmoeder geworden.'

'Ik heb bij William gelogeerd. We hebben samen in rivieren gestaan. Hij heeft mijn hand vastgehouden en gezegd dat hij van me hield. Zou ik hem serieus moeten nemen?'

'Natuurlijk niet!' Nina's uitbarsting deed Will opschrikken, die veront-waardigd begon te jengelen.

Connie moest lachen. 'Ik maakte maar een grapje.'

'Hè?' riep Nina.

'Ze hebben een heerlijk huis met een leien dak, en Felicity braadt lams-karbonaadjes met rozemarijn als ze tijd over heeft van haar drukke werk-zaamheden om het dorp te runnen. Maar goed, het is een prima logeer-adres voor als ik in het noorden moet zijn.'

'Je vraagt er niet naar, maar dat was Helens baby die je net hoorde hui-len.'

'Geef me niet het gevoel dat ik oud ben. Maar doe haar mijn liefste groe-ten. Nina?'

'Ja?'

'Weet je zeker dat je niet beter af geweest zou zijn met William?'

'Ja. Dank je, Connie, voor je aandacht.'

'Geen dank.' Ze zuchtte. 'Hij is zo mannelijk. Denk je dat ik altijd naar aandacht zal blijven hunkeren?'

'Ja,' zei Nina ontstemd. 'En dank je wel dat je me zo geholpen hebt met Auschwitz.'

De airconditioning van het vliegtuig werkte nog niet. Ze stonden al drie kwartier op de startbaan. Nina voelde het zweet zich verzamelen rond haar te strakke tailleband en in haar schoenen. Ze benijdde Fay om haar slanke koelheid. Maar dat leek gezien de omstandigheden een ongepaste gedachte. Ze las een boek over Krakau, maar ook dat leek ongepast. Krakau was niet platgebombardeerd zoals Warschau, omdat de nazi's het tot hun hoofdkwartier hadden gemaakt. Nu was het een toeristische bestemming. Ze zouden daarvandaan een taxi nemen voor de zeventig kilometer naar Auschwitz en Birkenau. Birkenau was hun werkelijke bestemming, waar Fays grootmoeder had overleefd, en vier miljoen anderen dat niet hadden gedaan. Het stond in haar gids aangemerkt als Oswiecim, het dichtstbijzijnde dorp. Nina wist niet wat voor gevoelens ze over dit alles had en zocht troost bij de overtuiging dat zij er ook niet toe deed, maar alleen Fay.

Ze wierp zenuwachtig een blik op Fay, die naast haar zat. Ze zag dat haar zwarte haar hier en daar grijs was geworden, maar dat haar huid amper rimpels vertoonde, en ze leek kalm. Omdat ze eerlijk wilde zijn, zei ze: 'Ik ben doodsbang.'

'Waarvoor?'

'Dat ik je op de een of andere manier in de steek zal laten. Het niet zal begrijpen.'

'Dat doet er niet toe. Ik wil alleen maar eer gaan bewijzen, dat is alles. Ik heb er allemaal zo'n hekel aan gehad, aan al die joodsheid, toen ik kind was. Ik wil een beetje boete gaan doen, erkenning geven. Maar ik verwacht niet dat het mijn leven verandert. Ik ben niet gelovig, niet zoals Connie, en ik ben niet van plan de benen te nemen naar Israël. Dat zou Ted vreselijk vinden.'

Nina vatte de koe bij de hoorns: 'Is Ted joods?'

Fay leek verrast. 'Niet dat ik weet. Hoezo?'

Nina, die in verwarring was gebracht, merkte dat ze bloosde. 'Ik ben alleen maar nieuwsgierig.'

'O. Nou, als je het weten wilt, voor mij was het helemaal niet belangrijk of ik met een jood of een niet-jood trouwde.'

Nina voelde zich berispt, wat Fay opmerkte. Niet alles viel te verklaren. 'Laten we wat wijn bestellen,' stelde ze voor.

De trein van Warschau naar Krakau reed door lange, vlakke velden die zinderden in de zon. Het was heel warm geworden. In de wagon zaten groepjes jongens te roken en bier te drinken. Ze maakten kennelijk een of ander religieus tochtje. Hun gelach was een opluchting vergeleken bij de stugge stilte van de oudere mensen in het rijtuig. Ook Warschau was een stugge stad geweest; het vrolijke feestgewaad van de herbouwde oude stad deed Fay denken aan dansen op het graf. Het getto, waarvan de omtrek werd aangegeven door communistische flatgebouwen, leek nog steeds een niemandsland, ondanks de zware stenen gedenktekens. Ze was blij met deze jeugdige enthousiastelingen, die twintig jaar of meer na het einde van de oorlog waren geboren. Laat hun ouders het maar afkeuren. Fay keek naar het gezicht van een oude vrouw, die haar lippen onder haar snor op elkaar geperst hield en wier huid zich als een sjaal om haar hals plooide, en bracht zichzelf in herinnering dat dit haar grootmoeder geweest had kunnen zijn. Behalve dan dat ze, te zien aan het kruisje tussen de plooien, katholiek was.

Zal ik kwaad worden, vroeg ze zich af. Niet verdrietig, niet het kalme gedenken dat ik Nina heb beloofd, maar vervuld van haat en gerechtvaardigde woede? Maar toen glimlachte ze bitter bij zichzelf: de enige woede waar ik recht op heb is de woede op mezelf, omdat ik zo'n hekel had aan mijn grootmoeder. Of aan waar zij voor stond.

Tot dusverre gaat alles goed met me, bedacht Fay, en ze glimlachte naar Nina, die uit het raam zat te kijken. Wat was het een goed idee geweest om haar mee te vragen! Ze zou beschermd zijn tegen te veel lijden door vele generaties van veiligheid op het eiland. Haar ogen weerspiegelen de bossen en velden van Sussex. Dat wil niet zeggen dat ze ongevoelig is of niet weet hoe ze ongelukkig zou moeten zijn, want het feit dat haar eerste huwelijk is misgelopen is daar voldoende bewijs van, maar in wezen is ze sterk, bijna ondoordringbaar. Geroerd door deze gedachten raakte Fay Nina's hand aan. 'Dank je wel dat je mee bent gegaan.'

Het was nog steeds warm. De gewelfde ijzeren poorten met hun infame boodschap – ARBEIT MACHT FREI; welke smid was aangesteld om ze te maken, vroeg Fay zich af – bevonden zich achter hen. Ze liepen samen voort, zonder iets te zeggen, langs rijen bakstenen gebouwen. Elk blok was voorzien van een stenen trapje dat naar de ingang voerde. Dapper gingen ze een deur door, en toen nog een. Nadat ze vier blokken hadden bezocht, ging Nina op een van de treden zitten en nam haar hoofd in haar handen. Fay ging naast haar zitten, bezorgd. Maar ze wilde niet bezorgd zijn om Nina. 'We kunnen hier wachten zo lang als je wilt,' zei ze. Maar ze bedoelde: niet voor eeuwig. Ik heb je nodig.

'Het is niet... Het is niet...' Nina keek naar Fay. 'Het spijt me zo.' Ze veegde haar zwetende handen af aan haar rok. 'Het is belachelijk van me –

zo Engels. Maar deze blokken doen me denken aan mijn vader. Ik weet niet waarom ik de link niet eerder heb gelegd. Je weet dat mijn vader drie jaar in een krijgsgevangenenkamp heeft doorgebracht.' Ze zweeg. Fay keek haar uitdrukkingsloos aan. Nina leek verward, en beschaamd. 'Het spijt me zo,' zei ze. 'Straks gaat het wel weer. Deze plek is jouw familiegeschiedenis, niet de mijne. Maar hierdoor kwam het ineens allemaal terug. Het feit dat hij er niet was toen wij gelukkig waren, mijn moeder en ik, en vervolgens dat hij er wel weer was. Ik moet even blijven zitten.'

'Goed hoor.' Ze bleven samen in de zon zitten. Links van hen strekte de dubbele met prikkeldraad bezette omheining zich uit, niet zo heel hoog, maar naar binnen hellend en voorzien van porseleinen knoppen waar stroom op had gestaan. Een klein houten bord, met de hand voorzien van een geschilderd doodshoofd en gekruiste botten, zei: HALT. Een aanfluiting, bedacht Fay, want er waren maar heel weinig mensen ontsnapt, en zeker niet over het draad.

'Moet je kijken,' zei Fay. Er zat een kleine bruine vogel op het bord, die vrolijk kwinkeleerde. Ze was zich vanaf het moment dat ze binnen waren gekomen bewust geweest van vogelgezang; ze had zelfs een vlinder loom zien uitrusten op de warme stenen. Haar stem was beheerst. 'Ik vraag me af wanneer deze bomen zijn geplant.' De bomenlanen zagen er keurig uit, zoals het hele kamp. Van de gevangenen werd verwacht dat ze hun stapelbedden netjes hielden, hadden ze op een bordje gelezen, ook al bestonden ze alleen uit een stuk zakkengoed en lagen er soms wel twee of vier mensen in.

'Wat is het anders om de stapels met brillen in het echt te zien dan op foto's,' vervolgde Fay. 'Heb je die ene elegante gezien, van ivoor? En de lorgnetten? En de goedkope brillen van ijzerdraad? Je probeert je vanzelf de gezichten voor te stellen die ze hebben gedragen. Je vraagt je af hoe het hun is vergaan. Je weet hoe het hun is vergaan.'

'De gezichten zijn zonder meer het ergst.' Nina staarde naar de vogel, die nog steeds rondhipte en tsjilpte. Ze leek nu kalmer. In elk blok hingen rijen foto's, van mannen, vrouwen en kinderen, met kaalgeschoren hoofden en gekleed in gestreepte gevangeniskledij, en profiel, en face, in halfprofiel. Hun ogen staarden met geschokt ongeloof de wereld in. Sommigen hadden het maar een paar weken overleefd, of zelfs maar een paar dagen.

'We zijn hier om hun bestaan te erkennen, neem ik aan.' Fay raakte haar borst aan, waar de kanker had gezeten. Hij was gevoelig. Ze trok haar hand terug. 'Iedereen moet een keer sterven. Maar niet zo.'

'Ik wil niemand haten,' zei Nina. Een stokje, dat een vogel misschien had laten vallen, lag in het zanderige gruis bij haar hand. Ze pakte het op en begon er lijnen mee te trekken. Geleidelijk aan veranderden de lijnen in een gezicht.

'Ik ga verder.' Fay stond op. Het was haar plicht elke mogelijke verschrikking te zien, elke bakstenen martelkamer binnen te gaan en de verschrikkelijke verhalen in haar hart te griffen die daar binnen waren geschreven. Ze moest in beweging blijven. Ze realiseerde zich dat ze wankelde als een oude vrouw.

Nina merkte amper op dat ze wegliep, want het gezicht was het gezicht geworden van haar vader. Ze staarde er verdwaasd naar. Haar vader had op een plek des doods gewoond. Welk recht had zij om veronderstellingen te maken over haat? In niet meer dan een paar minuten zag ze de haat onder ogen die ze voor hem had opgeslagen, en bereikte ze het inzicht dat het haar mogelijk maakte hem te vergeven. Voorzichtig boog ze zich voorover en wiste het gezicht uit; ze streek het oppervlak glad met haar vingers. Ze bleef nog een poosje zitten, haar hoofd in haar handen.

Toen stond ze op en ging op zoek naar Fay. Ze voelde zich er nu meer tegen opgewassen troost te bieden.

Ze nam Fays arm en ze gingen langzaam verder, met witte gezichten, en trillend kwamen ze uit elk blok tevoorschijn, dankbaar voor de zon die hun weer wat kracht schonk. Ze zagen de muur waar mannen en vrouwen waren geëxecuteerd, de ondergrondse cellen die soms zo klein waren dat de gevangenen er niet konden staan, en de palen waaraan gevangenen waren opgehangen als hun naam werd afgeroepen van een lijst. Ze zagen het crematorium, vlak buiten het prikkeldraad, waar gevangenen waren vergast en verbrand. De roodbakstenen schoorsteen en een paar van de ovens waren nog in uitstekende staat, of misschien waren ze gerestaureerd. Ze zagen de plek waar de eerste commandant van het kamp na de oorlog was verhangen, en toen bleven ze weer staan.

'Kijk.' Fay wees. In een van de blokken, met uitzicht op het prikkeldraad, hingen kanten gordijnen voor het raam, en er stonden bloemen.

'Zou daar iemand wonen? Wie zou dat kunnen verdragen?'

Fay haakte haar arm weer door die van Nina en ze liepen terug naar hun taxi. Ze dacht erover na dat dit bezoek van hen vragen opriep die onmogelijk te beantwoorden waren. 'Nu moeten we naar Birkenau gaan,' zei ze. 'Daar heeft mijn grootmoeder gevangengezeten en daar is haar familie – mijn familie – gestorven. Haar man, haar zuster, de man van haar zuster, haar zoon en anderen, geloof ik.'

Ze reden de paar kilometer naar Birkenau. Fay worstelde met verschrikkelijke gedachten. Ze stelde zich voor dat haar zoons gevangenzaten, dat er inbreuk werd gemaakt op hun knokige naaktheid. Er was een foto geweest van een jongen die veel op Lex leek, met in zijn grote droeve ogen een tragische poging tot verzet. Ze leunde met haar hoofd tegen het taxiraampje. Haar hoofd en haar hele lichaam deden pijn, en voelden tegelijkertijd licht en onstoffelijk aan. Ze vroeg zich af of de kanker die nog maar zo kortgeleden uit haar borst was gesneden de gelegenheid zou aangrijpen om zich door al haar cellen te verspreiden. Als arts had ze nooit willen accepteren dat kanker een geestelijke oorzaak zou kunnen hebben, maar ze had zich dan ook nooit zo'n uitbarsting van verschrikkingen voorgesteld. Ze was dankbaar toen Nina een arm om haar heen sloeg. Ze leunde tegen haar schouder. Ze leunden tegen elkaars schouder.

Birkenau strekte zich over enkele honderden hectare uit, met rijen houten woonblokken ver uit elkaar op felgroen gras. Fay klom langzaam de taxi uit, gevolgd door Nina. Ze bleef een poosje staan en keek alleen maar om zich heen. In het midden liep de spoorlijn, die binnenkwam via een vaak gefilmde baksteen poort die bovenaan eindigde in een toren, nu geopend voor publiek. Achter hen kwam een bus aanrijden en een gezelschap Poolse schoolkinderen stroomde naar buiten; hun natuurlijke uitbundigheid ging geleidelijk over in gedempt gefluister.

Fay wendde zich af. 'Ik voel me te zwak,' zei ze. Ze stapte weer in de taxi, geholpen door Nina.

Tijdens de rit terug naar Krakau, terwijl de weg zich door fraaie bossen en weideland slingerde, bleven ze zwijgen. Nina wist niet zeker of Fay had bedoeld dat ze lichamelijk of geestelijk 'te zwak' was. Zijzelf was ontzettend opgelucht geweest dat ze hun expeditie voortijdig beëindigden. Toen ze de stad in kwamen, en langs zoveel kerken reden dat ze de tel kwijtraakte, merkte ze dat ze heel helder na kon denken over haar vader. Hij had drie jaar van zijn jongvolwassenheid in een jappenkamp doorgebracht. Daar zat hij omdat hij een soldaat was, niet omdat hij jood was, of een zigeuner, of een homoseksueel. Zijn ras of religie was onbelangrijk en hij maakte geen deel uit van een wereldwijde holocaust. Hij maakte deel uit van duizenden, zo niet van miljoenen. Uitroeiing was niet de bestaansreden van zijn kamp. Je kon het niet vergelijken met wat er in Auschwitz-Birkenau had plaatsgevonden. Desondanks had hij moeten leven met wreedheid, marteling en mogelijke dood. Hij had dingen gedaan waar hij zich voor schaamde en er waren hem dingen aangedaan waarvoor hij zich niet minder schaamde. Het had hem getekend, en doordat het hem had getekend had het haar getekend. De taxi hield halt voor hun hotel, vlak bij het hoofdplein.

'Dank je wel dat je bent meegegaan,' zei Fay. Nina vroeg zich af of haar eigen gezicht nog steeds dezelfde wit weggetrokken en geschokte uitdrukking had als dat van Fay.

'Ja.' Nina herinnerde zich nog een punt van verschil. Fays grootmoeder was de enige van haar familie geweest die het had overleefd – afgezien van mensen zoals Fays moeder, die al in Amerika waren geweest. Ze kon niet in één en dezelfde adem en aan haar vader en aan Fays familie denken. Een dergelijke vergelijking was stuitend, besloot ze. Ze merkte dat ze ontzettende honger had, alsof haar lichaam zei: genoeg! Jij leeft tenminste nog.

Ze gingen het hotel binnen, Fay haastig. 'Ik wil naar huis bellen,' zei ze, en ze pakte haar sleutel. 'Zullen we elkaar over een paar uur weer treffen?'

Fay lag op haar bed. Ze had thee en een sandwich besteld. Thuis was alles goed geweest. Lex was gecast voor een jeugdmusical die werd georganiseerd door de gemeente. Jim had een nieuw computerprogramma te leen waarmee je een hele stad kon bouwen. Ted was thuisgekomen met een pindakaasmachine, die de noten tot een pasta vermaalde waar je heerlijke sandwiches mee kon besmeren.

Fay probeerde zich te herinneren hoe ze zich had gevoeld toen Daniel was omgekomen, alsof dat de sleutel zou kunnen zijn voor haar reactie op Auschwitz. Ze was gek geweest van ellende, van woede, van zelfmedelijden, besefte ze, maar verder was er niets helders aan. Daardoor had ze Ted leren kennen, en Ted en de jongens waren haar leven geworden. Was dat de sleutel? Haar grootmoeder was naar Amerika gekomen en had brood gebakken in hun vol met meubels staande appartement. Hoe had ze dat voor elkaar gekregen? Fay kon het niet begrijpen. Haar moeder had ervan geweten, maar had er nooit over gesproken. Zijzelf had het van jongs af aan geweten – een straal zonlicht die op het deeg scheen en een mouw die naar achteren viel en een rijtje blauwgrijze getallen had onthuld. Ze had niet meer willen weten, en zij, haar grootmoeder en moeder, hadden haar beschermd. Ze hadden tegen haar nooit iets over Polen gezegd en hadden zeer zeker niet de wens te kennen gegeven er ooit naar terug te keren. Dus dit was de last die op haar schouders rustte: dit teruggaan, dit gedenken. Omdat zij daar sterk genoeg voor was. Zij zou het overleven. Zij was Amerikaanse.

Fay sloot haar ogen, maar de lange rijen gezichten, geschoren hoofden en verschrikte ogen stelden zich op om naar haar te kijken. Ze ging op de rand van het bed zitten en voelde weer aan haar borst, het gedeelte dat eraan ontbrak en het litteken. Ik overleef het, dacht ze. Ik ben Amerikaanse. En toen dacht ze aan Daniel, en leek zelfs dat niet meer zo zeker.

1992

De berg rees op uit een wolk zo laag en dik dat er maar een heel klein stukje van de helling te zien was. De regen gutste neer uit de hemel en liep langs de diverse paden, terwijl hij losse stenen met zich meevoerde en zich ten slotte bij twee stroompjes voegde, diep uitgesneden in de rots en omkranst door weelderige braam- en fuchsiastruiken.

'Met dit weer kunnen we de klim niet maken,' zei Leonardo vrolijk, 'en zelfs als we dat wel zouden kunnen, zouden we vanaf de top nog niets kunnen zien.'

'We hebben geen uitzicht nodig om de statiën langs te gaan.' Connies stem klonk spijtig. Croagh Patrick was een heel eind rijden vanuit Lir. Ze stond bij het beeld van St.-Patrick en las de tekst op een plakkaat voor.

' "Eerste halte: Leacht Benain, de pelgrim loopt zeven keer om de hoop stenen en zegt zeven onzevaders, zeven weesgegroetjes en één credo. Tweede halte: de top. a) De pelgrim knielt en zegt zeven weesgegroetjes en één credo; b) De pelgrim bidt bij de kapel voor de intenties van de paus; c) De pelgrim loopt vijftien keer om de kapel heen en zegt vijftienonzevaders..." '

Ze bleef staan om naar Leonardo te kijken, die was weggelopen en in een stroompje tuurde.

'Wat een verbazingwekkende kleur!' riep hij uit. 'Koperrood, bijna als bloed.'

'En jij noemt jezelf Iers. Inderdaad, bloed. Het water krijgt zijn kleur van het veen. Zullen we dan Knock maar proberen, zonder de klim?'

Connie en Leonardo liepen door de hoofdstraat van Knock, langs de souvenirwinkeltjes die tactvol naar heiligen waren vernoemd. Connie droeg een blauwe plastic cape met KNOCK achter op de rug gedrukt. 'Mijn tante zou zich hebben omgedraaid in haar graf. Of niet soms?'

'Voorspoed. Meer is het niet.' Ze keken op naar de enorme, lelijke basiliek die naast de oorspronkelijke kerk was gebouwd, waar de verschijningen werden herdacht door een glazen kapel. Achter hen verzamelde zich een menigte bij de kranen waaruit heilig water kwam. Ze vulden plastic flessen in de vorm van de Maagd die ze speciaal voor dit doel hadden aangeschaft. Een luidspreker reciteerde de invocaties van Maria: Moeder van Genade, Ongerepte Moeder, Koningin der Zee, Stella Maris, Onbevlekt Ontvangen Maagd...

'Dus het brengt je niet van je idee af om priester te worden?' Met de huivering die ze nooit kon onderdrukken merkte Connie de grote borden op die aangaven dat je kon biechten.

Leonardo lachte. 'Moeder, als er mensen zijn die hun geloof op deze manier willen belijden, mogen ze dat van mij. De mis is overal hetzelfde. Daar komen we zo wel aan toe.'

'Laten we ergens heen gaan waar het droog is en eerst iets drinken. Ik ben doornat en heb het steenkoud.' Dat deden ze, en toen ze weer naar buiten kwamen, vertoonden de wolken strepen blauw en haastten een heleboel mensen – sommigen in rolstoelen, anderen met krukken, van alle nationaliteiten en leeftijden – zich over het glimmende natte beton naar de basiliek.

'Ik denk dat tante Annie dit wel leuk gevonden zou hebben. Zuster Oliver, bedoel ik.' Opgewarmd door het drankje pakte Connie Leonardo's arm. 'Zoveel enthousiasme. Zoveel geloof. Weet je, ze is gestorven kort nadat wij hier op bezoek waren geweest. Ze had een tumor die niet meer te opereren was. Daarom kwam ze terug van de missie in India, en dat is waarschijnlijk ook de reden dat ze naar Knock ging. Ik heb het verhaal jaren later van Eileen gehoord. Ik zal voor haar bidden tijdens de mis.'

'En ik zal voor jou bidden.' Leonardo glimlachte breed, alsof hij een grapje maakte. Nog steeds arm in arm voegden ze zich bij de menigte die de kerk in ging.

Twee weken nadat ze uit Auschwitz was teruggekeerd, ging Nina naar haar atelier en nam daar plaats in haar roze fauteuil. Het was koel in het vertrek, en het licht was groenig vanwege de klimplanten die de ramen bedekten. Jarenlang was hier niemand geweest en de schildersdoeken die tegen de muur stonden zaten onder het stof en de spinnenwebben. Maar de grote houten ezel was schoongemaakt en er was een nieuw doek op gezet. Na een poosje vond Nina een blocnote en begon een brief aan Connie te schrijven:

Mijn bezoek aan Auschwitz heeft me sterk aangegrepen. Dat is des te verrassender omdat we er maar zo kort zijn geweest. Ik ben er zomaar heen gegaan, zonder me voor te bereiden, en ik sleepte de rommelige bagage van mijn leven met me mee. Ik moet zeggen dat ik verbaasd ben dat het zo lang heeft geduurd voordat ik mezelf maar een klein beetje ben gaan begrijpen. Nu pas heb ik goed nagedacht over mijn jeugd, toen mijn moeder en ik alles probeerden te doen zoals mijn vader het zou hebben gewild, ook, gek genoeg, tijdens de jaren dat hij niet bij ons was en gevangenzat in een jungle in Birma. Hoewel we destijds op een vanzelfsprekende manier gelukkig waren, mijn moeder en ik. Toen mijn vader was teruggekomen, kon ik mezelf nooit als belangrijk zien. Hij ondermijnde alles. Ach, je bent helemaal op de hoogte van de problemen die ik met schilderen heb. Vervolgens trouwde ik twee mannen die meer op mijn vader leken dan gezond was.

Ik denk dat je het wel een soort wonder zou kunnen noemen, maar Auschwitz heeft het me mogelijk gemaakt weer naar mijn dierbare Rothko's te kijken en desondanks mijn kwast op te pakken. Ik ben me gaan realiseren dat je niet je hele leven vervuld hoeft te zijn van hoop om anderen hoop te kunnen bieden.

Ik durf dit alleen aan jou te schrijven, mijn meest intieme vriendin, omdat het godslasterlijk lijkt, om jouw woorden maar eens te gebruiken, om op zo'n persoonlijke en zelfzuchtige manier te reageren op de afschuwelijke marteling en moord op miljoenen onschuldige mensen. Anderzijds zie ik geen andere manier waarop een menselijk wezen zou kunnen reageren. Of liever, dit is de enige manier waarop ík kan reageren. Ik kan geen dingen in de wereld rechtzetten, maar ik kan wel doen wat ik het beste kan, namelijk schilderen. Ik probeer me een voorstelling te maken van wat Fays grootmoeder moet hebben meegemaakt op die nachtmerrieachtige plek, en het geeft mijn schilderijen vorm. Sorry als ik aanmatigend klink, maar ik heb me vast voorgenomen mezelf serieus te nemen. Het lijkt nu allemaal zonneklaar.

De dag nadat ik was teruggekomen heb ik een ontslagbrief geschreven voor het bestuur van Schilders van het Zuiden. Ik hoop dat het betekent dat ik nog steeds een goede echtgenote kan zijn voor die arme Gus. Hij is tamelijk somber gestemd nu hij met pensioen is. Ik heb gezien dat hij zenuwachtig toekeek vanachter een muur toen ik mijn atelier weer voor het eerst ontsloot. Het ziet eruit als het kasteel van Doornroosje, met overal spinnenwebben. Wens me succes, lieve Connie. Jij bent altijd zoveel doortastender geweest dan ik.

Weer in het atelier zat Nina Connies antwoord te lezen:

Het grote geheim is niet dat je doet alsof volmaakt geluk ooit binnen ons bereik ligt. De meest opgewekte mensen zijn ook het meest wanhopig – zie

370

St.-Franciscus. Daarom hou ik zo van het katholicisme. Het accepteert de breekbaarheid van de mens, in feite is het daarop gebaseerd. Het Tweede Vaticaanse Concilie hield daar rekening mee en veranderde geleidelijk aan de kerk in Ierland van de Kerk waarmee ik ben opgegroeid in de Kerk zoals ik die nu ken. De laatste tijd heb ik veel aan Kathleen moeten denken en me afgevraagd of zij zou moeten weten wie haar echte moeder is en welke relatie ze in werkelijkheid heeft met Leo. De katholieke Kerk in Ierland gaat in de fout wanneer die zich de luxe van geheimhouding permitteert. Ik wil niet diezelfde fout maken. In elk geval heb ik het gevoel dat Merlin zou moeten weten dat hij haar vader is. Orlando ziet het alleen vanuit mijn gezichtspunt en is bang dat ik van streek zal raken, wat heel lief is, maar niet helemaal klopt. We zullen zien. Trouwens, Fay kan niet geloven dat ik er zo lang niets aan heb gedaan.

Het doet me goed dat je je schilderen weer hebt opgepakt. Ik heb er altijd op vertrouwd dat je dat ooit weer zou doen. Hoewel ik moet toegeven dat ik niet had gedacht dat het zo'n eeuwigheid zou duren. Nu moet je de zaken met Gus op een rijtje zien te krijgen. Hij is een man als ieder ander, dus jij zult de leiding moeten nemen. Je kunt je sterke karakter niet blijven ontkennen. Heilige Jozef (beschermheilige van gezinnen), vergeef me, ik klink net als Fay. Maar jij weet veel meer over haar dan ik. We hebben altijd een wankele vriendschap gehad, hoewel ik van tijd tot tijd mijn leven in haar handen heb gelegd. Ik geloof niet dat zij ooit hetzelfde tegenover mij zou doen. Als ik naar Auschwitz zou zijn gegaan, zou ik hebben gehuild op de schrijn van de Heilige Vader Kolbe, die zijn leven gaf zodat een andere gevangene kon blijven leven. Ik neem aan dat dat de reden is waarom Fay mij niet heeft gevraagd.

Wat is het moeilijk om moord en wreedheid op de schaal van de holocaust te accepteren. Zelfs hier zou ik best in alle tevredenheid de problemen hun loop laten nemen zonder me erin te mengen, ware het niet dat Michael erbij betrokken is. En als je er goed over nadenkt, was het niet Fays joods-zijn dat haar het verlangen ingaf de verschrikkingen onder ogen te zien, maar de groeiende nagedachtenis aan haar grootmoeder. Toen we haar in de jaren zestig veel vaker zagen, had ze het nooit over zulke dingen, en ik weet zeker dat ze er toen ook niet aan dacht. Ik was diegene die haar attent maakte op de kwalijke kanten van de Vietnam-oorlog, en ik geloof niet dat ze die ooit in verband bracht met wat er in de Tweede Wereldoorlog gebeurde. Misschien met Daniel wel, maar als dat al zo was, had ze het er nooit over.

Lieve Nina, ik wil je schrijven over je schilderen, maar word steeds afgeleid. Je vertelt dat je nu begrijpt dat je voornaamste reden om ermee te stoppen niet direct met Gus te maken had, of met je werk voor Schilders van het Zuiden. Je zegt dat het al eerder alle betekenis voor je verloren had. Je bent er niet erg duidelijk over, maar kennelijk leg je een belangrijke link met de invloed van je vader, maar ook met je hartstochtelijke bewondering voor het werk van Rothko. Komt dat doordat je hem niet kon evenaren, of doordat hij uiteindelijk zelfmoord heeft gepleegd? Ik neem aan dat je, als je kunst tot een religie maakt, gegarandeerd op dit soort problemen stuit. Je kunt immers nooit verwachten dat je schilderijen nut zullen hebben. Of misschien doe je dat wel? Vervolgens schrijf je dat Auschwitz dit allemaal heeft losgemaakt. Opeens kon je weer schilderen, omdat, voorzover ik het begrijp, onrecht op een dergelijke schaal normaal goed gedrag nutteloos maakte en je de wens ingaf naar iets daarbuiten te reiken – in jouw geval schilderen. Is dat wat je voelt? Neem je pen ter hand, lieve schat.

Ons huishouden gonst van de discussies over morele kwesties sinds Leo heeft aangekondigd dat hij priester wil worden. Er is nergens zo weinig beweging in te krijgen als in een puberjongen die zich heeft vastgebeten in het geloof. Ik vind de drank zoals altijd een grote troost, en na een fles wijn kun je de zogeheten beschaafde discussies van Orlando en Leonardo met gelijkmoedigheid van geest verdragen. Ik zie William nog steeds als ik in het noorden ben. Ik moest je de groeten van hem doen.

Dag, lieve vriendin. Vergeet niet dat jij vastbeslotener bent dan Gus en geef maar geen antwoord op mijn vragen als ze te bot lijken.

Nina verliet het atelier en liep de tuin door. Het regende lichtjes, een koude miezer. Ze hadden al gegeten en Gus zat naast de haard de krant te lezen, meer slapend dan wakker. Zijn ene pantoffel was gevallen, maar zijn voeten waren zo dicht bij het vuur dat hij de kou niet voelde. Hield ze een beetje van hem, een heleboel, of helemaal niet? Misschien haatte ze hem zelfs wel. Hoe belangrijk was hij in haar leven? Wat verwachtte ze van hem? Wat was ze hem verschuldigd? Dat waren allemaal verschrikkelijke vragen om over te beginnen, ook al was het dan in stilte, tegenover een man van middelbare leeftijd die geen werk meer had en maar één pantoffel aanhad.

'Wat lees je?' vroeg ze hem, zoekend naar een ingang.

Veronica, die aan de andere kant van het haardvuur zat te lezen, keek op. Toen ze zag dat de vraag niet voor haar bestemd was zette ze haar bril af, vouwde haar krant op en ging op weg naar de deur. 'Welterusten, lieve schatten.'

Toen ze weg was, zei Nina: 'Heb je me gehoord? Ik vroeg wat je las.' Misschien had hij er zijn hoofd niet bij, kon het hem niet schelen, was hij er ongevoelig voor. Ze probeerde zich de beschuldigingen te herinneren die in Connies brief tegen hem werden ingebracht, maar toen schoot haar te binnen dat Connie alleen maar over hem had gezegd dat hij 'een man als ieder ander' was. Ze waren nu bijna vijftien jaar getrouwd. Ze moest er inmiddels toch wel in grote lijnen achter zijn hoe hij in elkaar zat?

'O, vroeg je dat?' Hij leek zich er niet van bewust dat hij terechtstond. 'Niets bijzonders.'

Nu stond hij op, vond zijn pantoffel, legde zijn bril weg, vouwde zijn krant op. Hij had met mijn moeder moeten trouwen, bedacht Nina valselijk; zij tweeën hebben veel meer gemeen dan wij. Hij vertelt me niet wat hij leest omdat hij weet dat politieke kwesties en sport me vervelen.

'Ik ga weer naar het atelier,' zei ze abrupt.

Nina liep door de donker-sombere herfsttuin en huiverde van meer dan alleen de kou toen ze haar atelier binnenstapte, waar nog steeds een sterke geur hing van vocht en mufheid. Het was belachelijk dat ze het aanvoelde als een daad van rebellie om te besluiten dat ze om tien uur 's avonds nog wilde gaan werken! Ze keek om zich heen en vermeed voorlopig expres het doek dat zo dapper op zijn ezel stond. In haar roze fauteuil was een scheur ontstaan en witte plukken uit het binnenwerk lagen, vermengd met muizenkeutels, bij een groot gat in de lambrisering op de grond. Dus het atelier was niet helemaal onbewoond geweest. Opgevrolijkt doordat ze nu wist welke wezentjes haar plekje warm hadden gehouden, hurkte Nina neer bij het gat en staarde in zijn zwarte diepten.

'Wat doe je daar?' Gus' stem klonk vriendelijk geamuseerd, wat Nina's woede er eerder sterker dan zwakker op maakte. Had ze dat dan niet met zoveel woorden gezegd toen ze hem had verteld dat ze wegging bij Schilders van het Zuiden omwille van haar eigen kunst? Ze nam nu zelf de touwtjes in handen wat haar leven betrof, en als ze daardoor een strijdbare feministe leek, moest hij daar maar aan wennen.

'Ik schilder.' Ze stond op, zich er tot haar ergernis van bewust dat geen enkele vrouw met haar postuur op haar voordeligst uitkwam als ze met haar achterwerk in de lucht op de grond gehurkt zat. Maar waarom zou ze zich over zulke dingen eigenlijk druk maken? De seks die ze nu hadden was puur gewoonte, en niet meer een bron van plezier dan het aaien van een kat. Minder nog, in feite. Resoluut beende ze naar haar doek. Onmiddellijk verlegde haar aandacht zich van hem naar de aarzelende vormen, schetsen van blokken en kleuren, het enige wat ze tot nu toe in staat was geweest te maken.

'Waarom ben je boos op me?' vroeg Gus. Dus hij had het in de gaten. Ze weigerde zich om te draaien. Hoe kon ze de reden voor haar woede in een paar beschaafd klinkende zinnen vervatten? 'Je kunt mij niet de schuld geven van de beslissingen die jij over je leven neemt.'

'Ja, dat kan ik wel!' Nina merkte dat ze op vol stemvolume inzette. 'Begrijp je het dan niet? Ik heb al jaren een hekel aan je! Ik walg van je! Niet zo erg als van mezelf, maar die kant gaat het wel op. Waarom kappen we er niet gewoon mee? Waarom zeggen we niet dat het leuk is geweest voor zo lang als het duurde?' Na die woorden zweeg Nina, met haar mond open. Haar stilzwijgen gaf haar de kans naar zijn gezicht te kijken. Ze besefte dat ze het meest bang was voor die zielige-jongetjesblik in zijn ogen, de blik die William met zoveel succes kon zetten. Maar moest je nou eens zien hoe gelukkig hij was met Felicity!

'Ik herken je niet meer.' Gus sprak bedaard, maar wel met enige bitterheid. 'Ik ga je maar niet vragen of je wilt kalmeren, omdat ik dat niet van je wil. Ik wil dat je het er allemaal uit gooit. Ik wil dat je het begrijpt.' Hij dacht er nog even over na. 'En ik ook.' Na die woorden liet hij zich zwaar neer op de uit zijn voegen barstende fauteuil.

'Niet gaan zitten!' Nina wist amper wat ze deed. 'Zo plet je mijn vriendjes!'

Gus, die haastig opsprong, bekeek de stoel en zijn echtgenote allebei even geschrokken.

'De muizen,' zei Nina afwezig. 'Daar zat ik naar te zoeken. O, Gus.' Terwijl hij wegliep, liet ze zich nu zelf in de stoel zakken. 'Hoe heeft het met ons zover kunnen komen?'

Gus stond met zijn rug naar haar toe en staarde kennelijk naar het ectoplasmatische schilderij. Ze had geen idee wat er in hem omging. 'Je bedoelt dat je wilt dat ik wegga?' Zijn stem was aangenaam, alsof zoiets gezegd kon worden zonder gehuil en tandengeknars.

'Hoe bedoel je, weggaan?'

'Ik dacht dat het je zou helpen om voor Schilders van het Zuiden te werken. Waarom heb je het me niet gezegd?'

Als hij van haar hield, had het toch duidelijk moeten zijn? Maar misschien had ze hem nooit haar ware zelf getoond, omdat ze dat geheim wilde houden. Schilderen was een geheime, obsessieve bezigheid die niet kon worden gedeeld. Had ze Gus nooit dichter bij zich laten komen dan de rest van de wereld? Zelfs niet zo dichtbij als Connie en Fay?

'Je bent gestopt met wassen.' Hij sprak nog steeds met zijn rug naar haar toe, zijn toon redelijk, als de advocaat die hij was geweest. Die redelijkheid had bijna haar leven geruïneerd. Zij wilde extreem zijn. In haar hart was ze zo: extreem.

Ze begon weer te schreeuwen. 'Natuurlijk heb je ervoor gezorgd dat ik veiligheid en comfort had, maar het was wel de veiligheid van de dood – steriliteit! Ik had net zo goed een dosis antidepressiva kunnen slikken. Ik had net zo goed opgesloten kunnen zitten. Je hebt een gevangene van me gemaakt. Ja, ja, je moet gaan. Je hebt me vijftien jaar van mijn leven gekost. Je bent net een dikke deken die naar de mottenballen ruikt en die me verstikt. Ik kan niet leven met jou in de buurt. Ik kan niet schilderen!' Nu jammerde ze als een kind. Maar het was niet helemaal waar. Ze kon wél schilderen. Zelfs nu, nu hij zich in het vertrek bevond, tussen haar en het doek in, verlangde ze ernaar haar penseel in de verf te dopen en dikke kleuren aan te brengen op de lijnen die al waren neergezet. In haar hart was ze dolblij. Eerlijk gezegd maakte het weinig uit of hij ging of bleef.

Gus liep langzaam naar de deur. Ze merkte op dat ze, ondanks haar kreten van haat, niet de gewoonte had afgelegd om hem als een bron van genegenheid te beschouwen. Ze zag de zakkerige omtrek van zijn trui rond zijn ietwat zware buik, de kraag van zijn hemd die een stukje was opgeslagen rond zijn sterke nek, zijn gezicht met zijn regelmatige trekken en nobele voorhoofd, dat nog groter was door zijn kaalheid. Ze erkende dat althans een deel van haar zich niet tegen hem had gekeerd.

'Maar ik wil vrij zijn!'

'Natuurlijk moet je vrij zijn.' Hij zweeg even, betastte de deurknop met zijn hand. 'Ik voel me vrij.'

'Jíj wel! Dat weet ik.'

'Je moet het uitleggen, Nina.' Hij kwam weer naar haar toe en hurkte naast haar neer. Een stukje stof van de knie van zijn corduroy broek streek langs haar been. Ze schoof haastig achteruit.

'Dat kan ik niet. Als je het niet kunt begrijpen, hadden we nooit met elkaar moeten trouwen.' Ze vond het vreemd dat zijn positie van smekeling hem niet tot een smekeling leek te maken, maar eerder kalm en sterk. 'Je behandelt me als een kind,' voegde ze eraan toe, hoewel dat niet helemaal klopte. 'Je maakt je zorgen om me. Je zorgen maken me doodmoe.'

'Maar ik hou van je.' Voor het eerst brak zijn stem enigszins.

'Je moet van me houden zonder me helemaal te willen sturen. Ik weet heus wel wat goed voor me is. Ik wil niet met je vrijen, alleen wanneer ik zin heb om te vrijen of te neuken. Heel vaak wil ik niet met je praten. Ik ben een schilder, geen echtgenote. Geen moeder, geen dochter.'

'En geen minnares, zei je.' Gus legde een hand op haar rok en ze voelde meteen de adem van de opwinding. Was eerlijkheid zo'n liefdesstimulerend middel?

'Ik weet verder niets te zeggen.' Ze liet zijn hand liggen waar hij lag, bijna belangstellend omdat zijn vingers op haar huid, ook al zat er een rok tussen, zo'n uitwerking hadden. Ze herinnerde zich de middag dat ze hem in zijn korte broek had geschilderd tot hij opgewonden was geraakt. Hun vrijerijen hadden toen tot grote rampen geleid: haar zwangerschap, haar miskraam, zijn woede, haar schuldgevoel. Misschien was het wel allemaal op die dag begonnen.

'Ik had nooit moeten hertrouwen,' zei ze. 'Het spijt me.' Hun gezichten waren dicht bij elkaar, ze bogen zich allebei naar voren.

'Ik ga wel weg,' mompelde Gus. 'Maar niet voorgoed. Ik ga met Veronica ergens een cruise maken. Turkije, Griekenland. Dan laten we jou met rust om te schilderen. Als ik terugkom, nemen we een beslissing.'

'Je hebt ontzettend veel geluk gehad,' vertelde de arts Fay.

'Ik ben ook arts, weet je.'

Hij glimlachte. Ze waren oude vrienden. 'Toch heb je geluk gehad. Geen kanker meer te zien. Er zijn geen uitzaaiingen. Je hoeft niet meer bestraald te worden.'

Fay keek naar de van gezondheid blakende dokter voor haar – ook omdat hij zo direct was. Ze kende hem nog van haar medicijnenstudie en een paar jaar geleden jogden ze altijd in tegenovergestelde richting door het park, met precies dezelfde koptelefoon op. Ze waren een keer van plan geweest hun bandjes te ruilen, maar dat was er nooit van gekomen. Hij leek voor haar gevoel geen geschikte vertrouweling, maar Ted had al genoeg te verwerken gekregen. 'Ik heb niet het gevoel dat het achter de rug is.' zei ze.

Adam, dokter Adam Windlass, keek verrast. 'De uitslagen laten er geen misverstand over bestaan. Hier, kijk zelf maar.' Hij gaf haar papieren, röntgenfoto's.

'O jawel, ik heb al gekeken.' Ze glimlachte gespannen. 'Vergeet niet dat dat mijn specialisme is. Ik kan ze dag en nacht in mijn werkkamer aan de muur laten hangen als ik daar zin in heb. Ik heb het niet over de onderzoeken, maar over wat ik *voel*.'

Adam verlegde zijn rechterhand op het bureau zodanig dat het leek of hij op zijn horloge wilde kijken, en dat had hij ongetwijfeld ook gedaan als zij geen vriendin van hem was geweest, en een collega-arts. Ze wist heel goed dat hij niets kon met gevoelens. Waarschijnlijk zou hij haar aanraden met haar therapeut te praten. 'Wat kan ik voor je doen?' vroeg hij ten slotte, en hij verhulde zijn berusting achter een vriendelijke, opgewekte manier van doen, waarvoor ze hem dankbaar was.

'Ik vraag me alleen maar af of het normaal is. Na een geslaagde kankeroperatie. Of ander patiënten dat gevoel ook hebben: alsof je wordt voorgelogen en je je waakzaamheid geen moment mag laten verslappen. Ik doe geen oog dicht.' Abrupt deed ze er het zwijgen toe. Haar dromen zou ze hem tenminste besparen.

'Fay, jij weet net zo goed als ik dat alles normaal is in de medische wereld. Ja, sommige patiënten maken zich zorgen. Dat is niet meer dan natuurlijk.' Hij sprak nog een paar geruststellende woorden en Fay luisterde, en na een poosje liet ze hem geloven dat ze gerustgesteld was. Het was tenslotte niet eerlijk tegenover hem om hem alleen maar het minst belangrijke deel van de waarheid te vertellen.

Fay liep terug naar haar praktijk. Het was herfst, normaal gesproken haar lievelingsseizoen, en ze had zich een nieuw kersenrood jasje aangeschaft om te vieren dat ze weer beter was. De jongens vonden het prachtig, wist ze, en geloofden maar al te graag in de blije boodschap ervan. Ze had Adam nog niet verteld over haar bezoek aan Auschwitz of daar ook maar met haar therapeut over gepraat. Maar ze waren dan ook nog steeds bezig met de dood van haar moeder. Wanneer je tegen je therapeut liegt en dergelijke ernstige zaken weglaat, zit je zwaar in de problemen.

Dezelfde droom – nachtmerrie – wekte Fay bijna elke nacht uit haar slaap, vaak op precies hetzelfde tijdstip, om twee minuten voor halfvier. Ze keek toe bij een operatie van een jongetje van een jaar of zeven, donker en broodmager. De operatie werd verricht door een man – althans de handen met de instrumenten, die geen handschoenen droegen, waren die van een man. Overdag kon Fay de gedachte niet verdragen aan de verschrikkingen die deze weerloze jongen werden aangedaan, die leefde en wakker genoeg was om in reactie op zijn martelingen te kronkelen en te schokken. 's Nachts was ze zich er op een afschuwelijke manier van bewust dat ze dokter Mengele in Auschwitz aan het werk zag, maar dat dit tegelijkertijd een operatie was van het soort dat zijzelf had uitgevoerd en dat de jongen, hoewel niet herkenbaar, stond voor alle jongens die ze kende of had gekend – Daniel, haar eigen twee zoontjes, het prachtige jongetje dat was gestorven terwijl zij hem aan het opereren was – en voor jongens in het algemeen. Soms was er een kleine variatie en danste de jongen op het laatst aan het uiteinde van een touw.

Deze droom viel makkelijk te analyseren. Daar had ze haar therapeut niet bij nodig. Hij ging over schuld. Schuld, over een paar generaties heen, dat Auschwitz was overleefd, schuld vanwege het feit dat ze dit niet had onderkend terwijl haar moeder en grootmoeder in leven waren geweest. Schuldgevoel dat nooit was verdwenen over de dood van de kleine jongen die haar patiënt was geweest, schuld dat ze er niet in was geslaagd Daniel ervan te weerhouden naar Vietnam te gaan. Schuld dat ze het leven had geschonken aan twee zoons, nóg twee gijzelaars van het lot. Overdag onderkende ze de eenvoud van de boodschap die haar nacht na nacht werd gestuurd. Ze wist heel goed, zonder het dokter Adam Windlass te vragen, waarom ze zich niet genezen voelde: zij verdiende de kanker.

Haar rationele kant wilde niets van deze argumenten weten. Ze waren allemaal negatief, zinloos en amper gefundeerd. Haar moeder had niet gewild dat ze aan de tragische kant van haar joods-zijn zou denken. Ze had haar uiterste best gedaan om haar patiëntje te redden, niemand had het beter gekund. Daniel was zevenentwintig geweest, had zelf willen beslissen wat hij met zijn leven deed, en had zich vast voorgenomen haar raad in de wind te slaan. Haar zoontjes gingen een glorieuze toekomst tegemoet, met ouders die dolveel van hen hielden, een goede gezondheid, genoeg geld en een scherp verstand. Een kind ter wereld brengen was een positieve, creatieve daad, die een vrouw – zou je kunnen zeggen – aan de kosmos verplicht was.

Maar hoe vaak ze dergelijke argumenten in haar wakende uren ook voor zichzelf herhaalde, ze losten op in dezelfde angstaanjagende scène, hetzelfde gevoel van schuld en verantwoordelijkheid, de uiterste wanhoop niet alleen om haarzelf, maar ook om de rest van de wereld, en met name haar zoontjes. Geleidelijk aan uitten de slapeloze uren – ze bleef stil liggen omdat ze Ted niet wakker wilde maken – zich in een geprikkelde manier van doen en een spanning op haar gezicht. Ze besefte dat veel van haar vrienden vermoedden dat ze dapper loog over haar kanker en dat ze helemaal niet was hersteld. Het kon zijn dat Ted zich hier zorgen over maakte, en zelfs Lex en Jim.

Teds leven was nog meer in een stroomversnelling geraakt. Op zijn vijfenveertigste had hij een gepassioneerd publiek voor zijn muziek gevonden. De jongeren hadden hem onder hun hoede genomen. Afgelopen zomer had hij een concert gehad in Central Park waarover geschreven was in de *Times*; deze herfst had hij een optreden in Carnegie Hall. Hij zei dat hij altijd hetzelfde soort muziek had geschreven en dat de mode hem had ingehaald. Dit was niet het moment om hem te demoraliseren.

Dus kocht Fay een lipstick in een fellere kleur rood, en liet bij de kapper de grijze strepen die het zwart dreigden te verdringen een paar tinten donkerder verven. Ze was weer aan het werk en in plaats van haar werktijden te bekorten verlengde ze die juist. Zoals het nu met haar gesteld was was haar gezin beter af als ze haar niet al te veel zouden zien, bedacht ze. Op sommige ochtenden zag ze, als ze in de spiegel keek, een heel oude vrouw. Soms zag ze haar grootmoeder, en dan kwam er geen einde aan haar tranen.

1993

De galerie bevond zich aan East Second Street. Nina's schilderijen, nog steeds in bruin papier gewikkeld, leunden tegen de muren.

'Wat is er met de Bowery-boeven gebeurd?' vroeg Connie.

'Ik kan je wel vertellen dat het nu een chique boel is. Een plek om te zien en gezien te worden.' Fay streek met haar vingers over de witgestucte muren. 'Ze doen hier echt hun best. Kijk eens aan, prachtige muren om schilderijen op te hangen. Glad, geen bobbeltje te zien.'

'Persoonlijk zou ik zeggen dat ze zo glad zijn als een Westmeath-veld,' deed Connie een duit in het zakje, 'maar ja, ik heb dan ook een zwak voor bobbels en in het algemeen voor dingen die uitsteken.'

Nina wapperde met een hand die zwaar onder de verf zat. 'Hou je mond, Connie. Echt, Fay, je hoeft je geen zorgen te maken. Ik vind het verbazingwekkend, gezien mijn bizarre carrière, dat je een plek hebt gevonden waar ze mijn werk überhaupt tentoon willen stellen. In feite heb ik liever dit dan de Tate.'

'Gods wegen zijn ondoorgrondelijk!' knikte Connie wijs.

'Ik dacht dat we hadden besloten dat we het dit keer zonder God zouden doen,' beet Nina haar toe.

'Ik dacht al dat je niet zo kalm was als je ons wilde doen geloven.'

Fay keek naar haar twee beste vriendinnen en voelde zich honderdvijf. Hoe konden ze zo dwaas doen! Vervolgens barstte ze tot haar eigen verbazing in tranen uit. Ze zonk neer tot ze in elkaar gezakt op de houten vloer zat. Nina en Connie bleven geschrokken op een afstandje staan. Fay huilde nooit.

'Het heeft niets te betekenen,' snikte ze, en ze wuifde hen weg, wat niet nodig was, want ze waren nog steeds niet van hun plaats gekomen. 'Ik heb mezelf uitgeput. Ik werk me suf. Erger nog: ik heb een ontzettende hekel aan mijn werk. Ik heb zoveel kennis in mijn arme hoofd moeten pompen, en nu zou ik die er allemaal uit willen gooien en achter Teddie aan willen lopen als een dwaze groupie. Ik heb het helemaal gehad, ik kan niet meer.'

'Wauw!' riep Connie vol verbazing uit, en ze kwam naast haar zitten en veegde haar ogen af met een kledingstuk van Ierse wol dat ze om haar schouders gedrapeerd had. 'Je bent je roeping misgelopen. Je had een wenende madonna moeten worden. Er is er een in Spanje, maar die is geloof ik zwart...'

'Connie!'

'Ach, laat haar maar,' zei Fay tegen Nina. 'Ik moest huilen omdat ik net bedacht hoe ontzettend kinderachtig jullie allebei deden. Sorry. Ik geloof alleen dat ik het punt heb bereikt van waaraf ik niet meer verder kan...' De tranen maakten het haar onmogelijk door te praten over wat ze op haar hart had.

'Laten we ergens anders heen gaan,' zei Nina.

Met Fay in hun midden liepen ze langzaam naar Washington Square, waar ze een vrij bankje vonden dat dik onder de duivenpoep zat. Omdat ze wist hoezeer Fay aan hygiëne hechtte, spreidde Connie er zorgvuldig haar sjaal overheen. 'Hier gaan we even zitten,' zei ze. Vlakbij zaten twee mannen zwijgend, maar verwoed te schaken. Iets verder riepen twee jonge vrouwen naar hun kinderen. Op het bankje naast hen zat een oude vrouw, die er doordat ze gehuld was in huishoudfolie uitzag als een enorm voedselpakket. De zon, hoog en warm, wierp wisselende patronen door de brede groengele bladeren van de vijgenboom. Ze bleven stil bij elkaar zitten, tot Fay weer een beetje bijkwam.

'Dank jullie wel. Ik voel me beter nu.' Fay staarde naar de gevlekte boomstammen en hun lange zwarte schaduwen. Ze had slechts een deel van de waarheid verteld en had haar ellende vereenvoudigd tot wat te behappen was. Vermoeidheid, overwerktheid, geestelijke uitputting – gewoon de gebruikelijke tekenen van een midlifecrisis. Maar zou ze meer kunnen zeggen? Ze wist dat het bezoek aan Auschwitz een positieve uitwerking op Nina's leven had gehad, en ondanks de verschrikkelijk complexiteit van een dergelijke gedachte had ze die geaccepteerd en was ze blij voor haar.

De stilte duurde, de zon verplaatste zich een beetje, zodat de schaduw dieper werd en de lucht koeler. Een van de schakers zei iets nijdigs in een onbekende taal. Nina pakte Fays hand.

'Ik kan niet slapen,' mompelde Fay. 'Ik heb in eeuwen niet geslapen.'

Connie sloeg met haar hand naar een duif met kraaloogjes. 'Ik zou zeggen dat je lang genoeg hebt geprobeerd de wereld te redden. Geef het op, Fay, lieverd, dat is het advies van moeder-overste hier. Ga Ted helpen, luister naar zijn muziek, kijk hoe je zonen opgroeien. Wees gelukkig. Als je absolutie wilt van wat de duivel je aandoet, stuur ik Leo wel langs. Hij is erg oecumenisch ingesteld.'

Fay bedacht dat Connie er niets aan kon doen dat ze alles in absurd religieuze termen opvatte, maar toch boden haar woorden gek genoeg troost. Ze kneep in Nina's hand. 'Ik vond dat ik dingen veilig moest maken.'

'Ik weet dat je het ons niet hebt gevraagd'– Connie keerde terug naar haar meer gebruikelijke flamboyante manier van spreken – 'en ik heb me er al een keer eerder tegenaan bemoeid, maar mijn mening is dat je het recht hebt verdiend om precies te doen wat je wilt met je leven, en als dat betekent dat je een groupie wilt worden, laten we dan halleluja zingen!'

'Daar ben ik het mee eens,' zei Nina krachtdadig.

Fay keek op naar de bomen, en toen omlaag naar haar voeten, die zo keurig waren geschoeid, die zo verkrampt en zo moe waren. Ten slotte legde ze een arm over de schouders van Nina en Connie en leunde met halfgesloten ogen achterover. 'Ik geloof dat we op allerlei verschillende manieren onze passage kunnen verdienen. Ik heb het lang genoeg op de ene manier gedaan, en nu ga ik een andere proberen.'

Nina zat in het vliegtuig terug naar Engeland en keek naar de wolken die kleurden door de laatste restanten van een abrupt afgekapte zonsondergang. We gaan naar het oosten, dacht ze, naar de rijzende zon, en ze beloofde zichzelf dat ze er wakker voor zou worden.

Connie, die vrijelijk had geëxperimenteerd met de miniatuurflesjes – 'Zijn deze voor poppen bedoeld?' had ze geïnformeerd – lag al tegen Nina's schouder gevlijd. Haar stem klonk vanonder Nina's kin: 'Ik ben blij dat je het met Gus hebt opgelost. Hij is altijd al een klein kind geweest.'

'O, ik hou van Gus.' Nina bleef naar de laatste sporen van het steeds donkerder wordende rood kijken. 'Ik kan niet geloven wat een zooitje ik van vrijwel alles had gemaakt. Zie je, ik denk nog amper aan hem. Hij is er gewoon, net zoals mijn moeder er is. Hij vindt het zo ook veel prettiger. Ik geloof...' Ze zweeg even, alsof ze ineens iets nieuws bedacht. 'Ik geloof dat de manier waarop ik me nu voel wel iets weg heeft van hoe veel mannen over hun vrouw denken. Iemand die er gewoon is. Gewoon hun vrouw. Niets bijzonders. In elk geval is het een enorme opluchting. Ik begrijp niet waarom het zo lang heeft geduurd voor ik eruit was.'

Connie merkte slaperig op dat het voor Nina, die bovendien al grootmoeder was, op deze manier heel goed geregeld leek te zijn, hoewel ze zich niet kon voorstellen dat zij ooit zoiets over Orlando zou zeggen. 'En nu wil Fay stoppen met haar werk en zich vasthouden aan Ted. Grappig.'

Met tegenzin moest Nina toegeven dat er in de lucht nu echt niets meer te zien was. Alleen een grote zwarte leegte. 'Volgens mij zijn wij van de generatie die wel wéét dat we gelijkwaardig zijn aan mannen, maar het moeilijk vindt om zichzelf daarvan geheel en al te overtuigen.'

Daar werd Connie even wakker van.

'Lieve Nina! Als dat jouw beste bijdrage is wat geslachtstudies betreft, schei ik er geloof ik maar mee uit.' Ze kneep haar ogen stijf dicht.

1996

Nina en Connie stonden in de drukke foyer van Wigmore Hall.

'Wat is iedereen jong,' merkte Connie op.

'Ik wist niet dat Ted zo beroemd was,' zei Nina.

'Als hij ooit nog beroemd wil worden, moet het nu wel zijn. Als hij acht jaar jonger is dan Fay, moet hij nu achtenveertig zijn.' Connie voelde zich somber.

'Waar is Fay?'

'Zijn hand vasthouden?'

'Zou het echt zover zijn gekomen? Ik hoop maar dat Gus en Orlando niet de benen hebben genomen.'

'Die komen wel.' Ze keken door de deuren naar de koude vriesnacht, waaruit dik ingepakte mensen energiek snuivend tevoorschijn kwamen, en zagen Fay, die er keurig uitzag in haar dichtgeknoopte jas, met haar dat nu helemaal grijs was geworden. Ze geloofde toch, bedacht Connie afkeurend, in de verfkwast?

'Fay!' Ze repten zich naar haar toe. 'Wat een mensen!'

'Het Kwartet voor het Einde der Tijden is een echt cultstuk in de muziekwereld.'

'Heet het zo?'

'Niet dat van Ted. Nee. *Het Einde der Tijden* is van Messiaen. Het stuk van Ted komt eerst.'

'We hebben het programma nog niet bekeken.'

'Het is een moderne avond. Atonaliteit, postmodernisme, polyritme, een beetje serialisme.'

Connie trok een gezicht naar Nina, wat Fay zag. Ze lachte. 'Ik vond het vroeger ook altijd moeilijk. Toen zag ik hoe makkelijk de kinderen erop reageerden en heb ik mijn angst laten varen.'

Connie herinnerde zich haar eigen negatieve reactie op Lex en Jim, en die van Leonardo, toen tijdens hun bezoek aan New York, en vond het fijn dat ze zich tot zulke intellectuele superbreinen hadden ontwikkeld.

'Ted heeft gevraagd om een beetje concentratie, maar de Messiaen is pure emotie,' voegde Fay eraan toe.

Net toen Fay op haar horloge keek en vroeg of ze haar wilden excuseren, omdat ze graag al rustig op haar plek zat voordat het begon, kwamen Gus en Orlando de deur door. Ted en zij, vertelde ze hun, zouden niet bij hen komen zitten, maar bij de andere musici, waar hij minder druk voelde en overzicht kon krijgen van hoe het concert verliep. 'Soms verwijt ik Ted dat hij zijn werk nodeloos ingewikkeld maakt omdat hij wil bewijzen dat hij niet zomaar een componist van filmmuziek is,' zei ze voordat ze wegliep, 'maar hij protesteert dat dat de manager in mij is die zich laat horen.'

Fay was Teds manager geworden. Ze had Nina geschreven: 'Sinds ik me aan Teds carrière heb gewijd, ben ik gelukkiger dan ooit. Elke dag hoor ik de muziek der sferen...'

'O god!' riep Gus uit, die het programma had bestudeerd. 'Is er nog hoop dat we iets kunnen drinken voordat we naar binnen gaan?'

'Er is tenminste een cello bij.' Orlando keek glimlachend naar Connie, die op zijn arm tikte.

'Nou, wie weet raak je nog wel geïnspireerd om zelf de strijkstok ter hand te nemen. Wisten jullie dat hij me na de eerste nacht die we samen hadden doorgebracht een serenade kwam brengen? Hoewel, om eerlijk te zijn, er die nacht niet veel gebeurd was.' Connie kuste zijn wang. 'Het zal wel uit ware liefde zijn dat ik bij hem ben gebleven.'

'Dat moment is heilig voor me...'

'En er is geen tijd om iets te gaan drinken,' onderbrak Nina hen. 'We willen Fay immers niet ontrieven.'

Fay zag hen vieren de zaal binnenkomen. Orlando en Gus lachten, allebei forse mannen met een rood gezicht, die haar enigszins deden denken aan haar opgeschoten schooljongens en er heel anders uitzagen dan haar briljante Ted. Connie en Nina liepen arm in arm, wat haar een steek van jaloezie gaf. Maar zij had ervoor gekozen om op het balkon te gaan zitten, naast Ted, om hem te steunen voor het geval hij iets nodig had. Ze zouden naderhand met z'n allen souperen, en Ted zou blijven slapen op Lymhurst – meer tijd kon hij niet vrijmaken.

Fay onderbrak haar gedachten aan Connie en Nina en begon zich zorgen te maken om Teds compositie. Die stond niet als eerste op het programma, want die plaats was voor Kurtag, een geestig, uitbundig stuk voor piano en cello, dat ze goed kende. Het viel voor Ted niet mee om ingeklemd te zitten tussen Kurtag en Messiaen. Misschien schonk dat hem weinig zelfvertrouwen, maar het zou ook niet goed zijn geweest als hij als eerste aan de beurt was geweest, en het stuk was niet lang genoeg om de hele eerste helft te vullen. Fay probeerde zich te ontspannen en maakte gebruik van ademhalingstechnieken die ze van een van Teds zangervrienden had geleerd.

'Hé, zit ik naast een stoomtrein?' Ted glipte naast haar. 'Dit is geen pre-mière, weet je. Je hoeft niet zo nerveus te zijn. Althans, niet daarom.'

Fay realiseerde zich dat haar zenuwachtigheid te maken had met de aan-wezigheid van Connie en Nina – haar vriendinnen. Wat belachelijk! Ze zouden haar juist zelfvertrouwen moeten schenken. 'Waarom dan wel?' vroeg ze.

'De violist heeft zich in zijn vinger gesneden. Strijken gaat wel, maar plukken niet zo best.'

'Wat verschrikkelijk.'

'Het komt wel goed. Maar het geeft je een specifieke aanleiding om je zorgen om te maken. Zijn je vriendinnen nog gekomen?'

Fay verbaasde zich over deze betiteling, want hij wist heel goed hoe ze heetten. Maar het licht werd al gedimd en ze kreeg dat half-aangename, half-angstige gevoel van verwachting dat haar nog steeds deed denken aan het moment vlak voor een operatie.

Nina luisterde met de gepaste concentratie naar Kurtag en ontdekte tot haar vreugde dat ze het mooi vond, hoewel Gus zijn ontspannenheid te kennen gaf door twee of drie keer in een korte, maar verkwikkende slaap te vallen.

'Dat kun je niet doen als Teds stuk aan de beurt is,' voegde Nina hem tij-dens het applaus streng toe.

'Ik heb een lange dag gehad. Trouwens, ze zien me toch niet.'

'Geloof dat maar niet. Fay heeft heel scherpe ogen.' Nina draaide zich om een keek omhoog, en onmiddellijk zag ze Fays glanzende grijze haar. Ze zwaaiden naar elkaar.

'Ze zien me niet als het donker is.'

'We zitten vlak bij de spots van het toneel.' Connie glimlachte Gus toe.

'Ik ben klaarwakker na die hele toespraak van je,' klaagde Gus.

'Het heet *Na Leven*,' las Nina voor uit het programma.

'Beter dan *Na Geboorte*,' merkte Orlando spitsvondig op.

Tegelijkertijd siste Connie: 'Dat bewijst dat hij christen is.'

Nina kreeg niet de tijd haar te wijzen op de kromme logica van deze redenering, maar die bood haar gedachten een kader toen het muziekstuk opende met een lange cellosolo. Ondanks de atonaliteit merkte ze meteen op dat hij lyrisch klonk. Zouden Fay en Ted praten over zijn muziek, vroeg ze zich af. Was Ted op de hoogte gebracht van de ervaring die ze met Fay in Auschwitz had gedeeld, de confrontatie met de dood in zijn meest brute vorm? Ze wist dat het Messiaen-kwartet in 1943 geschreven was in een gevangenkamp. Het leek onmogelijk dat het toeval zou zijn dat de twee stukken naast elkaar waren geprogrammeerd. Tijdens het souper zou ze het hem vragen. Toen de cello gezelschap kreeg van een hobo, die meestal wordt gebruikt voor een reeks alarmerende jammerklanken, en werd gevolgd door een lange stilte, totdat de piano enkele van de cellothema's overnam, meende Nina zeker te weten dat Fays familiegeschiedenis op de een of andere manier deel uitmaakte van wat hier werd uitgedrukt. Ze nam het zichzelf kwalijk dat ze op deze botte manier zocht naar een betekenis. Wat ergerde het haar wanneer mensen haar vroegen uit te leggen wat haar schilderijen betekenden! Zelfs Gus had geleerd te kijken zonder vragen te stellen. Ze praatte nooit met hem over haar werk; hooguit stond ze hem persoonlijke voorkeuren toe. 'Ik vind dat donkere mooi, dat met die golven, of misschien zijn het wolken...' Nina glimlachte bij zichzelf, en ze wilde net Gus' hand pakken toen ze zag dat hij weer in slaap was gevallen. Gezien het feit dat nu alle vier de instrumenten druk door elkaar speelden en de viool op nog hogere toon jammerde dan de hobo, was dat geen geringe prestatie. Nina gaf hem een onzachte por tussen zijn ribben. Hij schrok op en draaide zich verontschuldigend naar haar toe. Desondanks pakte ze toch zijn hand vast.

Connie zat erg haar best te doen om een hekel aan de muziek te hebben. Als dat lukte, zou ze er niet door geroerd worden. Ondanks een hier en daar lyrische passage, die meestal door de cello werd gespeeld, had ze het gevoel dat het stuk vervuld was van haat, lijden en wanhoop. Waarom was het nodig om zo te schrijven, vroeg ze zich af. De wereld was er sinds de tijd van Bach en Beethoven niet beroerder op geworden. Zij wisten hoe ze leed tot kunst moesten verheffen. Als zij zo'n gave had, zou ze daar zeker iets mee hebben gedaan. Ze dacht na over al die jaren dat ze hard had gewerkt om van Ierland een veiliger plek te maken – een groot streven, een minimaal succes. Als ze de handen niet uit de mouwen zou hebben gestoken, zou ze nog minder hebben bereikt. Vorige week nog had ze een katholieke priester gesproken die de familieleden van overledenen of stervenden troost bood en hen soms zelfs op de hoogte bracht van slecht nieuws. Hij huilde of jammerde niet. Hij droeg hun tragedie op aan God en probeerde de families voor te houden hoe Christus had geleden aan het kruis. Ik zal wel egoïstisch zijn, bedacht Connie, maar ik weet hoe ik met pijn om moet gaan.

Nee, stelde ze zichzelf gerust, de wereld is niet slechter dan hij vroeger was. Maar het geluid bleef zich met kracht aan haar opdringen, met explosies, gekreun, huiveringwekkend mooie frases van een klaagzang. Vanochtend in Londen had ze twee jongeren gezien wier benen tot pulp waren geslagen door een meedogenloze groep militante Provisional Army-leden. Twee weken geleden had ze in de stallen met een tienjarig meisje gepraat dat haar arm had verloren bij een bomaanslag. Nog niet zo lang geleden had Eileen haar verteld over een nieuwelinge bij de Zusterschap voor de Vrede, een jonge moeder van vier kinderen uit Derry wier pro-testantse man was doodgeschoten door de INLA. Hij had brood bezorgd bij een katholiek – de vader van de vrouw. De Zusterschap voor de Vrede was een soort toevluchtsoord geworden voor zulke vrouwen. Die had geen effect op de situatie, moest Connie tot haar verdriet toegeven, dus was het maar goed dat hij op een andere manier zijn nut had. De piano, cello en viool speelden nu een reeks melancholieke noten. Tranen welden op in haar ogen en rolden over haar wangen.

Toen de muziek was afgelopen, wendde Fay zich naar Ted. Ze wilde hem altijd bedanken, maar ze wist dat hij dat niet op prijs stelde. Het was dit stuk, dat drie jaar geleden geschreven was, hoewel het buiten Amerika nog nooit was opgevoerd, dat haar er ten slotte van had overtuigd dat ze zijn manager moest worden. Ze besefte toen hoeveel van haar eigen leed erin zat.

Van tijd tot tijd dacht ze verbaasd terug aan hoe ze elkaar hadden leren kennen – de portier die haar gelamenteer over Daniel had aangehoord. Jarenlang had ze zich niet gerealiseerd dat dit bijzondere talent om te luisteren en begrip te tonen hem tot zo'n goede componist maakte. Hij leefde van geluiden, wat overigens niet betekende dat hij onverschillig was voor de betekenis ervan. Integendeel, hij putte betekenis uit de geluiden en zette die weer om in klank. In deze muziek werd de avond dat Daniel was gestorven uitgedrukt, evenals Auschwitz, evenals andere melodieën waar ze geen weet van had. Ze moest hem er niet naar vragen.

'Dat was schitterend!' Ted was in de pauze niet naar de bar gekomen, dus feliciteerde Gus Fay maar.

Connie had al van tevoren een fles champagne besteld en was druk bezig die in te schenken. 'Wat is er met je gezicht gebeurd?' vroeg Nina.

'Tranen,' zei Connie, die over haar gezicht wreef en slikte. 'Hoewel ik het slot wel sereen vond.'

Fay voelde een enorme golf van genegenheid voor Connie. 'Het is heel krachtig.'

Nina nam Fay apart. 'Ik moest denken aan ons bezoek aan Auschwitz. Kan ik dat tegen Ted zeggen?'

'Je kunt alles tegen Ted zeggen.' Fay begon ook liefde voor Nina te voelen. 'Zolang het maar geen domme lof is. Dan maakt hij zich uit de voeten.'

Nina glimlachte. 'Ik vrees dat Gus een specialist is in domme lof.'

Orlando kuste Connies wang. 'Ik verdien jou niet. Jij voelt dingen zo diep.'

'Is dat een verwijt?' Connie dronk energieker en Gus, die het hoorde, moest lachen.

Connie ving Orlando's blik en nam zijn arm. 'Laten we teruggaan, en geef me voortaan alsjeblieft een zakdoek.'

Fay voelde zich in Gus' club heel Amerikaans. Omdat er vrouwen bij waren, moesten ze door een zijdeur naar binnen, en de eetzaal bevond zich, hoewel hij leuk was ingericht, kennelijk onder de grond.

'Ze serveren de beste clubmaaltijden van Londen,' zei Gus.

Fay wisselde een blik met Ted. Zagen zij eruit als mensen die zich druk maakten om eten?

'Waren we een goed publiek?' vroeg Nina.

Fay probeerde zich niet te ergeren. Een beetje lof zou wel fijn zijn, ook al zou ze het hele concert vreselijk hebben gevonden.

'De Engelsen zijn gereserveerd, maar goed op de hoogte.' Ted glimlachte. 'Tenminste, die reputatie hebben ze.'

'Toen ik naar je muziek luisterde, voelde ik me helemaal niet gereserveerd en goed op de hoogte,' zei Connie. Fay keek toe hoe ze Ted complimenteerde en voelde zich onredelijk bedreigd toen ze zag dat het van Connie kwam. Ze boog zich zo voorover en deed zo liefjes, met dat schattige zangerige Ierse accent van haar, en de jaren waren haar nog steeds niet aan te zien, zoals bij normale vrouwen. Ik vraag me af of ik altijd al jaloers op Connie ben geweest, dacht Fay — de vrouw die ik nooit heb kunnen zijn? Toch is ze ook een van mijn beste vriendinnen. Merkwaardig.

'Onwetendheid is mijn krachtigste wapen,' zei Connie. 'Mijn opvoeding is op mijn zestiende gestopt, en voor die tijd heb ik alleen over de zeven hoofdzonden geleerd.'

'Engels-zijn en uit de middenklasse komen is veel erger voor je hersens.'

'Je zou Ted eens moeten laten zien waar Connie is opgegroeid,' zei Orlando tegen Fay, zonder aandacht te schenken aan Nina. 'Geen stromend water, geen electriciteit, boeken, meubels, eten, verwarming. Het was net Engeland in de Middeleeuwen.' Toen Connie hier iets aan af probeerde te doen, werd Fay eraan herinnerd dat Connie zichzelf altijd het middelpunt van de aandacht wist te maken.

Nina had zich vast voorgenomen Ted haar vraag te stellen. Ze koos er een moment voor waarop Gus in gesprek was met de ober. 'Was *Na Leven* op de een of andere manier geïnspireerd door Fays bezoek aan Auschwitz?'

Ted antwoordde vlotjes: 'Ja. Meer in het bijzonder: nadat Fay betrokken was geraakt bij diverse belangengroeperingen van overlevenden.'

'Zo heel betrokken was ik niet,' onderbrak Fay hem. 'Ik vond het alleen prettig om mensen te ontmoeten met ervaringen die op de mijne leken, die dachten zoals ik dacht.'

'We hebben veel nagedacht en gelezen,' zei Ted. 'De kinderen waren geïnteresseerd. Vooral in sensationele dingen. De films, ook. *Schindler's List.* Pijnlijke verhalen.'

'Ik heb besteld,' kondigde Gus aan. Hij zweeg verschrikt toen hij zich realiseerde dat hij hen onderbrak.

'Ik vind het vreselijk om te moeten kiezen,' mompelde Connie.

'Tussen onbelangrijke dingen,' voegde Orlando eraan toe.

'Eten dat zo duur is als hier is niet onbelangrijk.' Gus ging zitten nadat hij Orlando een klapje op zijn schouder had gegeven.

'Beste Gus, ik ben zo rijk dat ik zou moeten betalen. Alle Ieren zij nu rijk, of ze het nou leuk vinden of niet. We zijn bijna net zo rijk en materialistisch als de Amerikanen.'

'Je wordt bedankt,' zei Fay bedaard.

'Ik beschouw jou als een Europese en Ted als een wereldburger.'

Connie lachte. 'Hoe gaat het met Kevin?' vroeg ze.

'Hij heeft een heupoperatie gehad,' zei Fay. Fay en Connie begonnen over operaties te praten en Gus en Orlando vervolgden hun gesprek over geld, totdat de eerste gang arriveerde en ze het over eten kregen. Nina, die blij was dat het gezelschap vredig bij elkaar zat, wendde zich nogmaals tot Ted. 'Wat is je volgende opdracht?'

Die was van een zakenman in Keulen gekomen, legde Ted uit. Zijn vader was omgekomen in de oorlog en hij had Ted opdracht gegeven een stuk te componeren om te gedenken dat zestig jaar geleden de Tweede Wereldoorlog was uitgebroken.

'Met verzoening als thema, neem ik aan?' zei Nina.

'Uiteraard.'

'Dat lijkt me een hele uitdaging.'

'Voor minder doe ik het niet. Wat zou dat voor zin hebben als het al zo moeilijk is om een doodsimpele jingle te bedenken?'

Nina keek naar haar bord. Waar haalde hij zijn zelfvertrouwen vandaan? Niet van succes; dat was nog maar heel recent. Ze herinnerde zich de eerste keer dat ze hem had ontmoet, na Daniels dood. Connie en zij hadden hem simpelweg beschouwd als iemand die ervoor zorgde dat Fay zich minder ellendig voelde. Zelfs toen zijn filmmuziek overal werd gespeeld, hadden ze hem nog niet serieus genomen.

'En jij? Je bent zeker druk aan het schilderen?'

'O, ja,' antwoordde Nina kortweg, maar ze had het gevoel of de vraag en het antwoord haar weer bij haarzelf brachten en een warme gloed door haar lichaam verspreidden.

Fay riep haar vanaf de andere kant van de tafel toe: 'Heb je ooit die oude eikenboom geschilderd? Die gigantische boom die we in het bos vonden?'

'Taxus,' corrigeerde ze.

Maar haar stem ging verloren in Gus' gebrul. 'Ik hoop dat niemand van jullie vegetariër is?' Er werd een trolley met drie enorme sappige stukken vlees erop naar hun tafeltje gereden.

1997

Connie voelde zich als een toerist in Londen en vermoedde dat ze zich ook zo gedroeg, en extra aandacht besteedde aan het soort dingen die de meeste stadsbewoners amper opmerkten: demonstraties, bijvoorbeeld. Ze bleef staan om te kijken naar een kleine, maar levendige groep voor de poorten van Downing Street. Het tafereel werd gedomineerd door een witgebaarde gestalte, die met zijn ene hand één kant van een enorm spandoek ophield en in de andere een antieke megafoon had, waarin hij riep: 'De overwinning die bijt zorgt voor jolijt!' Het leek wel of hij een soort poëzie voordroeg.

Toen ze naderbij kwam, herkende Connie met een golf van schrik en verbazing dat het de oude rebelse Hubert was. Hij leefde nog! En dat terwijl hij vijfentwintig jaar geleden al zo oud had geleken! Hij hield het spandoek niet recht genoeg om meer dan drie woorden te kunnen lezen. Op de gis kon ze vrij makkelijk het woord 'vrijheid'onderscheiden, maar vrijheid voor wat, van wat? Nu merkte ze op dat het spandoek, dat zo gebrekkig omhoog werd gehouden, was vastgemaakt aan twee paraplu's in plaats van aan stokken, zoals ze had verwacht. De man aan de andere kant had het bescheiden voorkomen van een intellectueel, wat waarschijnlijk de reden was dat hij zijn taak om het doek rechtop te houden zo matig vervulde, terwijl Hubert, die wel een jaar of negentig moest zijn, er duidelijk meer interesse voor had om de wereld middels zijn afschuwelijke vers te hekelen.

'Waar gaat dit over?' vroeg Connie een van de demonstranten bij haar elleboog, een vrouw die er in haar zwarte pakje met parelknopjes in haar oren beter uitzag dan de rest.

Het gezicht van de vrouw zette zich in stelling voor een serieuze kwestie. 'Censuur. Vrijheid om te schrijven wat je wilt.'

'Maar...' begon Connie.

'Niet hier,' voegde de vrouw eraan toe, 'in Myanmar. Voor de meesten van ons Birma. Wij maken deel uit van een wereldwijde organisatie van schrijvers.'

Een groep demonstranten verzamelde zich naast een politieman, die hen langs de omheining escorteerde. Hubert was bij hen; zijn wanordelijke gestalte en dichte witte baard gaven hem het aanzien van een Russische wijze of profeet.

'Wie is die lange man met die baard?' Connie draaide zich om naar een nieuw iemand die rechts van haar stond, een kale man in een pak die een arts had kunnen zijn.

'Dat is de gelauwerde poëet Hubert Wyberley.'

Na deze mededeling, die de man haar met bewondering in zijn stem had gegeven, liep Connie onmiddellijk weg. Ze liep Westminster Square over zonder de abdij of de parlementsgebouwen op te merken, of de Big Ben die het middaguur sloeg. Ze was kennelijk te lang in Ierland geweest. Waarom had ze niet geweten dat Hubert beroemd was geworden? En waarom – ze voelde haar hart hameren en haar wangen kleuren – wond het haar zo op? Meteen was ze weer terug in de tijd toen ze, op zo'n rampzalige wijze, minnaars waren geweest. Of liever gezegd: hij had haar verleid, het arme, onwetende boerenmeisje dat ze was geweest, nog los van het feit dat ze eerst iets had gehad met zijn zoon. De beelden van hun verhouding was ze nooit vergeten: hun eerste ontmoeting in het hotel toen hij en plein public haar zilte arm had gelikt, en buiten beeld zijn vingers in haar broekje had gestoken; zijn nachtelijke verschijning in de pub toen hij de woorden om haar het hof te maken had gebruikt, en hun liefdesspel, voortgekomen uit zelfhaat en wanhoop (zo had ze besloten), en dat, nadat ze zwanger was geworden en een abortus had ondergaan, tot meer van hetzelfde had geleid: zelfhaat, wanhoop en een nogal zwakke poging om zichzelf iets aan te doen. En nu was deze door zonden getekende oproerkraaier, die door een scheur in de aarde had moeten verdwijnen, die man die daar de longen uit zijn lijf schreeuwde, een gelauwerd poëet – en vreemder nog: maakte hij zich sterk voor goede doelen. Het was om je te bescheuren. En tot haar verrassing merkte Connie dat ze inderdaad lachte, zo hard dat een voorbijganger haar opmerkzaam aankeek.

Ze wandelde langs de oever van de Theems. Dit was een dag om nooit te vergeten, en niet, zoals ze eerst had gedacht, een dag waarop ze na een saaie vergadering een afspraak had met Nina in de Tate. Misschien zou ze er dit keer wel op *aandringen* de Rothko's te gaan zien. Nina beweerde dat ze de zaal met zijn rode en zwarte doeken altijd bezocht omdat het een plek was waar ze zich op kon laden.

Het was Nina's geloof, natuurlijk. Connie, die in een nog betere stemming kwam, begon te hollen als een kind, en wist nog net de neiging om haar armen te spreiden te onderdrukken.

Voorzichtig hielp Nina haar moeder te gaan zitten op de bank voor de

Rothko's. Ze keek er zelf amper naar, zelfs nu niet echt bereid om haar gevoelens te delen, ondanks de lange reis die nodig was geweest om haar moeder hiernaartoe te brengen. In plaats daarvan werd ze zich bewust van een ander schilderij: het in elkaar gekrompen vrouwtje tussen de grote, vloeiende doeken met rood en zwart.

'Het heeft een hele poos geduurd voordat ik erover uit kon dat hij zelf-moord heeft gepleegd,' zei ze.

'O ja, Dat was ik vergeten.' Veronica keek haar aan, alsof ze naar aan-wijzingen zocht. 'Had je dan gewild dat hij eeuwig zou zijn blijven le-ven?'

'Nee, natuurlijk niet.' Nina zag dat haar moeder het een beetje warmer had gekregen en rechter zat. 'Maar zelfmoord... Ik weet dat deze schilde-rijen donker zijn. Hij schilderde ze tegen het eind van zijn leven. Maar de andere — de gele, oranje, die fonkelen...' Ze deed er het zwijgen toe, keek even naar de muren, en toen weer naar haar moeder. 'Je bent toch niet bang voor de dood, hè?'

'Mijn eigen dood, bedoel je? Die accepteer ik.' Veronica's blik was op de schilderijen gericht. 'En dat moet jij ook doen. Kom, moet je niet gaan kij-ken waar Connie blijft?'

Nina ging naar buiten en bleef op de grote stenen trap staan. Connie was altijd te laat, maar ze vond het prettig om hier te staan. De lentewind ran-selde de Theems, vormde korte golfjes op het water, blies wolkenflarden rond de lelijke gebouwen aan de overkant, terwijl Nina haar hart frisse lucht stond te geven. In mijn mond, door mijn hoofd en door mijn oog-bollen, vertelde ze zichzelf, en ze slikte even.

'Wat doe je daar, lieve Nina?'

Nina keek omlaag en zag een tengere gestalte die bijna geheel schuilging onder handgebreide sjaals, laag over laag als de blaadjes van een bloem. 'Connie! Ik stond op jou te wachten.' Ze waren elkaar nu dicht genoeg genaderd om elkaar te zoenen, wang tegen wang. 'Mijn moeder zit binnen. Voor de Rothko's.'

'Je hebt haar de Rothko's laten zien? Ik hoop dat ze haar geluk op waarde weet te schatten!'

Ze liepen terug de galerie in, door de grote gewelfde hal, en liepen lang-zaam langs een stapel prikkeldraad en vier vuilnisvaten die boven op elkaar waren gestapeld.

'Ik was altijd zo onder de indruk dat je hier een paar schilderijen hebt hangen, maar als ik dit zie weet ik het nog niet zo net.'

'Jij keert terug naar het conservatisme van een plattelander, dát is jouw probleem.' Nina hield Connies arm vast, zodat ze moest blijven staan kijken. 'Eerlijk gezegd is mijn moeder stervende. Niet vanwege ouderdom, maar ze heeft kanker. Ze kunnen haar niet meer opereren.'

Connie bleef staan om haar aan te kijken. 'Dus laat je haar de Rothko's zien.'

'Ja. Ik ben vanochtend vanuit Sussex hiernaartoe gereden. Ik hoop dat je het niet erg vindt dat zij bij ons uitstapje ook van de partij is.'

Connie kuste Veronica hartelijk. Ze waren ongeveer even lang, zag Nina, want haar moeder was een paar centimeter gekrompen. 'Nu wil ik een van Nina's schilderijen zien,' zei Veronica.

Het schilderij maakte deel uit van Nina's appelboomserie. Het hing niet aan de muur, maar ze hadden speciale toestemming gekregen om het in de kelder te gaan bekijken. Een suppoost vergezelde hen nauwlettend. 'Dit is de plek waar ze de mooiste schilderijen bewaren,' zei hij met een knipoog.

Connie bekeek het doek, dat ze jaren niet had gezien. Het was qua kleur in twee helften verdeeld; de bovenkant groen, het groen van bladeren, oude met mos begroeide takken, het groen van het licht dat door de bladeren viel, van nog niet gerijpte appels, van de gele zon die overging in de blauwe lucht; de onderste helft was rood, het rood van een warme stam, het rood van de aarde, van schaduw, de rijpe appels die waren afgevallen en opgingen in de grond. Niets hiervan is expliciet aanwezig, bedacht ze, er is niets voor de toeschouwer uitgepikt, maar dat is wat ik zie, wat ik aanneem dat Nina me wilde laten zien. Of zou ik moeten denken aan de geest van de aarde? Of aan een andere verbintenis of tegenstelling? Wat het ook betekende, besloot ze, het gaf haar een opgetogen gevoel.

'Dank je wel, lieverd,' zei Veronica, en ze wendde zich tot Nina. Of ze haar nu bedankte omdat ze haar had meegenomen naar deze plek of omdat ze een diepere vorm van erkentelijkheid wilde overbrengen voor wat Nina haar had geschonken bleef onduidelijk.

'O, mama.' Nina sprak afwezig, kennelijk in gedachten nog steeds op het schilderij geconcentreerd. Ze pakte haar moeders hand en drukte die teder.

Connie vroeg zich toen ze hen gadesloeg af of het als haar moeder langer was blijven leven ook zo geweest zou kunnen zijn. Of als zij eerder was teruggekeerd naar Ierland. Te laat voor spijtgevoelens. 'Nu ga ik jullie al mijn nieuwtjes vertellen,' zei ze tegen Veronica, 'voordat we allemaal naar de groene heuvels vluchten.' Wat ze bedoelde was: voordat je sterft. Zij, Connie, was niet bang voor de dood.

'Mijn auto laat me anders nooit in de steek.' Nina keek haar moeder in

wanhoop aan. Ze zaten op de M25. De winderige dag was ten einde gekomen, wolken pakten zich donker samen en zouden regen brengen.

'Probeer mijn mobieltje maar.' Veronica gaf het haar aan, een cadeautje
van Helen voor haar tachtigste verjaardag. Ze zouden een uur moeten
wachten, kreeg Nina van de wegenwacht te horen. Haar moeder bleef
geduldig zitten, haar handen in haar schoot.

Nina toetste Connies mobiele nummer in.

'Ik sta met pech.' Waarom wilde ze dit nieuws zo graag vertellen? Dat
was helemaal niets voor haar. Kwam het door de verantwoordelijkheid die
de zorg voor haar moeders ziekte en wisse dood betekende?

'Ik kom net de Tate uit. Ik sta op de trap en kijk naar de rivier. Ik bedacht
net dat het een heel Ierse lucht is.'

'Hier ook. In de berm van de M25.' Nina dacht aan hoe zijzelf van de
Rothko's was weggegaan om op dezelfde trap te gaan staan. 'Wat heb je
verder nog bekeken?'

'Niet veel. Ik kwam een oude vriend tegen. Die is nu bij me. Hij vindt
dat het geen Ierse lucht is, maar een Poussin-lucht, wat hem Frans maakt.'

'Iemand die ik ken?' Nina dacht eraan hoe Connie, ondanks het feit dat
ze beweerde een heel teruggetrokken leven te leiden met Orlando, zich
toch nog steeds in een heel netwerk van mensen leek te bewegen.
Misschien kwam het door haar emotionele intensiteit dat ze mensen naar
zich toe trok.

'Het is Merlin. Die goeie Merlin.' Nina hoorde diep gelach en de stem
van een man.

'Merlin!' Nina probeerde haar verrassing in bedwang te houden. 'Je
bedoelt Merlin de Witt? De neef van William?' Er reed een enorme vracht-
wagen voorbij, die elke echo van wat ze in werkelijkheid dacht – daar vertrouwde ze op – overstemde: Merlin, de vader van je dochter.

'Ja, Merlin. De Merlin tegenover wie ik me zo heb misdragen.' Het was
duidelijk dat Connie dit zei omdat Merlin naast haar stond. 'Hij beweert dat
hij er twintig jaar geleden al mee is gestopt me te haten – en trouwens, hij
heeft mijn werk in Ierland altijd hooggeacht. Hoewel het me een raadsel is
hoe hij daarvan kon weten.' Nog meer gelach op de achtergrond. 'Wist je
dat hij ridder is geworden – sir Merlin Regis de Witt?' Ik heb hem gezegd
dat ik dan wel zijn koningin Guinevere wil zijn. Maar hij vindt dat ik zijn
koning Arthur moet worden, omdat hijzelf de afgelopen vijftien jaar al queen
is geweest. Vind je dat geen heerlijk subtiele manier om zoiets te zeggen?'

Nina besefte dat dit gesprek haar te machtig begon te worden, met haar
moeder in elkaar gedoken naast haar in de auto, terwijl de auto zelf heen
en weer schudde door het steeds drukker wordende verkeer dat langs hen

heen denderde. Ze herinnerde zich dat Connie om krachtdadig optreden vroeg.

'De wegenwacht komt eraan,' loog ze.

'Merlin doet je zijn lieve groeten,' riep Connie. 'Wist je dat zijn trust twee van je schilderijen heeft gekocht?'

En dat was ook een waarheid over Connie, bedacht Nina toen ze het mobieltje opborg: ze brengt goed nieuws.

'Merlin. Merlin. Merlin de Witt. Waar neem je me mee naartoe?'

'Naar Albany, natuurlijk.'

'Dezelfde flat?'

'Niemand geeft zo'n flat op.'

'Ben je ooit getrouwd, koningin Merlin?'

'Maar één keer. Het duurde drie maanden, en twee daarvan waren we niet bij elkaar. De beste twee.'

Ze liepen langs de oever van de Theems. Connie in haar bloemblaadjeskledij, hangend aan Merlins stijve in tweed gehulde arm. Hij droeg, merkte ze op, iets driedeligs, een bijna Edwardiaanse snit van slanke lijnen en een jasje met een hoge taille, wat haar herinnerde aan zijn jeugdige pogingen om zich flamboyant uit te dossen in de stijl van de jaren zestig. Hij was bijna helemaal kaal, met een paar plukken grijzend haar die over zijn elegant gevormde schedel waren gekamd. Misschien was hij eerder achttiende-eeuws dan Edwardiaans. 'En dan te bedenken dat jij me de journalistiek in hebt gelokt. Jij. Sir Merlin. Merlin Regis de Witt. In de *swinging sixties*. Wat een opluchting moet het voor je geweest zijn om al die dwaasheid achter je te kunnen laten!'

'Het was hoogstwaarschijnlijk aan je elfachtige zelf te danken.'

'O ja?' Connie keek hem scherp aan.

'Je herinnert je het misschien niet meer, maar ik ben je achternagegaan naar New York.' Toen er regendruppels begonnen neer te spatten, stak hij een arm op om een langsrijdende taxi aan te houden. Connie huiverde lichtjes. Wilde ze echt dat hun ontmoeting zou worden voortgezet? Zou ze ertegen kunnen? Kon ze deze heerlijk luchthartige toon wel volhouden?

'Alsof ik je bezoek aan New York zou kunnen vergeten. Hebben we niet samen alle mooie plekjes van de stad bekeken? Dat was in die wilde tijd voordat ik mezelf schoonwaste in de wateren van de Liffey.'

'Nee hoor,' zei Merlin, die begon te lachen. 'We hebben elkaar maar één keer gezien, omdat jij het zo druk had en geen tijd had voor een saaie Engelsman die zichzelf nog vervelender maakte door verliefd op je te zijn.'

'Heb ik je maar één keer gezien? Wat jammer! Ik herinner me er inderdaad niet veel meer van, maar ik zoop in die tijd ook als een Ier. Mijn liefste Orlando noemde me altijd prinses Cirrose. Hij probeerde me ervan te overtuigen dat zij de heldin was uit een beroemde Victoriaanse roman. Vertel eens, die ene keer dat we elkaar zagen, heb ik me toen oneerbaar gedragen? Zou ik je om vergiffenis moeten vragen?'

'O, ja. Voor de brute manier waarop je me behandelde – die aardige Amerikaanse vriendin van je zei dat ze niets meer met je te maken wilde hebben.'

Connie trok haar arm een stukje terug uit de zijne, hoewel ze er een geruststellend klopje op gaf. 'Heb je champagne in Albany?'

Ze zaten hoog voor in de auto van de wegenwacht. Nina was ermee opgehouden haar moeder te vragen of het wel goed met haar ging. De wagen en zijn stoere chauffeur zouden hen en hun kreupele auto tot voor hun deur brengen. Bij deze regen, met ruitenwissers die het neergutsende water amper bij konden houden, was dat de beste regeling die ze kon treffen.

'We zijn er bijna,' zei ze, als tegen een kind. Haar moeders ogen waren gesloten, maar ze liet uit niets blijken dat ze pijn had – geen ongemakkelijke bewegingen, zuchten of grimassen. 'O, hemel,' zei ze, met iets tussen een frons en een glimlach in.

Een paar minuten later waren ze op de oprijlaan. Met belachelijk genoegen ving Nina een glimp op van Gus in de moestuin, gekleed in een glanzende blauwe regenjas die van haar was, en met een rode muts met een pompon erop op die vroeger van Jamie was geweest. Hij zag eruit als een overmaatse en verfomfaaide tuinkabouter.

Merlins kamer in Albany was nog chiquer gemeubileerd dan Connie zich herinnerde. Franse tafels ingelegd met marqueterie, gevat in brons, beelden van het zuiverste marmer, klokken waarop de zon en de maan langzaam ronddraaiden en met een zilveren belletje dat om het kwartier tinkelde. Zouden al deze mooie en dure voorwerpen uit elkaar vallen bij haar verhaal – als ze de moed kon opbrengen om het te vertellen – zoals een schrille kreet glas kan doen breken?

'Champagne, madame.' Hij kwam met glazen aan die zo teer waren dat de kelken leken te trillen op de steel.

We zijn nu oud. Nou, hij was zeker oud, bijna zeventig. Niet zo oud als Hubert, die een Methusalem onder de dichters is. Ze had geen idee hoe het van hogerhand zo bestierd had kunnen worden dat ze twee van zulke figuren uit haar verleden op een en dezelfde dag was tegengekomen. 'Geloof jij in de sterren, lieve Merlin?'

'Ik geloof dat jij een ster bent, en altijd bent geweest.' Ze ving zijn bewonderende blik en bedacht dat het nieuws dat ze hem misschien zou gaan vertellen, hoewel het schokkend en buitengewoon was, ook glorieus zou kunnen zijn. Maar hoe moest ze beginnen? Haar hart hamerde en registreerde een plotseling schuldgevoel dat ze niemand van de andere betrokkenen hierbij raadpleegde. Noch Kevin, noch Shirley, noch Kathleen zelf; niet eens die schat van een Orlando, zonder wie ze tegenwoordig zelden beslissingen nam – of liever gezegd, die ze zelden in praktijk bracht voordat ze hem op de hoogte bracht.

'Merlin, goede vriend. Je zult wel vaak naar Washington gaan. Naar die galerieën.'

'En nooit zonder aan jou te denken.' Hij was het toonbeeld van galanterie uit de Oude Wereld, zoals hij daar als een pauw in zijn goudkleurige en gepolsterde stoel zat. Een goedmoedige pauw, zijn enkels zo elegant in zijn dunne zijden sokken. Nog maar een paar jaar geleden had ze verachting voor hem durven voelen, maar nu voelde ze zich vergevingsgezind.

'Je bent fantastisch, Merlin de Witt. Fantastisch. Zeg eens, heb je er ooit over nagedacht dat fantastische van je door te geven?' Ah, nu was ze waar ze wezen moest.

'Een kind, bedoel je? Een *bambino* om mijn oude dag te veraangenamen? Nee. Zeker niet. Mijn Picasso-ets is mijn zoon, mijn Lalique-vaas is mijn dochter. Ik ben veel te zelfzuchtig voor meer.'

'Je weet dat ik een zoon heb. Een jongeman die me behandelt als een vorstin. Alleen wijdt hij zich nu aan een hoger goed.'

Merlin staarde naar zijn gouden bubbels. Zijn stem klonk eveneens bubbelig, dun en breekbaar. 'Maar één kind?'

'Nee.' Haar hart leek van schrik stil te blijven staan. Ze wilde niet sterven op zijn sofa, ze wilde in Orlando's armen sterven, of, als hij niet beschikbaar was, aan de oever van het meer met de geur van wilde salie om haar heen. 'Lang geleden heb ik een dochter gekregen. Ik zou graag willen zeggen dat ik een jonge prinses was die haar vlechten losmaakte voor een knappe prins, maar dat zou bezijden de waarheid zijn.'

'Is dit een groot, duister geheim, mooie Connie? Ik ben heel blij dat je nog steeds mooi bent, trouwens. Want als het een geheim is, kun je ervan op aan dat ik mijn mond zal houden. Al moet ik je waarschuwen dat ik in Londen bekendsta als een boosaardige roddelkont – hoewel dat op zich al boosaardige roddel is.'

'Natuurlijk. Of zou je liever hebben dat ik mijn mond hou over dingen die in het grijze verleden gebeurd zijn?' Ze dansten om elkaar heen, Connie schijnbaar lichtvoetig, maar ook vastbesloten. 'Vlak na haar geboorte werd ze geadopteerd. Mijn dochter. Ze is een heel goede fotografe. Ze is van plan de fotograaf te worden van het Witte Huis.'

'Het Witte Huis in Washington? Of het gelijknamige hotel aan Marylebone Road?'

Hij kon het niet weten, bedacht Connie, en toch deden zijn omtrekkende bewegingen vermoeden dat hij iets wist. 'Ik heb de vader daarna nooit meer gezien. Hij heeft het nooit geweten. Ik kan wel zeggen dat hij een heel onwaarschijnlijke vader was, en ik zat zo tot over mijn oren in mijn eigen drama dat ik geen moment aan hem dacht. Trouwens, hij was kwaad omdat ik niet van hem hield.'

'Kwaad?' herhaalde Merlin. Weer dreigden de grillige bewegingen van Connies hart in Albany een einde aan haar leven te maken. Ze moest het nu zeggen. Ze moest haar hand op haar hart leggen, als in een ouderwets drama, en het recht voor z'n raap zeggen.

'Jij was haar vader, Merlin, de vader van mijn dochter Kathleen. Jij bent haar vader, hoewel ze het nooit zal weten of je nodig zal hebben of je zal willen zien. O, god. Het spijt me, Merlin, ik had het niet zo grof bedoeld – ze zou je zonder meer graag mogen, maar je hoeft niets te doen. Het is zelfs beter als je niets doet.' Op onverklaarbare wijze merkte ze dat ze lachte. Angst. Opwinding. Spanning.

'Niet doen.' Merlin stond op. Hij kwam naar haar toe en raakte haar schouder aan. Ze hield onmiddellijk op met lachen en slaagde er nog net in te voorkomen dat ze ging huilen. 'Connie, kijk me aan.'

'Dat kan ik niet! Ik kan het niet. Het is te veel. Ik had het je niet moeten vertellen. Zevenentwintig jaar geleden.'

'Connie.' Hij zweeg even. 'Zie je me niet, voel je mijn hand op je schouder niet? Ik ben kalm, Connie. Je hoeft niet omwille van mij te lijden. Ik ben er trots op dat ik een dochter van je heb. En wat voor dochter!'

'Hoe bedoel je? Hoe bedoel je, "en wat voor dochter"?' Connie voelde dat haar stem hoog klonk.

'Zal ik naast je komen zitten op de bank?' Dat deed hij. Ze zag dat hij was wat volwassenen geacht worden te zijn: verstandig, capabel. Wat was hij veranderd! 'Een jaar of vijf geleden heb ik met William geluncht.'

'William van Nina? Mijn vriend William?'

'Mijn neef William. Nina's ex-militair, ex-echtgenoot.'

'Ik zie hem in Ierland wel eens. Dan sta ik in stromende rivieren en doe ik mijn best geen vis te vangen.' Ze hoorde dat ze kakelde als een kip zonder kop.

'Hij vertelde me dat je een geheimzinnige dochter had en dat hij uit iets wat je had gezegd had opgemaakt dat ze mijn kind zou zijn. Een jaar of twee later moest ik in Washington zijn en ontmoette ik je broer Kevin. Hij had zijn geadopteerde dochter bij zich. Kathleen. Ze zat toen op de universiteit van Georgetown. Eerst had ik zo mijn vermoedens – ze lijkt veel op jou – en toen vroeg ik het aan je broers vrouw. Ik geloof niet dat ze het erg vond dat ik het wist – in zekere zin leek ze het wel prettig te vinden. Maar uiteraard heb ik er niemand iets over gezegd, en dat zal ik ook niet doen. Ze was zo'n schat, Connie, zo'n schat. Zie je nou? Zo erg is het allemaal toch niet?'

'Nee. Nee.' Connie staarde voor zich uit. Was het mogelijk dat er een sprankje licht was in dit duistere geheim dat ze zo lang met zich had meegedragen? Orlando had gezegd van wel, maar ze had hem niet durven geloven. 'Ze was niet meer van mij dan van jou. Tenminste, ze was ongeveer een halfuur van mij op de dag dat ze werd geboren, toen ze haar zachte lijfje op mijn hart legden. Maar later werd alles zwart en wreed. 's Nachts stortte ik mijn hart uit bij Nina, maar niemand kon me helpen.' Ze keek Merlin aan, naar zijn gerimpelde, ondeugende gezicht, zijn schrandere vriendelijkheid. Ze zouden nooit met elkaar overweg hebben gekund. 'Heb jij een partner? Heb je iemand van wie je houdt?'

'Die heb ik één keer gehad. Ik heb nog wel vrienden. En zoals ik je al zei: ik heb wat je hier om me heen ziet.'

'Ja. Ja. Zoveel kunst. Zij weet nergens van, Kathleen. Onze dochter.' Weer merkte Connie dat ze hysterisch giechelde. 'Ze denkt dat mijn broer Kevin haar vader is, en dat haar moeder onbekend is. Ik heb me zo vaak voorgesteld...'

'Maar besloten het niet te doen?'

'Ja. Het verdriet komt me toe.'

Merlin glimlachte. 'Dat is mij te katholiek. Ik beloof je dat ik het nooit tegen iemand zal zeggen.'

'We hebben er tenminste over gepraat. Daar ben ik heel blij om.'

Merlin stond op. 'Ik zou je graag iets willen geven. Een cadeautje voor Kathleens geboorte.' Hij liep langzaam de kamer door, zijn blik schattend gericht op alle siervoorwerpen.

Connie haalde een zakdoek tevoorschijn met een dessin van groene klavertjes en snoot een paar keer haar neus. Toen pakte ze haar tas, lippenstift en poederdoos. Ze sloeg haar benen over elkaar en hief haar mooie gezicht op. 'Wat ik echt graag zou willen hebben is iets te eten.'

Merlin, die een konijntje van jade had opgepakt, keek haar aan. Hij zag dat ze zich had hersteld en weer een en al levendigheid was. 'Ik heb nooit veel eten in huis,' begon hij aarzelend.

Connie sprong op. 'Dit is te gek voor woorden!' riep ze uit. 'Ik wil wedden dat hij er nog is. Kijk maar niet zo verbaasd, Merlin. Ik heb het over de cake, de rozijnencake waarvan je moeder wilde dat je hem op je trouwdag zou opeten.'

Verbijsterd liep hij achter haar aan naar de keuken, waar ze energiek kasten begon open te trekken. 'Ja hoor!' Triomfantelijk maakte ze het blik open en toonde de verkruimelde en grotendeels schimmelige restanten van een geglazuurde rozijnencake. Onverstoorbaar propte Connie een stuk in haar mond. 'Om te vieren dat we een dochter hebben, lieve Merlin.'

Nadat hij voorzichtig het konijntje in de zak van haar jasje had laten glijden, deed Merlin met haar mee.

De schilderijen waren bedekt met een door de motten aangevreten paardendeken. Veronica liet haar stok vallen en trok krachtig aan een hoek. 'Ik wilde je deze al tijden laten zien,' zei ze. 'Jaren en jaren. Niet dat het artistiek gezien zoiets bijzonders is.'

Er stonden twintig of meer niet-ingelijste doeken, met de beeldzijde naar de muur gekeerd, achter in de oude tuigkamer waar Nina altijd haar ponyzadel en leidsels bewaarde en waar Helens twee stadse kinderen nu speelden dat ze een pony hadden.

'Ik heb ze nooit opgemerkt,' zei Nina, die het eerste schilderij omkeerde.

'Dat was ook niet de bedoeling. De moeder van je vader heeft ze gemaakt.'

'Ik heb nooit geweten dat die schilderde. Wanneer is ze overleden?'

'Rond de tijd dat ik trouwde. Je grootvader stierf veel eerder. Hij is na de Grote Oorlog nooit meer helemaal de oude geworden.'

'Zoveel oorlog...' mompelde Nina. Inmiddels had ze een paar schilderijen omgekeerd: roze, paars, groen, mauve, karmozijnrood, scharlakenrood, geel, oranje. 'Goeie hemel, wat een kleuren!'

Veronica keek er weifelend naar. 'Zou je kunnen zeggen dat ze impressionistisch zijn?'

'Eerder fauvistisch.' Nina pakte er nog een paar. 'Ze was in elk geval niet bang voor kleur.'

'Ik geloof dat ze Vanessa Bell en dat soort mensen kenden. Die woonden maar een paar kilometer verderop. Maar papa zei dat ze in het geheim schilderde. Er waren er eerst nog veel meer, maar die heeft hij weggegeven. Nu ik eraan denk, hij heeft ze aan een voorloper van Schilders van het Zuiden geschonken, zodat ze het doek opnieuw konden gebruiken.'

'Hij vond er zeker niet veel aan?'

'Nee.' Veronica ging op een oude kruk zitten en keek toe terwijl Nina

401

alle schilderijen op een rij zette. De felheid van de kleuren had ze aanvankelijk abstracter doen lijken dan ze in feite waren. Nina herkende nu delen van het huis en de tuin. Daar was de muur bij het grasveld aan de voorkant, een hoek van de schuur met een stuk van de moestuin, zelfs de appelboom, háár appelboom, die kleiner en minder krom was, maar toch nog steeds te herkennen viel. Het tafereeltje roerde haar op een manier die ze niet kon begrijpen. 'Ze had wel lef voor een amateur.'

'O, ik geloof dat ze veel reisden,' zei Veronica vaag. Ze begon het grauwe, uitgemergelde gezicht te krijgen dat erop duidde dat ze rust nodig had.

'Ik vind het wel wat,' verkondigde Nina, die haar moeders arm pakte om terug te lopen naar het huis.

'Het is jammer dat niemand ze voor haar dood heeft gezien.'

'Het is nooit te laat. Ik ga er morgen een paar ophangen.'

Ze liepen heel langzaam; haar moeder leunde zwaar op haar arm. De tuin straalde van de gele potentilla, scharlakenrode rozenbottels, lange goudkleurige margrieten, druivenbladeren die rood kleurden aan de randen, trosjes druiven die van groen paars kleurden, karmozijnrode rozen, die voor de derde keer bloeiden, rode wilde appels die in een kring op het gras waren gevallen, een paar appels onder de grote oude appelboom. De schuur veranderde van mauve in diep-amber op de plekken waar hij was aangetast door roest, en de takken van de meiboom die hem overschaduwde waren getooid met vermiljoenrode besjes. 'Ik geloof niet dat ze wat kleuren betrof heeft overdreven,' mompelde ze.

Veronica verstond het verkeerd. 'Ik was van plan ze je al eerder te laten zien, toen je niet meer schilderde, maar ik wilde niet tussen jou en Gus komen.'

Nina keek haar moeder aan. Ze wilde zeggen: 'Dus voor jou ging het huwelijk voor alles?' maar dat zou geklonken hebben als een soort verwijt. In plaats daarvan zei ze: 'Ja. Het was waarschijnlijk het beste dat ik er eerst zelf uit probeerde te komen. Je hebt heel veel voor me gedaan.'

'Ik mag Gus graag. Hij kan erg goed *cottage pie* maken.' Dat was waar. Gus was begonnen met koken. 'Maar natuurlijk was ik ook erg op William gesteld.'

Nina glimlachte. Ze dacht aan de schilderijen van haar grootmoeder. Zonder sentimenteel te zijn vond ze ze vrij goed. Ze wisten haar ertoe over te halen de wereld vanuit hun gezichtspunt te zien. Ze vroeg zich af of het haar zou hebben geholpen te weten dat ze een artistieke grootmoeder had toen zij ermee worstelde om van de vrouw van een militair een soort schilder te worden. Misschien moest ze, zoals ze tegen haar moeder had opgemerkt, haar eigen strijd strijden.

'Nou, misschien vormen ze een aardige aanbetaling voor je Rothko's.'
Ze waren bij het huis aanbeland en Veronica pakte de deurknop vast.

'Papa heeft zich wel misdragen.' Nina besefte dat ze nog nooit zoiets tegen haar moeder had gezegd.

'Na de oorlog, moet je niet vergeten.'

Na de oorlog. Nog steeds werd hij geëxcuseerd. Nina herinnerde zich de ochtend toen haar moeder haar in vertrouwen had genomen over de minnares van haar vader. Lisa was vervolgens haar eigen kruis geworden. Ze keek naar het kalme gezicht van haar moeder en besefte dat er niets te zeggen viel. Ze hielp haar het huis binnen en naar haar slaapkamer, waar ze ging liggen en haar ogen sloot.

Nina boog zich over haar heen om haar een afscheidszoen te geven, toen ze haar ogen weer opendeed: 'Misschien zullen de schilderijen van grootmoeder Lettice je ervan overtuigen dat je moet stoppen met die diepdonkere kleuren die je altijd gebruikt, Nina. Het leven is niet een en al zwartigheid, weet je.'

Nina glimlachte. Haar huidige succes was geheel te danken aan het feit dat haar schilderijen vrijwel zwart waren. 'Ik zal erover nadenken. Dat beloof ik.' Wat had ze vroeger van kleur gehouden! Maar die had haar vervolgens in de steek gelaten.

Nina ging naar haar atelier; langzaam liep ze door de kamers van het huis, en ze raakte voorwerpen aan, een eiken tafelblad, een doorzakkende armstoel; ze streek met haar hand over gebloemde oppervlakken, herschikte de kruiken op de schoorsteen, trok een gerafeld gordijn lawaaiig dicht omdat het nu bijna donker was.

Gus was in Londen. Ze had uren voor zichzelf. Ze koos een stukje karton en begon te schilderen. Weldra had ze een opzet gemaakt, een somber blauw dat tussen de bomen was verschenen en in schaduwen over het land lekte. Het was een waardige kleine illustratie. Ze zette de afbeelding tegen de tafel waar haar verftubes verwachtingsvol op een rijtje lagen en koos een nieuw, veel groter stuk karton. Liefkozend overdekte ze het oppervlak met een warme goudkleur, een zachtbruin. Ze stopte even, bijna tevreden. Boven haar hoofd stortte een late vlinder zich op het naakte peertje van de gloeilamp. Dat deed hij met zoveel kracht – ze onderbrak haar werk even om ernaar te kijken en zag de oranje stippen van een kleine vos – dat de gloeilamp zachtjes heen en weer slingerde en grote schaduwen door de kamer wierp.

Weer verdiept schilderde Nina over de warme aarde, de gulden herfst die zich weldra zou verharden tot de winter. Niets staat stil, dacht ze, maar net zo goed is niets voor altijd verloren. De schaduwen zijn voortdurend in beweging, de aarde verandert van bruin in groen in goud en weer terug in bruin.

Haar schildering had beweging gekregen: de schaduwen zwiepten als de slinger van een klok, de bomen waaraan ze waren opgehangen hingen er teder overheen, en onder dat alles gloeide de aarde. Nina bracht een hand naar haar hoofd en vervolgens een hand naar haar hart. Op beide plekken lieten haar besmeurde vingers een amberkleurig merkteken achter. Ze keerde terug naar haar schilderij. In haar concentratie merkte ze niet op dat de vlinder ophield met fladderen en zijn vleugels sloot, en vervolgens op de grond dwarrelde. De uren verstreken. In het vertrek was het doodstil. De nacht kwam koel en mistig opzetten, een uil riep aan de andere kant van het raam, zijn ronde ogen tuurden blind in het felle licht, waarna hij weer wegvloog op zijn donkere patrouille.

Nina's benen begonnen te trillen en haar maag, die bij de lunch voor het laatst was gevoed met een sandwich, trok door luid geknor haar aandacht. Maar haar hoofd was helder, en pas toen ook haar arm begon te trillen en ze geen vloeiende streek meer op haar schilderij kon aanbrengen, was ze genoodzaakt om te stoppen.

Abrupt zeeg ze in elkaar op de grond, naast de vlinder. Haar hoofd werd gevuld door gegons en jammerkreten, een concert van verwijtende uitputting. Ze bleef een poosje met gesloten ogen liggen wachten tot de geluiden zouden afnemen. Ze voelde dat ze nog nooit zo gelukkig was geweest.

'Nina. Nina.' Gus stond in de deuropening, en had daar misschien al enige tijd gestaan. Hij kwam snel naar haar toe, hielp haar rechtop te gaan zitten. Hij kuste haar. 'Je moet naar binnen komen, naar je moeder.' Hij hurkte naast haar neer. Nina keek op naar zijn gezicht en zag dat hij had gehuild. 'Ze ziet er zo vredig uit. Kom nu maar met me mee.'

1998

Connie ging alleen maar de stad in om een paar schoenveters te kopen, maar toen ze eenmaal in de hoofdstraat was, stond de levendigheid daarvan haar aan en besloot ze om iets te gaan eten – en drinken, uiteraard. Het was een prachtige augustusochtend en ze moest even haar benen strekken.

In de loop der jaren dat ze haar vakantieproject voor kinderen uit het noorden en zuiden van Ierland had gerund, was Connie vaak naar het noorden gekomen. Het was een soort spel geworden om het verschil tussen Noord en Zuid te benoemen. Sommige dingen vielen meteen op: het accent, de rode brievenbussen in plaats de groene, de politie in plaats van de gardai; maar er was nog iets anders, of dat dacht ze althans, zelfs aan de katholieken. Het was hetzelfde gevoel dat ze had gehad toen Leonardo er voor het eerst over had gesproken om priester te worden en ze erover had nagedacht of het de moeite zou zijn hem ervan te overtuigen naar de Kerk van Ierland te gaan, zodat hij kon trouwen en kinderen kon krijgen. Hij was tenslotte hun enige kind. Maar het had geen zin. Ze ontdekte dat ze, hoe ze ook haar best deed, een priester van de Kerk van Ierland niet echt kon laten lijken, hoewel hij de hersens had van Aquinas en de geest van Johannes de Doper. Terwijl een katholiek priester, schandelijk, dom of wreed, altijd je ware leek – dat wil zeggen, de vertegenwoordiger van Christus op aarde.

'Waarschijnlijk ben ik gehersenspoeld,' zei ze tegen Orlando, die het niet ontkende, maar opmerkte dat sommige mensen dat als een definitie van het geloof zouden beschouwen. De discussie hierover was de hele avond doorgegaan. Connie beweerde dat Orlando, als late bekeerling, nooit de aard van het ware geloof zou kunnen begrijpen. Orlando opperde dat haar geloof geheel en al gebaseerd was op schuldgevoel omdat ze haar moeder en haar vaderland had achtergelaten (er viel iets voor te zeggen dat dat hetzelfde was). Waarop Connie antwoordde, enigszins tot zijn verrassing, dat hij lang geleden al had moeten beseffen dat haar geloof voortkwam uit het contact met haar tante Annie, die waarschijnlijk een heilige en martelaar was en haar had meegenomen om de schrijn in Knock te bezoeken. Orlando zei nadrukkelijk dat dit de eerste keer was dat hij over

405

deze tante hoorde, waarna Connie ging zitten mokken, tot ze later in elkaars armen belandden en ze zich verontschuldigde dat ze met hem in discussie was gegaan terwijl ze in werkelijkheid met zichzelf in discussie was.

Maar toen ze de volgende ochtend wakker werd, waren al haar twijfels vervlogen: Leonardo zou priester worden, als hij dat nog steeds zo graag wilde, en zij zou er trots op zijn. Het zat in het bloed.

Connie dacht aan Leonardo toen ze haar auto op loopafstand van het centrum parkeerde. Hij was in Rome, op het Engelse college. Voordat ze uit Lir was vertrokken had hij haar een e-mail gestuurd: 'Ik heb net bisschop O'Donald ontmoet. Hij doet je zijn lieve groeten, of het equivalent daarvan voor een bisschop. Hij heeft in de herfst een vergadering in Dublin en hoopt dat hij je een avond kan zien. Hij zei voor de grap dat hij, als hij een man was geweest die kon trouwen, de strijd tegen papa wel opgenomen zou hebben.'

Connie glimlachte toen ze aan dit alles dacht. Een bisschop die verliefd op je is! Nou, dat was nog eens iets om trots op te zijn – niet dat ze ooit de fout had gemaakt om te denken dat priesters niet vatbaar waren voor menselijke emoties. Wat zou er gebeuren als Leonardo verliefd werd? Hij had haar ervan overtuigd dat hij sterk genoeg was om daar als het zover was mee om te gaan. 'Dan geef ik het over aan de Heer,' had hij simpelweg verklaard.

Hemel, wat ben ik gelukkig, dacht Connie toen ze haar auto afsloot en daarna de felle zon in liep. Ze had geparkeerd bij een busstation. Toen ze op weg ging, zag ze de bussen naar en van het platteland komen en gaan. Ze las de namen die voorop stonden: Six Mile Cross, Duncannon, Angher – kleine dorpjes waaruit voornamelijk moeders en kinderen kwamen die gingen winkelen voordat de school weer begon.

De hoofdstraat zag er modern uit, met jonge, goedgeklede mannen en winkelende vrouwen en kinderen. Het was een vrolijk tafereel, in schril contrast met de moeizame bespreking die ze zojuist in Belfast had gehad. Ze had geprobeerd een groep weerspannige gezinnen ervan te overtuigen dat het hun kinderen goed zou doen om een bezoek te brengen aan de stallen. Later had ze een katholieke priester ontmoet die een organisatie runde die vergelijkbaar was met de hare, en die protestantse en katholieke kinderen tezamen een vakantie in het buitenland bood. Hij was een opgewekte, robuuste man, maar op een gegeven moment was hij ernstig geworden: 'We doen dit allemaal,' zei hij, 'we doen het nu al tientallen jaren, en we proberen geen aandacht te schenken aan de veranderde agenda.'

Connie begreep wat hij bedoelde. De afgelopen paar jaar, sinds het

Ierland zo goed ging, wilden niet alleen de unionisten dat Noord-Ierland deel bleef uitmaken van Engeland. De meerderheid van de mensen uit het zuiden, die een paar generaties of meer na de splitsing van Ierland waren geboren, voelden er niets voor om samengevoegd te worden met het problematische noorden. Zelfs de politici bewezen alleen maar lippendienst aan het grote doel van een verenigd Ierland. Iedereen wist het – behalve, waarschijnlijk, de Britten.

Het gesprek met de priester had Connie gedeprimeerd en was een van de redenen waarom ze had besloten halt te houden in het levendige stadje vlak bij de grens. Ze wilde zichzelf herinneren aan de goedheid van mensen. Wat de verschillen ook waren die zij, omdat ze door haar opvoeding gehersenspoeld was, kon omschrijven noch verwerpen, ze wilde hen herkennen als haar mede-landslieden. Dus liep ze weg van haar auto, een achtenvijftigjarige vrouw, die er twintig jaar jonger uitzag, de hoofdstraat op.

Onmiddellijk kreeg ze iemand in het oog die ze kende, een man die vijftien jaar geleden als jongen naar de stallen was gekomen. Hij had contact met haar gehouden, verteld over hoe hij het ondanks het feit dat hij uit een gewelddadige familie stamde tot de universiteit had weten te brengen, een goede baan had gekregen in het bedrijfsleven, was getrouwd en twee kinderen had gekregen. Hij was een van haar succesverhalen.

'Rory!' riep Connie opgetogen uit.

'Connie! Wat doe jij hier?'

'Ik ben op weg naar huis.'

'Dan ga je wel een vreemde kant uit.'

'Ik zondig even.' Connie lachte vrolijk. Ze had overwogen om bij William op bezoek te gaan, maar daar was de kans op een zonde te groot. Zeker weten, vleide ze zichzelf.

Ze gingen op zoek naar een plekje waar ze iets konden eten. Rory had een halfuur de tijd voordat hij naar een vergadering moest over de locatie voor een nieuwe fabriek. De zon was zo warm en fel dat toen ze het café binnengingen, dat zwakjes werd verlicht met rode gloeilampen, dat aanvoelde als een koele, donkere grot.

Connie dronk te veel, zoals gebruikelijk, en bestelde in de korte tijd totdat Rory moest gaan twee grote glazen wijn.

'Je zou niet zoveel moeten drinken als je nog moet rijden.'

'Je lijkt Orlando wel.' Ze lachte hem hartelijk toe. 'Drinken doe ik mijn hele leven al. Tussen hier en Lir zal ik echt niet zoveel auto's tegenkomen.'

'Maar wel een heleboel politie en soldaten.'

'Dat zijn er tegenwoordig niet zoveel meer, godzijdank.' Ze wuifde hem luchtig toe. Hij ging de deur door, en toen hij weer langs het raam kwam, zag hij haar nog een keer, nog steeds met een glimlach, terwijl ze het laatste restje wijn achteroversloeg.

Als Connie ooit had gedacht aan haar dood, was ze er altijd van uitgegaan dat die zou plaatsvinden in Lir, in Orlando's armen. Meer recentelijk had ze er de verwachting aan toegevoegd dat Leonardo haar de laatste sacramenten zou kunnen toedienen. Van tijd tot tijd stelde ze zich voor dat ze een ziekte zou krijgen waaronder haar schoonheid niet te lijden zou hebben, hoewel ze misschien wel pijn zou moeten lijden. Ze was niet bang voor de dood.

'Hallo, lieverd. Meestal bel je me niet op donderdag.' Nina was trots op zichzelf omdat ze dit opmerkte. Sinds Jamie in Noord-Ierland was gestationeerd hield hij regelmatig contact. 'Zodat je je geen zorgen over me maakt,' had hij uitgelegd, met zijn verstandige officiersstem, die haar zo aan William deed denken (al was Jamie slimmer, maar wel minder gevoelig). In feite had ze er voor zijn telefoontjes amper aan gedacht om zenuwachtig te worden, want voor de situatie in Ierland had ze niet veel belangstelling en ze wist er alleen van wat Connie haar vertelde. Maar dit regelmatige contact maakte haar zorgelijk. Van haar moeder had ze de zeer ouderwetse opvatting overgenomen dat de telefoon alleen iets voor noodgevallen is. Sterker nog, sinds ze weer fulltime schilderde had ze steeds minder interesse voor of vertrouwen in verbale communicatie. Ze ging gesprekken zoveel mogelijk uit de weg en sprak tussen tien en vier überhaupt zelden – dat waren haar schilderuren. Jamie wilde haar altijd met alle geweld persoonlijk te spreken krijgen. Een poosje dacht ze dat hij onbewust de jaren wilde inhalen waarin zij minder een moeder voor hem was geweest dan Felicity – hoewel dat zijn eigen keus was geweest.

'Nee. Ik weet dat het niet mijn vaste dag is. Ik ben bang dat ik slecht nieuws heb.' Zijn stem klonk stijver dan anders. 'Heb je de radio of de televisie aangehad?'

'Nee.' Nina werd verrast door deze vraag. 'Zoals je weet heb ik aan allebei die dingen een hekel, en Gus is de hele dag buiten geweest om zijn tomaten te vertroetelen. Hij kweekt ze ondersteboven in zeewier, wat veel weg heeft van champagne serveren in een waterbed.' Ze keek uit het raam en zag dat Gus pronkbonen aan het plukken was voor het avondeten.

'Mijn bataljon was het eerst ter plaatse, en daarom kan ik het je ook zelf vertellen.' Nina begon zich misselijk te voelen. Kennelijk was met hemzelf alles in orde, ook al was zijn stem trillerig geworden. Dus wat was er aan de hand?

'Is Gus daar?'

'Ja. Ik zei je al: hij is bij zijn groenten.' Nina riep met stemverheffing: 'Jamie, wat is er? Wat is er gebeurd?'

'Er is een grote bom ontploft. Er zijn dertig of veertig mensen omgekomen. Een van hen... Connie. Ze was op slag dood. Ik...' Hij haperde, alsof hem iets te binnen schoot. '... Ik kon haar identificeren. Ik heb Orlando al gesproken, die belt Leo in Rome...'

Nina was gestopt met luisteren. In snelle opeenvolging kwamen haar beelden van Connie voor de geest: Connie dertig jaar geleden in de kliniek, Connie in New York aan het protesteren tegen de Vietnam-oorlog, Connie in Lymhurst met Daniel met Kerstmis, Connie in Cork toen ze voor het eerst Orlando ontmoette, Connie op haar eigen bruiloft, op Helens bruiloft, vorig jaar toen ze was weggegaan bij de Rothko's om met Merlin te praten, nog maar een halfjaar geleden, toen ze naar haar tentoonstelling was gekomen.

'Connie...'

'Niemand heeft de aanslag nog opgeëist. Maar het ziet ernaar uit dat het een republikeinse splintergroepering was. Niet dat het veel uitmaakt. Al die zogenaamde paramilitairen van beide partijen zijn moordenaars. Wie hem ook heeft neergelegd, hij wilde waarschijnlijk het vredesproces verstoren...'

'Vrede...' mompelde Nina, en ze stopte weer met luisteren. Het was onmogelijk te geloven dat Connie dood was. Toch merkte ze ook op dat dit de manier was waarop Connie zou hebben willen sterven. Ze had haar leven zo uitzinnig geleefd, had er zoveel in gepropt, zo vroeg. Maar toen ze een vredig leven met Orlando had kunnen leiden, had ze zich in de problemen gemengd.

'Hij was... Hij was toch niet voor haar bedoeld, of wel?'

'Natuurlijk niet. Zo belangrijk is ze niet. Orlando zegt dat ze op de terugweg was vanuit Belfast. Misschien was ze op weg naar papa. Er was geen enkele reden voor dat ze in de stad was. Ze had gewoon pech.'

'Pech.'

'Het spijt me ontzettend. Ik bel je vanavond nog.'

Nina deed haar best. 'Dank je, lieverd. Het was erg attent van je om te bellen.'

'Het was toeval dat ik in de buurt was.'

'En wat een toeval,' mompelde Nina, waarna ze de hoorn neerlegde.

Ze staarde naar buiten naar Gus, die nog steeds bonen aan het plukken was – wat moest ze met al die bonen, vroeg ze zich zinloos af, waarna ze zich realiseerde dat het hele gesprek met Jamie waarschijnlijk niet lang had geduurd. Connie had haar Gus geschonken, wat jarenlang eerder een ramp dan een zegen had geleken. Hoe zou Orlando ooit verder kunnen zonder Connie? Hoe zou zij verder kunnen?

Nina liep de tuin in. Het was augustus. Het keurig gemaaide gazon zag bleek. Ze vond het mooier als het gras langer en groener was, met madeliefjes ertussen. Maar het was Gus' afdeling, niet de hare. Ze herinnerde zich Connies grasveld, als je het zo kon noemen: een heleboel bloemen, niet alleen madeliefjes, maar ook blauwe maagdenpalm, boterbloemen, narcissen, klaver, misschien zelfs kleine klaver.

Nina ging naar Gus en vertelde hem het nieuws.

Nina belde Fay, maar Lex liet haar uiterst beleefd weten dat allebei zijn ouders naar het Tanglewood-muziekfestival waren, waar een stuk van Ted zou worden uitgevoerd. Nina besefte dat ze geen boodschap moest achterlaten en legde de hoorn neer. Ze had het gevoel dat ze iets anders zou moeten doen, maar ze kon niet bedenken wat. Ze belde Helen, en toen daar niet werd opgenomen, herinnerde ze zich dat ze met het hele gezin vakantie vierden in Cornwall. In haar agitatie kon ze het telefoonnummer niet vinden.

Gus kwam naar haar toe en zei dat ze niets hoefde te doen en dat hij het eten wel zou klaarmaken. Toen ze zei dat ze geen hap door haar keel zou kunnen krijgen, zei hij dat hij haar naar bed zou brengen en zelf wel een boterham zou nemen voor de televisie. Nina bedacht dat het huwelijk heel troostrijk kon zijn en herinnerde zich toen wat ze moest doen: Orlando bellen.

Haastig vroeg ze Gus' advies en nog haastiger zette hij de televisie uit. Nina realiseerde zich dat hij naar het nieuws had gekeken, waarop iets over de bom werd gemeld; ze meende zelfs een glimp op te vangen van Connies gezicht, maar dat kon ze zich ook verbeelden. Gus legde uit (terwijl hij teder haar hand vasthield) dat Orlando vanavond niet in Lir zou zijn. 'Dan ga ik maar naar bed,' zei Nina. Ze had nog steeds geen traan gelaten.

Nina lag de hele nacht wakker, en deed geen moeite om in slaap te vallen. Jamie had niet meer teruggebeld en ze was bang om zich voor te stellen bij welke afschuwelijkheden hij betrokken was geraakt. Na dat eerste moment toen hij haar het nieuws had verteld en ze Connie zo levendig voor zich had gezien, kon ze zich haar nu niet meer te binnen brengen. Het was alsof haar geheugen was weggevaagd. Nina bleef als verlamd in stilte liggen. Van tijd tot tijd merkte ze dat ze haar adem een paar seconden had ingehouden en naar lucht moest happen.

's Ochtends regende het en weer kon ze niets eten. Vagelijk herinnerde ze zich alle drukte rond het overlijden van haar moeder, het bezoek aan de begrafenisondernemer. Om de een of andere reden zongen de namen van de beschikbare kisten die er stonden als een treurzang rond door haar hoofd: Charsworth, Balmoral, Manor House. Allemaal zo Engels.

Rond het middaguur ging de telefoon. Het was Fay. Ze had op hun hotelkamer het vroege journaal gezien. Ze zou overkomen. Wanneer was de begrafenis? Nina stond versteld van haar energie. 'Heb je Kevin en Shirley gesproken?' vroeg ze. Ze herhaalde de feiten: de bom was volkomen onverwacht geweest. Er zou een vredesakkoord van kracht zijn. Er was een waarschuwing geweest, maar dat had mensen op de explosie af gestuurd. De meerderheid had uit vrouwen en kinderen bestaan. De bom was gelegd door een organisatie waarover Sinn Fein geen controle had, en waarvoor, bracht ze onder Nina's aandacht, Connies broer Michael wapens en explosieven zou hebben verborgen.

'Ik wil al die dingen niet weten,' zei Nina zwakjes.

'Maar wat een ironie,' vervolgde Fay, onvermurwbaar, 'om gedood te worden door je eigen broer. Hoewel ik moet toegeven dat hij er misschien al jaren niet meer bij zat.'

'Hij woont bij die dronken broer Joe op de familieboerderij,' zei Nina, terwijl ze zich afvroeg hoe ze zo konden praten terwijl ze met haar gedachten alleen maar bij Connie was.

'En, hoe is het met Shirley en Kevin?' vroeg Fay, die weer zakelijk werd.

'Ik heb niemand gesproken behalve Gus,' zei Nina hulpeloos. 'En met hem heb ik ook niet veel gepraat.'

'Ted wil een nieuwe compositie aanbieden voor Connies begrafenis,' zei Fay, en ze rebbelde maar door. Misschien, dacht Nina, kan zij dit beter verwerken dan ik omdat ze tegen haar eigen dood heeft moeten vechten. 'Zal ik naar je toe komen voordat we naar Ierland gaan?' vervolgde Fay.

'Ik weet niet. Nee. Nee.'

Nadat Fay had opgehangen, ging de telefoon onmiddellijk opnieuw over. Het was Eileen. Ze begon meteen te praten, zonder iets inleidends te zeggen over Connies dood. 'Lieve Nina, je moet direct naar Lir komen. Jij en Gus. Orlando heeft je nodig. Ik maak me vreselijke zorgen om hem, en Leo kan niet zo makkelijk een vlucht krijgen vanuit Rome. We zijn naar het noorden gegaan om het lichaam van die arme Connie te zien, of wat ervan over is, God hebbe haar ziel, en Orlando zegt sindsdien alleen maar wilde dingen. Hij beweert dat hij nooit in de hemel heeft kunnen geloven, omdat zijn hemel bij Connie op aarde was, en dat hij alleen maar deed alsof om Connie een plezier te doen. Volgens hem heeft het geen zin voor hem om verder te leven. Ik heb gezegd dat hij toch Leo had, maar hij zei dat Leo

411

God heeft en hem helemaal niet nodig heeft, en hij begon gospels voor me op te zeggen. Ik ben bang dat hij zichzelf iets aandoet. Hij is nu bij het meer, en mijn Charlie loopt een paar meter achter hem aan. O, Nina, ondanks al mijn werk voor de Zusterschap heb ik nooit geweten hoe het voelt als het een van je eigen mensen betreft.' Eileen begon te snikken, maar tussen haar tranen door herhaalde ze dat Orlando behoefte had aan Nina en Gus, Connies dierbaarste vriendin, en Orlando's oude vriend.

Nina stemde toe en ging naar Gus. Ze moesten nu in actie komen. Maar ze dacht dat als Orlando haar zou vragen waarom hij verder zou moeten leven zonder Connie, ze niet zo een-twee-drie een antwoord zou hebben. Ze bedacht eveneens dat ze, in al die jaren dat ze Orlando nu kende, nog steeds geen helder beeld had van hoe hij in elkaar zat. Ze kon zich niet heugen wanneer ze hem zonder Connie erbij had gezien, en Connie stelde ieder ander in de schaduw. Het meest complete beeld dat ze had was dat van hun eerste ontmoeting in de jaren zeventig in Cork, toen hij een laconieke dichter was geweest die de slaaf was van zijn vader. En vervolgens was hij de slaaf van Connie geworden.

In Lir was het niet om uit te houden. Nina begreep meteen waarom Orlando het grootste deel van zijn tijd, zowel overdag als 's nachts, aan het meer doorbracht. Dat was de enige plek waar Connie niet haar persoonlijke stempel op had gedrukt. Gus moest hetzelfde hebben opgemerkt, want hij stelde onmiddellijk voor Orlando na de begrafenis te logeren te vragen.

Gevangen in haar behoefte om schilderijen te maken, merkte Nina de willekeurige schikking van bloempotten op het terras op, gevuld met enigszins ongelijksoortige planten: rozen, grassen, kruiden, orchideeën, palmen, viooltjes. Ze zag de kleuren in de woonkamer – lichtrood, citroengeel, salie, een diepblauwe paarse tint die ze niet kon benoemen. In Connies huis leken de met textiel bedekte oppervlakken en de gordijnen tot lichtere nuances van zichzelf te verbleken: een Chineesrood dat verstreepte tot roze, hemelsblauw dat vervaagde tot ijzig wit. Boven de schoorsteenmantel hing het eerste schilderij van de reeks die Nina van Connie had gemaakt toen ze een jaar of twintig geleden onderweg waren geweest naar haar moeder. Doornroosje. Nu ze ernaar keek, vond Nina het helemaal niet op Connie lijken, die zich er altijd op had laten voorstaan dat ze niets van slapen wilde weten. Ze zette zich schrap en ging op zoek naar Orlando aan het meer.

Hij stond aan de oever, een kleine kilometer bij de stallen vandaan. Hij gebaarde haar naderbij te komen. Zijn manier van doen toen ze naar hem toe kwam was verre van wild. Ze zag dat hij had staan uitkijken over de glasachtige stille wateren die in de verte naar het dorp liepen, dat boven de bomen uit alleen zichtbaar was in de vorm van de kerktoren.

'Je moet me zeggen of je denkt dat mijn plan Connie zou hebben aangestaan,' zei hij met vlakke stem. Voor het eerst merkte Nina dat ze ontzettend graag zou willen huilen, maar dit was nou net de enige keer dat ze dat niet kon. Ze voelde een pijn door het hele gebied van haar keel, hoofd en hart trekken.

'Bisschop O'Donald en Leo zullen de herdenkingsdienst leiden in een tent op het grasveld,' vervolgde Orlando eenvoudig. 'Het is de enige manier om iedereen die wil komen onderdak te bieden. Daarna zal haar prachtige, verpletterde lichaam naar de oever worden gebracht en in een bootje worden gelegd met alleen mijzelf en Leo erin. Verder niemand. We roeien zelf over het meer naar de kerk, en daar zal ze worden begraven. We hebben daar een graf, weet je. Wat denk je ervan?'

'Ik denk dat ze dat heel mooi gevonden zou hebben.' Omdat ze niet verder kon praten zonder tranen te vergieten, liep Nina weg.

Maar Orlando kwam achter haar aan. 'Ze heeft me hier op deze plek verteld dat Leo geboren zou worden. We lagen allebei in het water. Belachelijk. Het was nog winter ook. Zeg eens, geloof jij in leven na de dood?'

'Ik weet niet,' snikte Nina, die zich realiseerde dat haar tranen voor Orlando niets betekenden.

'Heeft Eileen je verteld dat ik overweeg mezelf te verdrinken op de terugweg, als de boot leeg is? Ik laat Leo achter in de kerk. Mijn enige probleem is Connie. Zij is zo katholiek geworden, en katholieken geloven dat zelfmoord een doodzonde is. In het geval ze nog ergens verder leeft, zou ik haar niet graag grieven. Maar echt, ik zie er de zin niet van in om zonder haar door te gaan. Ik kan niet iets opzetten om haar te gedenken; dat heeft ze allemaal zelf al gedaan. Haar Zusterschap, de stallen. Wat denk jij, Nina? Jij was heel intiem met haar.'

Nina dacht: dus hij hééft het me gevraagd − ook al is het dan vanwege de mening van Connie. Ze stonden nu nog dichter bij de waterrand, en terwijl ze een antwoord probeerde te bedenken, merkte Nina op dat er planten die ze niet herkende onder water groeiden, met bloemen die werden uitvergroot en vertekend. 'Connie zou niet hebben gewild dat haar dood de jouwe tot gevolg had.' Ze sprak langzaam, en voordat ze de woorden had uitgesproken bedacht ze dat ze het best helemaal mis kon hebben. Misschien wilde Connie wel dolgraag dat Orlando zou bewijzen dat hij zonder haar niet kon leven. 'In elk geval, Gus en ik willen graag dat je bij ons komt logeren.'

'Dank je wel.' Orlando zei het vriendelijk, hoewel ze geen idee had of hij overtuigd was. 'Als je het niet erg vindt denk ik dat ik even ga zwemmen.' Toen hij Nina's gezicht zag, moest hij bijna glimlachen. 'Nee. Nee. Maak je maar geen zorgen. Ik moet eerst de begrafenis nog meemaken.'

Nina liep weg toen hij zich begon uit te kleden. Toen ze omkeek, was hij al ver weg midden op het meer. Nina kon er niets aan doen dat ze moest denken aan het favoriete tijdverdrijf van zijn gekke oude vader. Connie had bij hoog en bij laag volgehouden, herinnerde Nina zich, dat hij de laatste jaren kiezels in zijn zwembroek had gedaan, die, hoopte ze, bedoeld waren om zichzelf naar de bodem te doen zinken, totdat ze erachter was gekomen dat hij ze naar de zwanen gooide. Vanavond waren er geen zwanen.

In Nina's afwezigheid was Fay gearriveerd. Ze kwam naar Nina toe lopen toen ze terugkwam van het meer. Ze kusten elkaar vluchtig.

'Je bent ijskoud!' riep Fay uit.

'Het is allemaal zo verschrikkelijk. Ik heb erg met Orlando te doen...' Niet in staat verder te praten barstte Nina in tranen uit.

Ze draaide haar rug zo dat Fay alleen haar schokkende schouders kon zien die zich aftekenden tegen een achtergrond van donkere laurierbladeren. Ze bedacht dat Nina altijd het liefst alleen was geweest met haar verdriet. 'Hier.' Ze maakte haar tasje open en haalde er een schoon papieren zakdoekje uit.

Nina draaide zich om en pakte het aan. 'Jij hebt altijd de noodzakelijke spullen bij je.' Ze snoot krachtig haar neus.

Fay wist dat ze aan dat eerste bezoek aan Lymhurst dacht, toen Connie hen aan het dansen had gekregen bij de oude boom. 'We zijn altijd een merkwaardig trio geweest.'

'Ik kan het nog steeds niet geloven. Het zal voor jou wel anders zijn, omdat jij arts bent geweest en zo. Maar voor mij geldt dat echt. Ik verwacht steeds maar dat ik haar stem zal horen die een of andere domme opmerking maakt. Het komt denk ik doordat het zo plotseling is.'

'Ja, vast,' zei Fay meelevend. Maar ze bedacht dat de dood voor haar nooit onverwacht had geleken. Integendeel, ze was er haar hele leven bang voor geweest. 'Hoe was het met Orlando? Heb je iets voor hem kunnen doen?'

'Nee. Nee, ik weet zeker van niet. Hoe zou ik ook kunnen?'

Ze keerden terug naar het huis. 'Ik was zo kwaad toen ze me vertelde dat ze met Daniel naar bed was geweest,' zei Fay opeens. Ze vroeg zich af hoe ze daar nu ineens zo bij kwam. De dood, waarschijnlijk.

'Hè?' Nina klonk gechoqueerd.

'Wist je dat niet? Die keer met kerst op Lymhurst. Maar op het laatst vond ik het wel een mooie gedachte.' En nu zijn ze allebei dood, bedacht Fay.

'Maar dat moet tijdens haar celibataire periode zijn geweest.'

'Die was toen waarschijnlijk meteen over.' Ze glimlachten allebei.

Fay kon nu het huis zien, de weidse, rommelige grasvelden, het terras met zijn vier stenen urnen die overliepen van de bloemen en het onkruid. Er roerde zich iets in haar geheugen. 'Ik bedenk ineens iets waar ik altijd al naar heb willen vragen.' Ze draaide zich naar Nina toe, die bleef staan en haar met een gespannen gezicht aankeek. 'O, zo belangrijk is het nou ook weer niet. Weet je nog, toen we elkaar pas leerden kennen in de kliniek, en dat daar een hopeloos soort tuin was?'

'Ik weet het niet meer zo goed. In die tijd keek ik naar de wolken.' Nina stak een vinger op.

'Ja. Het punt is, er stond daar een urn op het terras, vol met lathyrus, en ik stelde me altijd voor dat een van jullie die erin had geplant. Ik weet niet waarom. Het zal wel zijn omdat het idee me aanstond. Het waren er veel te veel en ze groeiden alle kanten op.'

'Nou, ik ben het niet geweest.'

Het ernstige gezicht dat Nina trok, beviel Fay wel. 'In dat geval,' zei ze, 'zal ik maar aannemen dat Connie het had gedaan.'

'Als het Connie was,' zei Nina, 'zou ze er ook een heleboel onkruid in hebben gezet.'

'Laat maar zitten. Het is te lang geleden.'

Ze liepen verder en naderden het huis in stilte. Toen ze bij het terras kwamen, konden ze gestaltes in silhouet afgetekend zien tegen een licht dat binnen in de kamer scheen. De langste was Gus, die onhandig met gebogen hoofd bij de schoorsteenmantel stond. Fay draaide zich om en omhelsde Nina snel. 'Kom op, schat. Laten we Eileen gaan helpen met het eten.'

'O, Fay.' Weer barstte Nina in tranen uit, maar dit keer wendde ze zich naar Fay toe, en hoewel ze veel langer was dan zij, klampte ze zich aan haar vast als aan een rots in de branding.

Fay klopte op haar schouders. 'Ik voel me zelf ook een beetje vreemd. Onderweg hiernaartoe zag ik maar steeds een mal beeld voor me van mezelf terwijl ik bieten zat te rooien uit de tuin en soep maakte voor Orlando en Gus en wie er verder maar behoefte had aan troost. Ik moest mezelf eraan herinneren dat ik nooit een bijster goede joodse moeder ben geweest en zeker geen borsjt kon klaarmaken – ervan uitgaande dat Connie bieten had staan in haar tuin, wat zo te zien vrij onwaarschijnlijk is.'

Nina begon zich te herstellen. Ze pakte nog een zakdoekje van Fay aan en snoot nogmaals op een mannelijke manier haar neus. 'Oké. Laten we naar binnen gaan. Van nu af aan zal ik steeds jou opzoeken als ik moet huilen.'

'Ik had geen idee dat Connie zo bekend was.' Op de ochtend voor de begrafenis keken Nina en Leonardo toe hoe op het grasveld de tent werd opgezet. Het was warm, maar het miezerde zachtjes, wat ze geen van beiden opmerkten. Zoals gebruikelijk was Fay binnen in het huis telefoontjes aan het beantwoorden, die vaak van de pers kwamen, maar soms ook van Connies oude minnaars. Ze zei dat het haar van streek bracht om volwassen mannen, en soms oude mannen, zo hun best te horen doen om niet te huilen. Ze waren allemaal van plan naar de begrafenis te komen.

'Het is maar goed dat we voor de grote tent gekozen hebben.' Leonardo gebaarde met zijn hand naar de langzaam oprijzende massa canvas. 'Mijn moeder was erg geliefd in Ierland.' Meestal had hij zichzelf uitstekend onder controle, maar opeens barstte hij uit: 'Ik moet je eerlijk zeggen dat ik niet begrijp hoe die Michael het lef kan hebben om zich hier te vertonen. Ik kan je wel vertellen dat het de allergrootste beproeving voor mijn geloof is om een beetje beleefd tegen hem te zijn.'

'Ik dacht dat priesters in zulke dingen getraind werden.' Nina hoorde de belachelijke klank van haar woorden. 'Het spijt me, Leo.' Ze legde haar hand op zijn arm. Deze rouwende zoon die ook priester was bracht haar in de war. Ze realiseerde zich dat ze nooit echt in Connies katholicisme had geloofd. Ze had het in haar jonge leven met een heleboel kwaadsprekerij en drama gebracht, maar bij haar bekering was het er veel kalmer aan toegegaan.

Ze draaiden zich allebei om om te kijken toen er diverse kinderen uit de stallen aankwamen met bossen bloemen in hun armen en planten die eruitzagen als complete struiken die uit de tuin waren gespit. Er werd een tafel neergezet die als altaar zou dienen en ze begonnen de bloemen er aan de onderkant omheen te leggen.

'Gaan die niet dood?'

Leonardo glimlachte. 'Niemand denkt dat er omwille van haar een wonder zal geschieden. Ze brengen zo meteen water.' Hij zweeg even. 'En mijn vader? Hoe denk je dat hij het zal redden?'

Nina had deze vraag gevreesd. Ze had Connies mysterieuze vader O'Donald, die tegenwoordig 'de bisschop' werd genoemd, al verteld over het gesprek dat ze met Orlando had gehad aan het meer. Ze had gehoopt dat hij op een positieve manier met Orlando over het leven na de dood zou praten. Maar ze had er niet veel vertrouwen in, want verdrietig had hij opgemerkt: 'Sterven aan een gebroken hart is niet zomaar een uitdrukking.' Toen ze tegenwierp dat jezelf welbewust verdrinken niet hetzelfde was als sterven aan een gebroken hart, had hij alleen maar geknikt en gezegd dat het misschien toch maar een uitdrukking was.

'We houden hem wel in de gaten.' zei ze tegen Leonardo. Het klonk erg zwakjes.

Fay zat met Nina, Gus, Eileen, Leonardo, Kevin en Shirley in de kamer in Lir. Het was de avond voor de begrafenis, een prachtige purperen avond met roeken en houtduiven die buiten veel lawaai maakten. De bisschop was met Orlando gaan kijken naar de voorbereidingen op het kerkhof.

Na een maaltijd waarbij ze dappere gesprekken met elkaar hadden gevoerd, grotendeels over de voorbereidingen voor de volgende dag, waren ze uitgeput stilgevallen.

Fay merkte op dat Leonardo onder de bank leek te tasten. Hij haalde er een boek onder vandaan en keek er zorgelijk naar. Ze herkende het onmiddellijk: het 'geen seks'-boek, zoals Connie het altijd noemde, met de ritssluiting op haar buik op het omslag. Fay ving Nina's blik toen ze dezelfde kant op keek, en allebei sloegen ze Leo gade toen hij het weer zorgvuldig onder de bank terugschoof.

Shirley stond op. Ze was zwaarder geworden en liep een beetje moeilijk door de artritis in haar knie. 'Ik ga maar eens een pot thee zetten. Fay? Nina?' Het was, overduidelijk, een bevel. Kevin begon met Eileen te praten en haar vragen te stellen, hoorde Fay nog toen ze de kamer uit ging: over Lir, het huis, de tuin, het land, het meer.

Shirley deed, en dat was niets voor haar, in de grote en rommelige keuken geen licht aan. De avond deed de omtrekken vervagen van de ouderwetse koperen pannen, de ronding van de stoelen met spijlenrug, de vensterbanken die waren getooid met afgevallen geraniumblaadjes.

'Alsjeblieft, laten we aan tafel gaan zitten.' Shirley leek zowel vastbesloten als heel nerveus. Fay en Nina gingen gehoorzaam zitten.

Meelevend zei Fay: 'Wat is er, Shirley? Kunnen we helpen?'

Shirley haalde diep adem. 'Als jullie het niet erg vinden, vertel ik het jullie allemaal in één keer. Kevin heeft me gevraagd of ik met jullie wilde praten. Hem grijpt het te veel aan. Zie je, we hebben Kathleen verteld dat Connie haar biologische moeder was. Voordat we uit Washington vertrokken. We denken dat ze zelf al zo haar vermoedens had en onder de kwestie leed. Op de een of andere manier heeft het niet zoveel veranderd om erover te praten. We zijn er net achter gekomen dat Connie Leo een paar jaar geleden de waarheid heeft verteld toen ze in de trein zaten nadat ze bij ons in

Washington op bezoek waren geweest. Hij weet het dus al heel lang. Connie raakte van slag toen ze Kathleen zag. Natuurlijk heeft Orlando het altijd al min of meer geweten. Kathleen heeft besloten niet naar de begrafenis te komen, maar Kevin wil op zijn oude dag voorgoed in Ierland komen wonen, dus we hopen naar Lir te kunnen gaan. Kathleen denkt dat ze ondersteuning zou kunnen krijgen voor een fotoproject over de stallen. Tara kan komen wanneer ze maar wil. Ze zijn allebei volwassen. Kevin kan golfen, want daar geniet hij het meest van. We hebben al met Leo gesproken, die er veel voor voelt, en we zijn van plan het Orlando na de begrafenis te vragen.'

Ze zweeg abrupt. Fay dacht dat al deze nieuwe regelingen niet de allerbelangrijkste informatie konden verhullen: een week na Connies dood wist haar dochter eindelijk de waarheid. Fay zag dat Nina net als zij haar uiterste best moest doen om niet te gaan huilen.

'Wacht na de begrafenis niet te lang,' mompelde Nina ten slotte. 'Ik bedoel, om Kathleen hiernaartoe te halen.'

'Het is een geweldig idee,' zei Fay. Ze wilde graag horen hoe Kathleen op het nieuws had gereageerd. Maar Shirley stond op en begon omstandig de ketel te vullen bij de gootsteen. 'Later vertel ik jullie meer,' zei ze over haar schouder. Fay besefte dat ook zij huilde.

'Ik denk dat Orlando het erg fijn zal vinden om Kathleen hier te hebben,' zei Nina.

'Vindt Kathleen het een goed plan?' vroeg Fay.

Weer stond Shirley met haar rug naar hen toe gedraaid toen ze de zware ketel op de Aga tilde. 'Ze heeft een foto van Connie boven haar bed gehangen.'

Fay bedacht verdrietig dat het jammer was dat Connie nooit de kans had gekregen om haar dochter te erkennen.

Nina keek op naar het dak van de tent. Er waren wat bladeren van overhangende bomen op gevallen en die lagen in donkere patronen op het canvas. Ze waren bijna aan het einde van de dienst gekomen. Straks zou Connies kist naar het meer worden gedragen. Fay en zij, naast elkaar gezeten, hadden fluisterend over de diverse rouwenden gepraat. Fay had de beruchte Hubert herkend, en ze hadden allebei meelevend geglimlacht naar Merlin, die zo uitgeblust, zo elegant was, zo'n onwaarschijnlijk iemand om de vader van Connies dochter te zijn. Huberts zoon, de al even beruchte Rick, viel onmogelijk over het hoofd te zien, want hij was gearriveerd met een hele ministeriële entourage plus bodyguard.

Fay en Nina giechelden, ondanks hun verdriet, toen ze uitkeken naar de vreselijke Trig, maar ze zagen niemand die groot of afschuwelijk genoeg was. 'Waarschijnlijk is hij inmiddels een meester in vermommingen,' fluisterde Nina. 'Heb ik je ooit verteld over de klavecimbellerares Violetta Sugden?'

Nina keek nogmaals omhoog en zag dat sommige blaadjes een beetje weggleden en dat er af en toe boven hun hoofd de schaduw van een vogel voorbijvloog.

Vier van Eileens zonen pakten de kist op. Met de bisschop, Leonardo en Orlando voorop begon de stoet de tent uit te lopen. Nina bedacht dat er bijna genoeg rouwenden waren om een aaneengesloten rij te vormen van de tuin naar het meer. Ze liep tussen Fay en Gus in, niet ver achter de kist. Ze draaide zich om om te kijken of Helen het wel redde en zag in het voorbijgaan Connies vreselijke broers Michael en Joe. Ze bracht het niet op hen toe te glimlachen. Zij was geen priester.

Een strijkkwartet dat op het terras had plaatsgenomen speelde het stuk dat Ted speciaal voor de gelegenheid had gecomponeerd, hoewel hij zelf niet in de staat was geweest om te komen. Nina herinnerde zich hoe Connie had moeten huilen bij het concert in Wigmore Hall.

'Connie zou dit allemaal prachtig hebben gevonden – om het middelpunt van de aandacht te zijn,' fluisterde ze Fay toe. 'De muziek is schitterend,' voegde ze eraan toe, hoewel ze die eerlijk gezegd te moeilijk vond voor de gelegenheid. De schallende klanken van 'For All the Saints' zouden wat haar betrof beter hebben voldaan.

Toen ze het meer naderden, vulden de vele voetstappen de lucht met het aroma van daslook en salie. Boven hun hoofd filmde een helikopter van een nieuwsdienst de stoet, maar toen ze bij het meer kwamen, wiekte hij weg en werd alles stil. Aan de waterkant vormden de kinderen uit de stallen, allemaal met ongewoon nette shirts aan en zwarte banden om hun arm, een laatste erewacht.

De kist werd in een kleine boot getild en Orlando en Leonardo stapten in en pakten de roeiriemen op. Ze roeiden zachtjes weg.

'Ik heb het meer nog nooit zo glad gezien,' fluisterde Gus.

'Het is in de rouw,' fluisterde Nina terug. Ze pakte Fays hand.

Tien dagen na de begrafenis kreeg Nina een brief van Orlando. Ze nam hem mee naar haar atelier en maakte hem met nerveus trillende vingers open.

Allerliefste Nina, ik wil je bedanken omdat je naar me hebt geluisterd. Ik bedoel omdat je goed hebt geluisterd naar hoe ik me voelde. Na ons gesprek merkte ik dat ik belachelijk genoeg om hulp bad, om een wonder, neem ik aan, hoewel ik moet toegeven dat het gezicht van de Maagd wel bedrieglijk veel op dat van Connie leek... Nou, je weet welk wonder er is geschied. Het is maar een kleintje en het heet Kathleen, maar ik denk dat het genoeg is om me van de bodem van het meer vandaan te houden. Over Connie: ik kan er nog steeds niet over uit. Een van de dingen die me dwarszaten was wat voor afschuwelijks ze mogelijkerwijs heeft gezien, gehoord en gevoeld, ook al verzekerde iedereen me dat ze op slag dood moet zijn geweest. Ik wilde je op de hoogte brengen van één detail dat me uiteindelijk enige troost geboden heeft. Op de begrafenis werd ik aangesproken door een jonge man, ene Rory, een van Connies succesverhalen uit de stallen. Hij was ontzettend geëmotioneerd en kon zijn tranen amper bedwingen. Ik probeerde een gesprek met hem uit de weg te gaan, maar hij sleurde me min of meer de laurierbosjes in. De laurierbosjes waar Connie zo'n hekel aan had, trouwens. Ze zei dat die haar aan het huilen maakten. Hij vertelde me dat hij haar vlak voor de bomaanslag in een café had ontmoet. Hij had haar alleen gelaten terwijl ze witte wijn zat te drinken; ze was heel vrolijk, zei hij. Eerst werd ik woedend op hem, hoewel ik dat niet liet blijken. Woedend omdat hij haar alleen had laten zitten en niet samen met haar was weggegaan – hij moest naar een vergadering. Woedend en jaloers dat hij, en niet ik, de laatste was geweest die bij haar was geweest. Maar toen kwam ik tot mezelf en vroeg hem meer te vertellen. Ze zat daar, Nina, en sloeg de witte wijn achterover – hij zei dat niet met zoveel woorden, omdat hij het niet als een oordeel wilde laten klinken, maar het was duidelijk dat het zo moest zijn gegaan. We weten allemaal hoe het zit met Connie en wijn. Ze was onderweg naar huis, naar mij, na een van de moeizame besprekingen waarvoor zij dacht dat ze op aarde was. Toen wist ik dat ze helemaal niet kon hebben geleden, met een slok op. Godzijdank heb ik nooit geprobeerd haar van het drinken af te brengen! En ook godzijdank (hoewel dat, ik weet het, niet de katholieke manier is om het te zeggen) hoefde ze niet afschuwelijk verminkt verder te leven. IJdelheid was een van haar sterkste zwakke punten, en die had te maken met gebrek aan zelfvertrouwen en zelfbewustzijn. En ze was zo mooi... Genoeg. Genoeg. Ik zal ingaan op je aanbod om bij jullie te komen logeren. Maar nu nog niet. Ik moet bij Connie in Ierland blijven. Haar geest is overal. Lieve groeten voor jou en Gus.

Zes weken na Connies dood ontving Nina een tweede brief van Orlando. Toen ze de envelop openmaakte, merkte ze op hoeveel zijn handschrift leek op het grote, open handschrift van Connie. Gelukkige partners gingen na verloop van tijd op elkaar lijken, zei men. Gold dat ook voor handschriften? Ze realiseerde zich dat ze het uitstelde om de brief te lezen omdat ze bang was voor het leed dat eruit zou spreken.

Te midden van alle fall-out van Connies dood [schreef Orlando] is een van de vreemdste dingen nog wel dat haar verloren broer, Finbar, is opgedoken. Hij las over haar dood in een Australische krant – hij heeft daar kennelijk gewoond, vijftig jaar, en is er vlak na de oorlog naartoe gegaan. Hij is nooit getrouwd, of misschien was hij dat vroeger wel, maar nu is hij geloof ik alleen. Hij schreef naar Michael, of althans naar het adres van de O'Malley-boerderij, en Michael antwoordde hem. Het resultaat is dat Michael een uitnodiging heeft aanvaard om op bezoek te komen – de man die nooit van zijn leven uit Ierland weg is geweest en amper ooit buiten Mayo is gekomen. Hij kwam me vertellen dat hij van plan is niet meer terug te komen. 'Ik zal sterven met mijn broer,' gromde hij, met die lelijke, gruizige stem van hem, zonder zich iets aan te trekken van Joe, die nog steeds in Lir is en vast van plan is daar zijn laatste adem uit te blazen. 'Kevin mag de boerderij hebben,' vervolgde hij, 'en Connies bastaarddochter kan over de velden lopen net als die slet van een moeder van haar.' Je begrijpt wel dat ik, met zulke afschuwelijke woorden in mijn hoofd, erg van slag was. Ik ging tekeer. Ik ga nooit tekeer. Michaels zelfverbanning naar een woestijn aan de andere kant van de aardbol. Twee taaie oude vrijgezellen die gaan zitten dromen over Ierland en elkaar stapelgek maken. Maar ik bracht mijn woede tot bedaren en begreep hoe heerlijk het was dat Kathleen terug zou kunnen gaan naar Connies oude huis. Ze is een heel bijzonder meisje. Het lijkt te belachelijk om waar te zijn, maar zij en Eric – herinner je je Eric, die Kevin betaald heeft om uit New York te komen om de stallen te gaan runnen? Zij en Eric hebben snel vriendschap gesloten. Ze geeft hem zwemles; hij is vast de enige Amerikaan op de hele wereld die niet weet hoe dat moet. Hij leert haar muurtjes te bouwen – wat weer geen deel uitmaakte van de opvoeding die zij heeft genoten. Kevin en Shirley kunnen nu naar de O'Malley-boerderij. Er is vlak in de buurt een spectaculaire golfbaan en er gaan regelmatig vluchten vanuit Knock en Shannon. Misschien kan ik hen ertoe bewegen Joe ook mee te nemen, hoewel Connies dood hem diep heeft geraakt; een normaal mens zou ervan aan de drank raken, maar bij hem lijkt het tegenovergestelde het geval te zijn. Ik hoef niet eens de whisky meer weg te sluiten.

Lieve Nina, ik hoop dat je het niet erg vindt dat ik je af en toe schrijf, in plaats van dat ik op bezoek kom. Het helpt me. Misschien kan ik Gus en jou nog zover krijgen dat jullie met Kerstmis hier komen. Maar daar denk ik nu nog niet aan. Ik ben blij dat ze jou en Fay als vriendinnen heeft gehad...

2000

Fay voelde zich ongemakkelijk toen ze in haar badjas in de hotellift stond. Iemand die haar zag zou kunnen denken dat ze terugkwam van een rendez-vous in de kleine uurtjes, alleen was ze daar veel te oud voor. De lift stond vol met pakken – vier jonge mannen en één vrouw. Ze merkte op dat hun haar nog nat was van de douche, dat ze koffertjes bij zich hadden en naam-badges hadden opgespeld. Ze leken allemaal deel uit te maken van hetzelf-de gezelschap: allemaal stapten ze uit op de vijftiende verdieping, op weg naar de conferentiezalen. Zij had vroeger ook ooit zo'n gezicht gehad: gespannen, betrokken, gebrand op succes.

De lift daalde naar de veertiende verdieping en ze stapte uit en volgde de pijlen naar het zwembad. De klapdeuren door en ze bevond zich op het dak van een hotel in Toronto om een vroege ochtendduik te nemen. Er was nie-mand anders op hetzelfde idee gekomen. Niets dan blauw water, een blau-we lucht, een stralende zon en één vrouw van middelbare leeftijd met grijs haar en een deels afgezette borst. Fay stopte haar bril in haar zak, gleed uit haar badjas en dook het water in.

Ze zwom onder water met haar ogen open. Luchtbellen borrelden langs haar heen en veranderden vervolgens in kristallen bloemen. Ze was blij dat Ted vroeg was vertrokken om de concertzaal te gaan bekijken, blij dat ze fit genoeg was om heen en weer te zwemmen, blij dat ze alleen was.

Fay hees zichzelf het water uit en liep om de rand van het zwembad heen. De borstwering was te hoog om meer te zien dan de lucht en de bovenkanten van een of twee gebouwen die nog hoger waren. Toen viel haar oog op een telefooncel. 'Die staat hier zo vreemd,' zei ze hardop, 'dat ik hem wel móét gebruiken.'

Nina was bezig met een doek dat ze al veel te vaak had overgeschilderd toen Gus haar riep. Ze pakte een paletmes en schraapte het hele gedeelte schoon. 'Het is Fay. Ze wilde je met alle geweld spreken.' Hij klonk ver-ontschuldigend.

'Ik dacht dat je wel lunchpauze zou houden.' Fay klonk helemaal niet zo verontschuldigend als gepast zou zijn.

'Wat heet lunch?'

'Stel je eens voor: ik sta in een telefooncel naast een zwembad op de veertiende verdieping.'

'Zwemmen?' Nina's boosheid zakte. Onmiddellijk dacht ze aan Connie. Dit was iets voor Connie, niet voor Fay.

'Alleen ik, blauwe lucht, water.' Fay klonk bepaald alsof ze zelf verrast was.

'Is Ted er niet?'

'Ted zou hier duizelig worden.' Fay zweeg even. 'Ik moest aan Connie denken,' zei ze. 'En toen kwam er een vraag in me op. Jij, mijn oudste vriendin, lijkt de juiste persoon om die te beantwoorden.'

'Ik wacht.' Nina pakte een glas wijn aan van Gus en dat maakte nog meer herinneringen aan Connie los. Ze vroeg zich af hoelang dat zo door zou gaan, dat gevoel dat er een stuk aan het leven ontbrak.

'Waar is het allemaal goed voor?' vroeg Fay haar.

'Je verwacht toch niet dat ik daar antwoord op kan geven?' Nina lachte.

'Wat komt er het eerst in je op? Meer hoef ik niet te horen.'

'De zin van het leven? Bedoel je dat soms? Zelfs jij, Fay, kunt niet van mij verwachten dat ik daar iets zinnigs over op te merken heb. Stel je voor, zeg!'

'O nee? Oké. Geen Wittgenstein, Jezus Christus, Gandhi, de Sade... Alleen jij en ik... oude vrienden...' Terwijl Fay aan het woord was, besefte Nina dat ze wel degelijk een soort antwoord had. 'Of denk je soms dat we niet oud genoeg zijn?' vervolgde Fay. 'Niet wijs genoeg? Dat we niet genoeg boeken hebben gelezen? Niet genoeg hebben meegemaakt?'

'Ik weet het niet.'

'Of je zegt het niet.' Nu lachte Fay.

'Zit me niet zo op mijn huid. Alleen maar omdat jij op dit moment hoog boven de wereld verheven bent. Of misschien heb jij wel een antwoord; als dat zo is, vertel het me dan maar eens.'

'Een soort antwoord van mij. Het heeft te maken met de manier waarop je je leven leidt. Ik dacht dat ik het allemaal zo prima voor elkaar had; ik was zelfstandig, werd arts in een mannenwereld, maar na Daniels dood begon ik te begrijpen dat ik mijn hele leven doodsbang was geweest. Volgens mij weet je wel wat ik bedoel. Jij bent met me mee geweest naar Auschwitz.'

'Lex en Jim zijn toch zingeving genoeg?' Nina ging zitten in de gang. Een scherpe lentewind blies de voordeur open, die niet goed dicht had gezeten, en kolkte om haar enkels. 'Zij moeten toch zingeving genoeg zijn voor wat dan ook?'

'Hebben jóúw kinderen jouw leven zin gegeven? Natuurlijk, ik wil, net als iedere joodse moeder, dat ze goed slagen in het leven. Zoals mijn eigen moeder dat voor haar kinderen wilde. Maar ze gáán een keer dood.'

'En Ted? Geeft hij je leven zin?'

'Zijn muziek. Die heeft voor mij de meeste zin.'

'Muziek!' Nina hoorde dat haar stem oversloeg. Muziek als zin van het leven? Maar dan zaten ze hetzelfde in elkaar. Wat belachelijk! Kunst en muziek. Terwijl ze altijd zo verschillend hadden geleken. Connie was degene geweest die anders was. Connie had geloofd in de geest zoals de rooms-katholieke Kerk die omschreef. Maar ja, Connie was een kunstvorm op zich. Nina dacht er nog eens over na. Fay en zij wáren niet hetzelfde. Zij leverde kunst. Fays man leverde de muziek. 'Ik zal je nog een zin noemen,' zei ze.

Fay leek haar niet goed te verstaan. 'Hé, zelfs met míjn kippigheid kan ik zien dat er hier achter een raam een sportzaal is met een heleboel mannen die aan hun testosteron staan te werken. Wat zien ze er mal uit!'

'Vriendschap. Ik ga voor vriendschap.'

'Hè?'

'Vriendschap!' riep Nina hard, maar dit keer kon ze het woord zelf niet eens verstaan omdat de voordeur met een klap dichtsloeg. 'Fay! Hoor je me?' Er kwam geen antwoord en ze wilde net de telefoon neerleggen, omdat ze dacht dat de verbinding was verbroken, toen Fays stem duidelijk opklonk, hoewel niet luid.

'Vriendschap. Ik had je de eerste keer uitstekend verstaan. Ik moest er alleen even over nadenken. Ik vind het een prima idee. Laten we het op vriendschap houden.'

'Maar Connie dan?' riep Nina weer luidkeels, want Fays stem was aan het eind van haar zin overgegaan in een zwakke fluistering.

'Vond je dertig jaar niet genoeg?'

'Nee!' riep Nina. 'Ik wil nog een heleboel jaren meer. Je zakt weer weg.'

'Ik praat zachtjes,' fluisterde Fay, en ze klonk ontstemd. 'Ik geloof dat een van die testosteronmannetjes me in de gaten heeft en ik begin me wat ongemakkelijk te voelen.'

'Hoezo?'

'Ik heb geen badpak aan.'

Nina begon te lachen. Het idee dat die precieze, goedgeorganiseerde Fay betrapt werd zonder kleren aan was nauwelijks voorstelbaar. 'Vaarwel, oude vriendin.' Maar Fay was al weggelopen.

Nina stond op. 'Gus! Fay zwemt naakt in een openbaar zwembad. Denk je dat de geest van Connie over haar vaardig is geworden?'

Die gedachte was zo opwekkend dat ze niet bleef staan wachten op een antwoord, maar linea recta naar haar atelier liep, waar ze zag dat haar schildersdoek een mysterieuze gloed had gekregen.

Anne Karin Elstad – *Julie*

Meeslepend verhaal over een jonge vrouw
op zoek naar een onafhankelijk leven

Noorwegen, 1918. De 17-jarige Julie kan haar geluk niet op wanneer ze als winkelbediende bij de familie Fuglevik kan gaan werken; ze is nu onafhankelijk en weg uit het benauwende huis van haar ouders.

Maar dan overlijdt Julies zus Synna aan de Spaanse griep en moet Julie noodgedwongen terugkeren naar het platteland om haar ouders te helpen. Al haar dromen over een onafhankelijk, stads leven spatten uiteen. Bovendien kan Julie in de ogen van haar ouders op geen enkel vlak tippen aan de overleden Synna. Maar Synna had ook haar geheimen, geheimen die zij alleen deelde met Julie en waar hun moeder nooit achter mag komen. Dan komt er een ommekeer in Julies leven. Ze ontmoet de man van haar dromen en het jonge paar besluit al snel te trouwen. Maar heeft Julie wel de goede keuze gemaakt?

De pers:
'Met de roman *Julie* bevestigt Elstad haar meesterschap in de vertelkunst.'
Aftenposten

'Met *Julie* levert Elstad wederom een sterk staaltje literatuur.' *Nordlys*

Anne Karin Elstad (1938) is een van de meest geliefde en gelezen schrijfsters in Noorwegen, waar haar romans in enorme aantallen verkocht worden. *Julie* is het eerste deel van de *Julie*-trilogie.

ISBN 90 5695 161 0
256 pagina's
Gebonden, € 20